£1.99
c8
5
G000096816

DEVI

suivi de

Quai des Indes

Irène Frain est née le 22 mai 1950 à Lorient. Elle poursuit des études de lettres classiques à la Sorbonne et devient à vingt-deux ans l'une des plus jeunes agrégées de France. Littéraire formée à l'école de la nouvelle histoire elle enseigne les lettres classiques en lycée et en université, entame une thèse de littérature latine, puis s'intéresse au passé de sa province d'origine, la Bretagne. De ses recherches naît un premier livre, Quand les Bretons peuplaient les mers *(Fayard, 1979). Cet ouvrage historique est suivi d'un recueil de contes de marins,* Contes du cheval bleu les jours de grand vent *(Jean Picollec, 1980).*
Après un voyage en Inde, elle se lance dans l'écriture romanesque avec Le Nabab *(Éditions Jean-Claude Lattès, Prix des maisons de la presse 1982). Le succès international de cet ouvrage l'engage à poursuivre cette carrière romanesque. Deux autres romans suivent, toujours aux Éditions Jean-Claude Lattès :* Modern Style *(1984),* Désirs *(1986). Après quinze ans d'enseignement en lycée et université, elle décide de se consacrer entièrement à la littérature. En 1989 paraît* Secret de famille *(Prix RTL Grand Public),* Histoire de Lou *(Éditions Ramsay, 1990),* La Guirlande de Julie *(Éditions Robert Laffont, 1991) et* Devi *(Éditions Fayard/Jean-Claude Lattès, 1993).*
Irène Frain collabore à Paris Match.

Devi *(Déesse)* est le nom d'une femme-bandit qui terrorisa l'Inde entre 1981 et 1983, après s'être vengée d'un viol collectif et du meurtre de son amant. Des milliers de réprouvés l'adorèrent à l'égal d'une divinité. Pourtant, jusqu'à la fin de sa cavale, nul, en dehors de ses victimes, n'avait jamais vu son visage.
Voici le récit de sa vengeance, au fond des ravines où l'on boit, dit-on, l'esprit de révolte avec l'eau des rivières. L'histoire de Devi est celle d'un mythe vivant : rebelle à l'ordre multimillénaire qui régit le monde où elle vit, elle est devenue, à travers les rebondissements de sa prodigieuse épopée, le symbole de tous ceux qui réclament justice et se battent pour leur dignité.

Dans le Livre de Poche :

IRÈNE FRAIN

Devi

RÉCIT

Postface « Quai des Indes »

FAYARD / LATTÈS

© 1992, Librairie Arthème Fayard / Éditions Jean-Claude
Lattès / Éditions Maren Sell, pour *Devi*.
© Librairie Arthème Fayard, 1993, pour la postface *Quai des
Indes*.

Pour François,
Pour Catherine et André,
et pour Marie

« Je me contente de sympathiser avec le commun des mortels, où qu'ils vivent, dans des maisons ou sous des tentes, dans le brouillard ou dans les forêts, derrière la ligne sombre des lugubres manguiers... Leurs cœurs, comme les nôtres, doivent supporter la charge des dons du ciel : la malédiction des faits et la bénédiction des illusions, l'amertume de notre sagesse et la trompeuse consolation de notre folie. »

Joseph Conrad

AVERTISSEMENT

Le récit qui suit est une version, après mille autres, d'une histoire véridique, celle de Phoolan Devi, jeune femme bandit qui, deux années durant, terrorisa l'Inde après s'être vengée de plusieurs viols et de la mort de son amant.

Le jour même où se termina son aventure, le 12 février 1983, un magazine français me demanda de la relater. Je connaissais un peu la région où s'était déroulé ce fait divers, un pays sauvage, inhospitalier, de gorges et de ravines. Mais j'ignorais presque tout de la personnalité et de la vie de la jeune pasionaria. Pour les reconstituer, je me servis de quelques articles de la presse indienne. Leurs innombrables contradictions me sautèrent aussitôt aux yeux. Je m'en arrangeai tant bien que mal; mais quand, par la suite, à diverses reprises, on me proposa de développer cet embryon de biographie sous forme de scénario, de document ou de roman, je refusai tout net, me souvenant de l'incertitude des documents sur lesquels j'avais travaillé. Dans les grandes lignes, tout était vrai dans les épisodes de cette incroyable histoire; mais ses détails variaient sans cesse; et Dieu, comme chacun sait, se trouve dans les détails.

On me pressait donc souvent de l'écrire. Pareille insistance, émanant d'interlocuteurs qui ne se connaissaient pas, finit à la longue par me troubler. Le vieil Orient mythique qui a investi mon imaginaire depuis ma jeune enfance était-il donc si perceptible? Était-ce là mon karma, *une fatalité reçue avec ma naissance dans une ville précisément nommée Lorient, à quelques encablures à peine d'une longue promenade toujours nommée* quai des Indes*? En tout état de cause, le jour où l'éditeur Maren Sell, après d'autres, voulut me convaincre d'écrire sur Devi, l'Inde recommençait à me manquer au bout de sept ans d'éloignement volontaire. Pour une fois, je ne dis pas non. Mais je n'acceptai qu'à une seule condition : pouvoir mener l'enquête qui me permettrait enfin d'établir la vérité.*

Je repartis donc pour l'Inde. Je fis plusieurs voyages, retrouvai des témoins, collectai des articles, des récits, des rapports de police, des films, jusqu'à d'austères études sociologiques. Je dus chaque fois me rendre à la même évidence : il était impossible de déterminer une vérité objective sur cette extravagante affaire. Quand, par chance, les témoignages ne se contredisaient pas, ils ne se recoupaient jamais exactement; et les policiers qui avaient interrogé Devi étaient parfois les premiers à présenter les versions les plus opposées de sa foudroyante odyssée.

J'ai alors estimé que seule mon héroïne pouvait balayer toutes ces contradictions, et j'ai résolu, non sans naïveté, de la rencontrer. Si je suis arrivée à mes fins, je le dois vraisemblablement, plus encore qu'à ma bretonne obstination, à la compassion sans limites des dieux indiens – certains d'entre eux sont spécialement affectés à la protection des écrivains, espèce, on le sait, plus fragile qu'aucune autre. Depuis plusieurs années, Devi était détenue au secret à la prison de Gwalior. Seuls les membres de sa famille et son avocat pouvaient visiter cette femme pourtant connue de plusieurs centaines de millions d'Indiens qui racontent sa légende comme celle de la plus familière de leurs divinités. Je parvins néanmoins à la voir et à lui parler au terme d'une équipée hasardeuse et burlesque dont Maren Sell partagea avec moi les déconcertantes péripéties.

Devi était (et demeure) tragiquement menacée. Elle résuma sa situation en ces termes : « Si je sors, mes ennemis me tuent. Si je reste en prison, je meurs à petit feu. » Mais je dus aussi constater, à l'issue de cette entrevue, que si la version de Devi ne s'accordait pas avec les innombrables relations qu'on avait déjà données de ses aventures, elle ne rejoignait pas davantage les récits qu'elle en avait elle-même fournis soit devant les policiers, soit face aux journalistes du temps où elle était encore autorisée à les rencontrer. En d'autres termes, cette histoire était constamment réinventée, y compris par son héroïne. Tout le monde imaginait. Tout le monde y apportait son grain de sel et s'en délectait. Au sens propre, on y trouvait sans cesse à redire. L'histoire de Devi, depuis l'origine, était un imbroglio d'indiscutables réalités et de pures divagations. Une jungle d'inventions, d'omissions, de fables, de calomnies, de songes, de fantaisies où il était impossible, à près de dix ans de distance, de retrouver le droit chemin de l'objectivité. Des milliers de rêves avaient recouvert les événements. Le destin de Devi était devenu pareil aux palimpsestes du Moyen Age, ces manuscrits dont on grattait inlassablement les textes pour y tracer de nouvelles écritures; si bien qu'au sortir de la prison de Gwalior, je dus admettre que je me retrouvais en face d'une de ces inventions magistrales comme il y en eut beaucoup aux tout débuts du monde, et dont les hommes modernes commencent à perdre le secret alors même que, par un curieux paradoxe, ils n'en ont jamais été aussi friands. Ces immenses et fulgurants mensonges qui racontent des vérités, les Grecs, rarement à court de mots, les appelaient des mythes. *Une des grâces de l'Inde est d'encore savoir comment on les fabrique; car à l'évidence, celle que je venais de rencontrer était l'ultime avatar des Antigone, Judith ou Électre, droit sorties des temps premiers et qui continuent, au fond de nos imaginaires, à crier justice.*

Alors je compris que je ne pourrais jamais approcher Devi qu'en donnant à mon tour ma version de son aventure, mon propre arrangement avec la réalité. Un peu comme dans le Rashomon *de Kurosawa, chacun pourra y trouver sa version de l'affaire et tenter d'apercevoir, derrière la fragilité des faits et leur théâtre d'ombres, la vérité de l'être. Qu'on prenne donc ce texte comme une histoire parmi d'autres, un de ces récits qui ne cherchent qu'à aller se perdre dans la mer imaginaire où les Indiens d'autrefois situèrent la rencontre de la vie et de la littérature, « l'Océan où se jettent les rivières des contes ».*

I. F.
7 novembre 1992.

1

On n'est sûr de rien, dans cette histoire. Il n'y a que deux points sur lesquels on s'accorde : c'est arrivé sur le coup de midi, et la fille est venue par le chemin du fleuve. Presque tous les habitants du village étaient présents, même les deux instituteurs qui travaillaient d'habitude dans le bourg voisin, à six kilomètres, là où se trouvait aussi le poste de police. Ils étaient comme tout le monde, ils ne voulaient pas manquer la procession de mariage qui allait traverser la place, ils avaient demandé un congé. Donc à peu près tout le monde était là, en dehors d'une poignée d'impatients pasrtis à la rencontre du cortège ; et en attendant que la procession arrive, chacun vaquait à ses occupations, ce qui aurait pu faire croire à un jour ordinaire.

Le village aussi était comme tous les autres, impossible à distinguer des centaines de hameaux éparpillés le long du fleuve, avec les mêmes maisons à murs de terre et toit de chaume ; et les mêmes paons jacassaient à la croisée des rues, les mêmes chacals rôdaient à la lisière des champs. Le printemps commençait le fil de ses journées légères, seul moment de l'année où la lumière soit vierge de poussière, des heures où plus rien ne pèse, plus rien n'a d'épaisseur. Derrière les toits du village, au-delà des champs de blé et de fleurs de moutarde, les flancs déchiquetés des ravines pouvaient passer enfin pour une éphémère fantaisie prête à s'abîmer dans les eaux du fleuve, là où vont se perdre, depuis que le monde est monde, les chimères des vivants et les cendres des morts.

On pourrait, comme beaucoup l'ont fait, exagérer la tranquillité de ce 14 février, raconter que dans leurs petits champs enserrés par les gorges, les paysans de Behmai n'avaient jamais vu mûrir d'aussi riches moissons, jurer que leurs vaches n'avaient jamais donné autant de lait, et que le fleuve, en contrebas des falaises, n'avait jamais été aussi limpide – en réalité, il roule en toute saison des eaux turquoise un peu troubles. Les gens de Behmai, c'est sûr, étaient alors en paix ; ou plutôt ils s'acharnaient à se croire en paix, ils avaient tous choisi de s'aveugler. Quand ils se réjouissaient, comme ce jour-là, d'être un vrai village uni dans ses fêtes venues du fond des temps, ils savaient bien, en leur for intérieur, qu'ils se mentaient. Ce qui les enchaînait les uns aux autres, bien davantage que le reste, c'était un événement récent : les vingt-trois jours de plaisirs interdits, de joie sauvage – d'horreur, pour certains – qui avaient marqué la fin de la dernière mousson.

Ils étaient tous de mèche – sauf les enfants, peut-être ; et encore, ce n'est pas sûr, car ce furent eux, semble-t-il, qui parlèrent les premiers. Quoi qu'il en soit, selon la police, en ce 14 février 1981, sur le coup de midi (en tout cas, le soleil approchait du zénith), deux paysans de Behmai, occupés à garder leurs vaches au sommet d'une colline, virent une grosse troupe d'hommes remonter les ravines par le chemin du fleuve. Au pied des falaises, au bord de la plage, non loin du temple de la Déesse, des barques étaient amarrées. Les deux paysans se cachèrent aussitôt derrière l'un des innombrables pitons façonnés par les pluies dans la terre grumeleuse. Les hommes qui progressaient dans la gorge étaient vêtus de kaki. On avait peine à les dénombrer ; ce n'était qu'une masse indistincte, un troupeau noyé d'une brume poudreuse. Au bout de quelques instants, les deux paysans risquèrent une tête derrière le piton. Ils découvrirent alors, à une cinquantaine de mètres, un homme seul, armé, qui patrouillait en éclaireur. Il ne les a pas vus. Il s'est retourné vers le fond du ravin, a agité la main. Le groupe l'a aussitôt rejoint au pas de course. Depuis leur cachette, les deux paysans évaluèrent la troupe à une quarantaine d'hommes. Ils portaient des uniformes de policiers. Tous étaient armés.

En bas du monticule, juste en face des deux paysans, était creusé à flanc de ravin un oratoire de la Grande Déesse, comme il s'en trouve des centaines dans le labyrinthe des gorges. Dès qu'ils l'ont aperçu, les hommes en uniforme se sont agglutinés autour de la face noire aux yeux exorbités. Ils ont joint les mains devant leur front, ont balbutié des prières. C'est là que les deux paysans comprirent qu'il ne s'agissait pas d'une patrouille de policiers. Dans la Vallée, il n'y a guère qu'une sorte d'hommes pour s'incliner si pieusement devant la Déesse Noire : les hors-la-loi qui vivent dans les gorges.

Au village, il y avait deux frères, des jumeaux, qui avaient choisi cette vie-là. Les paysans ne les avaient jamais vus à l'œuvre; et malgré les événements qui s'étaient déroulés à la fin de la mousson, ils ne se résignèrent pas à l'idée que le temps était venu d'en payer le prix. Mais, après la prière, quand les hommes se mirent en ordre de marche et se dirigèrent droit sur le village, il fallut bien s'y résoudre : en tête de la colonne marchait une femme.

Comme ses compagnons, elle était vêtue d'un uniforme de police frappé de deux étoiles aux épaulettes et d'un petit badge de plastique sur la poche avant gauche. Elle s'était coiffée d'une casquette à grande visière et sur ses hanches étroites, telle une ceinture un peu lâche, ballottait une cartouchière. À l'épaule, à la manière des militaires, elle portait un fusil automatique. Enfin, dans sa main droite, elle serrait un mégaphone.

Les paysans remarquèrent aussi ses chaussures, des

bottes à fermeture éclair. Elles étaient neuves, exactement semblables à celles qu'ils avaient vues aux pieds des deux bandits du village. À ce que prétendaient les jumeaux, ces chaussures-là permettaient de courir dans les ravins aussi vite que les jeeps de la police, sans aucun souci des serpents. Les deux frères étaient plutôt vantards, on n'était pas forcé de les croire. En tout cas, personne ne portait jamais de bottes dans la région, en dehors des policiers et des bandits; et tout le monde assurait que c'étaient des chaussures qui valaient une fortune – au moins la dot d'une fiancée.

La fille marchait avec fierté. Elle avait les cheveux courts, tranchés net à hauteur des oreilles, comme les hommes qui l'entouraient, ce qui la confondait avec le reste de la troupe. Elle avait l'air décidée, et les deux paysans ne la reconnurent pas d'emblée. Mais, au moment précis où elle passait devant leur cache, elle leva la tête pour inspecter les hauteurs. Ils se recroquevillèrent sur-le-champ derrière le piton. Elle ne les vit pas. Eux, si; et c'est son regard qui la leur dénonça, ses yeux d'un noir intense, perçant, son air d'avoir vécu dix mille vies en une seule, et de ne pas encore en avoir eu assez.

Dès qu'ils l'ont reconnue, les deux hommes n'ont plus osé se parler. Ni l'un ni l'autre n'ont bougé d'un pouce lorsqu'ils l'ont vue prendre la direction du village; ni même quand elle s'est mise à courir, la première de la colonne, sa troupe sur ses talons. Ils sont restés terrés derrière leur monticule. Ce n'est qu'au moment où ils ont entendu les premiers coups de feu que le plus jeune a trouvé la force de souffler :

– C'est elle. Elle est revenue.

On tient la suite, pour l'essentiel, des vieux et des femmes. À quelques variantes près, ils ont tous fait le même récit : la fille en uniforme a déboulé la première sur la place du village ou sur ce qui en faisait office, un grand espace nu, en pente, laissé comme par hasard entre l'enchevêtrement des murs. C'est là qu'était le puits. La fille galopait si vite qu'on aurait dit qu'elle voulait gagner une course. Quand elle a atteint le puits, elle a tiré plusieurs coups en l'air, puis a sauté sur la margelle. Elle s'est redressée, elle a brandi un mégaphone; puis, jambes écartées, le fusil à hauteur des hanches, elle s'est mise en position de tir.

Les femmes ont compris les premières. Elles ont repoussé leurs réchauds, leurs marmites, elles ont caché leurs enfants dans les plis de leurs étoffes. Les hommes, eux, ont été pris de court. L'un a suspendu son bras au-dessus de la bûche qu'il était en train de fendre. Un autre, un coiffeur, en a laissé tomber son rasoir et est parti s'enfermer dans sa maison en poussant son client devant lui. Quant aux trois ouvriers qui réparaient le chaume d'un toit, ils se sont tout bonnement blottis entre les branchages de la charpente. En quelques instants, devant la femme au mégaphone, il n'est plus resté qu'un infirme allongé sur son lit d'osier tressé.

Il s'appelait Sohan. Il a tout vu, tout entendu, il n'en a pas perdu une miette. C'était une habitude, depuis qu'il était tombé d'un toit, cinq ans auparavant, et qu'il s'était rompu le dos. Il passait le plus clair de ses journées allongé sur son lit, à l'ombre d'un tamarinier, devant sa maison qui donnait sur la place. Il savait tout, car il voyait tout. Il en voyait peut-être même davantage que les autres : du jour où il n'avait plus perdu son temps en mouvements inutiles, il avait pris le pli de bien observer tout ce qu'il voyait et de réfléchir en même temps, de calculer, de supputer. Il avait d'ailleurs un talent assez rare, il imaginait juste. Lorsqu'il n'en savait pas assez sur quelque chose qu'il avait vu, il questionnait les uns et les autres, mine de rien, ou il se faisait déplacer dans le village par son jeune frère qui le prenait sur son dos et le transportait là où il voulait aller. Et, de son nouvel observatoire, il recommençait à écouter et à calculer. Il ne s'ouvrait à personne de la moindre de ses réflexions.

Ce jour-là, quand il a vu son frère disparaître

brusquement dans la maison et s'enfermer à clef sans même avoir le réflexe de le mettre à l'abri, Sohan a compris qu'il se préparait un événement singulier. Et lorsqu'il a reconnu la fille, debout sur la margelle, le fusil pointé, il a sans doute été le seul à prévoir la façon dont se terminerait cette journée. Car la dernière fois que la fille était venue, même s'il ne l'avait pas approchée, il avait bien vu tout ce qui s'était passé au village; et ce qu'il n'avait pas vu, il l'avait alors parfaitement imaginé. Du reste, comme si elle avait pénétré ses pensées par un pouvoir occulte, la fille a braqué sur lui son Mauser 303 – certains policiers assurent que c'était un pistolet-mitrailleur Sten, ce qui revient au même, en tout cas pour la suite. Elle a soulevé son mégaphone et hurlé à l'adresse de sa bande :

– Réunissez tous les hommes! Je les veux tous!

Elle avait la voix très haut placée – un détail que Sohan ignorait, comme tous les villageois. Derrière les portes verrouillées, personne n'a bougé. Des bandits ont escaladé les maisons, sauté sur les toits, ils se sont mis à fourrager dans le chaume. D'autres ont menacé l'invalide de leur fusil, puis l'ont injurié avant de lui réclamer ses clefs.

– Je ne suis qu'un infirme, a dit Sohan. Je n'ai pas de clefs.

Un bandit s'est détaché du groupe. Il est venu jusqu'à son lit, s'est penché au-dessus de lui, puis il a répété sa question. Sohan n'a pas répondu. L'homme l'a frappé à plusieurs reprises. L'infirme en a eu le souffle coupé, mais il a trouvé la force de répéter qu'il n'avait pas de clefs. Alors le bandit a enfoncé la porte qui se trouvait derrière le lit.

Sohan ne se souvient pas bien de ce qui a suivi. Il respirait avec difficulté, il a dû perdre conscience. Quand il est revenu à lui, plusieurs brigands l'encerclaient. L'un deux – un petit jeune assez fluet, qui faisait le faraud et n'arrêtait pas de jeter des coups d'œil à la fille, comme un gamin qui veut bien faire à l'école – l'a retourné sur son lit pour lui épingler dans le dos une grande feuille de papier; un autre, à côté de lui, beaucoup plus âgé, plus massif, plus solennel aussi, a ricané :

– Garde bien ce papelard. Nos noms sont dessus. Ne les oublie pas. Tu nous reverras.

Il semblait très fier de lui. Il portait de grandes moustaches huilées et parfumées. L'infirme a levé un œil vers le puits. La fille était toujours debout sur la margelle, le mégaphone à la main, jambes écartées. Elle s'est mise à crier des ordres, elle a commandé à ses hommes de se séparer en trois groupes. Ils se sont aussitôt exécutés, sans une hésitation, sans un moment de flottement, on aurait dit qu'ils suivaient un plan mille fois répété; et ce fut un spectacle plus incroyable que le reste, a raconté Sohan, que celui de ces hommes musclés, brutaux, parfois des colosses, qui obéissaient comme des animaux de foire à une fille aussi mince qu'un cobra. Tandis qu'ils se séparaient docilement, elle continuait de vociférer ses instructions du haut de la margelle. Elle chargea le premier groupe de piller les maisons, d'y rafler tout ce qu'on pouvait y trouver d'armes, de bijoux, d'ustensiles de cuisine. Le deuxième, elle l'envoya patrouiller sur le chemin du Nord. Quant au dernier, elle lui cria de débusquer tous les hommes cachés dans les maisons et de les rassembler sur la place, là, devant elle, face au puits.

– Amenez ces chiens, a-t-elle hurlé à plusieurs reprises.

Une à une, sous les coups de crosse, les coups de pied, les portes des maisons ont cédé. Certains bandits portaient des bottes à fermeture éclair, comme la fille; d'autres, de simples chaussures de tennis; ceux-ci, a remarqué Sohan, ne possédaient pas de fusil à répétition.

Les villageois n'ont pas résisté, ils ont encaissé tous les coups, ils n'ont pas non plus paru surpris quand les bandits les ont poussés vers le puits. Ils n'osaient pas regarder la fille en face, ils avaient déjà les yeux résignés à l'épouvante. Seuls trois ou quatre d'entre eux s'y sont risqués, mais à genoux, pour bredouiller un début de prière. La fille s'est redressée sur le bord du puits, elle les a mis en joue, puis elle a recommencé à grincer dans le mégaphone :

– Debout ! Si quelqu'un résiste ou me désobéit, il sera descendu comme un chien ! Chiens que vous êtes tous !

Sa voix est allée se perdre jusqu'aux falaises des premiers ravins, puis l'écho en est revenu – un son beaucoup plus grave, comme pour appeler le malheur sur la place.

Il était midi, le zénith qui fige dans leur beauté nue les gestes les plus ordinaires, l'homme qui nourrit sa vache, la femme penchée sur son réchaud. Mais, ce jour-là, midi pesait lourd sur les cours et les toits, sa lumière était un ravage, il aurait fallu ne plus voir, ne plus entendre. Depuis les maisons montaient des pleurs d'enfants, avec le fracas de coffres éventrés ; puis quelques plaintes étouffées, le crissement d'étoffes qu'on déchire. Enfin des souffles bruyants, des rires d'hommes, des injures, le frémissement de corps qui s'affaissent et se mêlent.

Les hommes de Behmai, au centre de la place, enfermés dans le cercle des fusils et des armes automatiques, pensaient tous au premier téléphone, à trois kilomètres de là, sur le chemin du Nord. Mais cette sente-là était gardée par les bandits, la fille venait de le proclamer. Au demeurant, personne ici ne savait se servir du téléphone, pas même les instituteurs qui prétendaient qu'il ne marchait jamais, ce qui était peut-être vrai. Les gens de Behmai pensaient aussi au poste de police, à trois kilomètres après le téléphone, toujours sur le chemin du Nord – mais qui pouvait le joindre ? Ils se souvenaient alors du cortège de mariage. Aux femmes en sari de fête, alourdies de tous leurs bijoux, qui allaient apparaître au bout de la route. Aux hommes joyeux et désarmés qui les accompagneraient. Aux petites filles qui les suivraient.

C'est sans doute pour la procession qu'elle est revenue, se sont dit les gens de Behmai. À cause du mariage. Ses hommes vont tendre une embuscade au cortège, ils vont piller les femmes, en violer quelques-unes, kidnapper les hommes. Demander des rançons, repartir comme ils sont venus. Ce sont des bandits comme les autres. La fille aussi.

Rien ne bougeait plus sur la place, sauf une vache qui déambulait sous la lumière blanche, entre les villageois et le groupe des gangsters. Elle s'est approchée du puits. Un bandit l'a écartée. Puis sont tombés de la bouche de la fille les mots que ne voulaient pas entendre les gens de Behmai :

– Où sont les jumeaux ?

Nul n'a répondu. Elle a répété sa question. Elle transpirait, ses doigts se crispaient sur le mégaphone.

– Amenez-moi ces chiens ! a-t-elle insisté.

Il n'y a pas eu davantage de réponse. Elle s'est mise à hurler :

– Fils de démons, vous croyez vraiment que vous allez vous en tirer comme ça ?

Un des gangsters s'est alors approché d'elle, un homme très grand, très maigre, avec la même démarche qu'elle, la même souplesse de jeune fauve. Il avait l'air très calme, presque doux. L'infirme, de son lit, a vu l'espoir se réveiller dans les yeux des villageois. Le bandit les a contemplés un moment, puis il a chuchoté des mots brefs à l'oreille de la fille. Elle s'est penchée vers lui pour l'écouter, elle a hoché la tête sans cesser de braquer son Mauser sur les paysans. Puis l'homme très maigre a lissé sa moustache et a lâché :

– Ce jour est celui de notre revanche !

Lui, il n'avait pas besoin de mégaphone, sa voix portait loin. La fille a voulu l'imiter, mais sa propre voix s'est enrouée quand elle a jeté pour la troisième fois, en tapant du pied sur la margelle comme un petite fille capricieuse :

– Je veux les jumeaux !

– On ne sait pas où ils sont..., ont gémi plusieurs villageois.

Elle a repris son mégaphone et a hurlé :

– Les thakurs d'un côté, le reste de l'autre !

Ces mots-là, Sohan les attendait depuis le début. Il l'avait toujours su, que la fille n'était pas thakur ; et, après les semaines de folie qui avaient suivi les pluies, l'an passé, quand l'idée l'avait effleuré qu'elle pourrait chercher à se venger, Sohan s'était dit qu'elle n'en aurait jamais le culot, d'abord parce qu'elle était une femme, mais surtout parce qu'elle était mallah. Même en remontant au plus profond des temps, on n'avait jamais vu des mallahs s'attaquer à des thakurs. De toute éternité, les thakurs avaient écrasé les mallahs, ils avaient toujours régné, commandé, dominé, alors que les mallahs étaient nés soumis. À preuve ce qui se passait à l'instant même : les quelques mallahs du village croyaient eux aussi leur dernière heure arrivée ; mais, au lieu de rester calmes, comme les thakurs, ils s'étaient mis à pleurer ; et le coiffeur Baburam était déjà à genoux, il demandait grâce entre deux sanglots.

– - Tais-toi, vieil imbécile, lui a jeté la femme. Cesse donc de pleurnicher !

Et elle a sauté de la margelle du puits, enfoncé la crosse de son Mauser sous le menton d'un prisonnier – un thakur, a noté Sohan. Puis elle a répété pour la quatrième fois :

– Fils de chien ! Vas-tu me dire enfin où sont les jumeaux ?

– Ils ne sont pas là, a marmonné l'homme. Je ne sais pas où ils sont. Que les dieux...

Elle ne l'a pas laissé finir, elle l'a frappé de la crosse de son Mauser, puis a empoigné un autre homme. Pendant une bonne demi-heure, elle est ainsi allée de thakur en thakur en les frappant de coups de crosse, de coups de pied, en reprenant sa litanie, assortie d'injures et de crachats : « Où sont les jumeaux ? Qui les loge ? Qui leur donne à manger ? » On lui bégayait chaque fois la même réponse, assortie de supplications : « Je ne sais pas, madame, il faut me croire, je ne sais rien d'eux, *madame*, je ne sais rien. » Car ils lui donnaient maintenant du madame, les gens de Behmai, tellement ils avaient peur, ils lui parlaient comme à une grande dame de la ville ; et elle, la fille, chaque fois qu'elle entendait *madame*, son regard devenait plus intense et plus noir, la découpe de son œil s'aiguisait, elle resserrait sa cartouchière sur ses hanches comme pour s'assurer de ses munitions ; et elle frappait.

À un moment, elle a été interrompue par le retour des bandits qu'elle avait envoyés piller les maisons. Ils poussaient devant eux quatre prisonniers supplémentaires, débusqués dans les greniers, sans doute, sous des tas de blé, car ils laissaient derrière eux un petit sillage de grains. Ce n'étaient pas des thakurs, nota immédiatement Sohan. Mais la femme poursuivait sans doute une nouvelle idée, car elle ne parut pas s'en apercevoir. Elle leur ordonna de se joindre au groupe de thakurs qu'elle questionnait, puis elle reprit son refrain : « Où sont les jumeaux ? » Et elle recommença à leur jeter des injures, à les bourrer de coups de crosse.

Enfin elle arriva devant le jeune Khrishna. C'était un garçon très frêle, à peine un homme, tout le monde se souvient de lui à Behmai, il avait l'air tellement fragile ; c'est à peine si on pouvait croire qu'il venait d'avoir un fils. Il a répondu comme les autres : « Je ne sais pas, je vous jure, madame, je ne sais pas où ils sont. » Dès que la fille a entendu le son de sa voix, elle a vu rouge, personne n'a compris ce qui lui prenait. C'était peut-être parce que Khrishna avait le même âge qu'elle, ou qu'il avait l'air plus chétif que les autres. En tout cas, elle l'a frappé au thorax, si fort qu'il est allé rouler dans la poussière, à demi évanoui. Puis elle s'est époumonée dans le mégaphone :

– Vous êtes tous des menteurs, des salauds de menteurs !

Et, d'un seul coup, elle a paru à bout de forces. Elle a baissé son mégaphone, essuyé la sueur qui lui coulait des tempes. À cet instant-là, quelque chose qui ressemblait à de la faiblesse a dû passer dans son regard, car un prisonnier a cru bon de marmonner :

– C'est elle qui ment. D'ailleurs, ce n'est qu'une pute !

La fille s'est aussitôt raidie. Elle a baissé les yeux – mais c'était peut-être le soleil. Quand elle a relevé les paupières, en tout cas, elle avait l'air très calme. Ou, plus exactement, sa rage était descendue à l'intérieur d'elle-même. Elle s'est mise à tourner autour du groupe d'hommes, à les regarder un à un, froidement, comme si elle voulait les compter. Elle a dû décrire ainsi autour d'eux trois ou quatre cercles, peut-être cinq, elle avait les sourcils froncés, l'air de réfléchir. Puis elle s'est subitement arrêtée devant l'un des prisonniers :

– Te voilà donc, a-t-elle lâché. Tu crois vraiment que tu peux recommencer à t'amuser avec moi ?

Elle ne lui a pas laissé le temps de répondre. Elle l'a saisi par les cheveux, elle l'a traîné vers le puits. On aurait dit qu'elle allait le battre, comme un villageois qui veut punir sa femme. Puis elle a reculé d'un pas et lui a jeté :

– Tu vas regretter de m'avoir désobéi.

Elle a encore reculé, elle a soulevé son Mauser. Elle a tiré un premier coup. Elle avait visé le genou droit, et c'est au genou droit qu'elle a frappé. L'homme a roulé dans la poussière. Entre deux cris de douleur, il la suppliait d'arrêter. Il l'appelait par son nom ; et chaque fois qu'il le répétait, ce nom, les gens de Behmai détournaient la tête.

Elle a eu un sourire. Personne ici ne l'avait jamais vue sourire, ni Sohan ni les autres ; et quand elle s'est penchée au-dessus du blessé, l'infirme a jugé qu'elle était assez belle, malgré son pantalon et sa chemise d'homme. Elle s'est lentement approchée de sa victime. Ses jambes, ses pieds cherchaient leur meilleure assise, elle faisait corps avec la terre, tout son corps était tendu vers d'invisibles dangers. Même victorieuse, elle restait un fauve aux aguets; et comme les bêtes de la jungle, elle examinait aussi sa proie par le menu. On n'aurait su dire si elle jubilait de la voir souffrir ou si elle voulait s'assurer qu'elle ne s'était point trompée.

D'après Sohan, c'est la seconde hypothèse qui est la bonne, car à deux reprises elle a appelé le blessé par son nom, Surendra. Celui-là, elle ne l'a pas questionné. Elle s'est contentée de l'injurier. Elle lui a jeté les pires insultes, de celles qu'on n'entend jamais dans la bouche des femmes. Elle n'en finissait plus. L'infirme a perdu patience, il s'est redressé sur son lit pour voir si les choses allaient enfin se décider à prendre le cours qu'il avait imaginé. La fille n'a rien vu, elle a continué à insulter le blessé.

Sohan a levé les yeux vers le soleil. La lumière commençait à baisser. Il s'est dit que toute cette affaire durait depuis beaucoup trop de temps. Le cortège de mariage n'arrivait pas, la police non plus; ces bandits-là devaient avoir en tête des choses bien bizarres, car leur manière habituelle, à ce qu'il en savait, c'était la foudre : une rapine sauvage, hâtive, quelques vols, quelques viols, deux ou trois kidnappings, et ils repartaient dans le labyrinthe des gorges. Aujourd'hui, tout était détraqué. Une trouble folie avait pris possession du village, une étrange démesure – peut-être la colère des dieux?

Il s'est encore passé un bon moment pendant lequel la fille a continué d'injurier le blessé qui se débattait dans son sang. Et, subitement, elle a paru lasse de ses invectives. Elle a répété par deux fois le nom de sa victime, «Surendra, Surendra...». On aurait dit une mère, à cet instant, une jeune femme couvant son enfant, prête à le bercer, à lui donner le sein; et, d'ailleurs, elle s'est mise à chantonner.

C'était un air de comédie musicale, une de ces chansons populaires entraînantes et acides, comme on en entend à la radio à longueur de journée. La mélodie était belle, mais les paroles barbares : « Est-ce que je te tue, est-ce que je te laisse en vie ? » Certains prisonniers les connaissaient, ils avaient dû voir le film au cinéma, car ils ont eu tout à coup l'œil vague, comme lorsqu'ils revenaient de la ville, fatigués et la bourse plate, pour s'être laissé appâter par le chaos peinturluré d'une affiche. Mais ils n'ont pas pu rêver longtemps. La femme a brutalement cessé de chanter, elle a visé une seconde fois, dans l'autre genou, cette fois, avec la même précision glaciale. L'homme s'est remis à hurler, à se rouler dans son sang. Et elle a recommencé à chanter.

Certains prétendent que, dans son allégresse, la fille a sauté sur un toit pour mieux narguer sa victime. Elle aurait esquissé des pas de danse avec son Mauser tressautant sur ses hanches. Ce détail est absent des rapports de police. Il a sans doute été inventé par les gens de la ville, quand la légende noire de Behmai s'est mise à enfler, telle une monstrueuse tumeur agrippée à un frêle point de vérité. Mais ce qui s'est passé vraiment là-bas, il faut le reconnaître, dépassait déjà l'imagination, surtout à ce moment-là, quand l'homme blessé s'est mis à ramper devant la fille. Elle ricanait, l'accablait d'injures. Il s'est à nouveau roulé dans la poussière. Ses bras ont fini par décrire des moulinets désarticulés, il criait des mots que renvoyait l'écho des falaises. Personne ne les comprenait, sauf peut-être la fille. Au bout d'un moment, sa voix s'est étouffée, il n'a plus su que gémir et râler ; et, pour finir, il a vomi.

Un villageois a alors pensé qu'il fallait raisonner la fille. Il y a mis les formes, il s'est adressé à elle d'une voix plaintive, il lui a dit *madame*, comme tout à l'heure : « S'il vous plaît, s'il vous plaît, madame, mettez fin à ses souffrances. » Elle a haussé les épaules, l'air de dire : « Et moi, est-ce que je n'ai pas assez souffert, est-ce qu'on a fini, moi, de me faire souffrir ? » Et elle s'est obstinée à contempler sa victime qui se débattait dans son sang. Puis, d'un seul coup, son sourire s'est figé. Elle lui a tiré un coup dans la tête. À la nuque ou en pleine face, les versions divergent. Mais tout le monde est d'accord pour dire qu'elle a tiré à bout portant et que Surendra est mort sur le coup.

Un prisonnier s'est évanoui, d'autres ont fondu en larmes, il y en a même eu un qui a été pris de vomissements. La fille a paru exaspérée. Son visage s'est allongé. Elle s'est retournée vers ses hommes et leur a lancé au mégaphone :

– Réunissez le butin. Emmenez les prisonniers. On redescend.

Un bandit a ranimé le prisonnier qui s'était évanoui. Il l'a remis sur pieds, comme le jeune Khrishna qui était toujours à terre. Puis il les a poussés avec les autres vers le chemin qui descend au fleuve. Ils étaient vingt-six, Sohan a eu le temps de les compter ; des jeunes et des vieux, des thakurs, mais aussi les quatre mallahs qu'elle avait ajoutés au groupe par mégarde.

Dès qu'ils ont entendu son ordre, les gangsters qui pillaient les maisons ont rejoint la bande, ployés sous des amas d'objets emballés dans des couvertures ou de grandes étoffes. Seuls les bandits qui gardaient le chemin du Nord sont restés à leur poste. Peu après leur départ, des femmes au sari déchiré ont risqué un œil à leur porte. Elles ont vu sur la place le corps recroquevillé de Surendra. Elles étaient à bout de plaintes et de larmes, elles n'ont su que pousser un long soupir, le souffle fataliste de ceux qui viennent de tout perdre. Elles se sont effondrées près du lit de Sohan où d'autres les ont rejointes en tirant leur voile sur leur visage. Elles n'ont pas eu la force de chasser le vautour qui commençait à tourner au-dessus du cadavre ensanglanté. Elles se sont serrées les unes contre les autres, encore tremblantes, pour regarder descendre au fleuve, au lieu du cortège de mariage, la troupe des villageois encadrés par les bandits.

Les hommes de Behmai s'enfonçaient dans les gorges

terreuses en grommelant le nom de Surendra comme une incantation funéraire, ou chuchotaient sans se regarder : « Qu'est-ce qu'ils vont faire de nous... ? » Le vautour attiré sur la place par le sang de Surendra les a remarqués, il a failli les suivre. Entre deux cercles au-dessus du puits, il ébauchait une course vers la boucle du chemin du fleuve qui tordait souplement son anneau au bas des falaises, comme un long reptile vert endormi au soleil.

La troupe a disparu. Du village, on n'a pas entendu l'ordre lancé par la femme dans son mégaphone, on n'a perçu qu'un vague appel répercuté par l'écho des gorges, suivi du claquement des coups de feu. Il y a eu des détonations très fortes et d'autres qui semblaient inoffensives, comme si on avait frappé deux morceaux de bois l'un contre l'autre. Peu après la fin des coups de feu, l'une des femmes est rentrée dans sa maison en se bouchant les oreilles, puis elle est revenue un peu plus tard s'asseoir près de Sohan. Elle serrait un nourrisson sur son sein et a murmuré : « Quelquefois, ils n'ont pas de cartouches dans leurs fusils. Ils tirent seulement pour faire peur. » Sohan a failli lui désigner le cadavre de Surendra, à deux pas du puits, mais il n'a pas osé, il a interrompu son geste et posé sa main sur la sienne. C'est à ce moment-là que les bandits sont revenus.

La fille marchait toujours en tête. Elle avait un visage fermé. Elle est passée devant le corps de Surendra, sans un regard. Elle s'est dirigée vers l'autre bout de la place. Le vautour qui tournoyait au-dessus du cadavre avait fait son choix, il descendait vers le fleuve. De tous les points de l'horizon, d'autres rapaces le rejoignaient.

– Tu vas me tuer, moi aussi ? a risqué Sohan quand la fille s'est arrêtée au pied de son lit.

Le regard de la fille n'était plus le même, l'eau de ses yeux n'était plus si noire. Un voile était tombé sur eux, qui commençait à les ternir ; sa voix non plus n'a pas sonné très clair, quand elle lui a rétorqué :

– Et moi, qu'est-ce qu'on m'a fait ? Dis-le-moi un peu, ce qu'on m'a fait…

Sohan n'a rien répondu. Elle a lâché alors une sorte de ricanement, puis elle lui a enfoncé dans les côtes la crosse de son Mauser ; mais c'était plus une bourrade qu'une vraie brutalité, comme un geste qui voulait dire : « On est du même bord, toi et moi, cesse donc de plaisanter. » Elle avait recouvré son air d'avoir vécu dix mille vies et d'en avoir encore dix mille devant elle, dix mille vies de vengeances qui n'auraient jamais assez de sel. Puis elle a marmonné une phrase qui a pris Sohan de court : « Ce n'est pas noble de tuer un infirme. »

Ce furent quelques mots rauques, ils avaient eu du mal à passer sa gorge. Elle a aussitôt tourné les talons. Elle est repartie par le chemin du fleuve, au pas de course, sa troupe tout autour d'elle, sa cartouchière dansant sur ses hanches étroites.

Noble, c'est bien le dernier mot que l'infirme s'attendait à lui entendre dire. Et les policiers aussi, quand il leur a fait son récit, toujours couché sur son lit, à l'endroit d'où il avait tout vu.

Tout, sauf le charnier entassé en bas, au bord de l'eau et sous lequel respiraient encore trois hommes hébétés, au moment où les policiers parvinrent enfin sur les lieux du massacre. Ils avaient été avertis par les deux paysans qui avaient vu la bande remonter du fleuve. À leur arrivée, ils étaient occupés à jouer au volley-ball sur le terrain qui jouxtait le poste de police. Ils n'ont pas voulu les croire, ils ont poursuivi leur partie, ils leur ont crié : « Fichez-nous la paix ! De toute façon, pour ce qu'il y a à voler chez vous… » Les paysans ont insisté, les policiers les ont menacés ; et ce n'est que deux heures plus tard, quand ils ont vu accourir les femmes en larmes, avec les enfants qui hurlaient dans leurs saris déchirés, qu'ils se sont enfin décidés à sauter dans leurs jeeps.

Eux aussi, les policiers, quand ils sont arrivés au bord du fleuve, se sont dit que, ce jour-là, quelque chose s'était détraqué. De mémoire d'homme, jamais on n'avait vu des mallahs se risquer à attaquer des thakurs. Quant à une femme chef de gang, on n'en avait connu que deux ou trois exemples, et encore, c'était loin, très loin dans le temps, à l'époque où les paysans ne mangeaient pas à leur faim. Enfin, avec ce monceau de corps, c'était l'un des plus grands massacres jamais enregistrés dans la Vallée des Hommes de Rien.

Après des jours et des jours d'interrogatoires, aucun témoin, pas même Sohan, ne put donner un signalement précis de la fille qui avait surgi à Behmai pour y répandre ces ruisseaux de sang. Aucun habitant n'expliqua non plus quelle vengeance elle était venue prendre dans ce village si commun, si semblable aux autres. Quand on leur lut le nom dont elle avait signé son forfait, sur le mot épinglé au dos de Sohan, ils jurèrent qu'ils ne le connaissaient pas. Et quand la police insista, le chef du village, échappé par miracle au carnage (il était de ceux qui étaient partis au-devant de la procession), justifia leur mutisme en déclarant que le nom en question était très courant dans la Vallée. Ce qui était vrai : rien qu'à Behmai, une vieille veuve portait le même nom. Il ajouta qu'il avait son idée sur le massacre. Elle était toute bête : les habitants avaient été victimes d'une cruauté gratuite. Et il conclut en disant que les policiers perdraient leur temps à les interroger : depuis le drame, ils avaient tous l'esprit plus ou moins dérangé.

Le jour suivant, presque au même moment que les plus hautes autorités policières de l'État, les journalistes furent sur les lieux du carnage. Ils obtinrent sans difficulté les informations qui, dès le lendemain matin, firent la une de tous les journaux de l'Inde. Un seul point les troubla : le nom de la fille. Devant le tas de cadavres amoncelé au bord du fleuve, ils n'arrivaient pas à trancher s'il était d'une fabuleuse opportunité romanesque ou, au contraire, monstrueusement déplacé. La meurtrière présumée s'appelait Déesse des Fleurs.

2

Elle tenait son nom, paraît-il, du moment de sa naissance, jour de la Fête des Fleurs. C'était en 1957 d'après les uns, d'autres disent 1961. Quant à elle, elle a toujours choisi son âge au gré des circonstances. Nul n'a jamais trouvé à y redire. Les registres d'état civil n'ont pas cours dans les ravins, et l'Inde estime la vérité au même rang que le mensonge : des phrases de convenance dans un monde d'illusions. En revanche, personne n'oserait changer un mot au récit de sa venue au monde, il est figé comme un texte sacré. C'était juste après les pluies, dit-on, en pleine nuit, à l'heure de Shiva, la troisième heure. Quand elle est née, il y a eu les deux cris rituels. Par le premier, celui du soulagement, sa mère a salué la fin de ses douleurs. Et l'autre, juste après, a annoncé au village qu'une autre peine commençait, dont ses parents n'étaient pas près de voir la fin : encore une fois, malgré leurs prières, la Déesse avait choisi de leur donner une fille.

On raconte aussi que la nuit était grosse d'orage et que la foudre est tombée sur les hauteurs des gorges, comme chaque fois que la terre s'apprête à accueillir un héros. Comment savoir ? Toute naissance est une source obscure ; et les hommes ressemblent aux fleuves dont les commencements sont souvent un mystère.

Ce qui est avéré, c'est que le père n'avait prévu que des noms de garçon. Depuis la naissance de Rukmini, sa fille aînée, il avait la tête alourdie par des rêves de fils, d'autant qu'il s'était marié sur le tard, vers la quarantaine – à croire qu'il avait épousé Moola après un veuvage, une première union stérile. On n'en a jamais parlé, c'était peut-être une première honte. On sait seulement qu'il avait toujours vécu dans l'ombre de son frère aîné Gurudayal, et dans la même maison que lui, avec sa belle-sœur et ses neveux. Gurudayal le méprisait. Son arrogance décupla avec la naissance de la seconde fille. Pendant quelques heures, Devidin fut persuadé qu'on lui avait jeté un sort.

C'était la fin du mois de septembre, la mousson avait été bonne. Comme chaque année, elle avait redessiné le labyrinthe des ravins, charriant vers le fleuve des monceaux de terre fertile; mais elle avait aussi gorgé d'eau les champs qui avaient résisté au déluge. Tout verdoyait; les maisons de Sheikhpur Gura étaient pleines de femmes réjouies. Pour remercier la Déesse du bienfait des averses, elles préparaient dans leurs corbeilles des pluies de pétales, tressaient des guirlandes, se drapaient dans leur sari le plus vif, oublieuses de leur lot journalier de peines, des maris indolents et jaloux, des thakurs qui habitaient sur la rive opposée du fleuve et qui les accablaient de quolibets lorsqu'elles le traversaient pour aller travailler les terres.

Le père de la nouveau-née finit par s'abandonner à la contagion de l'allégresse. Il chassa l'idée du mauvais sort; et lorsqu'il fallut trouver un nom pour sa fille, il alla au plus facile : puisque c'était la Fête des Fleurs, il la nomma Déesse des Fleurs. Et il détourna d'elle son visage fatigué.

Phoolan Devi fut donc, dès sa naissance, une petite fille de trop, comme il y en a des centaines de milliers dans les campagnes indiennes. Assez vite, du reste, on se contenta de l'appeler Devi – *Déesse* – et, dès que s'annonça un autre enfant, on la chassa du sein de sa mère. Elle y fut remplacée par une troisième fille, puis, un an plus tard, par le fils tant espéré. Suivirent encore deux filles. Devi ne se souvient pas qu'on se soit occupé d'elle.

Elle grandit loin des villes, sans même savoir qu'elles existaient, dans un hameau paisible où la vie et la mort étaient sans histoires. Dans leurs maisons accrochées aux falaises, les gens de Sheikhpur Gura respectaient aveuglément les innombrables règles qui verrouillaient leur univers. Ils se mariaient entre mallahs, s'amusaient et se disputaient entre eux, mangeaient en commun la viande et le curry des mallahs, fêtaient les dieux ensemble, partageaient la même terreur des thakurs qui, depuis l'autre rive, régentaient tout le pays. À Sheikhpur Gura, la fatalité elle-même obéissait à des lois familières, le malheur était prévisible, il n'arrivait jamais sans se faire annoncer. C'était un serpent en fuite à la droite d'un marcheur, l'ombre d'une veuve allongée trop près d'une maison tranquille. Si d'aventure un homme se cabrait contre la cruauté du destin, levait le poing, pris d'un coup de sang, dans le dos des thakurs, on l'apaisait d'un mot en lui montrant le ciel : « C'est l'ordre. C'est ainsi. Un jour peut-être, dans une autre vie… » Les mallahs étaient nés au plus bas de l'échelle des hommes, sortis des talons de l'universel Créateur, quand les autres étaient issus de sa bouche, de ses bras ou de ses hanches. Plus bas qu'eux, il n'y avait que les Intouchables, nés des ordures de la terre. La loi des castes leur avait dessiné une geôle étroite. Mais plus elle les enserrait, plus son réseau de règles les tenait au chaud ; et, en définitive, ils s'y trouvaient heureux.

Du plus loin qu'on se souvienne dans le village de Sheikhpur Gura, Devi n'a jamais montré de goût pour cet état de choses. On a toujours dit qu'elle était « sauvage ». Ceux qui ne l'aimaient guère ajoutent qu'elle était née rebelle, qu'il y avait en elle comme une force noire qui la poussait toujours à refuser le droit chemin. On chuchotait parfois qu'elle avait dû boire de l'eau à l'orée du village, là où commencent les gorges, dans une de ces fissures par où la Déesse du Chaos instille aux hommes le venin de ses démons. Au début, pourtant, il semble que Devi ait suivi le parcours ordinaire des petites filles des campagnes : à six ans, elle partageait avec son aînée

Rukmini la charge de veiller sur le reste de la marmaille lorsque sa mère était aux champs, et son père sur son bateau, entre les rives du fleuve, à faire passer les voyageurs. Mais, contrairement à Rukmini, avec le temps, elle se détourna des travaux domestiques. Chaque fois qu'elle devait aller chercher de l'eau au puits, elle regimbait. Seul son frère trouvait grâce à ses yeux. Pour lui, elle n'hésitait pas à soulever les jarres, acceptait de surveiller sur le feu la cuisson des galettes. Le reste du temps, elle avait la tête ailleurs. Elle commençait à tresser des paniers qu'elle ne finissait pas, écoutait à peine sa mère et sa tante quand elles voulaient lui apprendre à mélanger dans la marmite les sept épices du curry selon les règles transmises de mallah en mallah depuis le fond des âges. Elle ne cessait de se moquer de tout le monde, de ses sœurs, de ses amies, des voisines. Parfois des garçons, déjà, avec un rire bruyant, des mots si drôles qu'ils prenaient tout le monde de court, car Devi était hardie, elle allait droit à la faiblesse, au petit ridicule de chacun ; et, plus encore que son rire, on redoutait la lumière cruelle qu'elle avait au fond des yeux, un air de dérision qu'on voit seulement aux vieillards quand ils commencent à mépriser les leurres de l'espoir. Mais Devi ne prenait même pas plaisir aux boutades qu'elle lançait. À la première occasion, elle fuyait le village. Le plus souvent, elle descendait au fleuve.

Lorsqu'elle se remémore son enfance, c'est lui, avec ses eaux vert-bleu, qu'elle revoit toujours en premier. La maison de son père se trouvait tout en haut du village, en surplomb des falaises. Elle avait trois terrasses. Les premières s'étageaient du côté des ravines, la dernière, la plus haute, donnait sur la Vallée. Contrairement aux ragots colportés par les femmes, Devi était effrayée par le côté des gorges. De temps en temps, elle trouvait la force de s'en approcher, d'épier la route, le chemin plutôt, refaçonné chaque année par les pluies. Son père et son oncle parlaient parfois, avec des phrases graves, des villages et des villes où menait le sentier; et il arrivait aussi aux femmes d'entonner des complaintes à la gloire des hommes qui courent les ravines, battent son sol avide de sang et d'eau, boivent sans frémir à ses sources promptes à infuser dans les cœurs les forces des ténèbres, la Puissance du Serpent. Rien qu'à les écouter, Devi était parcourue de frissons. Aussi, son côté à elle, c'était ce qu'on voyait de la dernière terrasse, le versant lumineux du village, le côté des «eaux grandes», comme on nommait le fleuve.

De loin en loin, on l'emmenait s'y baigner; mais elle ne l'a vraiment connu que le jour où on lui a confié les bêtes. On lui a montré comment faire descendre la vache et les chèvres dans le lit du ruisseau qui coulait jusqu'en bas des falaises, entre les murailles de terre où s'accrochaient les maisons. Quand il n'était pas à sec, il dévalait en petites cascades jusqu'à un large confluent où il rencontrait l'immensité des eaux grandes. Il n'y avait pas encore de pont sur le fleuve qui déployait librement sa courbe. Les eaux grandes changeaient avec le ciel et le vent; si le temps était beau – plus de la moitié de l'année –, elles étaient limpides et tranquilles. Lorsque arrivaient les orages de la mousson, elles déroulaient dans la vallée de grosses boucles bourbeuses, brunies par les terres arrachées aux ravines. Elles montaient parfois si haut qu'elles recouvraient les degrés du temple proche du gué, envahissaient les cellules où étaient déposées les effigies des dieux. Les années de bonne mousson, elles ne refluaient pas avant plusieurs semaines et restaient à clapoter contre les statues, à ronger leur pierre noire. Par tous les temps, la barque de Devidin était amarrée à un arbre, un peu en arrière du sanctuaire. Au moment des pluies, les voyageurs se faisaient rares, mais il arrivait qu'un marchand pressé, un militaire en tournée d'inspection vînt à se présenter sur l'une ou l'autre des berges. Il faisait signe à Devidin qui attendait sous son arbre, assis au même endroit d'un bout à l'autre de l'an.

Il accueillait le voyageur en silence, avec ses gestes résignés et lents, son œil vide qui le faisait passer pour idiot. Il ne parlait jamais.

De la bande de verdure où elle faisait paître ses bêtes, Devi regardait la barque peiner dans les tourbillons, vaciller au milieu du fleuve, là où le lit était le plus profond. Comme son père, elle craignait pour les ballots des marchands, la valise des militaires. Bientôt elle ne voyait plus de Devidin que son gros turban blanc, sa silhouette cassée avant l'âge. Enfin la barque atteignait l'autre rive où, les jours de chance, attendait un autre voyageur.

Il y avait aussi les jours ardents qui précèdent la mousson, quand le fleuve s'étiole en longs filets d'acier, épuisés de courir entre les laisses de sable. On voyait parfois s'y risquer des caravanes de chameaux alourdis de femmes et d'enfants, de monceaux de balluchons colorés. Quand les nomades atteignaient l'autre rive, ils éclataient de rire, les femmes rajustaient leurs jupes éclaboussées et reprenaient en chantonnant leur place dans la caravane, leur bébé sur le dos, devant le chameau de leur homme. Leurs visages étaient creusés par les vents de poussière, mais les nomades étaient souriants, la prison de leur corps leur semblait une joie. Devi ignorait où ils allaient. Chaque fois qu'elle le demanda, on lui donna la même réponse : à un marché, très loin. D'autres jours où elle les vit prendre la route du Nord, on lui répondit : ils s'en vont vers les montagnes, là où les arbres touchent le ciel, là où jamais on ne transpire, là où vivent les dieux, là d'où viennent les eaux grandes. Et des bateliers ajoutèrent que la Déesse-Fleuve, une belle jeune femme chevauchant une tortue – la même que celles qui nageaient près du temple –, se dépêchait d'aller rejoindre la reine des rivières saintes, Ganga la belle, qui purifie les vivants et les morts.

Des années plus tard, Devi racontait ces légendes au mot près, avec délectation, sans y rien changer, ni un mot, ni la plus mince intonation. « On ne m'a rien appris », soupirait-elle pourtant lorsqu'elle parlait de ces journées d'enfance. En fait, elle voulait dire que dans la solitude de Sheikhpur Gura elle avait grandi sans rien connaître de la vie des villes qui rendit si redoutables, plus tard, certains de ses ennemis. Dans son village, elle découvrit le monde ainsi qu'à ses débuts, à travers des terreurs simples et des légendes colorées ; le reste, quand elle eut l'occasion de l'apprendre, elle le refusa.

Cette occasion, ce fut un étranger qui se risqua à monter au village. Il était couvert de poussière, il était venu à bicyclette, bravant les cahots du chemin. Il arrivait de la ville, prétendirent les femmes, car il portait chemise et pantalon. On l'avait vu venir de loin à cause des troupeaux de paons qui s'étaient mis à brailler, dérangés dans leur chasse aux cobras. L'homme montra des papiers au chef du village, rassembla sur la place tous les enfants de plus de six ans et les emmena pour la journée dans le hameau voisin où il les assit avec d'autres près d'une mare, sous un auvent de toile. Puis il distribua aux enfants une ardoise et une craie.

Devi fut la première à se sauver. Alors qu'elle ne l'avait parcouru qu'une seule fois, elle retrouva sans peine le chemin de Sheikhpur Gura. L'homme ne courut pas après elle, et ses parents ne cherchèrent pas à la punir. Ils dirent simplement que l'école n'apprenait rien qui pût faire une bonne épouse ; et d'ailleurs, pour leur fille aînée, qui n'avait jamais perdu son temps en barbouillages, ils venaient de trouver un mari.

Devi retourna sur-le-champ au bonheur des eaux grandes. Chaque matin, dès qu'elle arrivait au fleuve en poussant devant elle sa vache aux cornes peintes, l'étroit filet de règles qui enserrait le village se relâchait d'un coup. C'était l'enfance nue, le jeu, la liberté. Devi passait des heures dans l'eau à nager, à pêcher, interrompue seulement par les divagations d'une bête qui s'éloignait du pâturage. Elle en oubliait l'heure. Quand elle avait rempli son panier de poisson, alors que les autres enfants étaient déjà rentrés avec les dernières lavandières, elle restait à barboter sur les berges, à se rouler dans le sable du fleuve, blanc et piqué de mica, d'une finesse océanique. Elle ne remontait qu'au coucher du soleil, affrontait sans broncher toutes les réprimandes. On la frappait, on la privait de repas. Elle s'entêtait. Chaque soir, elle était la dernière à remonter.

Un matin d'hiver, avant de partir avec son troupeau, elle vit l'oncle Gurudayal quitter la maison aux trois terrasses en poussant devant lui son bétail. Il était suivi de sa femme et de ses fils. Ils copiaient maintenant ses manières arrogantes, redressaient la tête, jetaient des pierres au premier chacal qui croisait leur chemin. Gurudayal partit s'installer sur la place, dans une maison neuve qui avait coûté cher, tout près de celle du chef dont il était l'ami. Devi ne comprit pas grand-chose à ce départ. Elle se rappelle seulement que c'est à ce moment-là qu'elle a entendu revenir, dans les disputes de ses parents, le mot d'héritage.

À force d'écouter, elle a fini par entrevoir la raison de ces querelles. Son grand-père paternel était mort quelques années plus tôt. Gurudayal et Devidin avaient mis du temps avant de se mettre d'accord sur un partage de ses terres. Au dernier moment, à la ville, quand il avait fallu obtenir l'accord des hommes de loi, l'oncle Gurudayal s'était octroyé la plus grosse part, grâce à une paperasse qu'il avait brandie devant les tabellions, un vieux chiffon dont personne au village n'avait jamais entendu parler. Devidin, à son habitude, n'avait pipé mot. Le silence était depuis longtemps la forme qu'avait prise son destin, un consentement impassible à l'hostilité du sort. Quelques mois plus tard, quand il vit déboucher une colonne de camions sur la rive opposée du fleuve et y déposer tout le matériel nécessaire à la construction d'un pont, il demeura tout aussi muet. Il laissa les autres bateliers se répandre en imprécations contre ce béton diabolique qui ne résisterait jamais, maugréaient-ils, aux déluges de la mousson. Devidin les abandonna à leurs malédictions et se contenta de guéer les voyageurs jusqu'au dernier, aussi taciturne qu'à l'accoutumée. Le jour de l'inauguration, il vint voir comme tout le monde le cortège de voitures officielles arrivées de Delhi ; puis il reprit son bateau, rama jusqu'à sa minuscule terre, en plein pays thakur, les yeux plus ronds que jamais, replié sur ce que certains appelaient sa bêtise, qui n'était peut-être qu'une absence à la vie.

Devi se souvient qu'il avait les mêmes yeux vides, le matin où sa mère est venue la chercher près du fleuve en lui promettant une surprise. C'était au plus fort des chaleurs, peu après la naissance de sa cinquième sœur. Devi, comme d'habitude, pataugeait sur la berge, les cheveux en broussaille, vêtue d'une robe courte à demi déchirée. Elle n'a pas compris pourquoi sa mère a tenu à la laver, à la frotter d'huile parfumée, et même à la peigner. En remontant au village, une sourde peur l'a gagnée, elle n'a osé sourire qu'au moment où elle a vu une de ses tantes déposer devant elle la boîte de pâte à henné et lui tracer sur les mains et les pieds, comme à sa sœur Rukmini, quelques mois plus tôt, les dessins qui portent bonheur.

Le reste, dans sa mémoire, se perd dans un fatras de souvenirs flous. Il y a beaucoup de femmes autour d'elle, et des hommes par-derrière ; tout le village doit être là. Devi se raidit dans son sari, le premier qu'elle ait jamais porté, elle s'y sent encore maladroite. Elle entend résonner les cymbales et les conques, les enfants piaillent comme jamais, les hommes s'esclaffent, les vieux tendent l'oreille aux chansons des femmes. Le monde a pris la couleur des noces, le rouge de son voile rabattu sur ses yeux, celui de la poudre passée sur la raie qui sépare en deux sa chevelure un peu maigre ; le carmin de la marque qu'on lui a arrondie au milieu du front avant de lui percer le nez d'une grosse boucle de bronze ; le grenat de la pierre qui orne son diadème, la laque de ses premiers bracelets ; le vermillon qui cerne les yeux sombres de la Grande Déesse, sous l'oratoire de la place ; du vermillon encore à chaque extrémité de ses dix bras ; puis le turban écarlate de l'homme qui s'approche d'elle pour qu'on attache leurs vêtements ensemble – on lui a bien dit, pourtant, de ne pas le regarder en face. Enfin l'embrasement du feu autour duquel on leur demande de tourner sept fois, tandis qu'un vieillard grommelle des mots incompréhensibles.

C'est la première fois que ses parents la fêtent. Devi prend sans broncher le chemin qui s'éloigne du fleuve, la main agrippée au bras de l'homme au turban rouge.

3

Elle avait onze ans, lui trente et un. Tout avait été bon pour hâter le jour des noces. Le mariage réussi de l'aînée, Rukmini : à quatorze ans, elle venait d'être mère. Les poignets de Devi qui étaient encore frêles : ses bracelets d'épousée coûteraient moins cher. Les cadeaux que le fiancé proposait aux parents : une bicyclette, un lit, une génisse. Et le fiancé lui-même, Puttilal, déjà lié à leur famille par un précédent mariage. Il était veuf d'une cousine, il appartenait à une tranquille lignée de mallahs qui vivaient dans un village presque semblable, et de la même manière qu'eux, d'un peu de terre et d'un petit troupeau.

Parmi les raisons d'aller vite, il y eut aussi la manie de Devi, ces façons qu'elle avait de descendre au fleuve et d'y passer ses journées, seule et loin de tout. Si un malheur arrivait – le seul malheur qui puisse arriver à une fille, la mort ne comptait pas –, plus aucun homme ne voudrait d'elle. Pour une fois, son père voulut devancer la fatalité. Ignorait-il que les lois de Delhi interdisaient rigoureusement le mariage des enfants ? On serait venu le mettre en garde qu'il aurait opposé au sermonneur la force du silence, il en aurait fait à sa tête, comme tous les paysans des ravins pour qui la loi n'est qu'un frêle tarabiscotage d'encre, une fantaisie de cervelles étrangères, oublieuses de la souveraineté des paroles qui ont traversé les âges – quelques formules simples pour vivre et mourir sans rien déranger à l'ordre magistral établi par les dieux.

Il n'y avait pas à en sortir, et Devidin n'en sortit pas. Le marché qu'il proposa à Puttilal était conforme aux règles. Le fiancé l'accepta sur-le-champ, sans la moindre réserve : il épouserait Devi et l'emmènerait chez lui pour la présenter à sa nouvelle famille. Puis il la renverrait chez ses parents quelques jours plus tard, sans l'avoir touchée. Elle ne serait sienne qu'après trois ans, quand elle serait assez solide pour porter des enfants.

On n'était qu'à deux jours du mariage quand Puttilal revint voir Devidin. Il se plaignit d'être seul, il prétendit avoir besoin de compagnie ; seulement pour lui faire la cuisine, implora-t-il, simplement pour entretenir sa maison. Qui moudrait le millet du matin, qui irait chercher son eau ? Qui, sinon sa femme légitime, pouvait régner sur sa cuisine, le saint des saints de la maison ? Il rendrait Devi à son père chaque fois qu'il la réclamerait, pour les moissons par exemple, ou si sa mère tombait malade. Pour autant, il resterait fidèle à sa parole, il attendrait trois ans avant d'en faire vraiment sa femme.

Le père de Devi n'argumenta pas, ne chercha pas de garanties. Leur accord se fit dans l'instant, en silence, sur leur hâte commune. Ainsi se conclut, contre un lit, une génisse et une vieille bicyclette, la vente de Devi.

Ses parents la laissèrent partir sans peur ni regret. Elle aussi partit sans crainte. Elle s'en est allée comme pour un voyage, joyeuse, curieuse, pour savoir ce qu'il y avait au bout de la route, au-delà des premiers ravins.

Tout le temps qu'ils ont marché, Puttilal est resté silencieux. Le chemin a décrit plusieurs coudes entre les gorges, traversé des lits de rivières à sec. Ils ont croisé plusieurs petits sanctuaires de la Grande Déesse, tous semblables à ceux qu'elle connaissait. Puis la route a atteint une plaine dont elle n'a pas aimé l'odeur. C'est là que se trouvait Mahespur, le village de son mari. Sur la place, il lui a désigné une maison aux murs de terre, au même toit de chaume que chez ses parents, mais beaucoup plus petite. Le fleuve était loin, on ne le voyait même pas. Cependant, la maison avait une cour qui s'ouvrait sur la place, à deux pas d'une mare où s'ébattaient des enfants et des buffles.

Ce n'était pas la splendeur des eaux grandes, encore moins leur majesté sacrée ; mais c'était de l'eau, à tout prendre, de l'eau avec des enfants. Devi a changé de sari, puis elle a couru s'y jeter en lançant un grand rire. Ses bijoux de bronze plaqués comme une armure sur ses draperies mouillées, elle s'est roulée dans le vert des cressonnières, elle a affolé les buffles. Malgré l'entrave de ses plis, elle a soulevé vers les enfants de hautes gerbes d'eau ; et ils ont ri à leur tour, ils l'ont éclaboussée.

Elle s'apprêtait à leur répondre quand elle a senti qu'on la saisissait aux épaules. Elle a cru à un jeu, à un gamin qui s'était glissé dans son dos. Elle a recommencé à rire, elle s'est mise à battre l'eau en arrière, sans se retourner ; mais son geste a été bridé par l'étreinte qui se resserrait sur elle. Son rire s'est étranglé, elle s'est débattue, elle a donné des coups de reins, des coups de pied, elle a secoué la tête, elle a crié. Les bras ne l'ont lâchée qu'au moment où elle a atteint le bord de la mare. À l'instant où elle allait enfin pouvoir se retourner, elle a senti qu'on lui tirait les cheveux pour lui redresser la tête, si fort qu'elle a titubé, glissé dans la boue ; et quand elle s'est relevée, une petite femme maigre et loqueteuse se tenait devant elle, qui l'a saisie par la natte, puis lui a nasillé avec aigreur, avant de la pousser dans la maison de Puttilal : « C'est fini, maintenant. Tu es une femme. Tu dois t'occuper de ton mari. »

Voilà comment Devi fut prise à la nasse préparée pour elle depuis des semaines : le plus simplement du monde, comme les poissons qu'elle pêchait dans le fleuve. Avec le temps, elle ne sut plus s'il fallait en pleurer ou en rire ; mais elle ne cessa jamais de dire que si elle avait été avertie de ce qui l'attendait, elle ne l'aurait pas cru. Elle serait partie avec la même confiance vers son nouveau village, vers cet homme de vingt ans son aîné, si puissantes étaient déjà chez elle la soif de l'inconnu, la séduction des routes.

La suite, elle l'a vécue avec la gravité étrange des enfants, leur résignation de façade. Elle a maigri ; à force de chercher, à longueur de journée, le moyen d'échapper au piège, son regard noir s'est aiguisé. La femme qui l'avait poursuivie dans la mare ne la lâchait plus d'une semelle. C'était la mère de Puttilal. Devi ne se souvenait pas de l'avoir jamais vue. Mais le mirage de la liberté l'aveuglait, du temps où elle vivait chez ses parents ; en ce temps-là, elle ne remarquait personne. D'un seul coup, dans le soleil cru de Mahespur, il lui fallut regarder en face les gens et les choses, il n'y eut pas d'esquive, de dérobade possibles. Puttilal n'était pas un étranger venu lui faire fête et lui dévoiler les mystères des chemins, mais un villageois brutal qui se promenait comme une tour en marche, aussi replet que sa mère était maigre. « Il était important en taille, en poids, a raconté Devi ; il était important en tout. » Au premier repas qu'elle dut leur servir, domestique faussement attentionnée, encore maladroite dans la feinte, elle comprit qu'ils étaient vieux, lui et sa mère, usés par la sécheresse de leur vie, deux existences vidées depuis longtemps de la douceur des illusions. Et, dès le premier soir, quand Devi s'endormit dans son coin de terrasse, ses nuits perdirent aussi l'abandon de l'enfance.

Quand elle se remémore cette époque, elle prétend

qu'elle ne pleura jamais. Elle assure pourtant que son mari la frappa souvent, et que la femme maigre ne demeura pas en reste dans les coups. D'après elle, ils commencèrent à la battre dès le lendemain de son arrivée, lorsqu'elle demanda à Puttilal quand il la ramènerait chez son père. Ensuite, tous les prétextes furent bons.

Ils ne manquèrent pas, car même si Devi se pliait aux ordres, si elle allait puiser l'eau, cuisait dès l'aube les galettes et le curry, on voyait bien qu'elle renâclait ; et elle avoue elle-même que, les premiers jours, elle cabossa des marmites, jeta dans les légumes des incendies de piment dans l'espoir de décourager Puttilal de la garder. Devant les avalanches de coups, elle renonça. Elle courba l'échine, accepta le chemin tracé pour elle en se persuadant que c'était pour un temps. Elle recommença à guetter la route. Elle était certaine de voir un jour ou l'autre arriver son père.

La mousson se passa et il ne vint pas. Il n'avait plus l'excuse des chemins ennoyés, des falaises éboulées au hasard des averses. Devi s'habitua au piège où elle était prise, elle finit par copier à la perfection les manières des villageoises, leurs gestes toujours entravés par le fragile arrangement du sari. Elle portait désormais les jarres et les paniers sans jamais briser, à sa taille, l'harmonie des sept plis, elle ne courait plus, même quand le temps pressait. D'un bout à l'autre de la journée, elle désherbait les champs sans s'emmêler dans ses voiles, se penchait en silence sur cette terre qu'elle n'aimait pas, parce qu'elle était trop plate, trop légère, qu'elle n'avait pas la même odeur que chez elle. Elle apprit à ramasser la bouse de vache sans salir ses bracelets, à régler ses journées sur l'ordre du village, à ployer sans plier. Ce n'était pas très difficile : chaque heure avait une tâche assignée, chaque tâche un mouvement précis, de la main droite ou de la main gauche, selon qu'elle était pure ou impure. On en était quitte pour la fatigue, un accablement qui pesait de plus en plus à mesure que s'avançait la journée, jusqu'à l'anéantissement dans la nuit, avant un lendemain tout aussi pareil.

Sur la terrasse, Puttilal dormait dans son coin, elle dans le sien. Il ne l'approchait jamais, ne lui adressait la parole que pour lui donner des ordres ou pour se répandre en insultes quand elle avait fait une bêtise. Il arriva d'ailleurs qu'elle renversât du lait, noircît exprès un fond de casserole rien que pour s'assurer qu'il était toujours là, transpirant, haletant, la méchanceté bien vivace, encore aiguisée par son refus muet.

Les jours où il avait crié plus que de coutume, elle allait attendre le soir dans la cour. Elle regardait la nuit tomber comme elle aurait fixé un gouffre, terreur ou désir, nul n'aurait su dire. Alors les voisines venaient lui tenir compagnie. « C'est la vie, c'est l'ordre des choses, lui murmuraient-elles en berçant leurs nourrissons. Écoute-nous, ne rejette pas nos conseils, celui qui refuse un bon avis a vite fait d'être rongé du dedans comme s'il avait mangé des fruits verts. » Devi levait les yeux, se laissait aller à l'envie de les croire, et l'espoir avait bon goût ; mais elle se sentait faible, au fond d'elle-même, devant ces femmes alourdies de bracelets et d'enfants, douces et lentes, comme il convenait, le voile ramené sur la bouche à la première occasion, le sourire contraint, les yeux modestes, baisant les pieds de leur mari dès qu'il apparaissait. Même quand elles portaient haut, quand elles étaient belles et respectées, elles ne disaient jamais non à leurs hommes, elles étaient prêtes à redevenir, d'un moment à l'autre, effacées et serviles, à payer le prix de fautes qu'elles n'avaient pas commises. Si Devi, comme le lui avait enjoint sa belle-mère, acceptait maintenant de masser les pieds de Puttilal au retour des champs, si elle s'accoutumait à courber devant lui, quelque chose en elle continuait de s'y opposer, de se raidir ; et elle n'y pouvait rien. C'était comme une flamme noire au plus profond d'elle-même, un feu têtu qu'elle ne pouvait cacher, car il passait dans son regard. Au fil des jours, elle se mit à détester ces femmes, jeunes ou vieilles, qui lui serinaient chaque soir les mêmes antiennes : « Tout désirer, chagrin, tout accepter, grande joie. Allons donc, Devi, ne fais pas l'idiote, endure et attends, tu sais bien que c'est point après point que la laine se fait tapis. La douleur précède le savoir comme la pluie la récolte... » Parce qu'elles étaient elles-mêmes tombées dans le piège, elles venaient l'entourer de leurs bras pour qu'elle s'y trouvât heureuse, pour qu'elle en resserrât elle-même les rets et se condamnât toute seule à n'en plus jamais sortir ; et Devi finit par se dire que c'étaient des femmes comme elles, prisonnières joyeuses et consentantes, qui avaient jadis apposé sur les parois du temple, en contrebas de Sheikhpur Gura, leurs mains rougies des poudres sacrées, avant de se jeter dans le bûcher de leur mari, dans l'espérance de devenir déesse.

Elle finit par les fuir. Les jours de fête, elle restait en retrait, tressait ses guirlandes sans conviction, ébauchait seulement, au lieu de les dessiner, les frises de paons et de fleurs qui attirent sur les maisons toutes les joies du monde. Elle savait bien qu'elle était coupable, mais c'était plus fort qu'elle, elle aimait faillir à son devoir, elle adorait sa faute. Elle estimait qu'elle avait été dupée, que sa place n'était pas là, elle se retenait à peine de le crier à tous vents ; et elle aurait sûrement demandé justice si elle avait été dans son village. Mais Devi n'était pas seulement étrangère à Mahespur, aux prescriptions intangibles qui muselaient hommes et femmes derrière ses murs d'argile. En quelques semaines, elle était devenue étrangère à leurs espoirs, à leurs plaisirs ; à leurs révoltes, à leur bon droit ; aux jours de fêtes, aux décisions prises les jours d'assemblée, sous le grand figuier de la mare ; et surtout aux enfants de son âge qui s'ébrouaient dans l'eau. Si elle s'était vêtue de coton blanc, on aurait pu prendre Devi pour une veuve. Mais jamais les veuves n'avaient cette mâchoire durcie ; ni, dans le regard, la lumière sombre de ceux qui ne renoncent pas.

Dans la courette où elle regardait chaque soir s'épaissir la nuit, il ne resta bientôt à ses côtés que la nièce de Puttilal. Elle devait avoir un an de plus qu'elle, elle n'était pas encore mariée. Elle se nommait Moti, la variole l'avait défigurée, mais elle dansait à la perfection, les soirs où les femmes, dans les cours, saisissaient les tambours pour distraire les enfants. Devi était persuadée qu'elle aurait dansé mieux que Moti, elle enrageait que le mariage la privât de ce dernier bonheur : balancer les hanches, onduler des bras, comme naguère, sous les regards émoustillés des hommes du village. Le reste du temps, c'était Moti qui l'enviait. Elle courait derrière Devi où qu'elle allât, copiait le moindre de ses gestes, comme pour se préparer à son tour à ses devoirs de femme. Elles se retrouvaient souvent à la rivière, se baignaient ensemble, comparaient leurs corps en silence, sous le placage de la cotonnade humide. Dans leur hésitation entre femme et enfant, Devi s'étonnait souvent de les découvrir si voisins. Moti rêvait tout haut de son mari, elle lui dit un jour que ses noces ne tarderaient pas, car elle venait d'avoir, assurait-elle, son « premier sang ». Devi eut un regain de malice, elle s'amusa à la contredire, répliqua avec fierté qu'on pouvait très bien, comme elle, être mariée avant. Elle voulut même argumenter, lui répéta ce qu'elle avait entendu dire dans son village, que les maris attendaient toujours que le corps des filles fût prêt avant de chercher à les rendre mères.

Moti reçut la leçon avec une petite grimace hargneuse. Mais, le lendemain matin, elle offrit à Devi le seul cadeau qu'elle ait jamais reçu à Mahespur : un jeune coq nain. Devi lui tressa aussitôt une cage et la suspendit à sa façade. Pour une fois, Puttilal ne se mit pas en colère ; et, le jour suivant, quand Moti se proposa pour lui apporter son déjeuner aux champs à la place de Devi, il ne protesta pas davantage.

Avec l'arrivée du coq, Devi s'égaya, elle retrouva un peu de la grâce du jeu. Elle s'amusa à le nourrir, lui chuchota des chansonnettes, des confidences. Elle continuait de guetter, dans le moindre tourbillon de poussière, la silhouette cassée de son père. Mais, curieusement, comme le lui avaient promis ses voisines, plus les jours passaient, plus elle s'habituait à sa vie ; et plus grandissait sa peur de s'écarter du chemin tracé.

C'est à peu près à cette époque-là que la mère de Puttilal tomba malade. Ou, plus exactement, elle décida qu'elle était malade, car elle n'avait pas de fièvre et continuait, depuis son lit, à régenter les allées et venues de Devi avec sa précision acerbe. Moti n'approchait plus de la maison. L'hiver arrivait ; on ne dormait plus dans les cours ni sous les auvents. Un soir, la mère de Puttilal déclara qu'elle s'épuisait chez son fils, où elle n'était pas soignée comme il fallait, à cause de sa belle-fille qui n'était qu'une souillon.

Elle s'était levée pour crier ses invectives, elle s'était dressée au beau milieu de la cour pour qu'aucun villageois n'en perdît une miette. Devi ne dit mot, ne bougea pas de la maison. Elle était soulagée de la voir partir, même s'il allait faire moins chaud, le soir, dans la pièce qu'elle partageait, pour dormir, avec Puttilal et sa mère.

En hiver, le froid est vif à Mahespur, à cause des grands vents qui fatiguent la plaine. C'est par une de ces nuits glaciales que Devi s'est réveillée en sursaut. Une douleur inconnue l'avait transpercée. Elle a voulu crier, une main l'a bâillonnée. Elle était prisonnière d'une masse de chair, de graisse plus que de muscles, qui manqua de rompre le tressage du lit, puis finit par s'écraser sur elle avec l'inertie d'un cadavre.

Elle a tout de suite su que c'était Puttilal. Pas à son poids, à son odeur. C'était la même que celle du village, âcre et fielleuse, l'haleine d'une terre usée.

Le matin qui suivit, Devi est partie aux champs sans avoir moulu le grain. Le soleil se levait, elle portait sur elle tous ses bijoux. Au moment d'enfermer dans un ballot la cage de l'oiseau et ses quelques vêtements, elle a eu un mouvement malheureux, elle a heurté une marmite. Le vacarme a réveillé Puttilal. Il s'est redressé sur son lit. Elle n'a pas sursauté. D'une voix ferme qui se mariait mal avec son air d'enfance, elle a simplement laissé tomber :

– Tu n'avais pas le droit avant le premier sang.

Elle ne l'avait pas vouvoyé, contrairement aux usages. Quand Puttilal l'a vue se retourner dans le soleil levant, il n'a pas osé bouger. Ce n'était pas indifférence, ni même fatigue : il avait tout prévu, sauf cette force, chez une si jeune fille, la violence, déjà, d'une femme à histoires ; et il a fini par se demander si, en touchant son corps, il n'avait pas réveillé une de ces filles-serpents dont les vieux racontent qu'elles ne cessèrent jamais, malgré tous les conquérants, de gouverner le pays depuis leur royaume d'eaux cachées, à l'envers de la terre.

4

Curieusement, les années qui suivent sont des temps de faiblesse. Comme si une nécessité perverse avait voulu que Devi fléchisse, pour connaître en son entier le visage de l'injustice ; comme s'il avait fallu qu'elle sombre avant que ne jaillisse d'elle, plus ravageuse d'avoir été bafouée, la violence de la révolte. Mais Devi était aussi à l'âge où l'on grandit. Elle avait faim, elle ne cessait plus d'avoir faim.

Personne ne voulait d'elle. Dès qu'elle fut rentrée à Sheikhpur Gura, son père lui fit comprendre qu'elle ne passerait pas son seuil. Elle n'était pas dans la cour qu'il la somma de repartir chez son mari ; et comme elle restait là, les bras ballants, avec son sac où s'égosillait son coq, comme elle attendait le reflux de sa colère, il la gifla.

Elle s'assit dans la cour et n'en bougea plus. Elle dut subir alors, comme à Mahespur, la complainte harassante des femmes. Elles se donnèrent les répons pendant toute une journée. Sa mère reprenait la phrase qu'une voisine venait de finir, y ajoutait un argument de son cru, puis une tante, une cousine entonnait à son tour la litanie de la résignation, l'éternelle oraison des faibles : « Tu n'avais pas le droit de quitter ton mari, qu'importe sa conduite, le plaisir et la peine sont inscrits depuis toujours dans le corps des femmes. Retourne là-bas, ne sois pas pour ton père comme une épine dans l'œil. Un mari c'est un dieu, il faut l'aimer, quel qu'il soit, l'homme est la mesure de la femme, c'est grâce aux soins de son épouse qu'il peut espérer renaître dans une vie meilleure. Tu n'as pas le droit de l'abandonner, il faut manger son sel et lui être fidèle ; et puis, enfin, qui va te remplir le ventre, dis-le-nous, qui va te nourrir ?... » Et on lui désignait parfois, d'un geste vague, à l'autre bout de la cour, le lit, la génisse et la bicyclette offerts par Puttilal contre le prix de son corps.

« Tu es une épine dans l'œil de ton malheureux père », répétèrent les femmes tout au long de ce premier jour ; et tard dans la nuit, dans tout le village, à l'abri des murs de terre, il y eut de grands conciliabules. Devi était un mauvais exemple, renchérissaient les paysans, elle ne respectait rien, ni les gens ni les choses. Qu'allait-on faire d'elle ? Les règles étaient les règles ; un mariage, ce n'était pas seulement deux enveloppes humaines attachées l'une à l'autre pour en engendrer de nouvelles. C'était le cœur du grand maillage de rites jeté sur le monde pour que chacun mange à sa faim. Mais Devi avait perdu toute valeur, et elle était encore trop jeune pour devenir la seconde épouse d'un autre homme : qui voudrait d'une gamine dont on n'était même pas sûr qu'elle puisse porter des enfants ? On ne pouvait plus l'échanger. On ne pouvait pas non plus la chasser, mais qui allait la nourrir ?

Le lendemain matin, à l'ombre du figuier sous lequel se réunissent les hommes chaque fois qu'il est question de la survie du village, ce fut le chef qui eut le dernier mot. Sa décision fut rapide : puisque son père ne pouvait pas nourrir Devi, ce devoir revenait à son oncle Gurudayal, riche de son héritage et des terres qu'il venait d'acheter avec le produit de ses dernières récoltes.

Pendant les discussions, Devi ne bougea pas de la maison de son père. Elle était toujours accroupie dans la cour ; depuis la veille, elle n'avait pas mangé. Elle apprit la décision de la bouche d'un vieillard. Sans même la regarder, il demanda à voir son père. Devidin n'avait pas voulu assister à l'assemblée, il était aux champs depuis le lever du soleil. Le vieillard s'adressa alors à sa mère. Il parla de Devi comme d'une génisse hargneuse, d'une chèvre rétive dont on ne sait plus que faire. Sa mère approuva. Quand Devi comprit qu'elle allait désormais vivre chez Gurudayal, elle ne protesta pas. En somme, elle se comporta elle-même en animal. Il faut dire qu'elle mourait de faim.

Trois mois durant, elle subit donc chez son oncle la même vie que chez Puttilal. Elle monnaya son plat de riz contre les corvées de la maison et les travaux des champs, elle finit par ne plus savoir si elle était nièce ou cousine, veuve, épouse ou esclave. Elle supporta tout pour sa place dans un coin de terrasse, pour son bol de légumes. Quand elle croisait ses parents, elle se jetait à leurs pieds. Ils restaient silencieux. Ils n'ignoraient rien du traitement que Gurudayal lui imposait pour prix du toit qu'il lui offrait ; et ils n'arrivaient pas à soutenir son regard, ses yeux trop brillants qui continuaient d'attendre. Car, malgré les quolibets de son oncle, les avanies sans nombre dont l'accablait son cousin Mayadin, le monde n'était pas encore trop vil pour Devi. Elle espérait – nul n'aurait su dire quoi.

Cela éclata au grand jour le matin où Puttilal fit irruption au village. Il savait qu'elle vivait chez

Gurudayal. Il arriva à l'aube, au moment où les femmes préparent les galettes. De son air faraud, il lança à la cantonade que son mariage avec Devi était une escroquerie et qu'il venait réclamer sa bicyclette, sa génisse et son lit. Devi, la première, reconnut sa voix. Elle quitta le foyer, oublia ses galettes, courut à lui, lui baisa les pieds, s'écria : « Emmène-moi ! » Il la repoussa d'un coup de genou. Elle le poursuivit. Quand elle réussit à le rejoindre, il était déjà devant la maison de son père, il réclamait son dû, le verbe haut, le visage bouffi d'arrogance. Il y eut des mots, Devi n'osa s'approcher. Elle se tapit à l'angle d'un mur, et c'est de là qu'elle entendit la nouvelle : Moti était enceinte de Puttilal, il allait l'épouser.

À cette époque, Devi n'était pas assez forte pour réclamer justice, son esprit comme son corps demeurait incertain, elle croyait encore au refuge. Elle s'abandonna aussitôt à son désarroi d'enfant, elle supplia Puttilal de la reprendre, de l'abriter, elle jura qu'elle accepterait tout pourvu qu'il la gardât dans son rang de première épouse et qu'il laissât à son père la génisse, la bicyclette et le lit. Elle implora, s'abaissa. Elle a même pleuré. À la face du village, elle lui a tout promis, elle s'est faite toute petite, plus fragile qu'elle n'était ; et peut-être aussi, sur le chemin de Mahespur, lui a-t-elle cédé son corps, de son plein gré.

Ensuite elle a tenu parole, elle a tout accepté : le dédain des voisines, les sous-entendus graveleux des paysans, la hargne narquoise de Moti qui arborait à tout propos son ventre gonflé ; et les sarcasmes de sa belle-mère qui ne se cachait plus d'avoir jeté Moti dans les bras de son fils, le jour où elle avait jugé que son mariage avec Devi était une mauvaise affaire. Quant à Puttilal, il ne se lassait pas d'observer les batailles qui déchiraient son petit harem, il s'amusait du premier mot un peu aigre. Même si la perdante était désignée d'avance, il pouvait distiller à son gré l'espoir et la détresse ; et Moti l'y aida grandement, avec les deux fils qu'elle eut coup sur coup.

Devi restait stérile. Pour une autre, on aurait dit que c'était l'âge, que les filles ne sont vraiment faites qu'à quatorze, quinze ans. Pour Devi, il n'y eut pas d'excuse : derrière elle se profilait toujours la silhouette de la petite Moti, déjà affaissée sous le poids de ses nourrissons. Devi avait du mal à cacher sa rage ; et Puttilal en profitait pour l'attirer près de lui. Cela se passait le plus souvent dans la campagne, car Moti lui avait interdit l'accès de la chambre commune. Il la poussait contre un tronc, à la lisière des champs, s'amusait, tandis qu'il la prenait, à lui chuchoter qu'un serpent allait tomber de l'arbre. Il aimait la voir se débattre, faire durer la peur et le plaisir. Ou bien c'était tout le contraire, il l'emmenait au bout de la plaine, à l'orée des ravins ; il la plaquait dans une fissure, traversait son corps rapidement, en silence, avant de la repousser d'un revers de main. Au retour, c'étaient ces soirs-là qu'il choisissait pour la battre.

À nouveau Devi s'est sauvée ; et il fallut deux ou trois de ces fugues avant qu'elle ne comprît qu'elle était prisonnière d'une fatalité que rien ne pouvait rompre. C'était chaque fois le même enchaînement : elle s'enfuyait, prenait la route de son village, courait chez son père qui lui claquait la porte au nez. Les femmes venaient alors l'abrutir de leurs sermons, la rumeur refluait à l'intérieur des maisons et des cours, puis déferlait quelques heures plus tard sur la place du village, aux alentours des puits ; l'assemblée se réunissait sous le figuier sacré, on décidait de la renvoyer chez son oncle ; Devi pleurait, suppliait chaque fois plus fort ; et le piège, une fois de plus, se refermait. La règle du jeu demeurait immuable. Ce qui changeait, c'est que Devi, avec le temps, avait davantage envie de vivre ; et de plus en plus faim.

Elle n'entendait même plus ce qui se murmurait dans les courettes quand on la voyait passer, la tête haute et le regard noir, comme prête à dévorer la terre. « Elle est encore revenue, disaient les femmes, son mari l'a encore battue, c'est une mauvaise tête, d'ailleurs elle n'a pas d'enfant, et avez-vous vu comment elle regarde les hommes, maintenant qu'elle est femme ? Plutôt que d'aller se frotter à elle, il vaudrait mieux sucer le venin du cobra… »

Devi n'a jamais aimé qu'on lui rappelle ce temps-là. Sur cette époque, sa mémoire s'est brouillée, elle a fini par tout mélanger, le fil des dates et des années, les injures de Puttilal, les assauts de Mayadin, les insultes de son oncle, les sarcasmes de l'un, les coups de l'autre, les insinuations des femmes, les rires salaces de leurs maris. À plusieurs reprises, elle a affirmé que ses va-et-vient entre les deux villages ont duré sept ans – peut-être lui fallait-il un chiffre saint afin de bien montrer la nécessité de l'épreuve, de la transfigurer en moment sacré, scellé par une volonté divine, celle qui impose aux héros de toucher les abîmes avant d'aller se mesurer au ciel. Mais, d'autres fois, plus terre à terre – ou effrayée elle-même de ce qu'elle avait vécu si jeune –, elle a raccourci le temps de son enfer, elle a dit qu'il avait duré le temps de deux moussons. En fait, si l'on se fie aux rapports de police, il semble que ses allées et venues entre Sheikhpur Gura et Mahespur se soient étalées sur environ trois ans. Trois années pendant lesquelles elle s'est accoutumée à voir les injustices se recouvrir les unes les autres, indéfiniment, comme les boues d'un fleuve putride. Trois années où elle a fait le tour de la méchanceté ; et aussi de sa propre aigreur, car elle ne fut pas en reste d'injures et de coups, elle se battit à plusieurs reprises avec Moti, et surtout avec son cousin Mayadin qui n'arrêtait plus de la provoquer. Contrairement aux autres, il ne l'accusait pas d'être sauvage, ni rebelle. Il se moquait de son jeune corps de femme, il lui répétait qu'elle était laide, avec ses hanches étroites, son teint sombre, son nez un peu camus qui évoquait les filles des montagnes. Ils se chamaillèrent par deux fois en pleine place du village. La seconde fois, Devi se releva avec le nez en sang ; mais elle avait eu le dessus.

Elle crut bon de s'en vanter. Elle cria à tous vents qu'elle pouvait avoir la force d'un homme, si elle le voulait, et qu'il ne faisait pas bon l'attaquer. Alors on a recommencé à murmurer qu'elle portait en elle l'esprit de la déesse Nirti, souveraine des fissures par où le mal se répand sur terre. La rumeur lui en est revenue, elle a pris peur. Une dernière fois, elle a tenté de se plier au réseau de règles tendu sur la campagne depuis la nuit des temps, tissu plus subtil qu'une mousseline, invisible à l'œil étranger.

Devi consentit au piège ; mais le piège ne voulut plus d'elle. Dans le village de son mari comme dans le sien, elle se heurta au même refus silencieux. C'étaient des riens, un recul imperceptible quand elle s'approchait d'un puits, une réticence indéfinissable dans le moindre salut. Elle avait beau faire, elle se retrouvait toujours à errer par les champs, les cheveux embrouillés, loqueteuse, le pas vague. Elle n'avait même pas la paisible résolution des gens résignés. Elle se retrouva seule ; et, dans les villages des ravines, solitude vaut mort.

C'est d'ailleurs ce que lui dit sa mère, un matin qu'elles se rencontrèrent au bord d'un chemin. Devi séjournait alors chez son oncle, elle allait sur ses quinze ans. Elle avait beaucoup grandi, elle était maigre à faire peur. C'était l'hiver, il faisait froid. Elle venait de commencer à désherber un coin de terre, mais la fatigue, au bout de quelques minutes, l'avait écrasée. Elle s'était appuyée contre un talus pour se reposer, le bras replié au-dessus de sa tête. Sa mère s'engageait sur le sentier du puits ; quand elle l'aperçut, elle crut qu'elle pleurait. Elle s'approcha, l'attira dans ses bras, la berça comme un bébé. Devi se laissa faire ; mais quand sa mère entreprit une fois de plus de la raisonner, Devi la repoussa. Moola se raidit à son tour : « Si tu ne m'écoutes pas, il ne te reste que le puits. Le puits ou le poison. Tu dois te plier aux règles ou sortir du monde par les deux moyens que les dieux nous ont laissés, à nous les femmes. Je te le dis une fois pour toutes : le puits, ou bien le poison. »

Devi s'est redressée, n'a pas répondu. Elle a tourné le dos à sa mère, elle a recommencé à sarcler son champ. Moola a attendu un moment, puis s'est éloignée ; mais elle a continué à guetter sa fille. Quelques heures plus tard, quand elle l'a vue revenir au village, elle ne lui avait jamais connu un pas aussi ferme, en dépit des pots d'eau qu'elle portait sur sa tête. Elle ne ressemblait plus à une sauvageonne malingre et mal assurée. Droite et tranquille, elle avait vraiment l'air d'une femme.

C'est peut-être ce jour-là, en effet, que Devi a fini de grandir. En tout cas, quelques semaines plus tard, elle eut l'occasion de montrer qu'elle avait été rendue à sa vraie nature. Il n'y manquait que le prétexte. Ce fut la sécheresse.

La mousson n'avait pas été bonne. Il y avait eu quelques orages, juste de quoi rafraîchir l'air et reverdir les champs ; puis la terre était revenue dans son état d'avant les pluies : une pellicule striée de longues crevasses, les vergetures d'un ventre fatigué de la vie. Au village, l'oncle Gurudayal aurait dû être le dernier à s'inquiéter : au milieu des trente-huit arpents qu'il avait reçus en héritage se trouvait un grand puits. Des canaux d'irrigation avaient été creusés, qui conduisaient l'eau vers les champs des autres villageois, mais Gurudayal était le premier à se servir en eau. Par ces temps de disette, tous dépendaient de son bon vouloir.

Depuis le début de la sécheresse, cependant, il n'arrêtait plus de se tourmenter. Chaque soir, Devi l'entendait palabrer avec son fils Mayadin sur la terrasse aménagée au-dessus de la courette où elle dormait. Gurudayal cherchait le moyen de ne pas tarir le puits avant la prochaine mousson. Pour autant, il ne voulait pas perdre son prestige dans le village, ses dehors d'homme généreux – la seule considération qui le persuadait encore d'héberger sa nièce. Mayadin ne partageait pas les scrupules de son père. Il ne comprenait pas son embarras et lui faisait toujours la même réponse : « Dis-leur que le puits est à toi, mais dis-le-leur donc, fais-leur comprendre que c'est toi qui commandes ! » D'ordinaire, Gurudayal ne l'écoutait pas. Il continuait à dévider le fil de ses inquiétudes, échafaudait des plans à mi-voix, des projets absurdes qui se perdaient dans la nuit. Il imaginait de fermer en cachette les canaux d'irrigation, d'en renvoyer l'eau au puits par des mécanismes dont il pressentait l'aberration, mais qu'il ne pouvait s'empêcher de décrire à son fils. Si farfelues fussent-elles, ses conspirations achoppaient toujours sur le même obstacle : « Seulement, Mayadin, comment faire si mon blé verdit, et pas celui des autres ? Comment le leur expliquer, tu n'as pas une idée ? »

Un soir, Mayadin en eut assez. Il se moqua de lui, lui reprocha ses atermoiements. Gurudayal lui confia alors sa véritable appréhension : le chef du village savait que le champ au puits n'était pas à lui. Le jour du partage des terres avec Devidin, le papier qu'il avait produit à l'homme de loi était un faux. Le fonctionnaire s'en était douté. Mais, comme le chef s'était porté garant, il avait entériné les choses ; son frère, du reste, n'avait pas protesté.

Dans la courette où elle tressait un panier en attendant la nuit, Devi n'avait pas perdu un mot de ce qui s'était dit. Un mois plus tard, quand les hommes se sont réunis sous le figuier sacré pour parler de la sécheresse, elle a quitté la place des femmes, toujours accroupies à bonne distance, à se pencher sur leurs marmailles ou à balayer les cours. Elle s'est avancée sous l'arbre, elle a parlé.

Personne à Sheikhpur Gura ne se rappelle précisément les mots qu'elle a prononcés, le village est trop loin de tout, de l'exactitude des villes, de la mémoire ordinaire des hommes ; et, dans cette histoire de sang et de poussière, la légende depuis longtemps a tout recouvert de son riche limon. On se souvient seulement que Devi a pris la parole, seule et droite au milieu des hommes, et qu'elle n'avait pas l'air d'un démon, mais d'une simple fille des campagnes, une beauté villageoise qui n'avait pas froid aux yeux ni peur des mots. Elle parlait fort, et bien, en regardant les hommes en face, en affrontant sans crainte, malgré sa jeunesse, leurs visages détruits par le soleil et les douleurs de la terre. On l'écouta sans la comprendre, c'était l'effet de la surprise, de sa voix qui portait loin. Mais tous ont retenu ce qu'elle dit pour finir : qu'elle pouvait prouver que le champ au puits n'était pas à son oncle, que celui-ci n'était qu'un menteur et un voleur. Qu'elle soutiendrait son père, qu'elle défendrait tout le village contre Gurudayal et son fils. Qu'elle irait à la ville, s'il le fallait, pour faire valoir le droit. Et qu'elle n'avait plus peur de rien.

Rien qu'à la voir s'avancer à l'ombre sacrée du figuier, rien qu'à l'écouter s'animer à mesure qu'elle parlait – un souffle qui lui venait du ventre, qui gonflait sa jeune poitrine, allongeait son cou raidi par la ferveur –, les gens de Sheikhpur Gura furent convaincus qu'elle irait jusqu'au bout. « Les petits serpents aussi ont du venin », murmura un vieux qui s'asseyait toujours à la droite du chef; et, dès que Devi se fut tue, celui-ci remit au lendemain le débat sur la sécheresse; le temps, bredouilla-t-il, de retrouver les papiers qui parlaient du champ au puits.

Le soir même, en pleine place du village, alors que Devi revenait de la corvée d'eau, Mayadin l'accusa d'avoir couché avec le fils du chef. Elle passa devant lui d'un pas plus sûr que jamais, sans que les deux pots posés sur sa tête eussent vacillé un seul instant. Il se remit alors à vociférer : « Et mon petit frère aussi, tu l'as emmené dans les ravins ! Il n'a pas douze ans et je vous ai vus ensemble, j'ai des preuves ! C'est toi qui l'as cherché, je peux le prouver... »

Sur la place, personne ne bougea, nul ne dit un mot pour sa défense : si la chose était vraie, c'était le pire délit que pût commettre une femme, en dehors de l'assassinat de son mari. S'il était prouvé qu'elle était fausse, on ne pouvait aller plus loin dans l'insulte.

Alors Devi déposa ses deux pots sur le sol et se précipita sur Mayadin. Comme la dernière fois qu'elle s'était battue avec lui, elle réussit à le plaquer à terre, elle le frappa même à coups de chaussures, pour bien lui marquer qu'elle avait le pouvoir de faire rejaillir sur lui l'impureté dont il avait voulu la souiller. Mayadin courut se réfugier chez lui, elle resta seule face à l'attroupement qui s'était formé autour d'eux. Les villageois la fixaient d'un œil béant, personne ne s'effaçait pour la laisser passer. Puis le fils du chef jaillit du cercle et lui lança : « Tu étais plus tendre, quand tu as cherché à coucher avec moi ! » Il s'approcha d'elle, tenta une caresse. Elle brandit à nouveau ses chaussures. Il la renversa à terre dans l'instant. Elle mordit, elle griffa. Mais, cette fois, c'est elle qui fut battue.

C'en fut trop pour les hommes paisibles de Sheikhpur Gura. Le lendemain, le conseil se réunit à nouveau sous le figuier sacré ; et, en dépit des récoltes qui séchaient sur pied, le débat qui eut lieu ce jour-là ne concerna pas l'affaire du puits. Il ne fut question que de Devi.

Aussi loin qu'ils pouvaient remonter dans les annales de Sheikhpur Gura, les vieux du village se rappelaient quelques femmes adultères, quatre ou cinq folles qui avaient fini par se jeter dans un puits ou s'étaient évanouies dans les ravins, ce qui revenait au même, car on n'y survivait pas. Mais, une fille pareille qui s'accrochait à la vie, ils n'en avaient pas gardé mémoire.

Alors Gurudayal prit la parole. Il joua d'abord son rôle préféré, celui de l'oncle naïf et magnanime qui a nourri et abrité sous son toit un jeune monstre femelle. Puis il arrêta d'un seul coup ses jérémiades : il venait de se souvenir, dit-il, d'un très lointain cousin, un certain Ram, qui vivait très loin de là, à Tyoga, de l'autre côté du fleuve, en plein pays thakur. Il était certain qu'il ne ferait pas de difficulté pour héberger Devi. La suite, conclut-il, n'était plus de son ressort : « Allez savoir, avec une fille à histoires… »

Tout le monde se rangea à son avis. On résolut unanimement d'abandonner Devi à sa mauvaise étoile. On décréta qu'elle devait quitter le village. À son habitude, son père ne prit pas part aux discussions.

Le cousin inconnu habitait de l'autre côté du fleuve. Devi n'en demanda pas plus. Elle fit son ballot et, le jour même, traversa les eaux grandes.

5

Le village de Tyoga était bâti dans un site exceptionnel, à l'entrée d'un défilé. Les murailles de terre étranglaient le filet tortueux d'un ruisseau, puis s'ouvraient brusquement sur une petite plaine engraissée à chaque mousson par les tonnes de limon qui ruisselaient des ravins. Les gens de Tyoga étaient riches, c'est-à-dire moins pauvres que la plupart des pauvres. Ils le devaient à la large cuvette où les alluvions arrachées aux gorges s'entassaient au lieu d'aller se perdre, comme trop souvent, dans les eaux du fleuve. De mémoire d'homme, personne, pas même les thakurs, ne s'était risqué à leur disputer la propriété de leurs champs plantureux. On parlait d'eux avec une révérence ombrageuse, une sorte de résignation jalouse. Le regard entendu, le silence étaient de règle ; seuls les policiers se risquaient à murmurer que les hommes de Tyoga étaient « protégés ». Ce n'était pas une allusion à la bienveillance particulière d'un dieu, ni même aux sortilèges d'un puissant gourou. Ils désignaient ainsi un appui bien réel : depuis des années, des siècles peut-être, les gens de Tyoga achetaient leur tranquillité en abritant des bandits.

Bon an mal an, les greniers de Tyoga étaient presque toujours pleins. Mais la richesse du village se mesurait aussi à des objets inconnus ailleurs : des savonnettes rose vif, de l'huile capillaire en flacon de verre, des bouteilles Thermos, des illustrés remplis de photos d'acteurs, des bracelets en plastique, des montres, jusqu'à des magnétophones qu'à peu près personne ne savait faire marcher. C'étaient les cadeaux des bandits. À Tyoga, les maraudeurs des gorges étaient sûrs d'être toujours secourus. Même quand ils venaient de dépouiller des miséreux, les gens de Tyoga s'entêtaient à nier l'évidence, ils proclamaient que les hors-la-loi étaient des justiciers, qu'ils ne s'attaquaient qu'aux riches, qu'ils défendaient les pauvres. À l'aube, quand les femmes se levaient pour moudre le grain, elles tournaient les meules en chantant des airs qui racontaient leur légende. Elles modulaient avec fierté leurs noms terribles, elles rêvaient de leur offrir leurs galettes, elles se rappelaient, en pétrissant la pâte, quelques-uns de ces grands fauves surgis un soir à l'orée du défilé, ténébreux et fourbus dans leurs uniformes rougis par la poussière, l'index fouaillant les boucles de leur énorme moustache, seul trait qui les distinguât du commun des mortels.

Ils disaient rarement d'où ils venaient, où ils allaient. Du reste, en parler n'aurait servi à rien. Pour qui n'y a pas vécu, l'écheveau des gorges est inextricable. Les bandits peuvent débouler d'un village voisin, comme arriver d'une bourgade nichée à l'autre extrémité de la ceinture de ravines qui, sur plus de cinq cents kilomètres, barre le centre de l'Inde. En revanche, c'est toujours la même raison qui les conduit à affronter son maquis de fondrières. Un jour, on a volé leur femme, violé leur sœur, frappé leur frère, molesté leur mère. Ou bien ils ont craché à la figure d'un usurier, insulté un brahmane. On a même vu des cas où ils en étaient venus aux mains parce qu'un voisin avait retroussé sa moustache en pliant les doigts d'une façon qui ne leur plaisait pas. La haine a pu couver des mois, ou se déchaîner en explosion soudaine, imprévue de tous, y compris de celui que la colère a saisi. Il y a eu des moissons brûlées, des puits empoisonnés, enfin un mort. Avant même que les femmes n'aient jeté le premier cri du deuil, le meurtrier a tourné les talons. Il a couru droit vers les gorges, s'est enfoncé dans leur lacis de crevasses. Il a rejoint en silence le monde des hommes perdus.

À quand remonte l'enchaînement des vengeances, l'interminable maillage de vendettas qui enserre le pays des gorges ? Nul dans les villages n'en a gardé mémoire. Le plus souvent, les paysans incriminent l'eau du fleuve, grossi en amont des eaux de la Chambal, large rivière nourrie aux entrailles de la péninsule indienne. Ils disent qu'elle roule dans son lit les germes d'une violence première, celle des géants qui régnaient sur le monde à l'aube des jeunes temps. Aux sources de la Chambal, là où les Rois-Cobras veillent jalousement sur leurs mines secrètes de gemmes, se déroulèrent des guerres titanesques entre les géants et la déesse des armes qui se refusait à leur abandonner son arsenal. Il y eut des batailles à l'issue incertaine, de sinistres soirs de combat où vint rôder le désespoir. Dressée sur son tigre royal, la déesse aux dix bras finit par gagner la partie. Mais le sang liquoreux des monstres alla engraisser les rives de la Chambal, leur semence se dilua dans l'eau de la rivière ; et, depuis ce temps, elle s'est mêlée au sol des ravines où elle ne cesse plus de répandre ses miasmes.

« C'est ainsi depuis toujours », assurent les paysans, comme les policiers instruits dans les grandes villes, fiers de leurs diplômes et de leurs mitraillettes. Tous renchérissent avec le même fatalisme : « Il n'y a rien à faire, un jour ou l'autre le diable vient des ravins. » Personne ne décrit jamais la forme ni la couleur du démon, on sait seulement que, chaque année, il lui faut sa part de mâles. Les renégats s'acclimatent assez vite à ses lois inhumaines : courir tout le jour dans les lézardes de la terre, ne jamais dormir ailleurs que dans des trous, trouver chaque soir une nouvelle cache, attaquer à l'aube ou au crépuscule, voler, violer, couper des nez, kidnapper. Enfin signer leurs forfaits de lettres à l'adresse de la police, frappées de sceaux compliqués et inimitables qui les identifient à coup sûr et garantissent leur entrée dans la légende noire.

Car les lois communes des hommes s'arrêtent à la lisière des gorges, le cours de la vie ne s'y mesure plus en heures ni en jours. Il s'y ordonne selon des règles obscures, celles d'une course épuisante et ininterrompue – jusqu'à quarante kilomètres par jour – vers un rêve confus de rapine et de sang. Inlassablement, les bandits des ravins marchent vers la vengeance, sans avoir jamais leur content de meurtres, maigres et le pas léger, le dos toujours chargé du même paquetage : des bâches de plastique, un mince matelas, de bons couteaux, quelques bidons en aluminium, un fusil de contrebande, des sacs pour le butin. Rien ne les arrête, ni les embuscades de la police, ni l'effroyable canicule de mai-juin, pas même la mousson. Réfugiés au sommet des collines, ils s'enveloppent alors dans le linceul de leurs bâches, s'y laissent glisser dans un sommeil bref, traversé de mauvais rêves, haché par les averses. Quand le désespoir les prend, ils vont prier les seuls dieux admis sur les pentes des gorges, des figurines elles aussi abritées dans des terriers, vouées tout comme eux au versant ténébreux des choses, au venin et aux cendres, à l'irrésistible puissance du sang répandu.

L'Histoire elle-même s'arrête aux premières ornières des ravines. Les noms qui reviennent dans les chansons populaires sont ceux de gangsters abattus cinq ans plus tôt ou de malandrins foudroyés par le destin depuis un millénaire. La femme qui chante les exploits d'un bandit en tournant sa meule ignore si elle tresse des louanges à un étrangleur qui fit trembler les conquérants anglais ou à un rançonneur bien vivant qui s'attaque à des trains, dévalise des autobus, rêve de trafiquer, après les transistors, des pièces de scooters et des magnétoscopes. Quelques enquêteurs téméraires ont voulu braver ce maquis de contes et d'événements réels presque aussi insondable que l'enchevêtrement des ravins. Ils ont abouti à une conclusion simple et accablante : en mille ans, les gorges ont vu se succéder toutes les espèces de bandits qu'ait jamais pu, en des lieux divers, engendrer l'humanité. Comme si ce passage obligé des anciennes caravanes portait en lui la fatalité du crime. Dès le douzième siècle, les chroniqueurs des rajahs signalent les dangers de la Vallée. Ils affirment qu'elle est aux mains de coupe-jarrets redoutables entre tous et qu'il est vain de vouloir les combattre : « Une de ces canailles n'est pas tuée qu'il en jaillit dix pour la remplacer. » Trois siècles plus tard, quand les conquérants moghols tentèrent d'imposer leur loi à l'Inde, les princes hindous rebelles à l'islam n'hésitèrent pas à rejoindre la sombre fraternité des ravins. Ils se baptisèrent « Rebelles », « Libérateurs du peuple », « Combattants de la liberté », et se mêlèrent sans sourciller aux paysans, aux marchands ruinés que la même soif de revanche avait jetés dans les gorges. Chaque fois que le Moghol s'aventurait à menacer leur petit royaume brigand, ils s'unissaient à leurs voisins, non moins pilleurs et vide-goussets. Sitôt la menace écartée, ils tendaient à leurs alliés des embuscades sanglantes dans d'obscurs défilés dont ils se transmettaient les pièges de père en fils. Les traîtrises, l'anarchie épuisaient constamment les rangs de cette société du mal. Il lui resta pourtant toujours assez d'hommes pour imaginer, au fil des siècles, d'autres façons de semer la terreur sur le chemin des caravanes et des conquérants musulmans. Certains dressèrent des chevaux à affronter les précipices et les éblouis. Leurs hordes tombaient par surprise sur les villages qui venaient d'engranger leurs moissons, lâchaient sur les paysans des nuées de flèches, empalaient les enfants sous les yeux de leurs mères, violaient les femmes avant de les exécuter à leur manière ordinaire, froide et sereine, à peine colorée, les jours de grand carnage, d'une légère ivresse. Ils n'épargnaient que les filles à peine nubiles, non sans avoir vérifié leur virginité, puis les attachaient par grappes de deux ou trois derrière leur selle et les ramenaient derrière les murailles terreuses de leurs forts où ils les vendaient tranquillement à leurs hommes de peine, assis devant leurs proies sur la place du marché, après des palabres et des atermoiements sans fin.

Seuls les Anglais, au début du dix-neuvième siècle, parvinrent à les réduire. Il n'y fallut pas moins de vingt mille soldats. Mais, comme pour donner raison à la légende selon laquelle le sang d'un bandit en fait surgir dix autres du sol de la Vallée, les Étrangleurs infiltrèrent aussitôt le pays. Ils se prétendaient descendants de Xerxès. Au nom de cette ascendance plus qu'incertaine, ils inaugurèrent une forme nouvelle de cruauté, discrète et efficace, où il était difficile de distinguer le crime crapuleux du sacrifice humain. Les Thugs, comme les nommèrent les Anglais, repéraient leurs victimes avec soin – des voyageurs, le plus souvent, qui se laissaient prendre à leurs manières débonnaires. Ils les accompagnaient sur la route qui traversait les gorges ; à la première halte – toujours la nuit et toujours par surprise –, ils les étranglaient à l'aide d'un lacet rituel. Les victimes mouraient sans un cri. Les Thugs découpaient leurs cadavres d'une main rapide et artiste, avant de les ensevelir à plusieurs pieds sous terre. Alors seulement ils se partageaient le butin selon un protocole d'une précision mathématique où ils associaient les comptes et de longues complaintes à leurs dieux favoris, Kali et parfois Allah. Parce qu'ils étaient étrangleurs de père en fils, parce qu'ils parlaient entre eux une langue codée, se vantaient devant leurs juges de centaines de crimes, et couraient à la potence avec de grands éclats de rire, les Anglais crurent à une secte religieuse. Ils se firent fort de la détruire jusqu'au dernier de ses membres. À l'aube du vingtième siècle, en effet, on ne parlait plus des Thugs. Mais la maraude et l'assassinat continuaient de ravager la Vallée des Hommes Perdus. Il fallut alors se résigner à l'idée décourageante que les Étrangleurs n'étaient qu'une des branches de l'informe confédération de hors-la-loi engendrée par la nécessité, pour tous les voyageurs, de traverser le réseau des ravines.

Avec la profusion imaginative qui leur est coutumière, les Indiens continuèrent d'y décliner toutes les formes possibles de la violence. On pouvait croire, certaines années, que la Vallée allait se calmer à mesure que les bienfaits supposés de l'Occident gagnaient les villes les plus proches. À la première famine, tout reprenait de plus belle : les pillages, les vols d'enfants, les attaques de trains, les viols, les incendies, les mutilations, l'empoisonnement des voyageurs naïfs ou téméraires. Les policiers finirent par se jeter aux trousses des bandits comme ils seraient partis à la chasse au tigre. Au retour de leurs battues, ils alignaient les cadavres de gangsters devant leurs casernes et posaient avec un air suffisant devant un photographe. Les bandits, à leur tour, s'équipèrent de fusils. Les administrateurs anglais perdirent alors leur sang-froid. Les soirs d'abattement, ils noircissaient d'épais factums où ils décrivaient par le menu la vie dans la Vallée, dans un style hallucinatoire, bien dans le goût victorien, qui ajoutait encore au climat d'épouvante. La contagion de la terreur les conduisait à tout mélanger, ils voyaient dans la moindre embuscade les prémisses d'un soulèvement général. À les en croire, le centre de l'Inde était un ventre putride et grouillant d'une vermine indélogeable, d'où surgiraient tôt ou tard les vengeurs qui détruiraient l'Empire. Il est vrai que le premier assaut contre la puissance britannique, la révolte des Cipayes, avait éclaté à quelques miles des gorges. De là, elle avait gagné le reste de l'Inde ; et c'était au sud de la « Ceinture du Crime » que s'était levée la figure la plus farouche de la sédition, une femme, la féroce Rani de Jhansi, qui n'avait pas craint, sabre au clair et chevelure au vent, de charger à cheval l'occupant anglais.

L'Histoire, comme on sait, prit un chemin inattendu avec la croisade non-violente du Mahatma Gandhi. Mais celle-ci s'arrêta aux premiers précipices des gorges, comme si la sauvagerie native du pays empêchait d'emblée tout essai d'instaurer entre les hommes d'autres façons de vivre ensemble. L'Indépendance ne changea rien à la vie des hors-la-loi, sauf sur un point : ils ravagèrent désormais le pays à l'arme automatique. Par des voies demeurées obscures, les mitraillettes et les fusils à répétition leur parvinrent de tous les champs de bataille où Anglais, Japonais, Indiens, Chinois, Pakistanais s'étaient affrontés pendant et après la Seconde Guerre mondiale. Après l'antique Henry Express à douze coups, le Mauser 430 et l'Enfield 403 firent leur entrée dans les ravins, suivis des carabines Springfield et de la mitraillette Thompson. Effarés par les carnages d'un nouveau genre qu'elles répandirent dans les États voisins des gorges, les gouvernants proposèrent aux bandits un marché inédit : contre leur reddition, ils leur offraient la vie sauve. Des gangsters notoires, fatigués de courir la Vallée, se laissèrent tenter par le marché et déposèrent solennellement les armes sous les acclamations de milliers d'admirateurs. La beauté du geste parut dérisoire à la plupart des bandits au regard des plaisirs de leur métier. Ils préférèrent rester dans la Vallée, errer le long de ses crevasses jusqu'à ce que la mort les rattrape, seulement attentifs au monde des plaines pour les nouveautés qu'il pouvait ajouter à leur arsenal : fusils à lunette, talkies-walkies, jumelles, parfois même grenades. Des militaires ou des policiers corrompus prirent les devants en les proposant aux usuriers chez qui les bandits avaient l'usage de déposer l'argent de leurs crimes. Ainsi se perpétua la chaîne immémoriale qui, depuis les origines, voue les ravins aux forces de la mort.

D'année en année, en dépit des études criminologiques, des statistiques, des rapports des ethnologues et des débats au Parlement, les hommes des ravins continuent de tourner le dos à la loi et de vivre selon le seul mode connu dans la Vallée, la vengeance et la déraison. Lorsqu'une purge administrative, un scandale politique viennent compromettre pour un temps le trafic des armes, les gangsters sortent de leur repaire, s'aventurent dans le bazar des villes les plus proches, Kanpur, Gwalior, Agra, Jhansi. Pour eux, dans des arrière-cours où se mêlent la boue et le cambouis, des artisans rompus à toutes les patiences s'accroupissent devant leurs forges de fortune, tournent et liment des métaux disparates, collectés on ne sait où, et leur façonnent d'un œil vide la copie conforme des revolvers et mitraillettes tant convoités. Dans d'autres échoppes, sur des machines à coudre d'avant-guerre, des adolescents tout aussi indifférents assemblent des uniformes kaki parfaitement semblables à ceux des policiers. Ainsi, au bout de mille ans d'acharnement au crime, personne ne peut plus distinguer, à plus de cinquante mètres, le représentant de la loi de celui qui la nie, sinon à un raffinement soudain dans la brutalité, à une imagination plus subtile au cœur des pires violences. « Policiers et bandits, même travail », dit désormais un proverbe de la vallée maudite. L'adage est vrai à un détail près : pour les policiers, le pistolet ou la mitraillette n'est qu'un instrument de travail comme les autres ; pour le bandit, en revanche, le fusil est un dieu vivant. Ils le fourbissent sans cesse, l'ornent de fleurs et parfois de plaques d'or, s'inclinent devant lui, lui présentent des offrandes comme s'il était la Déesse en personne.

C'est qu'il y a, chez les bandits, une résignation éblouie à la cruauté de ce monde qui les rattache, plus que les autres hommes, aux énergies secrètes. Quand ils s'inclinent pour vénérer leur arme, joignent leurs mains devant leur visage rongé par une vie de cavale, c'est toujours elle, la Mère Divine, qu'ils cherchent sous l'écorce de la matière, fût-ce le métal noirâtre d'une mitraillette ou d'un pistolet à répétition. C'est encore elle, l'Assoiffée, la Cruelle, qu'ils invoquent en caressant leur cartouchière, elle qu'ils fleurissent et qu'ils encensent, l'amoureuse à la ceinture de crânes, la broyeuse d'hommes et d'univers, la danseuse du crépuscule sur les bûchers funèbres, l'ogresse des soleils couchants, ivre du sang dont elle s'est abreuvée, Kali la Noire, accoucheuse de mort, seule capable, par ses carnages, de régénérer la terre usée par les bassesses humaines. Comme elle, les bandits ne sont pas nés pour une vie maigre, la mort est le paysage de leur âme, la nuit, la jungle travaillent pour eux. Aussi, lorsqu'on les voit de près, sont-ils reconnaissables entre tous à leurs mouvements d'oiseaux de nuit, à leurs yeux de pierre comme brûlés par le feu des volcans ; et les chansons disent en effet que pour avoir choisi les ravins, il faut qu'ils portent en eux la force première qui anime le monde, celle qui préside à la germination des gemmes, à l'ordre immuable des grands royaumes souterrains. Souvent, la révolte a surgi en eux à l'instant de leur naissance, au moment douloureux où l'air a déplié leurs bronches, à croire qu'ils ont eu partie liée, dans une vie antérieure, avec les Rois-Serpents qui peuplent d'immenses palais au fond des eaux premières, bien au-dessous des gerçures de la terre. Pour d'autres, en revanche, la rébellion fut un cancer insidieux et tranquille, l'explosion inattendue d'une tumeur de haine. On a vu ainsi des soldats paisibles abandonner leurs casernes, des médecins et des astrologues tourner le dos à leurs clients pour une simple insulte jetée au passage, un infime soupçon sur la vertu de leur femme. Ils ont tué, puis se sont perdus dans l'obscur compagnonnage de la Vallée, bientôt affublés de surnoms burlesques ou splendides, trouvés indifféremment dans les textes sacrés ou dans les films en CinémaScope des studios de Bombay : « Le Rajah magnifique », « Le Maître des Offrandes », « Le Professeur », « Le Mouron rouge », « Plazza »... Mi-truands, mi-desperados, ils se sont soumis à ses usages inflexibles : marches interminables, silence imposé à la compassion, butin partagé selon la puissance des armes. Pour la vengeance, pour la Déesse, ils coupent des nez, fendent des lèvres, violent des petites filles, parfois même, dit-on, offrent sur ses autels des sacrifices humains. Cela seul les réunit, le chaos semé par leur soif de revanche. Pour le reste, ils ressemblent à l'humanité ordinaire, menés par la fatalité inscrite dans leur chair au jour de leur naissance. Il y a ceux qui parlent haut et fort, font la une des journaux, organisent leurs raids comme une séquence de film, et les autres qui tuent furtivement, sans jamais laisser de traces. Les uns préparent leurs attaques comme ils joueraient aux échecs, d'autres pratiquent le crime gratuit au hasard des ravines. Ils pillent et tuent selon le secret de leur cœur, magnanimes ou sadiques, loyaux ou perfides, alcooliques ou ascétiques, indifféremment ; on voit se croiser dans les gorges des bandits strictement végétariens et des hommes de basse caste, prêts, pour survivre, à manger de la viande avariée ou même de la bouse de vache. Certains rendent la justice dans les villages, reçoivent avec componction des tributs, des serments d'allégeance, intriguent auprès des partis politiques, ourdissent des coups de main pendant les élections, prennent le plus clair de leurs joies dans l'admiration ou la terreur des foules. D'autres, fous de magie et d'amulettes, courent les ravins en solitaires, chantant à pleine gueule des cantiques sacrés. Il y a ceux qui tuent pour s'acheter de la drogue et se ruiner en danseuses, et ceux qui veillent jour et nuit sur leur magot, vivent dans l'obsession de la conspiration, castrent leurs compagnons sur un simple soupçon de traîtrise. On a vu se côtoyer dans le même gang des hommes qui sentent venir le danger de très loin et l'esquivent avec une agilité d'acrobates, quand leurs compagnons meurent tirés comme des chacals, de la façon la plus absurde, au plus fort d'une sieste ou dans les bras d'une femme. La surprise est reine dans les ravins : dans une inspiration subite, la plus retorse des crapules peut foncer à l'improviste sur les policiers, poitrine offerte aux balles, avec de grandes imprécations qui n'arrêtent pas la mort ; et de vieux chefs de gangs ont parfois oublié toute une vie d'audace pour aller mourir dans leur lit ou s'évanouir du jour au lendemain derrière une falaise, sans jamais plus faire parler d'eux, happés sans doute par une fissure de la terre, dans ce pays sans tombes où, davantage qu'ailleurs, les hommes ne sont que brumes errantes dans les chimères du temps.

Mais tous se prennent pour des héros, tous se nomment fièrement rebelles ; et c'est là sans doute ce qui unit cette société ténébreuse, ce qui la soude aussi à ceux qu'ils terrorisent, aux paysans qui, comme à Tyoga, préfèrent payer le tribut sauvage des bandits plutôt que débourser l'impôt réclamé par Delhi. Ils choisissent un jeu périlleux : tout manquement au pacte est lavé dans le sang, mais les plaisirs de la complicité en balancent les risques : acheter des cigarettes pour les hors-la-loi, leur garder des réserves de vivres, c'est un peu devenir bandit. À peu de frais, sans l'errance, sans le face-à-face permanent avec le sang et la mort ; pour le reste, l'accord entre les hors-la-loi et leurs alliés des villages ressemble à un jeu, une simple malice qui pimente la monotonie des jours : renseigner les gangsters sur les mouvements de la police, tenir en esprit le registre des promesses non tenues et des vengeances à prendre. Enfin, les soirs d'attaque, quand les gangsters apparaissent à l'orée des défilés dans leur auréole de poussière, régler les grandes fêtes noires qu'ils réclament, avec la digne récompense des rebelles triomphants : de l'alcool et des femmes.

Car, chez les hors-la-loi, les femmes ne sont jamais que des passagères clandestines, des suivantes tolérées l'espace de quelques semaines, entre deux orgies ou deux maternités. Il n'y a que des filles à bandits, il n'y a pas de femmes bandits. Alors que les bandits se vouent corps et âme à la Déesse, alors que dans toutes leurs prières ils supplient la Mère Divine de leur accorder une parcelle de sa sublime énergie, le code de la Vallée est d'une rigueur impitoyable, qui veut que les hommes soient forts et que les femmes soient faibles. Tout manquement aux usages est puni de la seule manière connue dans les ravines : la violence et la mort. Comme le note froidement le rapport d'un sociologue dépêché par les autorités de Delhi pour tâcher d'éclaircir l'énigme de la Vallée : « Les bandits de sexe féminin sont extrêmement rares. » On ne sait presque rien de leurs destins sans gloire, on connaît seulement leur origine, toujours la même, prostituées échappées d'un bordel, épouses lasses d'être battues par leur mari, qui s'amourachent du premier maraudeur venu. Dans les gorges, elles sont affectées aux tâches habituelles des femmes, cuisine et corvée d'eau, besognes sans éclat, aggravées par le nomadisme incessant des bandes et la sauvagerie des ravines. Selon les gangs, elles sont la propriété exclusive du chef ou laissées au caprice de chacun, bien commun des bandits, interdites de préférence. À la première réticence ou fatigue – souvent celle d'une maternité –, elles sont abandonnées. Elles sont alors rattrapées par le destin qu'elles avaient cru déjouer : elles se jettent dans un puits. Si d'aventure les gangsters leur octroient la faveur inouïe de porter une arme, elles seront les dernières à recevoir leur part de butin ; et, dans les embuscades, les premières à tomber, proies particulièrement goûtées des policiers qui n'hésitèrent pas à plusieurs reprises à exposer sur la place des villages leurs cadavres entièrement dénudés, parfois gros d'un enfant.

Papillons des ténèbres aux ailes froissées, les femmes se perdent vite dans le néant des gorges, sans jamais avoir droit à rien, pas même à la gloire des chansons. Une seule d'entre elles, Putli Bai, a forcé les portes de la légende – une aventure dont les prouesses semblent droit sorties des premières épopées de l'Inde. C'était au milieu des années cinquante, à l'ouest des ravines, là où les moussons ont creusé le paysage le plus chaotique de la Vallée, comme par ironie pour les plaines voisines et leurs opulents villages. Putli avait appris l'amour à l'âge de dix ans, dans le bordel où officiait sa mère. Puis, comme elle était mince et agile, comme elle avait le teint pâle des femmes de haute caste, on lui enseigna le chant et la danse, avec l'art d'animer des fêtes. Après son spectacle, sa mère octroyait au plus offrant le droit de finir la nuit dans ses bras. On la réclama bientôt partout. Certains hommes étaient si envoûtés qu'ils suivaient Putli de fête en fête, sans jamais oser l'aborder, quelle que fût leur fortune. Ils se contentaient de la couvrir de billets de banque et s'évanouissaient dans la nuit, heureux et hagards, à la fin de son numéro.

Le bandit Sultan Singh la vit un jour danser. Depuis qu'il était hors la loi, sa règle de vie était simple : s'emparer de tout ce qui lui faisait envie. Une nuit où Putli dansait dans une fête de mariage, il se mêla aux spectateurs. La légende veut qu'il ait attendu que l'assistance fût grisée de musique et d'alcool avant de tirer plusieurs coups de feu et d'enlever Putli à la faveur de la panique. Plus vraisemblablement, il lui tendit une embuscade au retour de la fête et l'emmena dans les ravins en toute impunité. À sa grande stupeur, Putli se refusa à lui. Sultan était beau et brutal, jamais une fille ne lui avait résisté. C'était aussi la première fois de sa vie qu'il était incapable de frapper une femme. Au scandale de ses hommes, il se mit à la couvrir de cadeaux, de bijoux, il alla même jouer les pickpockets autour des hôtels d'Agra pour lui rapporter des objets venus d'Occident, du cognac et du rouge à lèvres. Putli s'en émut, finit par céder. Le jour où ils firent l'amour pour la première fois, il voulut saluer l'événement par une orgie d'alcool et força Putli à danser pour ses hommes. Puis il reprit sa vie de vols et de crimes. Il attaquait à cheval, avec Putli en croupe. Elle ne comprenait pas l'ivresse qu'il prenait aux carnages, elle ne saisissait rien aux lois de la vengeance. Dès qu'elle fut enceinte, elle se sauva. À peine rentrée chez elle, elle fut emprisonnée par la police, puis torturée et violée. Elle refusa de parler. On la libéra. À peine eut-elle accouché qu'elle laissa son enfant à sa mère et rejoignit Sultan, au risque qu'il l'abattît dès l'instant où il la verrait. Comme elle l'avait parié, Sultan lui ouvrit les bras. Il lui donna une arme, un cheval, lui apprit à monter, à dévaler les ravins, à tuer sans frémir. Elle finit par prendre goût au sang. Leur bande ravagea la Vallée, jusqu'au jour où Sultan tomba sous les balles d'un gang rival. De ce matin-là, Putli fut prise d'une fringale d'assassinats. Elle se mit d'autorité à la tête du gang, renonça définitivement à la danse et passa ses journées à préparer ses raids, en stratège impavide. Au jour dit, elle menait l'assaut en jean – le plus précieux des cadeaux que lui eût offert Sultan –, mais maquillée et coiffée comme pour ses spectacles de danse, et fondait sur les villages en chantant des chansons de guerre qui lui montaient à la tête comme un vin trop fort. Elle tuait tout ce qui se présentait, les fils devant les pères, les femmes devant les maris, les bébés devant les mères. D'autres jours, elle décidait d'être magnanime, épargnait les pauvres, leur distribuait bijoux et billets de banque. Les autres chefs de gang voulaient s'allier à elle, obtenir, avec son corps, sa science du combat et la force divine qui semblait l'habiter. Mais, après Sultan, aucun homme n'était assez beau, assez fort pour Putli. Par lassitude ou par nostalgie du plaisir, elle finit pourtant par s'unir à un autre desperado. Elle en eut un fils, dont la trace s'est perdue, et son amant tomba peu après sous les balles de la police. Blessée elle-même dans l'affrontement, Putli dut être amputée clandestinement d'un avant-bras, sans anesthésie, par un chirurgien peu scrupuleux qui exigea pour prix de sa boucherie la moitié de son trésor de guerre.

C'est ce jour-là que naquit sa légende. Elle était déjà célèbre : Putli, tout le monde le savait, était la seule femme dans la Vallée qui eût jamais durci son cœur, elle avait maîtrisé l'art du meurtre avec le même brio que la danse et l'amour. Mais, du jour où elle fut mutilée, son empire n'eut plus de bornes : elle domina les âmes. Elle peaufina alors son mythe avec une science consommée, la même précision froide qu'elle mettait dans l'assassinat. Le temps de sa convalescence, elle ranima un usage en vigueur chez les rois-guerriers d'autrefois : elle se fit remplacer dans les attaques par un jeune garçon qui portait la même coiffure qu'elle, le même maquillage criard, le même voile drapé sur son corsage et son jean. Une fois remise, elle voulut à nouveau monter, apprit à mener son cheval d'une seule main, à tenir son fusil au bout de son moignon. Elle tirait en lâchant les rênes, de son bras resté valide. La police la traquait en permanence, son nom remplit les magazines. Mais la lassitude la prit, elle eut envie de revoir la fille qu'elle avait eue de Sultan. Elle écrivit à Nehru deux lettres pathétiques où elle lui raconta sa vie et demanda sa grâce. Il ne répondit pas. Alors elle reprit les armes, plus féroce que jamais. Elle mourut un jour de malchance, à vingt-neuf ans, dans une embuscade qui ne lui était pas destinée, en se jetant dans la Chambal pour échapper à la police. On ne retrouva jamais l'or qu'elle avait amassé ; sur elle, elle portait seulement un bâton de rouge à lèvres, un peigne et un flacon d'huile capillaire. Les policiers exposèrent son cadavre plusieurs jours d'affilée, le promenèrent de village en village pour bien dissuader les femmes qui seraient tentées de suivre son exemple, et refusèrent à sa famille le droit de l'incinérer.

Publiées en pleine page dans tous les journaux, les photos prises de son corps criblé de balles avaient déjà enflammé l'imagination populaire. Les récits de sa vie débordèrent la ceinture des ravines et finirent par inspirer un très long film, fantaisiste et coloré à souhait, qui réjouit les Indiens des villes, toujours assoiffés de romanesque sanglant.

Les autorités policières ne furent pas étrangères à la naissance de ce mythe populaire où se rejoignaient les plus vieux fantasmes de l'Inde et les rêveries d'une modernité encore confuse, nourrie de westerns et de romans d'aventures. À la fin d'un rapport daté de février 1958 – quelques jours à peine après la mort de Putli –, le fonctionnaire en charge du district où elle était tombée se laissa aller à un brin d'émotion, assez inattendu dans un document officiel : « Sa mort a effacé tous nos griefs. Nous oublierons sa cruauté et sa férocité implacables pour ne nous souvenir que du courage exceptionnel d'une femme qui a beaucoup enduré et beaucoup souffert… » Et il conclut ce rapport en forme d'éloge funèbre avec optimisme et solennité, en donnant à Putli le surnom qu'elle avait reçu dans les chansons de la Vallée : « Ses compagnons l'appelaient la Reine des Bandits. Il n'y aura jamais qu'une seule Reine des Bandits. »

6

Quand elle prit le chemin de Tyoga, Devi ne cherchait qu'un refuge. La soif de liberté n'était encore en elle qu'un courant indistinct; comme un fleuve dont elle aurait plusieurs fois entrevu les berges sans jamais oser en approcher les eaux. Ce qu'elle attendait des gens de Tyoga tenait en peu de mots : le regard de l'indifférence, de quoi manger à sa faim. À quinze ans, elle avait fait son deuil du reste.

La rumeur avait déjà traversé le fleuve, qui parlait

d'une femme, sur l'autre rive, constamment rebelle aux devoirs les plus simples, une mauvaise tête qui ne s'accommodait de rien, agitée de lubies insensées, une fille un peu perdue, une sorte de folle. Loin de les inquiéter, la nouvelle de son arrivée amusa les gens de Tyoga. En dehors du cousin de Devi, ils ne connaissaient pas son lignage. Ou plutôt, cela faisait des années qu'ils avaient résolu de l'ignorer. Fiers de leur opulence, ils rechignaient depuis longtemps à s'allier à leurs frères de caste établis sur les mauvaises terres de Mahespur et de Sheikhpur Gura. Aussi reçurent-ils Devi avec la tendre commisération qu'ils réservaient aux infirmes ou aux animaux estropiés : à quoi bon vouloir déjouer la fatalité qui vouait cette fille aux forces du désordre ? Son esprit était dérangé, ce qui promettait quelques scènes distrayantes ; outre qu'elle pourrait bien, à son insu, rendre de grands services au village. Car c'étaient les sauvageonnes de son espèce qui faisaient d'habitude les filles à bandits.

Est-ce dans ce calcul que le doux, l'affable Ram l'accueillit si facilement ? On ne l'a jamais su. Devi n'a parlé de son cousin que pour proclamer qu'il lui ouvrit les bras comme personne dans sa famille ne l'avait jamais fait, et qu'elle fut heureuse à Tyoga. Ram était un jeune homme immense et décharné ; discret à la manière des maigres au tempérament apathique : la démarche fuyante, la tête souvent penchée, alourdie de méditations profondes ou vidée par les vapeurs du chanvre, nul n'aurait su dire, pas davantage qu'on ne démêlait si son sourire bonasse était le déguisement d'arrière-pensées ou la marque de la naïveté. Il passait le plus clair de son temps à fumer, accroupi dans sa cour, en guettant d'un œil vague les hauteurs des gorges, tandis que sa femme, Lila, une muette, non moins souriante et hagarde, allait gratter la terre de leurs champs.

La conversation fut brève, le soir où Devi entra chez Ram. D'après elle, ce fut pourtant la première fois qu'elle se sentit accueillie. En échange du gîte et du couvert, elle demanda à son cousin de garder le bétail. Ram lui désigna Lila d'un bras mou, puis retourna s'allumer une pipe de chanvre.

La maison de Lila était semblable à toutes celles que Devi avait connues, une pièce pour cuisiner, une autre pour dormir, des terrasses où sautaient des singes, quelques courettes ornées d'entrelacs magiques, encombrées de bétail, de pots qu'on venait d'astiquer, de jeunes enfants. Au regard que Devi promena sur ce petit royaume domestique, Lila comprit que la nouvelle venue ne comptait pas s'y attarder. Elle lui désigna un troupeau de chèvres serré dans une arrière-cour, puis hocha légèrement la tête de côté pour lui faire signe qu'elle acceptait. Enfin elle passa et repassa les doigts sur ses lèvres comme pour la dispenser de parler.

À ce seul geste, Devi se sentit reconnue ; car, pour un temps, elle avait choisi d'habiter l'autre versant des choses, la région du silence où résonne le seul flux des forces premières, le murmure des harmonies cachées où s'écroule l'empire des mots. C'était depuis toujours le pays de Lila. Avec ses yeux qui s'arrondissaient chaque fois que s'approchaient ses enfants, son mari, ses buffles, ses chevreaux, ou même un oiseau picorant dans sa cour, elle semblait converser au plus secret du monde ; mais il n'y avait pas que le regard de Lila, il y avait aussi ses mains, ses bras aux gestes de danseuse. Quand elle pétrissait les galettes, qu'elle recrépissait les murs de la maison, elle avait la grâce d'une amoureuse, elle travaillait la matière comme elle aurait caressé son dernier-né. Dans la maison de Lila, tout avait la beauté du monde d'avant le mal.

Voilà pourquoi Tyoga plut à Devi. Ce fut le retour au temps suspendu de l'enfance, aux jours égrenés dans une bienheureuse inconscience. Dès le lendemain de son arrivée, Devi retrouva sa plus vieille habitude : elle se sauva avec ses bêtes du côté du fleuve. Le premier soir venu, quand elle revint, un peu inquiète, elle guetta sur son passage l'œil biaisé du mépris, le murmure de blâme qui la suivait depuis son mariage. Mais personne n'y trouva à redire. Au bout de quelques jours, le pli fut pris. Dès l'aube, elle se joignait au cortège des femmes en marche vers le puits et le quittait pour s'évanouir dans la sente escarpée qui descendait vers la rivière.

Très vite, elle se découvrit un chemin bien à elle, un raidillon bordé de hauts talus de terre. Dès qu'elle s'y engageait, elle se mettait à courir en poussant ses chevreaux. Elle ne se retournait jamais. Elle courait si vite qu'elle en oubliait son sari, la prison de pliures où on avait contraint ses plus menus mouvements depuis le jour de ses noces ; et parfois, quand elle arrivait sur les berges, les chèvres sur ses talons, il n'était pas loin de s'écrouler sur ses hanches. Alors elle se jetait à l'eau. Comme n'importe quelle villageoise, elle portait toujours sur elle de quoi se laver : une pierre ponce, un peu d'argile en guise de shampooing, et une vessie remplie de graines dont sourdait, quand on les écrasait, une huile épaisse qui rendait les cheveux brillants. Jusque-là, même dans ses pires accès de sauvagerie, Devi s'était lavée près des autres femmes, au bord des puits ou des mares, et de la même manière : immergée jusqu'à la taille. À tâtons sous l'étoffe mouillée, elle frottait à l'aveugle chaque recoin de son corps. Mais, un matin où elle explorait avec ses bêtes un petit défilé en aval du fleuve, elle tomba sur une anse qu'elle ne connaissait pas, au débouché d'un ruisseau à sec. L'endroit était très écarté, entouré d'épineux que goûtaient fort ses chèvres. Elle eut envie de s'y baigner nue.

Elle a une fois de plus suivi la voie de son plaisir, son penchant natif pour la vie insoumise. Le soir, à son retour, il n'y a pas eu davantage de murmures sur son passage, aucun des mots indistincts qui lui avaient annoncé, de l'autre côté du fleuve, qu'elle était pour les autres une épine dans l'œil. Et chaque soir, il en fut ainsi. La paix était en elle, et l'ordre sur le monde : Ram fumait dans sa cour avec son air béat, Lila astiquait un pot de cuivre ou dessinait des entrelacs sacrés sur le mur de sa maison. Un voisin réparait une roue, les enfants s'appelaient de courette à courette, des couples de paons erraient dans les ruelles, un homme s'enturbannait, un autre entonnait une chanson, un poème noir venu des très vieux jours, ou une comptine allègre qu'il venait d'improviser. Dans la brume safranée du soir, à l'horizon des gorges, un dos de femme passait, raidi par les deux pots empilés sur sa tête, puis la bosse d'un buffle, l'arc parfait de ses cornes. La marée de la nuit engloutissait le village avant d'accoucher d'un jour aussi radieux, annoncé par les mêmes sons de conque, les grincements de meules, la procession au puits – et, pour Devi, la fuite par le sentier, la joie d'errer avec ses chèvres où bon lui semblait.

C'était là l'apparence des choses, la pellicule d'illusion dont le destin, avant de se déclarer, aime à tapisser l'ordre secret du monde. La fatalité, en l'occurrence, prit la forme d'une savonnette. C'était la toute précieuse et très récente acquisition d'un garçon de Tyoga, le jeune Kailash. Il avait quinze ans, comme Devi. Comme elle, il avait été marié au sortir de l'enfance. Sa femme, ou plutôt la très jeune fille avec qui ses parents l'avaient condamné à vivre, venait de mettre au monde son premier enfant. Kailash était timide ; sa femme l'effrayait, surtout depuis qu'elle était mère. Ce jour-là, il revenait d'un village où il avait transmis à Vikram Mallah, membre du gang de Babu, l'une des bandes les plus puissantes de la Vallée, des renseignements sur les derniers mouvements des policiers. En guise de remerciement, Vikram lui avait remis deux piles à transistor et une savonnette parfumée.

Kailash n'était pas pressé de rentrer. Il était ordinairement d'un naturel rêveur, toujours distrait, la tête pleine d'aventures qu'il ne vivrait jamais. Il imaginait alternativement qu'il découvrait des trésors dans les fortins délabrés construits jadis par les rajahs en bordure des ravines, ou qu'il partait s'installer à la ville pour aller tous les jours au cinéma. Ce soir-là, pour une fois, c'était un souci bien réel qui encombrait son esprit : il était sûr que, s'il la lui montrait, sa femme allait lui réclamer la savonnette. Depuis la naissance de leur fils, Sita était devenue arrogante, elle exigeait cadeau sur cadeau. Pour une fois, Kailash n'avait pas envie de céder. Cette savonnette, il l'avait aimée dès qu'il avait vu Vikram la sortir de son sac. Il n'avait même pas cherché à respirer son parfum, c'était son emballage qui l'avait séduit : un papier vert acide frappé d'un médaillon rose et or où l'on voyait un guerrier coiffé d'un turban à aigrette parader à dos d'éléphant. Sous le médaillon s'étalait une longue calligraphie que Vikram lui avait solennellement déchiffrée : « *Maharadjah*, le savon qui rend l'homme fort et la femme désirable. » Tout au long du sentier qui le ramenait à Tyoga, Kailash s'était perdu en spéculations sur la meilleure façon de soustraire la savonnette à sa femme. Il ne pouvait songer à la cacher chez lui : en bonne épouse, Sita passait son temps à nettoyer la maison. Il avait envisagé de l'enterrer dans un champ, mais les animaux auraient pu la découvrir, la manger, ou, pis encore, abîmer l'inestimable image du maharadjah. Comme le chemin descendait vers le fleuve entre des haies d'épineux, une évidence finit par s'imposer à Kailash : dans cette précieuse savonnette, seul l'emballage l'intéressait. S'il souhaitait garder l'image pour lui, il suffisait qu'il entame le savon : sans son étui de papier, Sita n'en voudrait pas. Il lui montrerait alors les piles offertes par Vikram. Il n'avait pas de transistor, mais c'était mieux que rien. Il lui promettrait de lui en acheter un ; elle finirait bien par se calmer.

Kailash n'a plus hésité, il est aussitôt descendu au fleuve pour se baigner. Il s'est séché au soleil, il s'est même offert une petite sieste. Quand il s'est réveillé, il n'avait toujours pas envie de rentrer. Sa chemise avait été salie par la poussière des ravines; il s'est dit qu'il pouvait aussi bien la laver.

Il n'avait pas commencé à la frotter qu'il s'est aperçu que le savon n'était pas de la meilleure qualité, contrairement à ce qu'avait prétendu Vikram. Il moussait beaucoup – des bulles blanchâtres, un peu troubles – et les taches résistaient. Il allait renoncer à sa lessive quand il distingua, à une quarantaine de mètres de là, mal dissimulée par un buisson d'épineux, une fille qui se passait les cuisses à la pierre ponce. Elle avait de l'eau jusqu'aux genoux. Elle était entièrement nue.

« Je l'ai aussitôt reconnue », confia plus tard Kailash à l'éditorialiste de l'*Hindustan Times* qui finit par retrouver sa trace dans le dédale de la Vallée. « Je savais qu'elle venait d'arriver au village, mais je n'avais pas eu le temps de faire attention à elle, à cause de la naissance de mon fils. Je ne savais pas pourquoi elle était venue vivre chez son cousin, je ne connaissais même pas son nom. Quand je l'ai vue, j'ai seulement pensé : elle est nue, elle va crier, elle va courir au village et me dénoncer au chef. Son cousin va me battre à coups de chaussures et je serai déshonoré. »

La fille n'avait pas crié. Elle ne l'avait pas vu. Il était encore temps de détaler. Kailash a soulevé avec précaution sa chemise trempée. Derrière le buisson d'épineux, la fille n'a pas bougé. Debout sur une jambe, le front plissé par la concentration qu'elle y mettait, elle continuait à se poncer l'intérieur des cuisses.

Kailash a roulé sa chemise en boule. Il s'est pelotonné derrière un buisson, s'est mis à ramper vers le sentier. Au dernier moment, comme il allait s'engager dans le raidillon, il a jeté un dernier coup d'œil du côté de la fille. C'est à ce moment-là qu'il a compris qu'il était fait.

Le savon qui avait ruisselé de sa chemise au cours de ses essais de lessive avait formé un grand îlot mousseux qui avait lentement dérivé avant d'atteindre un courant, un grand filet d'eau plus claire parallèle à la berge. Il descendait droit vers l'anse où se lavait la fille.

Elle a tout de suite vu le banc de bulles. Elle a levé les yeux en direction du sentier. Recroquevillé au bas du raidillon, Kailash a senti se poser sur lui son regard hardi.

Elle n'a pas cherché à se cacher. Elle a jeté sa pierre ponce et lui a fait face. Puis elle lui a lancé d'une voix rauque :

– Passe-moi le savon !

7

Ils ont fait l'amour dans les cinq minutes qui ont suivi. Il n'a pas lancé le savon, il le lui a apporté. Elle n'a pas bougé, elle a continué à fixer l'intrus, la tête très droite, de l'œil fixe du félin qui attend sa proie. Il s'est arrêté à quelques mètres d'elle. Il ne savait plus que faire, il était si nerveux qu'il lui a tendu, au lieu du savon, l'emballage à l'image du maharadjah. Elle l'a saisi en éclatant de rire, puis l'a jeté dans le fleuve. Le courant a emporté le papier au fond des eaux vertes. Elle s'est assise sur le sable à côté de ses vêtements. Elle ne s'est pas rhabillée. Il est allé s'asseoir près d'elle. Ils ont échangé quelques mots, il ne se souvient plus sur quoi, peut-être sur les chèvres qui s'étaient égaillées au milieu des buissons, ou sur le parfum du savon ; puis, à son tour, il s'est déshabillé.

Kailash n'a pas fait de mystères quand on l'a questionné sur ce qui avait suivi. Des années plus tard, il en était encore étourdi. Il n'a même pas caché la peur qu'il avait eue, tant les gestes de Devi avaient été intrépides, sa voix rauque. Il y eut aussi ses manières de fauve, sa façon de montrer ce que les autres ne montrent pas, de dire aussi ce que les autres ne disent pas. « Son appétit pour ces choses-là était incroyable, elle n'en avait jamais assez, je n'ai jamais vu ça. Ce qui m'attisait, davantage que son corps, c'étaient tous les mots qu'elle disait. »

Elle ne chuchotait pas, elle parlait à haute voix ; et elle joignait le geste à la parole, elle n'avait peur de rien. Dès le premier jour, il a été frappé par ses yeux : « Quand elle était bien excitée, ils jetaient des éclairs ; ils étaient très noirs, avec des reflets bleuâtres, comme ses cheveux. » Il a aussi évoqué son maintien, sa souplesse, le port superbe qu'elle gardait, même dans les soumissions qui vont avec l'amour. Et puis elle était vive, a-t-il dit ; une vivacité de jeune panthère, de chatte voleuse. Elle prenait toujours les devants ; et, pour peu qu'il lui montrât lui-même le chemin, elle le suivait dans la seconde.

Kailash n'a pas donné d'autres précisions, il n'a pas parlé de la bouche de Devi, de son sourire large et constamment moqueur, ni de son nez camus de fille des montagnes. Du coup, certains l'ont imaginée sous le même aspect que les danseuses sculptées dans le grès des vieux temples – d'autant plus que la jungle, non loin de là, regorge de sanctuaires abandonnés où l'on voit des déesses à la taille fine et aux gros seins ronds se livrer à de vertigineux exercices de gymnastique amoureuse. En fait, Devi devait déjà ressembler à la fille qu'on connut par la suite : une adolescente à la poitrine menue et aux fesses de garçon, sûre de son corps, aveuglément abandonnée à la force qui l'habitait.

Kailash n'a pas davantage expliqué ce qui l'a poussé vers elle alors qu'il aurait dû rentrer au village en prenant ses jambes à son cou. Il savait pourtant que les femmes du pays, honorables ou non, ne se déshabillaient jamais, ni pour le bain ni pour le « travail », comme elles nommaient l'amour. Kailash est tombé à pieds joints dans le piège de Devi – mais, à la vérité, était-ce bien un piège ? Ils ont eu envie de se rouler dans le sable au même moment, d'emmêler leurs jambes, de renifler l'un sur l'autre l'odeur de leur jeunesse ; et le reste a suivi.

Dès ses premiers instants, leur liaison a pris la forme qu'elle allait garder : l'amour nu, le rire nu – son rire à elle, qui montait jusqu'aux murailles des ravines ; son écho, parfois, faisait tressaillir Kailash au plus fort du plaisir. Dans ces moments-là, il avait envie de s'enfuir. Mais il ne pouvait pas ; ou plutôt il ne pouvait plus. Devi l'avait envoûté comme la fée des fissures, Nirti l'enjôleuse, démon et déesse à la fois, dont l'esprit, dans les ravins, sourd des grandes failles. Les bandits en passaient souvent les lèvres au vermillon pour empêcher qu'elle ne les égare dans le chaos des gorges. Naufrage et volupté, bonheur et perdition, telle lui apparut Devi, ouverte devant lui sur le sable du fleuve ; à des années de distance, le souvenir de ses ravages le poursuivait encore.

Dès le premier jour, elle lui fit jurer le secret. Il ne se fit pas prier. Elle lui tourna aussitôt le dos, se rhabilla, sauta dans le chemin en appelant ses chèvres. Le soir même, Kailash repéra la maison où elle vivait, il l'épia, interrogea les voisins, sut tout d'elle ; et le lendemain, à la même heure, il la retrouva près du fleuve. Elle ne marqua aucune surprise. Tout recommença comme la veille ; et, cette fois-là comme les suivantes, quand tout fut fini, elle ne parut pas se soucier de la hâte de Kailash, ni de son air d'enfant pris en faute. Elle semblait vivre dans l'instant, libérée des entraves du temps comme des attaches qui ligotaient le destin commun des femmes ; tout entière à la sauvagerie du plaisir.

Les choses se gâtèrent quand Kailash voulut lui faire partager ses grands rêves. Un après-midi, il s'attarda en elle, resserra sur son buste l'étreinte de ses bras. Aussitôt, il la sentit se faire petite, se raidir, comme un animal prêt à se sauver. Il voulut la retenir, il commença à lui chuchoter à l'oreille ce qu'il ne racontait jusque-là qu'à lui seul : partir pour Kanpur et aller au cinéma, fouiller les tombes des vieux mausolées moghols, y déterrer de l'or. Devi le prit de court : elle exigea sur-le-champ d'aller voir les tombeaux. Elle n'avait jamais vu de cimetière, elle n'en revenait pas qu'on pût garder des cadavres sous des pierres sans jamais les brûler, et les entourer de trésors.

Dès qu'ils se furent engagés dans le sentier qui conduisait aux ruines, Kailash eut envie de rebrousser chemin. En fait, il était très poltron. Explorer les tombes n'avait jamais été pour lui qu'une rêverie aux contours vagues, un moyen d'oublier qu'il n'avait pas la force de suivre dans les gorges ses amis les bandits. Il s'était plusieurs fois aventuré entre les ruines du monument, mais il ne s'y était jamais attardé de peur d'y rencontrer des musulmans qui continuaient d'honorer le souvenir des vieux guerriers en déposant sur leurs tombes des colliers de fleurs et des baguettes d'encens ; davantage encore, il craignait les fantômes, particulièrement nombreux, disait-on, autour des sépultures mogholes. Mais, ce jour-là, il redoutait par-dessus tout d'être surpris en compagnie de Devi : les ruines se dressaient dans un endroit découvert, à quelques pas des champs où travaillaient les femmes.

Pourtant, il n'eut pas le cœur de reculer. Tout au long du sentier, il tâcha de se distraire – et de la distraire – en lui racontant une longue histoire naïve où il mélangeait les aventures des monstres de la jungle et les légendes des gigantesques armées lancées naguère à l'assaut des ravines. Il lui décrivait les temples abandonnés qu'il avait parfois croisés au fond des gorges, où il avait vu, de ses yeux vu l'image des princes détrônés, les Rois-Serpents, à présent relégués sous terre, simples gardiens des pierres précieuses. Devi ne répondait rien, elle écoutait sans poser de questions.

Elle ne cilla pas davantage quand ils entrèrent sous les voûtes moisies du mausolée, elle ne parut effrayée de rien, ni de la lueur verdâtre filtrée par la dentelle des vieux moucharabieh, ni des guirlandes fraîchement déposées sur les dalles. De son œil précis, rapide, elle inspecta tout, les murs pourris par les moussons, les niches qui n'avaient jamais abrité l'effigie d'un seul dieu. Puis elle se frotta les pieds contre une pierre usée et lâcha :

– Je préférerais aller au cinéma.

Elle avait légèrement écorché le mot, il était évident qu'elle en ignorait tout. Mais, d'instinct, elle avait su que l'aventure des tombes était vaine, et qu'en conséquence elle ne l'intéressait pas. Kailash ne trouva rien à répondre. Elle répéta alors, cette fois sans estropier une syllabe :

– Je préfère le cinéma.

– C'est loin. Il faut de l'argent.

Elle brassa l'air du plat de la main, comme s'il était vicié :

– Si tu crois que c'est en creusant là-dedans que tu vas devenir riche ! Tu ferais mieux de faire comme tout le monde, d'aller gratter les champs !

Kailash répliqua sans réfléchir – le destin s'était glissé dans sa voix par surprise :

– Les champs, c'est ma femme qui s'en occupe.

Devi a aussitôt bondi sur lui :

– Tu ne m'avais pas dit que tu étais marié !

Elle ne l'a pas laissé se défendre, elle l'a giflé. Il était si abasourdi qu'il n'a pas eu la force d'éviter le coup. Elle est partie en courant. Avant de disparaître, elle a crié : « Tu ne me reverras plus ! »

Il y avait tant de rage dans sa voix qu'il a su tout de suite qu'elle allait tenir parole. La force qui dormait en elle depuis sa naissance s'était subitement réveillée, et c'était lui, sans doute, qui l'avait aidée à venir au grand jour. Car la volonté de Devi arrivait de très loin ; et, pareille à toutes les sources cachées, une fois découverte, on ne pouvait plus l'arrêter.

Devi avait été trop souvent étouffée, rabrouée ; au lieu de l'amour, c'était désormais la haine qui protégeait sa jeunesse. Elle était en colère, il n'y avait plus qu'à s'enfuir. Ou plier.

Kailash choisit d'abord la fuite. Et finit par plier.

8

Il a souffert mille morts. Il était sûr que, dès le premier jour, Devi avait su qu'il était marié. Fût-elle farouche, rebelle à la vie commune, comment pouvait-elle ignorer où il habitait, avec qui, quelle était sa parenté dans un village où le seul passe-temps, en attendant les nouvelles des bandits, était d'épier la vie des autres ? Comment avait-elle pu fermer les yeux sur la très jeune femme qui allaitait un fils dans la cour de sa maison ? Avec cette naissance, Kailash n'avait pas la plus mince raison de répudier sa femme ; encore moins de lui préférer une réprouvée, seulement tolérée par les villageois dans l'attente des services qu'elle n'allait pas manquer de leur rendre dès l'annonce du retour des bandits.

Le soir de leur rencontre, quand il avait questionné les femmes sur Devi, elles étaient toutes parties du même rire : il était donc le dernier à apprendre ce qui avait amené cette souillon à Tyoga, le dernier à ignorer qu'elle était folle ? « Elle ne cherche qu'à être seule, elle ne fait jamais la lessive avec nous, elle n'a même jamais réussi à porter un enfant... » Pour déjouer leurs soupçons, Kailash avait exagéré son air de doux rêveur, comme lorsqu'il extorquait aux paysans des renseignements sur les mouvements des policiers. Il avait entremêlé ses questions de réflexions sur la sécheresse, parlé de la mousson qui n'était pas venue, des réserves de lentilles et de mil qui baissaient dans les greniers ; puis il avait peu à peu ramené la conversation sur « la folle ». Il avait écouté les réponses d'un air absent, l'œil arrondi, le regard figé dans cette expression benoîte qui faisait croire aux gens de Tyoga – dont sa femme au premier chef – qu'il était un idiot et que c'était miracle si les bandits consentaient encore à lui accorder confiance.

Plus les femmes s'étaient esclaffées, s'étaient acharnées à lui prouver que Devi était une cervelle fêlée, plus Kailash l'en aima. C'était comme l'envie de remonter un fleuve, le rêve d'arrêter le soleil, de palper la chair d'une ombre. Le désir d'aller se perdre dans l'envers des choses, une volonté têtue de s'abandonner au chaos. Car le rêve était la faiblesse de Kailash ; dès le début, Devi l'avait saisi et en avait précisément mesuré les contours. Elle fit tout pour en devenir le cœur ; puis, au moment même où il commença à convoiter l'impossible, elle lui tourna le dos.

Il ne pouvait plus se passer d'elle. Mais il tenta de résister. Il essaya de l'ignorer. Il ne s'était jamais aperçu que le village était aussi petit. Le matin, dans la file des femmes en route vers le puits, il la reconnaissait entre toutes à sa démarche, cette façon de courir sans courir qui n'a jamais été qu'à elle, qui la fit toujours reconnaître de loin à l'entrée des villages, le talon ferme, la tête très droite, comme si sa natte tirait sa nuque en arrière par un fil invisible. Rien qu'à voir Devi, Kailash croyait l'entendre. Il se souvenait de sa voix bien plus que de son corps, sa tête résonnait de tous les mots qu'elle avait dits, des accents rauques qu'elle avait dans l'amour. Il se rappelait tout d'elle, qu'elle détestait les chaussures et qu'elle aimait les fruits acides, qu'elle se frottait les aisselles et le sexe d'une plante sauvage qui poussait près du fleuve. Il suffisait même qu'elle agitât le bras pour qu'il recommençât à s'étonner de l'attention qu'elle avait pour ses bracelets, de pauvres cercles de mauvaise laque, pourtant, piquetés, en lieu de pierres fines, de simples éclats de miroir.

Il la voyait quitter la longue colonne des femmes raidies sous leur charge de pots luisants, il la regardait s'éloigner du puits, désinvolte et légère, comme enjouée à l'avance de la journée qu'elle allait passer au bord de l'eau. Sa joie semblait aussi neuve chaque matin. Sur son corps, l'odeur de la nuit devait encore flotter, mélangée à celle des bêtes. Elle allait prendre un bain dès qu'elle serait en bas, elle allait se déshabiller. Peut-être un autre la surprendrait-il. Peut-être se tournerait-elle vers le nouveau venu comme elle avait fait avec lui : avec un petit rire, tranquillement insolente, en se ponçant l'intérieur des cuisses.

Il crut devenir fou. Aussi loin qu'elle fût, Devi l'entraînait dans sa solitude. Jusque-là, il avait vécu comme les autres garçons du village, attentif à occuper scrupuleusement la place assignée par sa famille, sa minuscule part de la grande harmonie inventée par les dieux, un sort reçu avec le souffle de la vie, d'où il n'y avait pas à sortir. L'unique territoire qu'il eût jamais possédé en propre, c'étaient les chimères qu'il s'inventait quand il s'ennuyait – son fatras de fantômes cinématographiques, de voyages à la ville et de courses au trésor –, enfin le talent d'astuce qui avait fait de lui, à seulement quinze ans, l'informateur préféré du gangster Babu.

Avec Devi, Kailash avait perdu son royaume de rêves. Elle l'avait annexé d'un seul mot, d'un seul geste. Maintenant qu'il était privé d'elle, il se sentait ruiné ; pauvre de tout, y compris de lui-même. Il n'avait plus rien à lui offrir, sinon la complicité des bandits.

L'occasion s'en présenta à la fin du printemps. Un soir, la rumeur se répandit dans Tyoga que le gang de Babu était rentré et qu'il se cachait dans les environs. Il faudrait renforcer la surveillance sur les villages équipés de postes de police, et surtout préparer force vivres pour les bandits ; ils étaient épuisés et devaient fêter un grand exploit : trois semaines plus tôt, ils avaient attaqué un autobus sur la Nationale. Ils avaient délesté les voyageurs de leur argent et de leurs bijoux – jusqu'aux anneaux de pied, jusqu'aux boucles de nez des paysannes. Puis ils avaient kidnappé deux brahmanes. En moins de huit jours, ils avaient réussi à se faire verser l'énorme rançon qu'ils réclamaient, mais non sans mal : un de leurs informateurs les avait trahis, ils s'étaient fait surprendre au moment précis où les familles des otages leur remettaient la rançon. Ils s'en étaient sortis de justesse, ils avaient perdu deux hommes dans l'échauffourée. Le lendemain, au mépris du bataillon de jeeps équipées de postes radio que les policiers avaient jetées à leurs trousses, le gang avait lancé un raid de représailles contre le village du traître. Babu avait coupé le nez du félon de ses propres mains, puis défiguré de la même façon sa femme et ses deux jeunes fils.

Tout avait été raconté dans les journaux. C'était la première fois que Babu et ses hommes connaissaient les honneurs de la presse. Comme Kailash s'y attendait, il fut convié à fêter l'événement dans une de ses caches, le hameau de Gohani, une minuscule bourgade dissimulée dans le repli d'un ravin, à une dizaine de miles de Tyoga.

Le message de Babu n'était pas parvenu à Kailash qu'il courut au fleuve. Il y retrouva Devi comme s'il l'avait quittée la veille : au milieu des chèvres, allongée sur le sable de l'anse. Pour une fois, elle était habillée.

Il n'osa s'approcher. Il ne savait pas si elle l'avait vu. Il dut rester une bonne minute sans pouvoir parler et faillit repartir. À cet instant précis, elle leva les yeux vers lui. Alors Kailash lui débita ce qu'il était venu lui dire : il l'invitait à l'accompagner dans une fête qui aurait lieu le lendemain, chez des amis qu'il avait dans les gorges. On partirait bien avant le lever du soleil, le chemin était long et difficile, il faudrait mettre des chaussures et faire route discrètement.

Kailash avait couru tout au long du chemin, il était essoufflé, mais il avait parlé à Devi d'une seule traite, tant il avait peur de voir son regard s'enfuir ; et, au dernier mot, comme effrayé de ce qu'il venait de dire, ce fut lui qui détourna les yeux. Il se baissa sur un arbuste, en détacha une feuille et se mit à la mâchonner. Devi ne parlait toujours pas. Mais quand il trouva la force de relever la tête, il s'aperçut qu'elle s'était approchée de lui. Elle rayonnait.

À croire qu'ils s'étaient fixé ce rendez-vous de toute éternité et que son amant était arrivé à l'heure dite, avec des mots qu'elle avait passé des semaines à attendre. À croire qu'elle, la rebelle, ne cherchait rien d'autre dans la vie que de s'abandonner au destin en lui répondant, comme à cet instant-là, d'un grand sourire noir.

9

Ils sont partis le lendemain, juste avant l'aube. Ils ont pris un chemin qui allait droit vers l'est; si bien qu'au début, la marche dans les gorges eut l'allégresse éblouie d'une course au soleil. Son disque dilaté s'effaçait derrière un piton, la terre fripée des ravines s'enténébrait, dessinait sur le ciel des lignes irréelles, puis un éclat rosissant forçait l'entrée d'un défilé, déversait entre ses arêtes une longue saignée de lumière. Devi semblait avancer en aveugle derrière Kailash, tout entière à la joie de la marche. C'était pourtant la première fois qu'elle s'enfonçait aussi loin à l'intérieur des ravins. Même lorsqu'on avait murmuré sur son passage que son âme était infectée par leurs germes mauvais, quand on avait insinué qu'elle était une diablesse, fille des monstres transpirés par la Vallée, elle avait continué de faire siens les contes des villages, elle avait cru – ce qui s'appelle croire, accepté de tout son être, sans la plus infime réserve, sans un soupçon d'ironie – la légende attachée à son horizon tourmenté. Dans ses plus beaux moments de sauvageonne, elle ne s'était jamais risquée là où elle ne reconnaissait pas le sillage de l'homme, si mince fût cet indice, si dérisoire parfois : le crottin d'un animal domestique, quelques fils d'étoffe accrochés à une broussaille, ou des troncs entaillés pour en recueillir la résine, de simples pierres noircies par un feu.

Ces repères n'existaient plus là où l'emmenait Kailash. Il suivait ce qui semblait un chemin mais n'était que les lits asséchés de ruisseaux innombrables, tassés, durcis, non d'avoir été battus par des semelles humaines – il en aurait fallu des milliers –, mais d'avoir enduré, bon an mal an, quelques mois d'affilée, les flots tenaces de la mousson.

Le soleil montait rapidement, rétrécissait au-dessus d'eux l'ombre des falaises. La lumière plus blanche en effaçait les contours, annulait parfois jusqu'à l'épaisseur des choses. Kailash marchait avec la même sûreté. Il s'arrêtait de temps en temps, sans jamais prévenir, fermait les yeux, les rouvrait, puis bifurquait, avançait en automate pendant un bon quart d'heure avant de s'immobiliser, tout aussi brusquement, au beau milieu d'une sente rectiligne où rien pourtant n'appelait le doute. L'espace de quelques instants, il invoquait toutes les ressources de sa mémoire, tentait de retrouver des balises reconnues à ses précédentes équipées : un monticule en forme de museau d'animal, un sommet dont la silhouette rappelait un outil, une divinité familière ; de loin en loin, un oratoire souterrain de la Déesse où des guirlandes achevaient de se faner. Souvent, des grappes de guêpes continuaient de grésiller autour des larges traînées blanchâtres laissées sur la divinité par des lampées de liqueur.

Chaque fois qu'il croisait ces tanières creusées à flanc de ravin, avec leurs traces fraîches d'un passage, le pas de Kailash devenait plus vif, il retrouvait une sorte d'allégresse enfantine, l'insouciance du jeu. C'est pourtant devant l'un de ces oratoires qu'il se trompa de chemin, peu avant midi. Une fois encore, il s'était arrêté, avait repassé en esprit les étapes du dédale qui menait à Gohani. Était-ce l'heure, la lumière trop blanche du zénith, ou la présence de Devi, la proximité de son corps enfiévré par la marche ? Il hésita à la croisée de deux sentiers, s'engagea dans l'un, puis revint sur ses pas.

Il ne comprit son erreur qu'au bout d'un moment, quand il s'aperçut que le dessin des crêtes, au lieu d'un bestiaire familier, ne lui évoquait plus rien, sinon ce qu'il était : un indéchiffrable chaos de crevasses et d'arbustes.

Il s'effondra sur le bord du chemin, sans souci des serpents, des scorpions qui pouvaient à tout instant s'échapper des fissures. Il replia ses bras au-dessus de sa tête, comme pour se cacher. C'était la première fois qu'il s'égarait dans les gorges. Il resta ainsi un très long moment, la tête vide, sans même savoir ce qui l'abattait, de la peur ou de la honte. Puis il tenta d'affronter le regard de Devi. Il n'avait pas levé les yeux qu'il reçut dans le ventre un violent coup de pied.

– Debout !

L'écho des gorges fut le même qu'au bord du fleuve, ironique et guttural. Il voulut répondre, mais il avait le souffle coupé par la douleur. Un second coup tomba presque aussitôt, qu'il ne put davantage prévenir :

– Allez, debout !

– Arrête... Quand on est perdu...

– Quand on est perdu, on ne se couche pas. On pense.

Elle tourna aussitôt les talons. Il la vit s'arrêter derrière un buisson et ôter ses chaussures. Puis elle inspecta de part en part la ligne des falaises et entreprit de remonter le sentier, les yeux fixés sur le sol. Son sari rouge disparut bientôt derrière un dôme de terre.

La perdre était pire que se perdre. Kailash fut debout dans l'instant.

Ils ne furent pas longs à retrouver leur chemin. À plusieurs reprises, ils rencontrèrent des bifurcations où, d'autorité, Devi choisit la voie à suivre, presque sans l'ombre d'une hésitation. Pas une seule fois elle ne se trompa.

Quand ils eurent dépassé l'oratoire, Devi s'effaça à nouveau derrière Kailash. Elle ne remit pas ses chaussures; et il n'arrêta plus de sentir dans son dos son regard à l'affût, encore aiguisé par leur mésaventure, sa soif prodigieuse d'engranger dans sa mémoire, à chaque pas, le plus infime accident de terrain. À peine entrée dans la Vallée, Devi ne s'en remettait à personne pour tâcher d'y survivre. Elle apprenait déjà les ravins par cœur.

10

Ils ont rejoint Gohani moins d'une heure plus tard. Au début, Devi a eu du mal à croire qu'ils étaient arrivés; sous la lumière ocre de l'après-midi, les ravins et les constructions humaines s'abîmaient dans le même néant couleur de terre. C'est seulement quand ils sont descendus dans la gorge qu'elle a découvert le hameau replié au plus creux d'une commissure du terrain, près d'un temple consacré au Dieu-Singe. C'était là le repaire des hommes de Babu. En des temps reculés, cette balafre tailladée par les pluies avait dû abriter un gros bourg. Des ruines demeuraient accrochées aux pentes où l'on apercevait des vestiges de pilastres, de fenêtres ouvragées : le souvenir, sans doute, d'un des royaumes bandits qui firent naguère trembler les armées du Moghol. Les éboulements, les moussons avaient tout ruiné. Seul le temple restait debout. Au fond de son encoignure de terre d'où on le distinguait mal, il passait pour une fantaisie supplémentaire de la nature bien accordée à l'incohérence des gorges; ou pour un mirage d'un genre nouveau, à l'abri du grand soleil.

Curieusement, le sanctuaire n'était pas dédié à la Déesse, mais au chef de l'Armée des Singes, Hanuman, Briseur d'Obstacles et Maître des Exploits. Si Babu avait choisi de venir se refaire à l'ombre de son temple, ce n'était pas qu'il reniât la patronne des bandits. Il savait l'endroit inaccessible aux jeeps des policiers, et même impossible à remarquer par leurs hélicoptères blindés – des engins rapides, de fabrication russe, qu'ils venaient d'acquérir à grands frais. De quelque piste qu'on arrivât, et même des hauteurs des ravins, le temple d'Hanuman se confondait avec les falaises. Par surcroît de prudence, Babu changeait souvent de cache, au point que ses informateurs préférés, comme Kailash, ne les connaissaient pas toutes. Il était d'une vigilance maniaque, se méfiait de tout et de tous. Même à Gohani, ses ordres étaient rigoureux : en dehors des gardes, personne ne devait traîner sur le parvis du temple.

À l'entrée du sanctuaire, Devi a reniflé un arôme familier : celui de la cuisine des mallahs. Elle a remonté son sillage en animal, comme la piste de son espèce, toute à l'instinct de retrouver ses frères de caste. Puis, comme elle suivait Kailash à travers l'enfilade de salles souterraines, elle a senti une autre odeur, la même que celle qui flottait dans les oratoires des ravines : celle de l'alcool.

À cet instant précis, elle aurait pu s'enfuir. Il était encore temps, comme le jour où Kailash avait caressé l'idée de fouiller les tombeaux. Car l'alcool – cette liqueur-là, en tout cas, avec ses relents sirupeux – était dans la Vallée la signature des Hommes de Rien ; plus sûre, pour remonter leur trace, que les estampilles contournées dont les gangsters scellaient les messages d'invectives qu'ils adressaient à la police après chacun de leurs forfaits. Kailash est formel sur ce point : Devi ne pouvait l'ignorer, même s'il s'était gardé, tout le temps de leur équipée, de lui dire qui étaient ses amis. Ainsi que la plupart des gens de la Vallée, il ne parlait jamais des bandits sans effroi : comme si prononcer leur seul nom eût été convoquer dans l'instant, sur ses lèvres, dans sa bouche, au fond de sa gorge, à la racine de sa langue, dans le souffle même qui donnait vie aux mots, toutes les forces de la destruction. Il avait supposé qu'en le suivant docilement dans les gorges, Devi avait compris chez qui il l'emmenait. Du reste, elle n'avait pas posé de questions.

Mais elle était ainsi, Devi ; ce n'était pas seulement sa légèreté qui la poussait vers l'aventure, ni l'allégresse de ses quinze ans. Toujours il lui fallut la vie plus forte, la liberté plus grande. Elle ne sourcilla pas quand elle vit Kailash s'incliner devant les trois hommes qui montaient la garde sur les marches du sanctuaire, mitraillette à l'épaule, la taille épaissie d'une cartouchière. Elle ne tressaillit pas davantage lorsqu'ils traversèrent les salles du temple à l'abandon, où seule était entretenue la statue du Dieu-Singe, passée au vermillon et couverte d'offrandes. Aveugle et naïve, elle le fut certainement le jour où elle entra sans trembler dans ce repaire qui ressemblait à un bouge, où elle se pencha pour le salut rituel devant des inconnus aux cheveux de fer, aux faces rongées. Ils étaient une bonne vingtaine, tous armés, vêtus d'uniformes de police aux insignes parfaitement astiqués, et assis autour d'un cercle de lampes à pétrole. Ils se gavaient de viandes et de platées de riz, ils buvaient et chantaient à pleine gueule, au son d'un harmonium portatif tenu par le seul homme qui, parmi tous ces visages usés avant l'heure, possédât un reste de grâce adolescente. Il s'appelait Vikram, et Kailash, avant de s'asseoir à ses côtés, le présenta à Devi comme son meilleur ami.

Elle demeura en retrait, encore indécise, presque réticente, comme surprise, d'un seul coup, par cette étrange et noire fraternité. Dans la salle attenante, elle avait aperçu quelques silhouettes féminines, voûtées, comme partout ailleurs, au-dessus de marmites et de braseros ; elle hésitait encore sur la place qui était la sienne, du cercle des hommes, où était son amant, ou de l'humble chaîne de femmes ployées sous les tâches ingrates mais saintes qui leur étaient dévolues de toute éternité.

Kailash choisit pour Devi. Il la saisit par le bras, la fit asseoir d'autorité entre Vikram et lui. Elle ne protesta pas, au contraire, elle se redressa, et Kailash, aussitôt, se sentit fier de sa fierté. Il ne vit pas ce qu'il fallait y voir : le bonheur d'échapper à la condition commune ; et la jubilation, plus grande encore, de suivre sa nature qui la faisait toujours aller au rebours de l'ordre.

Et la nuit commença au fond de cet antre noirâtre qui transpirait la sueur des mâles et les relents d'épices. Dans la semi-obscurité, Kailash mêla ses jambes aux siennes. Au bout de quelques minutes, elle sentit aussi sur son bras la pression insistante et rythmée d'un autre mollet. C'était Vikram qui s'amusait à battre la mesure sur le morceau de peau que découvrait son corsage. Elle ne le repoussa pas ; elle ne chercha même pas à savoir si Kailash et lui étaient complices, ou s'ils commençaient déjà à se la disputer. Pour la première fois depuis longtemps, elle avait sa place dans un cercle où l'on partageait les joies d'une même nourriture. Il lui suffisait de tendre la main pour manger et pour boire, la chaleur des autres lui redevenait un bienfait, le monde retrouvait sa tendresse, la rondeur de temps oubliés ; et elle avait faim, faim et soif comme jamais.

Ce fut Vikram qui lui tendit son premier verre d'alcool. Elle eut alors un réflexe venu de loin, du temps de Mahespur, quand sa belle-mère tâchait de la dresser aux lois de la pudeur : elle a ramené un pan de son sari devant sa bouche, puis baissé les yeux. Mais elle a pris le verre, elle a avalé la liqueur à petits coups de langue, comme un chat qui se méfie mais prend goût à chaque lampée. Quelques hommes se sont esclaffés, l'un d'eux a lancé une grasse plaisanterie – ce Babu gros et mafflu qui devait diriger le gang, car il portait à l'épaule la plus belle mitraillette. Devi a relevé les yeux, rejeté son voile en arrière. Elle a soutenu son regard, et elle aussi s'est mise à rire.

C'était un rire qui sonnait franc et clair, il n'était ni sournois ni rauque comme celui des hommes. Devi a ri comme elle a toujours fait, à pleine gorge, dilatée d'orgueil, l'œil noirci de colère ; et ses éclats ont résonné jusqu'à la pièce où les femmes surveillaient la cuisine, qui se sont redressées d'un coup, anxieuses et crispées. À son tour, Kailash a pris peur. D'un mouvement furtif, il a caressé l'épaule de Devi pour lui indiquer qu'elle ne devait rien craindre, puisqu'il était là ; et pour marquer aux autres qu'elle était sa propriété, qu'il ne fallait ni la mépriser ni la provoquer.

À cet instant-là, Vikram a cessé de frôler le bras de Devi. Il s'est concentré sur le clavier de son harmonium et a entonné un autre chant.

C'était une complainte des bandits, de ces chansons tristes et nobles des Hommes de la Vallée, jamais finies et jamais lasses, qui reprennent au début l'enchevêtrement des vengeances, avec la légende du Grand Raju, le roi rebelle qui s'enfuit de Delhi, se cacha le premier dans les ravins et épousa une bergère découverte au bord du fleuve. Toute la nuit, Vikram a modulé l'immémoriale histoire des Hommes de Rien, il a dit, comme les femmes des villages, des exploits vieux de mille ans et des prouesses qui n'avaient pas six mois, il a raconté la sagesse des uns et la folie des autres, l'aventure du bandit-sorcier qui abandonna le ravin pour devenir magicien dans les cirques d'Europe, et celle du brigand qui compara le chiffre de ses crimes, en plein tribunal, au nombre de morceaux de pain que le juge avait mangés tout au long de sa vie. Il a modulé des exploits qui ressemblaient aux hymnes qu'on chantait aux dieux les jours de fête, des contes qui, comme eux, demeuraient endormis tout le reste du temps, ensevelis dans les mémoires, repliés dans l'imagination des siècles. Il a décrit l'odeur délectable du sang de l'ennemi, la grandeur terrible de la chaîne des revanches. Parfois, il a lancé des refrains que les bandits ont repris en chœur, tandis qu'il s'arrêtait pour retrouver son souffle. De temps en temps, Babu prolongeait la pause par le récit d'un raid. Une anecdote en engendrait une autre, un bandit enchaînait sur un nouvel épisode, les histoires se suivaient sans autre lien que la joie prise à compter les liasses, à répandre le sang. Nez coupés, corps fouettés et violés, cervelles éclatées : à les entendre, ils n'avaient jamais fui, jamais connu la peur. Ils ne parlaient jamais de leurs défaites.

Au milieu de la nuit, alors que faiblissait l'éclat des lampes, un homme courtaud, qui se targuait d'avoir été soldat pendant la guerre contre le Pakistan, entama le récit d'une bataille de tanks. L'histoire n'avait pas le même charme que les autres, car plusieurs hommes s'endormirent et Vikram s'amusa à les réveiller en tirant de son harmonium une note stridente et soutenue qui les fit se dresser sur leur séant, les yeux hallucinés, comme au sortir d'un cauchemar.

Mais c'est ce soir-là surtout, d'après Kailash, que Devi, pour la première fois de sa vie, entendit de la bouche de Babu l'histoire de Putli Bai : « Elle l'a écoutée bouche bée. Je la connaissais par cœur, moi, l'histoire de la Reine des Bandits, comme tout le monde, et Devi me faisait honte, pendue comme elle était à tout ce que racontait ce gros crétin. Je lui ai donné discrètement des coups de genou dans les fesses. Elle n'a rien senti, ou elle a fait mine. Et Babu en a rajouté, il en a mis et remis. Des mains coupées par-ci, des filles étripées par-là, des marmots rôtis à la broche, des couilles pendues aux arbres en veux-tu en voilà, à croire qu'elle avait eu dix bras, Putli, comme la Déesse, et qu'elle avait passé sa vie à empaler des mecs. Le plus fort, c'est que plus Babu en rajoutait, plus Devi lui tirait sa tronche de poisson mort. Elle n'en revenait pas. Ça lui est tout de suite monté à la tête. Elle s'y croyait déjà. »

Comme on s'en doute, la version de Devi diverge de la sienne. Elle ne nie pas que c'est ce soir-là qu'elle a entendu pour la première fois parler de Putli Bai. Mais elle ajoute aussitôt qu'elle n'avait jamais touché à l'alcool avant ce jour et que la liqueur l'avait engourdie. Elle aurait très vite perdu pied entre le vrai et le faux, entre les histoires de Babu et ses rêves à elle, elle aurait passé le plus clair de la nuit à somnoler entre Kailash et Vikram, jusqu'à l'approche de l'aube, quand Babu annonça qu'on allait passer au partage du butin. C'est là, dit-elle, qu'elle a compris qu'elle était chez les bandits, et qu'elle a pris peur.

C'est vraisemblablement faux ; car, dès le début du repas, le butin avait été solennellement apporté dans de grands sacs de jute qu'on avait déversés à la droite de Babu. À la fin de chaque chanson, il s'était penché avec un visage gonflé de satisfaction sur cet amas d'objets hétéroclites ; et il était revenu à plusieurs reprises sur le récit du raid où il l'avait raflé, en brandissant des coupures de presse où l'on voyait des photos de l'autobus pillé, avec les visages consternés des victimes. Les voyageurs avaient été entièrement dévalisés.

Le partage du butin commença par la distribution de l'argent liquide. Elle obéissait à une loi simple : plus on portait une arme puissante, plus on recevait un lot important. Une part était assignée d'emblée au financement de l'expédition suivante. À l'appel de Babu, du plus gradé au plus humble, chaque bandit vint s'incliner devant lui et reçut sans broncher sa liasse de roupies en touchant la terre de sa tête, en lui baisant les pieds. Après le partage des billets, Babu se tourna vers le monceau d'objets raflés dans le bus et tapa le sol de la crosse de sa mitraillette comme pour bien signifier qu'il accablait les choses, comme ses hommes, du poids de sa force et de sa volonté. Puis il se mit à trier les objets.

Cela prit une bonne heure, car c'était un énorme fatras, comme après n'importe quelle attaque de train ou d'autobus : des bijoux et des montres, des briquets, des bouteilles de jus de fruits gazéifié et d'Indian Cola ; mais aussi des couvertures, des châles, des duvets, un gros paquet de magazines de cinéma, enfin les biens auxquels Babu devait accorder la plus grande valeur, car il les fit déposer à part, sur un lit de sacs en plastique : des bracelets de mariage, quelques dents en or, un rasoir électrique – vraisemblablement volé lui-même à un pickpocket qui revenait d'une grande ville –, des stylos-feutres, des réchauds, des saris de cérémonie, une dizaine de tubes de rouge à lèvres et de boîtes à mascara, une quantité impressionnante de bidons d'aluminium et d'ustensiles en plastique dont la modernité de la matière suscita, à l'évidence, la convoitise générale.

Babu s'attribua les plus belles montres, une partie des bijoux et des produits de beauté, ainsi que le rasoir électrique et une bonne partie des récipients en plastique – il en espérait sans doute un troc avantageux, quand il lui faudrait se ravitailler en munitions, dans les souks de Gwalior ou d'Agra. Pour un homme qui portait simplement un fusil semi-automatique, Vikram ne fut pas trop mal loti, remarqua Devi : il hérita d'un duvet, de deux montres et de cinq récipients. Elle nota cependant son visage fermé lorsqu'il se releva après le salut de remerciement.

Puis tout le monde se remit à manger et à boire, à verser la liqueur encore plus largement. À nouveau on chanta, on raconta des histoires dont le fil se perdit vite, comme celui des chants de Vikram. Avec les notes mourantes de l'harmonium, le sommeil vint, une paix lourde qui plomba les rêves.

Kailash ne se souvient plus à quel moment il a quitté le repaire de Babu. Il se rappelle seulement que le soleil était déjà haut et qu'un rai de lumière est venu frapper la statue vermillonnée du Dieu-Singe, dans la salle voisine ; son éclat orange, par ricochet, lui atteignit le visage. Il se frotta les yeux, sentit contre son ventre le bras chaud de Devi. Il se leva, la secoua en chuchotant : « Il faut partir. » Elle se dressa presque aussitôt ; l'œil si vif, déjà, qu'il pensa qu'elle n'avait pas dormi.

Allongé à deux pas de là, Vikram se mit lui aussi debout, comme prévenu par un signe imperceptible. Il s'avança vers Kailash. Il titubait. Il a fini par jeter : « Tu pars ? », d'un ton qui sonnait faux ; et il s'est assombri avant même d'avoir la réponse. Il avait sur le cou une veine qui battait vite.

Les autres bandits dormaient. Sur le parvis du temple, les gardes alourdis de cartouchières continuaient de dresser leurs canons dans le jour jaune du matin. Kailash poussa Devi hors de la pièce. Il y eut dans un recoin un friselis d'étoffes. Des bras, des jambes s'agitèrent avec les gestes ralentis d'un nageur fatigué. C'étaient les femmes qui avaient préparé le festin, ramassées, emmêlées sous leurs voiles, endormies, mais déjà sur le qui-vive, prêtes à servir, encore et toujours. Devi s'arrêta devant elles, souffla à l'adresse de Vikram : « Elles restent avec vous ? »

Quelques hommes se retournèrent sur leur natte, d'autres cessèrent de ronfler. Kailash chuchota à nouveau : « On part. »

Sur le cou de Vikram, la veine battait de plus en plus fort. Il rajusta sur ses épaules sa veste de sous-officier, d'un mouvement si brusque que la bague qu'il portait à l'index droit se prit dans un bouton et faillit l'arracher ; et, pour comble, il se cogna les pieds dans son harmonium qui meugla un accord dissonant.

Un homme se dressa sur sa natte, bougonna une obscénité avant de s'affaler à nouveau, écrasé de sommeil, bras et jambes écartés. Kailash poussa Devi vers la statue du Dieu-Singe. Vikram les suivit. Il dépassa Devi, s'adossa à un pilastre, sur le parvis du temple, et lâcha enfin :

– Les femmes, on les retrouve quand on revient. C'est trop dur, là-dedans.

Il contemplait les crevasses desséchées avec un œil buté, le même regard qu'au moment où Babu lui avait remis sa part de butin. Devi a eu alors un petit bruit de gorge, une sorte de ricanement qui semblait monter du plus profond d'elle-même. Puis elle a laissé tomber en rajustant les plis de son sari :

– On s'en va, mais on reviendra.

Ce n'était ni un mot de consolation, ni une provocation ; tout juste l'énoncé d'une tranquille certitude.

– C'est vite dit, a marmonné Vikram.

– Et alors ? Pourquoi pas ?

– On repart dans deux jours. On retourne là-dedans...

Il a désigné les ravins en tâchant de sourire, mais sa bouche était amincie d'amertume. Devi s'est mise à le fixer, on aurait dit que ses yeux s'agrandissaient de seconde en seconde. Puis elle a eu son fameux rire, celui qui venait sans prévenir et qui riait sans rire ; celui qui semait d'un seul coup autour d'elle comme un orage de peur.

Kailash a bondi au bas du parvis. Il avait hâte de s'en aller et Vikram, de son côté, n'en menait pas plus large. Alors, comme subitement réjouie de son effet, Devi s'est avancée entre les gardes, en plein soleil, sur le parvis du temple ; et c'est là qu'elle a lancé à Vikram, au risque de réveiller tout le gang :

– On se reverra, tu peux compter là-dessus !

Et elle a déboulé au fond du ravin, opposant aux gardes, à Vikram, et comme au monde entier, son jeune dos raidi de superbe. Elle courait droit vers le dédale des gorges, sans un regard pour qui la suivait, bravant la menace des serpents et le soleil qui lui dévorait la face, le talon plus sûr qu'il n'avait jamais été.

11

Le trajet de retour a été très morne. Dès qu'ils n'ont plus été en vue du repaire de Babu, Devi a laissé Kailash passer devant elle et leur marche s'est ralentie. Le plaisir de l'aventure s'était évaporé ; il y avait aussi la fatigue de la nuit. Ils ne se sont pas adressé la parole avant d'arriver à Tyoga.

C'était à l'orée des ravines, juste au fond du dernier défilé. Un anneau du fleuve brillait entre deux falaises, avec des éclats irréguliers qui perçaient la brume de chaleur. C'est Devi qui a rompu le silence. Sans préambule, elle a jeté à Kailash :

– Tu peux me le dire, maintenant. Qu'est-ce que c'était que ces types ?

Elle s'était adressée à lui sans le regarder, comme chaque fois qu'elle avait une idée qui lui trottait dans la tête. Il savait qu'elle ne le lâcherait pas tant qu'il n'aurait pas ouvert la bouche, mais il a préféré ne pas répondre. Il a aussi pensé qu'il ferait mieux de détaler; mais il s'est dit que, pas plus tôt au village, il aurait envie de revenir auprès d'elle. Du reste, elle tenait bon :

– Crache donc le morceau !

– Il n'y a rien à cracher.

– Si.

– Tu parles !

– Je veux que tu me le dises. Qu'est-ce que c'était que ces types ?

– Mais tu le sais !

– Ils te font peur, c'est ça !

Une seconde fois, Kailash pensa courir chez lui, mais il resta cloué sur place. Il s'entendit bredouiller :

– Des bandits, voilà ! Tous des bandits...

Il passa devant elle. Il la sentait jubiler dans son dos, il devinait aussi qu'il n'allait pas s'en tirer à si bon compte; et, dans le moment qui suivit, il l'entendit claironner :

– Des bandits ! Et toi, alors, qu'est-ce que tu es ?

Il se retourna sur-le-champ, bondit sur elle, la précipita dans la poussière :

– Tu tiens vraiment à le savoir ?

Elle ne répondit pas. Une de ses sandales glissa dans une crevasse en laissant derrière elle de minuscules avalanches de terre. Kailash était aveuglé de colère :

– Tu veux le savoir ? rugit-il à nouveau. Un mari ! Je ne suis qu'un mari !

Il s'empara d'une pierre, la lui jeta sur le pied et détala. Il n'avait pas parcouru dix mètres qu'il entendit Devi l'appeler :

– Quel dommage, Kailash... Quel dommage que tu ne sois pas le mien !

C'était un cri comme une plainte, un cri de douleur et de douceur, le son de l'amour même, ou de ce qui en tient lieu. Il s'est arrêté sur-le-champ, s'est retourné. Il l'a vue, accroupie sur le sol, se frottant toujours la cheville, avec son sari à moitié défait, son corsage de travers qui découvrait, sous ses aisselles, un pan de chair plus claire ; et, comme d'habitude, il s'est senti sans force et sans volonté, sinon celle de revenir vers elle, d'aller lui chercher sa sandale dans la crevasse où elle était tombée.

– Veille bien sur tes chaussures, chuchota-t-il en la lui glissant au pied.

Elle a levé vers lui un œil surpris, elle a demandé : « Pourquoi ? » d'une voix où il n'y avait plus un soupçon de tendresse.

– On va aller à la ville, a répliqué Kailash.

– À la ville ?

– On va se marier.

Et il déposa sa tête sur les pieds de Devi. Il n'était plus qu'abandon et souffrance, courbe et humilité. Elle n'a pas bougé, ni pour lui caresser la joue, ni même pour lui effleurer les cheveux. Mais quand il s'est relevé, elle a eu le même regard que face à Vikram, ces mêmes yeux étrangement écarquillés, d'un noir si profond. Kailash a repris espoir, il a poursuivi d'une voix soudain plus mâle :

– On partira demain. Oui, demain. On fera ce qu'il faut. Des papiers, des vrais papiers. J'apporterai l'argent. On ira à la ville. À Kanpur. On se retrouvera ici. Juste à la fin de la nuit.

Elle n'avait pas l'air de bien comprendre. Il en a profité pour se sauver ; et c'est le cœur léger, ce jour-là, qu'il a couru vers Tyoga, parce qu'elle n'avait rien trouvé à lui répondre, pour une fois. Elle n'avait su que le regarder partir en se frottant la cheville, l'œil enfin mort et la bouche ronde, comme lorsqu'elle écoutait les fables de Babu.

12

Kailash est venu juste avant l'aube, comme promis, avant le réveil du village. Il avait l'air fier ; trop fier, peut-être. Il portait une lampe électrique et un sac en plastique où il a plongé la main de Devi. Il était rempli de billets de banque. Elle n'a pas demandé où il l'avait trouvé. Elle s'est contentée de ce qu'il a dit quand elle a retiré sa main : « C'est l'argent, pour la ville. » Et elle l'a suivi dans le noir.

Ils sont partis à travers champs. Au lever du soleil, ils se sont enfoncés dans une sente que Devi ne connaissait pas, juste à l'endroit où débouchaient les ravines. Le sentier s'est vite élargi, sa pente s'est adoucie, l'horizon s'est ouvert d'un seul coup. Le vent a apporté le fracas d'un moteur. C'était la route. Ils ont bifurqué vers le nord.

Ils ont pressé le pas. Ce n'était pas seulement la joie du jour montant, c'était aussi, dans le rose poussiéreux du matin, le plaisir de s'abandonner au flot qui coulait vers la ville. Rivière capricieuse d'animaux et d'humains, de machines, d'attelages, plus ample d'heure en heure, marée chaotique charriant de tout, des scooters et des chameaux, des bicyclettes, des buffles, des bus bondés, les hordes allègres de nomades retournant au désert, toutes les castes et toutes les tribus, tous les âges de la vie, unanimement tendus vers un rêve qu'ils étaient seuls à connaître : ce fut d'abord cela, la route, cette indifférence joyeuse, cet abandon au tumulte, au désordre des obstacles, dans la stridence quasi ininterrompue des avertisseurs. Il y eut des haltes dans des villages – plutôt d'interminables déversoirs d'humanité et de cambouis étirés sur des kilomètres ; des barrières d'octroi où s'engorgea et s'enchevêtra encore le flux de machines et de bêtes, les chèvres et les ânes, les taxis collectifs et les autobus, les mendiants et les marchands, les vendeurs de tout et de rien, comme aimantés, aspirés à leur tour par l'artère qui courait vers la ville.

Le voyage leur prit une journée et demie. Le premier soir, ils dormirent au bord d'une route secondaire, à l'ombre d'un caravansérail en ruine. Au milieu de la nuit, Devi sentit Kailash l'attirer à lui. Elle le repoussa d'un mot : « Quand on aura le papier. » Il n'insista pas mais, le lendemain, il décida qu'ils finiraient le voyage en bus. Ils arrivèrent vers midi au centre de Kanpur, à deux pas du Grand Cinéma.

Là, les choses se compliquèrent. Aux façons empruntées de Kailash, Devi comprit qu'il n'avait jamais mis les pieds à la ville. Il se laissait bousculer, trébuchait, n'arrêtait pas de lever la tête, comme s'il était encore dans les ravines, à la recherche de repères qui n'existaient pas. Il semblait à la fois désarmé et fébrile.

Elle choisit de s'en tenir à son but, le mariage ; et à ce qu'il lui avait promis : un papier. Elle résolut de se taire, pour une fois, et de le suivre sans broncher. Elle fit bien : à force de tourner dans les innombrables venelles qui partaient du Grand Cinéma, Kailash finit par découvrir l'atelier de l'homme dont il attendait tout, un certain Ragu, le plus précieux relais du gang de Babu. Sous couvert de réparation de moteurs, il négociait pour la bande des munitions et des armes, les rafistolait ; si le besoin s'en faisait sentir, il était même capable d'en fabriquer.

Il avait toujours aimé la solitude, personne ne

pour prix de sa boucherie la moitié de son trésor de guerre.

C'est ce jour-là que naquit sa légende. Elle était déjà célèbre : Putli, tout le monde le savait, était la seule femme dans la Vallée qui eût jamais durci son cœur, elle avait maîtrisé l'art du meurtre avec le même brio que la danse et l'amour. Mais, du jour où elle fut mutilée, son empire n'eut plus de bornes : elle domina les âmes. Elle peaufina alors son mythe avec une science consommée, la même précision froide qu'elle mettait dans l'assassinat. Le temps de sa convalescence, elle ranima un usage en vigueur chez les rois-guerriers d'autrefois : elle se fit remplacer dans les attaques par un jeune garçon qui portait la même coiffure qu'elle, le même maquillage criard, le même voile drapé sur son corsage et son jean. Une fois remise, elle voulut à nouveau monter, apprit à mener son cheval d'une seule main, à tenir son fusil au bout de son moignon. Elle tirait en lâchant les rênes, de son bras resté valide. La police la traquait en permanence, son nom remplit les magazines. Mais la lassitude la prit, elle eut envie de revoir la fille qu'elle avait eue de Sultan. Elle écrivit à Nehru deux lettres pathétiques où elle lui raconta sa vie et demanda sa grâce. Il ne répondit pas. Alors elle reprit les armes, plus féroce que jamais. Elle mourut un jour de malchance, à vingt-neuf ans, dans une embuscade qui ne lui était pas destinée, en se jetant dans la Chambal pour échapper à la police. On ne retrouva jamais l'or qu'elle avait amassé ; sur elle, elle portait seulement un bâton de rouge à lèvres, un peigne et un flacon d'huile capillaire. Les policiers exposèrent son cadavre plusieurs jours d'affilée, le promenèrent de village en village pour bien dissuader les femmes qui seraient tentées de suivre son exemple, et refusèrent à sa famille le droit de l'incinérer.

Publiées en pleine page dans tous les journaux, les photos prises de son corps criblé de balles avaient déjà enflammé l'imagination populaire. Les récits de sa vie débordèrent la ceinture des ravines et finirent par inspirer un très long film, fantaisiste et coloré à souhait, qui réjouit les Indiens des villes, toujours assoiffés de romanesque sanglant.

Les autorités policières ne furent pas étrangères à la naissance de ce mythe populaire où se rejoignaient les plus vieux fantasmes de l'Inde et les rêveries d'une modernité encore confuse, nourrie de westerns et de romans d'aventures. À la fin d'un rapport daté de février 1958 – quelques jours à peine après la mort de Putli –, le fonctionnaire en charge du district où elle était tombée se laissa aller à un brin d'émotion, assez inattendu dans un document officiel : « Sa mort a effacé tous nos griefs. Nous oublierons sa cruauté et sa férocité implacables pour ne nous souvenir que du courage exceptionnel d'une femme qui a beaucoup enduré et beaucoup souffert... » Et il conclut ce rapport en forme d'éloge funèbre avec optimisme et solennité, en donnant à Putli le surnom qu'elle avait reçu dans les chansons de la Vallée : « Ses compagnons l'appelaient la Reine des Bandits. Il n'y aura jamais qu'une seule Reine des Bandits. »

6

Quand elle prit le chemin de Tyoga, Devi ne cherchait qu'un refuge. La soif de liberté n'était encore en elle qu'un courant indistinct; comme un fleuve dont elle aurait plusieurs fois entrevu les berges sans jamais oser en approcher les eaux. Ce qu'elle attendait des gens de Tyoga tenait en peu de mots : le regard de l'indifférence, de quoi manger à sa faim. À quinze ans, elle avait fait son deuil du reste.

La rumeur avait déjà traversé le fleuve, qui parlait

s'intéressait à lui, au fond de la venelle où il vivait avec sa femme et ses filles, dans le quartier des forgerons. Il fut très surpris de voir débouler Kailash. Il pointa aussitôt l'index sur Devi. « Laisse, gronda Kailash, c'est pour elle que je suis ici. »

Ragu s'avança d'un pas, prêt à frapper :

– On ne parle pas devant les femmes.

– Je viens pour un service, Ragu. Les autres m'ont dit que tu connaissais un homme de loi.

Il tendait vers lui ses paumes ouvertes, comme un mendiant. Puis il poussa Devi devant lui ; et, comme Ragu ne répondait pas, Kailash enchaîna :

– Rien qu'un petit service, Ragu, pas grand-chose. Un papier de mariage. Je veux l'épouser, il me faut un papier, un vrai papier de la ville. J'ai de quoi payer.

L'œil de Ragu s'est aiguisé, il s'est mis à détailler Devi de pied en cap. C'était un homme d'une quarantaine d'années, imposant et très gros, ce qui indiquait assez la prospérité de son commerce. Devi n'a pas cherché à fanfaronner. Elle a baissé la tête, s'est réfugiée dans l'ombre de Kailash. Ragu a continué de la dévisager, puis il leur a fait signe d'entrer dans son atelier, une sorte de cloaque huileux où se chevauchaient des moteurs éventrés et des plaques de ferraille, sous un toit de tôle ondulée.

Kailash s'est tourné vers Devi :

– Allez, laisse-moi.

Et il l'a poussée dans une cour, à l'arrière de l'atelier, où bavardaient quelques femmes. Devi s'est assise dans un coin, sans un mot, un pan de son sari rabattu sur son visage. Les hommes parlaient à mi-voix, elle eut du mal à suivre la conversation. Pas un seul instant elle ne douta de Kailash, elle était sûre qu'il arriverait à ses fins. Sous sa cotonnade, elle fermait les yeux, se raidissait, joignait ses mains contre son front, comme pour la prière. Pourtant, elle sentait bien que Ragu renâclait, discutait, ergotait. Kailash faisait front, argumentait lui aussi pied à pied, avec des phrases interminables. À la fin, Devi s'est approchée de la porte de l'atelier et elle a cru comprendre ce que cherchait Ragu : se faire payer le même prix que l'homme de loi qui allait fournir le certificat de mariage.

Il y a eu un silence extrêmement long. Kailash a soupiré, il a lancé un coup de pied dans une aile de scooter. Ragu a lâché un chiffre, Kailash un autre. Ragu n'a pas répondu. Kailash a aussitôt puisé une liasse de billets dans son sac en plastique. L'autre a haussé les épaules, il a réfléchi quelques instants, puis il a pris l'argent et lui a chuchoté quelques mots. Kailash l'a écouté en hochant la tête ; enfin il a bondi dans la cour pour rejoindre Devi. Il lui a simplement soufflé : « Je reviens », et il est parti en courant entre les flaques de cambouis.

Il n'est revenu qu'à la nuit tombée. Elle avait fini par s'endormir, ramassée sous ses voiles, à même le sol. Quand Kailash l'a secouée en lui criant que tout était réglé, qu'il ne manquait plus que sa signature au bas du certificat de mariage, elle était si hébétée qu'elle n'a rien compris. Elle n'a su que répondre : « Je ne sais pas signer. »

« Tu feras comme je te dirai », a rétorqué Kailash. Il avait les mêmes yeux farauds que la veille, quand il avait surgi de la nuit avec son sac en plastique bourré de billets.

Tout s'est pourtant passé comme il l'avait promis ; et même trop vite au goût de Devi. Elle n'aurait su dire pourquoi, elle avait imaginé quelque chose qui ressemblerait à son premier mariage, elle avait pensé que l'homme de loi siégerait dans une sorte de temple devant des baguettes d'encens et l'image d'un dieu ruisselant de guirlandes. Au lieu de quoi elle se retrouva dans un minuscule bureau, face à un vieillard affalé sur une chaise bancale, le visage tourné vers un ventilateur qui soulevait les paperasses accumulées sur sa table.

C'est tout juste s'il lui a jeté un regard. Il y avait des sièges devant la table, mais il ne leur a pas proposé de s'y asseoir. Il s'est mis à débiter sans préambule des phrases auxquelles elle ne comprenait rien, sinon, à deux reprises, le mot qu'elle attendait : mariage. L'homme a rajusté sur son nez ses lunettes poisseuses, il a bougonné comme pour lui seul une formule satisfaite, il a relu une dernière fois le papier en suivant du doigt les caractères, enfin il a consenti à lever les yeux vers elle – un regard vitreux que l'épaisseur de ses verres rendait encore plus trouble – et lui a demandé de signer. Elle n'a pas bougé d'un pouce. Kailash s'est impatienté, lui a désigné un emplacement en blanc, au bas du papier. Elle s'est alors redressée en prenant appui sur les barreaux de la chaise :

– C'est toi, l'homme, Kailash. À toi de commencer.

Le vieux a eu un petit rire quand il a vu Kailash s'emparer du stylo. Il avait dû aller plusieurs mois à l'école, car il savait parfaitement s'en servir ; il a prestement griffonné quelques arabesques. Puis il a tendu le stylo à Devi. Elle l'a saisi en imitant de son mieux la position de ses doigts, elle a commencé un dessin qu'elle avait appris durant son enfance, un de ces motifs en étoile qui attirent sur les maisons la bénédiction des dieux. Elle y a mis trop d'application, l'homme de loi a eu un mouvement exaspéré, il lui a retiré la feuille avant qu'elle ait fini, pour la consteller de tampons. L'un d'eux, au grand regret de Devi, a presque entièrement oblitéré sa tentative de signature.

Quand le vieillard en eut fini de manipuler ses tampons – ce fut assez long, car il y mettait une solennité et une précaution infinies –, Kailash déposa sur la table plusieurs liasses de roupies. L'homme de loi les compta et recompta, puis éteignit le ventilateur, la rampe de néon qui éclairait son bureau, et lui remit le certificat.

Kailash l'enfouit au fond de son sac en plastique. Comme ils retrouvaient le chaos de la rue, Devi lui fit remarquer qu'il serait bien inspiré de le garder dans la poche de sa chemise. Il l'approuva, entrouvrit le sac. C'est à ce moment-là qu'elle s'aperçut qu'il y restait encore quelques liasses de billets. Alors elle lui murmura sur le ton de la plus tranquille évidence : « Maintenant, on va au cinéma. »

13

Ils sont donc allés au cinéma. Ils y ont passé la soirée et les deux jours suivants. Entre les séances, ils rentraient chez Ragu où ils faisaient l'amour dans un petit appentis, au fond de son atelier. Puis ils dormaient. Dès qu'ils étaient réveillés, ils retournaient voir un film. Les files d'attente furent parfois très longues. Jamais ils ne se découragèrent. Devi trompait le temps en s'empiffrant de glaces. Elle en raffolait tellement qu'elle ne mangea presque rien d'autre pendant ces trois jours.

C'est Kailash qui a parlé le premier de rentrer au village. Quand il a annoncé à Devi qu'il n'avait plus d'argent, elle n'a pas bronché. Il s'est senti obligé d'ajouter :

– J'ai le papier. On ne peut rien contre nous. Personne. Ni ma femme, ni mes parents.

Devi lui opposa le même silence lourd de menace ou d'indifférence, il n'aurait su dire. Il a insisté :

– Ma femme n'a pas de papier.

Elle n'a pas davantage répondu, elle est partie dans la cour pour se laver et se huiler les cheveux. Il l'a vue ensuite sortir des plis de son sari un petit miroir et plusieurs sachets de poudre, puis entreprendre de se peindre le front des motifs colorés qui désignaient, dans les villages de la Vallée, les toutes nouvelles mariées. Ce ne fut pas une petite affaire. De loin en loin, Ragu s'extrayait la tête des carcasses de moteurs, regardait sa montre, lui jetait un regard mi-ironique, mi-accablé. Elle ne semblait pas le voir, prenait tout son temps. Il était presque midi quand elle est rentrée dans l'atelier.

– On y va ? lança-t-elle à Kailash.

Il ne l'avait jamais vue aussi resplendissante – aussi arrogante non plus. Il a cru qu'elle voulait retourner au cinéma. Il s'est tendu, il a bégayé :

– Mais l'argent... On n'en a plus assez...

– On se fiche du bus, on ira à pied. On n'est plus pressés, puisqu'on a le papier.

C'est ainsi qu'il a compris qu'elle était disposée à rentrer.

Tout le temps du voyage, elle ne s'est pas départie un instant de ses airs de princesse. Ils marchaient maintenant à contre-courant de la route, la ville s'éloignait mais Devi semblait s'en moquer, qui s'avançait la tête bien haute, sans jamais fléchir, comme si elle voulait narguer la terre entière, et jusqu'au soleil même, de son front bariolé aux marques des mariées. Ils n'avaient pourtant presque rien à manger, ils dormaient comme les pauvres des pauvres, en dehors des villages, à l'abri de fossés. Mais elle était chaque matin réveillée la première, aussi nette que la veille, le cheveu natté et luisant d'onguent, les arabesques du mariage dessinées sur son front sans une erreur, sans une bavure ; et la première aussi elle reprenait la marche, tranquille, hardie, dans la poudre rose des matins de chaleur.

Elle avait, se rappelle Kailash, le même aplomb que les héroïnes de films, une curieuse alliance de douceur et d'implacable fierté, elle était femme comme elle ne l'avait jamais été ; et, d'après lui, ce n'était pas l'amour qui la rendait ainsi, ni même le papier de mariage. C'était le cinéma.

Ils avaient fait toutes les salles de Kanpur. Dans leur caverne obscure, elle avait vu des traîtres avinés, des princes dégénérés qui torturaient leurs serfs, de faibles servantes violentées puis sauvées, des métayers affamés par leurs maîtres avides. Avec eux, sans réserve, Devi avait eu peur, faim, espoir et désespoir, jusqu'au moment où elle s'était convaincue, comme l'écran s'éteignait, que tout avait une fin, et que cette fin se nommait justice. Elle y a cru de tout son être, aussi fort qu'à la Grande Déesse. Elle a fait siennes toutes ces histoires qui se terminaient dans le contentement des justes, pour la plus grande gloire de héros sortis d'on ne sait où – peut-être des montagnes où règnent les dieux, car ils n'avaient ni argent ni famille, seulement des fusils ou des poignards.

Kailash en demeure persuadé : sans le cinéma, Devi n'aurait jamais voulu revenir à Tyoga. Elle avait déjà trop souffert, elle se serait méfiée, c'était dans sa nature. Du moins lui aurait-elle demandé des garanties à l'approche du village, des promesses, des preuves. Mais elle a sincèrement jugé que sa propre histoire était close, qu'elle s'était terminée, comme dans les films, sur une reconnaissance de ses droits à aimer et à vivre, elle a estimé qu'elle avait maintenant sa place dans la chaîne tendue par les dieux pour maintenir le monde en ordre, le maillage serré des lignées et des castes. Elle y a cru dur comme fer ; tandis que lui, Kailash, à mesure qu'ils s'approchaient des ravins, sentait venir la peur : sa femme s'était-elle aperçue que ses bijoux de cérémonie avaient disparu de leur cachette ? Le prêteur de Tyoga, chez qui il les avait gagés à la hâte, avait-il parlé quand on avait remarqué son absence et celle de Devi ? Avait-il raconté sa visite en pleine nuit, son entêtement à ne pas marchander ?

Plus les gorges se resserraient sur la route, plus l'angoisse travaillait Kailash. Il était parti pour partir, sans autre avenir que la ville, le papier, sans autre horizon que de garder Devi à n'importe quel prix. Avec les premières ravines, il sentait retomber sur lui la chape du village, son réseau d'alliances et d'usages datant des temps obscurs. Il priait pour que son père se laissât abuser par le papier constellé de tampons, pour qu'il le prît pour un vrai certificat, un authentique papier de la ville, obtenu en bonne et due forme. Il implorait les dieux, il souhaitait un miracle ; et, très étrangement, alors même qu'il s'effrayait de la force aveugle qui, contre toute raison, les ramenait au village, c'était aussi d'elle qu'il attendait tout.

Devi a fait son entrée dans le village sans rien changer à son pas conquérant, au point que sur les seuils, dans les cours, tout le monde en est resté sans voix. Ils sont allés droit à la maison de Kailash. Sita, sa jeune épouse, était comme d'habitude assise sous l'auvent, elle pilait du grain, son nourrisson accroché dans son dos. La scène a été brève : Kailash a désigné le seuil à Devi et lui a fait signe d'entrer. Elle a poussé la porte. Penchée sur son mortier, l'autre n'a rien vu.

C'est l'enfant qui a donné l'alerte. Il s'est mis à se tortiller dans le dos de sa mère. Sita a voulu rajuster l'étoffe qui le retenait, elle a levé la tête à l'instant même où Devi passait le seuil. Elle en a lâché son pilon.

Elle s'est ruée dans la maison. Kailash a voulu s'interposer, mais la fureur de sa femme était telle qu'elle a réussi à le repousser. Il est sorti, il n'a plus osé bouger. Il y a eu un moment incertain où l'on a entendu dans la maison le fracas de récipients métalliques, quelques raclements sur la terre battue, des cris étouffés. Puis Sita a fait irruption dans la cour, le sari défait, les joues griffées. Elle s'est agenouillée devant Kailash, lui a baisé les pieds. Il ne s'est pas laissé attendrir, l'a repoussée : « Va-t'en, je ne veux plus de toi. »

« Je vais lui crever les yeux ! » a hoqueté Sita. Il a tenté de crier plus fort qu'elle : « Va-t'en, je l'ai épousée. J'ai un papier, un vrai papier de la ville ! »

Le mot *papier* l'a laissée interdite. Dans la découpe obscure de la porte, on a vu passer le sari rouge de Devi – comme si déjà elle avait pris possession des lieux ; et Kailash l'a rejointe aussitôt, sans un regard pour son fils.

Sita s'est alors assise sous l'auvent – ou plutôt elle s'est lentement affaissée contre le mur, comme privée de forces. Elle a fermé les yeux, on l'aurait crue évanouie, ou morte, si d'un seul coup elle n'avait pris une longue inspiration, comme un soupir à rebours, un souffle qui s'en allait chercher, dans des régions de son corps ignorées d'elle-même, au plus profond, au plus secret, la force de défier le chagrin. Et elle a lancé un très long cri. Ce n'était pas un hurlement ni un sanglot, mais une sorte de feulement qui ne s'arrêtait plus, un son enroué, éraillé, le plus ancien cri des femmes, celui des filles des tribus, dans la forêt, quand les hommes sont morts ou qu'ils les abandonnent. Un cri de malheur et d'alerte qui n'a pas manqué son but : dans la minute qui a suivi, tout le village était dans sa cour.

Une femme a repoussé les autres, une paysanne courtaude et résolue, la mère de Kailash. Elle s'est plantée devant sa belle-fille, l'a saisie par la natte, lui a tiré la tête en arrière, ce qui a eu pour effet de la faire taire sur-le-champ. Puis elle a pris l'enfant dans ses bras et est entrée dans la maison.

Il y a eu des éclats de voix, des injures. L'enfant s'est mis à pleurer. Entre ses accès de larmes, on a entendu plusieurs fois les mots *bijoux* et *dot*. Kailash a vociféré si fort qu'il en a perdu le souffle. Il martelait sans cesse les mêmes phrases où il était question d'un homme de loi et d'un certificat de mariage. Sa mère lui répondait chaque fois qu'il n'y avait qu'une seule loi, celle du village, qui valait toutes les fumisteries de la ville ; la preuve en était justement qu'on ne l'écrivait pas.

Dehors, Sita pleurait maintenant à sanglots brefs, sans conviction, comme si elle pressentait qu'elle allait gagner la partie ; et, en effet, un homme est venu à son tour bousculer la foule des villageois, un vieillard essoufflé qu'on avait dû aller chercher dans son champ, car il avait encore les mains souillées de terre. À l'instant même où il est entré dans la maison, on n'a plus entendu de cris ; et Sita elle-même, dans la cour, s'est arrêtée de renifler.

C'était le père de Kailash. Il s'est mis à parler. Il avait

la voix cassée mais ferme, le ton d'un homme qui sait de longue date faire plier gens et choses. Il n'a pas crié, il n'a pas fait de grandes phrases. Il a simplement rappelé à son fils que Sita lui avait donné un enfant mâle, et il lui a demandé de lui remettre le papier qu'il était allé chercher à la ville. Kailash a refusé. Alors son père est ressorti sur le seuil et a laissé tomber, comme s'il s'adressait aux villageois qui se pressaient dans la cour :

– Alors va vivre avec ta pute. Mais dehors. Jamais ici.

Il a tendu le bras dans la direction des ravines. Kailash l'a pris au mot. Il est aussitôt sorti de la maison, le bras replié sur celui de Devi.

Quand Sita les a vus côte à côte, quand elle a remarqué les dessins que Devi s'était peints sur le front, elle a recommencé à hurler. Une seconde fois, sa belle-mère l'a forcée à se taire en l'agrippant par la natte ; puis elle a craché à terre, à l'endroit même où venait de passer Devi. La plupart des femmes l'ont imitée, et même quelques hommes, dont le père de Kailash. L'affaire ne semblait pas l'avoir beaucoup troublé, car il s'est tranquillement assis à l'entrée de la maison en sortant une pipe de chanvre ; puis il a ricané à l'adresse de sa belle-fille :

– Dans moins de trois jours, tu l'auras dans ton lit.

Il s'était trompé, mais de peu. Au bout d'une semaine dans les ravines, Kailash a annoncé à Devi qu'il retournait chez sa femme. Cela s'est passé dans l'anse où ils s'étaient rencontrés, à leur réveil, au moment où Devi s'apprêtait à se baigner. « J'ai besoin d'une maison, lui a-t-il déclaré en manière d'excuse ; quand je dors, au-dessus de ma tête, j'ai besoin d'un toit. »

Sur le moment, Devi n'a rien dit. Elle est entrée dans l'eau à sa façon habituelle, à pas mesurés, en faisant lentement ruisseler l'eau sur ses épaules. Il en a profité pour prendre ses jambes à son cou. Dès qu'il s'est cru hors de portée, il a ralenti sa course, il s'est même arrêté derrière un buisson pour reprendre souffle. Il ne l'a pas vue sortir de l'eau, se rhabiller, escalader la falaise à petits bonds furtifs, si rapide et légère qu'elle a réussi à débouler sur lui juste avant qu'il ne s'engage dans la sente du village.

Elle l'a plaqué à terre, elle l'a forcé à avaler une poignée de terre, puis elle lui a enfoncé les pouces dans les orbites. Elle n'arrêtait pas de répéter, les dents serrées : « Pour ça, je te tuerai. »

« Je n'ai jamais senti autant de haine chez un être humain, conclut invariablement Kailash quand il achève le récit de sa liaison avec Devi. Ce n'était vraiment pas une femme comme les autres, ni même un être humain comme les autres. Pour elle, un mot était un mot. Se marier voulait dire se marier, et tuer voulait dire tuer. »

À cette époque-là, Devi n'avait pas d'arme. Elle a laissé Kailash retomber dans la poussière. Le soir même, elle est rentrée à Tyoga. Elle est retournée sans un mot à sa place assignée, la maison de Lila la muette et de son cousin Ram, toujours béatement assis dans la cour à fumer son chanvre, comme s'il ne s'était rien passé, comme si rien n'arriverait jamais qui pût changer l'ordre des choses. Et, de fait, dès le lendemain, le monde a repris son cours habituel, Kailash auprès de la femme qu'on lui avait choisie, Devi avec ses chèvres, dans les chemins qui descendaient au fleuve. On s'esclaffa, on cracha parfois sur son passage ; mais pas aussi souvent qu'on le souhaitait. Car elle avait désormais de bien nouvelles manières, une arrogance jamais vue – cette façon, par exemple, de river l'œil sur qui se risquait à braver son regard ; rien qu'à la voir, cette prunelle béante, aussi noire que le fonds d'un puits, on sentait la peur couler dans son dos.

Du jour où elle revint dormir dans la maison de Ram, le vide fut donc encore plus grand autour de Devi. Mais elle s'était habituée depuis longtemps à chaparder des joies brèves, à grappiller de misérables bonheurs dont elle était la seule à connaître le prix. Elle continua à hanter les ravines, à se baigner en solitaire dans les anses du fleuve. Elle partit plus tôt, revint plus tard. Elle évita de passer devant la maison de Kailash. Il ne lui restait rien, hormis l'espoir de vaincre un jour l'espoir.

Jusqu'au soir où elle croisa sur son chemin, peu avant la mousson, la silhouette cassée du premier homme qui l'eût abandonnée, son père, Devidin.

14

Il était hagard, prêt à tout. Les récoltes avaient été plus mauvaises que jamais. Pour survivre, il avait dû se louer à deux propriétaires thakurs, endurer la honte de gratter la terre des autres. Au bout de nuits et de nuits sans sommeil, à bout de fatigue et de soumission, il avait enfin décidé de relever la tête. Il s'était fait lire par un prêtre du village voisin les titres de propriété hérités de son père. Ils prouvaient sans contestation possible que le champ au puits lui appartenait. Alors Devidin s'était repris. Mais à la façon des gens depuis longtemps brisés : en couvrant sa rancune à l'abri de son mutisme, comme seul horizon jamais trouvé à sa vie ; refermé, replié sur son tourment.

Il s'est souvenu du jour où sa fille avait harangué le village, sous le feuillage sombre du figuier sacré. Il a pensé au silence qui s'était fait autour d'elle, seule et droite au cœur du cercle d'ombre, quand elle avait dit que le champ au puits n'était pas à son oncle, et qu'elle irait jusqu'à la ville pour demander justice. Il avait du mal à retrouver tous les mots qu'elle avait eus, il n'aimait pas les mots ; mais il s'est rappelé sa voix juste et qui portait loin. Elle avait parlé de la ville, elle avait dit aussi qu'elle n'aurait peur de rien. C'était pure folie ; mais Devidin, à présent, était mûr pour la folie.

Par la rumeur qui finissait toujours par traverser le

fleuve, dans la fournaise de la saison sèche comme au plus fort des pluies, il avait appris sa fugue avec Kailash. Il n'en fut pas surpris, il puisa même dans la nouvelle un regain de courage. S'il alla à la rencontre de sa fille, ce ne fut pas par regret, encore moins par affection. C'est parce qu'elle était la force dont il avait besoin.

On ne sait rien de leurs retrouvailles. Du jour où son père va au-devant d'elle sur le chemin de Tyoga, on perd la trace de Devi. On ne la retrouve qu'en janvier 1979, sous le toit de sa famille, à Sheikhpur Gura, son village d'origine. Elle approche de ses dix-huit ans. En une vingtaine de mois, elle a obtenu ce que son père attendait d'elle : ses droits sur le champ au puits.

Jusqu'à la fin de son équipée, Devi conserva sur elle l'original du jugement. À partir de cette pièce, on peut se faire une idée de ce que fut son périple. Des mois durant, avec son père, elle a fait le siège des bureaux, des tribunaux. Ensemble ils ont bravé l'indifférence des gratte-papier, la morgue des policiers, des plumitifs tatillons et ratiocinateurs. Ils ont vécu sur les routes, dormi dehors par tous les temps, sous les averses de mousson comme par les froids de janvier, quand les vents des montagnes viennent transir les plaines. Ils ont mendié, volé sans doute, dormi sur des trottoirs. Devi a brandi sans relâche les papiers et les preuves, elle a remonté un à un tous les degrés de la hiérarchie judiciaire, elle a parlé, repris inlassablement au début le récit de l'injustice, l'histoire du champ au puits, des mensonges et des manigances de l'oncle Gurudayal. Son père a chaque fois obtenu gain de cause. Tout aussi régulièrement, Gurudayal a contesté les jugements. Ni le père ni la fille ne se sont découragés. Ils ont recommencé à battre les chemins et les routes. Du minuscule tribunal d'Auraya, petite cité construite en amont du fleuve, ils sont allés demander justice à la cour de Kanpur, et plus haut encore, beaucoup plus loin, jusqu'à la grande ville, Allahabad, au bord du Gange, où ils ont encore gagné. Ce dernier jugement était sans appel.

On ignore également tout de la façon dont se passa leur retour à Sheikhpur Gura. S'ils ont pavoisé, leur joie dut être courte ; car lorsqu'on retrouve la trace de Devi, c'est sur un mandat d'amener dressé à Kalpi par les autorités locales dans les premiers jours de janvier 1979.

Kalpi n'est qu'une grosse bourgade située en retrait des ravines, au sommet d'un plateau. C'est l'endroit le plus important de la région, en raison de son marché et surtout d'un sanctuaire dédié à Shiva, le dieu aux mille huit noms et aux cinq visages, Seigneur absolu des forces de vie et de mort, Maître du Sommeil et du Temps-qui-Détruit. La rumeur attribue à ce temple des pouvoirs aussi considérables que mystérieux. Son architecture elle-même est des plus singulières : le sanctuaire se dresse au milieu d'une immense esplanade, à la droite d'un palais très ancien, surchargé, tel un palazzo sicilien, de terrasses et de statues mangées par les lichens. Quelques paysans chassés de leurs terres y vivent en squatters. L'entrée du temple est délimitée par deux énormes cobras de pierre annelés, dressés face à face. Après chaque mousson, on les repeint de noir avec le plus grand soin, comme les colosses qui flanquent l'autre côté du terre-plein : des guerriers ou des dieux-rois aux yeux exorbités recouverts d'ocre pâle. Les uns brandissent des sabres, d'autres sont renversés, abandonnés à une léthargie voisine de l'extase. Ailleurs, des gnomes à deux faces, l'une gaie et moustachue, l'autre cadavérique, forment un parapet de leurs jambes entrecroisées ; le dernier d'entre eux lape d'une langue avide la queue filiforme d'un des deux cobras. Malgré sa singularité et la marque évidente d'un culte très ancien, ce temple ne figure dans aucun guide, aucun répertoire savant des antiquités indiennes. Tout juste consent-on à murmurer que des pouvoirs magiques l'ont rendu célèbre et qu'on vient parfois de très loin pour se les concilier ; on ajoute aussitôt qu'il faut se soumettre à une initiation des plus rudes, jalousement tenue à l'abri de toute inquisition.

Quoi qu'il en soit, même en plein soleil et à la belle saison, l'endroit laisse au visiteur une impression de terreur. Si l'on se risque à franchir l'enceinte des serpents noirs, on peut monter au sommet d'un vieux minaret moghol recouvert de tout ce que le panthéon hindou peut compter de figures guerrières ou démoniaques. On y découvre une grande partie de la Vallée, la boucle du fleuve, les premiers ravins, les villages perchés en haut des falaises. Pour sacré qu'il soit, ce mirador est fort utile à la police qui possède, à quelques centaines de mètres en contrebas de l'esplanade, un poste très bien équipé, muni de véhicules tout terrain, d'une radio assez puissante et de plusieurs cellules.

Le premier document dressé à l'encontre de Devi en ce sinistre lieu rapporte en annexe que trois policiers s'aventurèrent en jeep, le soir même, à travers les gorges qui mènent à Sheikhpur Gura, pour notifier à la fille de Devidin Mallah qu'elle était en état d'arrestation, sous l'inculpation de vol. Le même rapport précise qu'elle fut immédiatement incarcérée. Il mentionne enfin le nom du plaignant : Mayadin, fils de Gurudayal, son cousin et plus vieil ennemi.

15

C'est là que tout se noue. Que la fatalité, longtemps somnolente, se réveille, prend sa course. Une crue subite de faits bruts ; on ne peut que s'abandonner à son flot incoercible.

Devi est donc poussée dans la jeep, emmenée au poste de police de Kalpi où on lui lit l'ordre d'arrestation dressé à son encontre. Elle proteste de son innocence. Elle sait que la maison de son cousin a été cambriolée, mais elle assure qu'elle était dans les champs au moment des faits.

Les policiers ne veulent rien entendre. Elle est enfermée dans une cellule en attendant d'être traduite devant le tribunal de la ville la plus proche, Auraya. Le deuxième jour de son incarcération, l'un des policiers, Mansouk, tente de la violer. Devant sa résistance, il renonce. Quelques heures plus tard, il la fait comparaître dans son bureau pour lui apprendre que les charges portées contre elle n'émanent pas seulement de son cousin, mais aussi de Krishna, le doyen du village, dont la parole, en raison de son grand âge, ne saurait être mise en doute. Elle doit donc s'attendre à être condamnée par la cour d'Auraya. Le policier Mansouk lui précise enfin qu'elle n'est pas accusée de vol, mais de complicité de vol : elle aurait renseigné un gang sur les heures auxquelles son cousin avait l'habitude de s'éloigner de chez lui.

À nouveau, Devi clame son innocence. Elle affirme qu'elle ne connaît pas les bandits, qu'elle ne les a jamais fréquentés. Pour toute réponse, Mansouk la fait enfermer dans la même cellule que trois gangsters raflés dans les ravins quelques jours auparavant. Privés de femme depuis des semaines, les trois hommes abusent d'elle.

Le lendemain, elle est transférée au tribunal d'Auraya – dans les mêmes bureaux où, quelques mois plus tôt, elle avait obtenu gain de cause pour l'affaire de son père. Les juges décident de la garder à vue jusqu'à la fin de l'instruction. Elle est incarcérée, fouillée, puis à nouveau violée dans sa cellule, cette fois par des policiers.

Son père réussit à retrouver sa trace et supplie les juges de la libérer sous caution. Ils y consentent moyennant versement d'une somme considérable. Devidin appelle à la rescousse ses employeurs, deux thakurs. Ceux-ci acceptent d'avancer le montant de la caution à condition que Devi s'engage à travailler chez eux pour les rembourser. L'affaire est conclue. Devi est libérée et suit les patrons de son père dans leur village.

Moins d'une semaine après son arrivée, ceux-ci tentent à leur tour de la violenter. Comme elle se débat, ils l'assomment et ne la relâchent que vingt-quatre heures plus tard. Sitôt libérée, Devi s'enfuit à Tyoga, chez Kailash.

Elle l'adjure de lui accorder le gîte et le couvert. Il la repousse. Il s'est réconcilié avec sa femme, il vient d'avoir un second enfant. Elle redouble de supplications. Kailash temporise, lui demande d'aller l'attendre à l'écart du village, le temps, dit-il, de joindre des amis sûrs. Quelques heures plus tard, en effet, des hommes juchés sur un char à bœufs viennent la chercher à la sortie du village. Ce sont des bandits, elle s'en aperçoit aussitôt. Néanmoins, elle les suit. Après avoir longé une route pendant plusieurs heures, ils abandonnent leur équipage et s'enfoncent à pied dans les gorges. Juste avant la nuit, ils atteignent un campement de fortune. Face à la première tente, Devi reconnaît Vikram. Il la reconnaît lui aussi et l'accueille d'une phrase ironique : « Alors, tu reviens me voir ? »

Devi n'a pas le temps de lui répondre : Babu sort de sa tente, ordonne qu'on la fasse manger. Elle n'a pas fini son repas qu'il lui intime l'ordre de le suivre sous sa tente. Devi s'exécute sans discussion et se soumet sans résister à toutes ses exigences.

Elle s'enfuit juste avant le lever du soleil. Elle n'a vraisemblablement aucune peine à retrouver son chemin dans les gorges : moins d'une semaine plus tard, la police de Kalpi signale sa présence sous le toit de ses parents, à Sheikhpur Gura. Le rapport ajoute que le tribunal a renvoyé le jugement de son affaire à la fin de la saison des pluies.

Car la mousson vient de commencer, avec des averses de plus en plus fréquentes. Comme toujours à cette époque, le pays s'endort dans la promesse des récoltes. Les villages se replient sur leurs espoirs, se laissent engourdir par la moiteur des orages, perdus dans le brouillard liquide qui erre sur les hauteurs des falaises. On sort peu : les flancs de terre s'éboulent, les chemins menacent à tout instant d'être engorgés par des torrents de boue. C'est aussi le temps des maladies et des fièvres, le moment où les serpents s'échappent de leur cache. Dans la Vallée, il n'y a plus guère que les humbles des humbles à s'aventurer dehors, ceux dont la naissance est si basse qu'ils doivent par tous les temps assurer la survie des autres. À part eux, nul ne se risque à braver le flot tombé du ciel. Personne, sauf les bandits.

Car la mousson est une assez bonne saison pour le vol et la vengeance, même si les orages, en emportant les terres, changent chaque semaine, parfois d'un jour à l'autre, les contours de leur territoire. À cette époque-là, les policiers sont comme tout le monde, somnolents et béats, avides d'oublier la canicule qui a calciné la Vallée. Quelles que soient leurs rancunes contre les bandits, et les occasions de les prendre sur le fait, ils s'abandonnent à la torpeur du temps et répugnent à les poursuivre au fond des gorges ravinées par les eaux.

Voilà pourquoi l'Intouchable Nathu, qui travaillait chez l'honorable Krishna, doyen du village de Sheikhpur Gura, fut le seul à surprendre, en toute impunité, la conversation d'un groupe de gangsters réfugié dans le temple de l'ancien gué. Malgré la violence des averses, l'Intouchable Nathu était descendu dès l'aube jusqu'aux berges du fleuve pour laver les vêtements de son maître, qui les souillait chaque nuit pendant son sommeil.

Les bandits étaient arrivés en barques. La crue avait commencé, ils avaient été contraints de les amarrer au dernier degré des escaliers menant au sanctuaire, tout en haut d'un promontoire de grès rose. Ils s'étaient réunis dans la seule pièce du temple qui ne fût pas encore envahie par le flot, une galerie parallèle creusée de petites niches où trônaient les figures moisies, rongées d'eau, de la Déesse et du Dieu-Éléphant. Ils formaient un demi-cercle devant une statue. Ils venaient sans doute de manger, ils avaient l'air repu. Tout en parlant, ils astiquaient leurs fusils ou polissaient les gris-gris accrochés à la crosse de leurs mitraillettes.

L'Intouchable Nathu en a usé comme l'exigeait sa naissance, il s'est tenu à bonne distance du groupe, penché sur les ballots de linge souillés par les excréments de son maître avec les gestes timides et légers de l'homme qui sait qu'il ne vaut rien, rompu depuis l'enfance à se faire invisible, à se résigner à son néant. Mais, quand les bandits ont haussé le ton, quand le vent lui a apporté l'écho de leurs paroles, Nathu a fait comme n'importe quel humain pourvu d'oreilles : il a écouté.

« Il faut lui couper le nez », martelait l'un des hommes, le chef assurément, un personnage massif et décidé, à la longue moustache. À cette seule phrase, Nathu a compris qu'il parlait d'une femme, d'une épouse volage, d'une fille infidèle. Le châtiment ne se pratiquait plus guère dans la Vallée ; mais il arrivait encore, au hasard des chemins, qu'on tombât sur une de ces malheureuses à la face mutilée, dix ou vingt ans plus tôt, par le couteau vengeur d'un amant ou d'un mari trompé.

L'Intouchable Nathu s'est mis à frotter son linge avec plus de vigueur ; il s'est surpris à regretter, pour une fois, que son maître ne l'eût pas souillé davantage. Dans le groupe – une dizaine d'hommes, autant qu'il pouvait en juger en leur jetant de temps à autre des coups d'œil furtifs – tous ne semblaient pas partager l'avis du chef. « On n'a pas reçu l'argent pour ça », a objecté un de ses comparses, un homme assez mince, plus jeune, plus calme et au regard lointain. « L'un n'empêche pas l'autre, a répliqué le colosse. On peut la garder. Mais d'abord on lui coupe le nez. »

Il avait parlé sur un ton si définitif que personne n'a répliqué. Seul un petit maigre, un nouveau peut-être, aux gestes nerveux et aux yeux un peu fous, a répété sur un ton criard, comme pour se persuader que la décision était bonne : « Oui, on peut la garder, et lui couper le nez. Qu'est-ce que c'est, après tout, cette Devi... »

L'Intouchable Nathu a posément fini sa lessive. Il a eu le temps d'écouter d'autres bribes de la discussion et il a compris que la punition était prévue pour la nuit suivante. Il s'est alors éloigné sans rien changer à son pas habituel, effacé et flottant. Courbé sous ses ballots de linge, il s'est engagé dans le raidillon qui montait au village. Mais dès qu'il a été hors de la vue du temple, il s'est mis à courir ; et il a déboulé sans crier gare chez les parents de Devi pour la prévenir sur-le-champ de ce qui se tramait contre elle.

Au début, Devi ne l'a pas cru. Elle a pensé à un piège, parce que l'Intouchable Nathu était le serviteur de Krishna, et que Krishna était le principal témoin à charge contre elle dans l'affaire du cambriolage commis chez son cousin. C'est sa mère, Moola, qui a pris peur. Nathu n'avait pas fini son histoire qu'elle s'est exclamée : « Si les bandits viennent ici pour couper le nez de ma fille, ils nous voleront par la même occasion, et ils enlèveront mon fils unique. » Et elle a immédiatement exigé de Devi qu'elle descende à Kalpi prévenir la police. Devi lui a répondu qu'elle acceptait, à une seule condition : qu'elles y aillent toutes les deux.

Par chance, l'orage eut une longue accalmie, elles mirent moins de trois heures pour rejoindre le poste de police. Elles n'y trouvèrent que le policier Mansouk – celui qui avait tenté de violer Devi lors de son arrestation. Moola prit la parole ; mais elle était maladroite, elle s'empêtrait dans son récit. Devi l'interrompit. Comme lorsqu'elle avait plaidé l'affaire de son père, elle raconta de sa voix haute, bien claire, ce qu'avait vu et entendu, le matin même, l'Intouchable Nathu. Elle parla des barques amarrées au temple, des mitraillettes et des fusils, du gros homme à la moustache et du petit maigre qui le suivait comme une ombre. Elle répéta les menaces qui avaient été proférées contre elle, elle demanda au policier Mansouk protection et assistance pour sa famille comme pour elle.

Mansouk n'a rien répondu. Il a ouvert un à un les tiroirs de son bureau, il a agité quelques paperasses, soulevé son téléphone qu'il a aussitôt reposé sans avoir parlé. Puis il a déclaré d'une voix tranquille : « Ne vous en faites pas. Je vais envoyer cette nuit une patrouille dans votre village. »

Et, comme pour bien s'assurer qu'elles repartiraient calmées, il a ajouté une dernière phrase qui les a en effet apaisées dans l'instant : « On sortira les jeeps. »

16

Elles regagnèrent le village au soleil couchant. L'orage avait repris, elles arrivèrent trempées. Avant de se sécher, il leur fallut rentrer le bétail qui errait dans les ruelles. Puis la nuit tomba sur les murs de terre.

Parfois, l'averse ruisselait sans bruit, c'était un simple chuintement le long des terrasses et des tuiles de bouse, un paresseux goutte à goutte, un soupir de bruine. Parfois aussi le vent s'emballait, une ondée furibonde s'abattait sur le village. Dès qu'elle l'entendait grésiller sur les hauteurs des falaises, Devi croyait au bruit d'un moteur. Elle se levait, courait à la porte, déverrouillait le cadenas, guettait dans le noir l'arrivée des jeeps. Ce n'était rien ; rien que des ruisseaux de boue où le village, les champs, les ravines se laissaient lentement dissoudre. Car c'était d'abord cela, la saison des pluies : l'abandon, la faiblesse. Rien à faire contre le déluge, ses emportements, ses caprices. Rien d'autre que se fondre dans la fange, se noyer dans cet égout où se perdait le monde.

Elle, Devi, c'était plus fort qu'elle, il fallait qu'elle résiste, elle veillait, elle était aux aguets, elle écoutait la nuit. Comme tous les gens du pays par temps de mousson, ses parents dormaient depuis longtemps, leurs enfants et leurs bêtes en grappe autour d'eux, livrés au sommeil comme au flot des averses, moites et hébétés, résignés d'avance au cloaque, à toutes les calamités tombées du ciel. Les yeux ouverts dans le noir, Devi suivait le souffle mêlé de leurs respirations ; de temps en temps, elle tâtait le mur fragile d'où suintait l'eau, marmonnait un début de prière, mains jointes sur son front, pour que le temps passe plus vite ou que monte enfin vers elle le fracas d'une jeep. Car c'était la mauvaise heure, le cœur de la nuit, l'heure du partage où la vie et la mort sont jumelles, où le sombre se fait plus sombre, l'obscur plus obscur. L'heure où les démons carnassiers s'infiltrent sous les seuils, le moment choisi par les Rois-Serpents pour quitter leurs palais souterrains et venir visiter les masures des hommes. L'intervalle fatal où les dieux subtils laissent entrevoir l'autre côté des choses – avec l'étendue de nos fautes, le gouffre de ce qui ne sera jamais plus. L'heure des profondes volontés, des désirs venus de très loin. Où le Temps redouble d'acharnement à détruire l'univers. Où la vérité n'est qu'une ombre, le malheur un soupçon. Où qui se penche sur soi n'aperçoit qu'un grand lac d'eau noire.

C'est à ce moment-là, le pire, l'entre-deux, l'heure douloureuse entre toutes pour celui que le sommeil a fui, que l'Intouchable Nathu est venu frapper à la porte de Devidin Mallah. Il a frappé quatre ou cinq fois, des petits coups si timides, si peureux que Devi a tout de suite su que c'était lui. Elle a bondi à la porte, elle a eu le temps de l'entendre chuchoter : « Sauve-toi, Devi, sauve-toi, ils sont là... », puis il y a eu un bruit mou, une plainte qui s'est noyée dans le clapotis de l'averse. Presque aussitôt, on a commencé à marteler la porte. Devi s'est sauvée à la cuisine, elle s'est cachée sous un vieux sac de jute.

À partir de cet instant, tout s'est déroulé sans qu'elle y puisse rien : l'heure du partage était passée, la nuit avait choisi son camp, qui n'était pas le sien. Ce fut simple et sans pitié; mots et gestes, tout s'est enchaîné sans heurts, sans à-coups, selon un ordre brutal et grossier. Le destin suivait son cours, comme la pluie : rien à faire; encore moins à dire.

D'abord, comme il fallait s'y attendre, la porte n'a pas tardé à céder. Des hommes ont fait irruption dans la pièce où dormait la famille. « Devi ! » a crié l'un d'eux. Dans la cuisine, Devi a soulevé un pan du sac de jute. Elle a vu l'éclair d'une torche électrique balayer la terre battue, puis elle a distingué les silhouettes de quatre hommes en uniformes de policiers. « Devi ! a-t-on répété. Nous sommes venus te chercher ! »

C'est une voix inconnue, aigrelette. Sous le sac, Devi ne bouge pas. Dehors, le vent s'est levé, l'ondée s'est emballée. Par-dessus les rafales, la voix acide reprend : « Nous sommes venus pour toi, Devi. » La voix ne menace pas, elle est sereine, posée. Si on était en plein jour, on pourrait croire qu'on vient la chercher pour l'emmener à une fête; pour une procession de mariage, une sarabande de carnaval.

Devi rabat la toile sur sa tête. Du mieux qu'elle peut, elle se pelotonne, se recroqueville sous l'étoffe élimée. Ce n'est pas la peur, mais l'énergie du désespoir, la volonté absurde d'opposer un barrage à la fatalité. Ces hommes sont des policiers, se dit-elle, leurs jeeps sont arrivées. Ils vont rester toute la nuit, les nuits suivantes, la vie entière jusqu'à la fin des nuits, pour la défendre, la protéger de tout, des bandits, de son cousin, des villageois, de l'injustice. D'elle-même aussi, peut-être; et surtout de la mort.

Car elle a peur, Devi, peur comme elle n'a jamais eu peur. Plus elle tente de se persuader que les policiers sont là, plus elle se recroqueville sous la toile. Car elle sait bien ce qui va se faire, dans l'instant qui va suivre, elle sait ce qui va se dire, contre quoi elle ne peut rien.

Tout se passe en effet comme elle le voit venir : dans

la pièce voisine, son frère se réveille. Il se frotte les yeux, il se lève, le cercle éblouissant de la torche électrique se pose sur lui, il part d'un hurlement qui ne s'arrête plus.

– C'est le frère ! crie l'homme à la voix aigre. On le prend à sa place !

– Lâchez-le, hurle aussitôt Devi. Je viens, laissez-le...

D'un seul mouvement, elle rejette le sac, elle court, comme elle irait se noyer, dans la mare de lumière. On lui braque la lampe en plein visage, elle est aveuglée, détourne la tête. Quand elle relève les yeux, elle est encore si éblouie qu'elle ne parvient pas à distinguer le visage de ses visiteurs. D'eux, elle ne voit que leurs uniformes, avec leurs insignes métalliques et leurs boutons bien astiqués qui brillent dans le noir.

Son frère a reculé vers son lit. Dans l'angle de la pièce, la grappe humaine qui lui tient lieu de famille s'est reconstituée. Sous les couvertures rien ne bouge, on n'entend plus d'autre souffle que celui, irrégulier et rauque, des animaux dérangés dans leur somme.

Devi se met à trembler. Elle tente de rajuster son sari sur son épaule. Mais elle n'a plus de forces, l'étoffe retombe et dévoile son corsage. Un homme glousse. Elle n'a pas le temps de se reprendre : on la saisit par les épaules, on la jette dehors.

La nuit est lourde, comme épaissie par la pluie et la boue. Au moment de franchir le seuil de la cour, elle glisse, s'étale dans une flaque. On la relève, on la frappe : « Tiens-toi droite, tais-toi, avance. » Elle s'obstine, se retourne du côté de la maison, elle guette encore, dans la ruelle, l'ombre d'une jeep, le ronflement d'un moteur. L'averse s'est calmée, le village est à nouveau englué dans la bruine. On la frappe une seconde fois – un coup très bref donné sur la nuque, du tranchant de la main. Il anéantit dans l'instant le peu de volonté qui lui reste ; et on la pousse dans le chemin qui descend au fleuve. Le sol ne cesse de glisser, de s'ébouler ; ses chevilles vacillent à chaque instant. À la moindre défaillance, la poigne des deux hommes se resserre sur ses avant-bras. Elle ne sait plus si elle doit la bénir ou la maudire.

Jusqu'au pied de la falaise, elle n'a pas vu leurs visages. D'eux, elle n'a senti que leurs doigts crispés. L'un, lui sembla-t-il, la retenait sans effort, c'était une force animale, sûre d'elle-même, toujours égale. L'autre avait des mouvements beaucoup plus incertains ; de temps en temps, ses phalanges desserraient leur étreinte, puis elle se refermaient, malaxaient, meurtrissaient ses chairs, montrant une violence aussi inutile que voulue ; quelque chose qui ressemblait à de la hargne.

Bientôt le sol ne s'est plus dérobé sous ses pas, bientôt elle a senti, à la place de la boue, la tendresse du sable imbibé de pluie, elle a entendu des barques clapoter, elle a su qu'elle se trouvait près du fleuve. Presque aussitôt, une dizaine d'hommes ont surgi de l'obscurité. Ils ont brandi eux aussi des torches, et quand ils l'ont vue, ils se sont mis à rire. Les faisceaux des lampes ont couru en tous sens, des falaises aux flancs des barques ; puis ils se sont à nouveau fixés sur elle et sur les hommes qui la retenaient prisonnière.

Celui qui serre son bras droit, comme elle commençait à s'en douter, est le gros Babu. À gauche, ce qui la surprend davantage, elle reconnaît Vikram. Aucun des deux hommes ne la regarde. Vikram s'est emparé d'une lampe, Babu aussi. Ils la tiennent l'un et l'autre à hauteur de leur hanche, telle une arme, prêts à s'en aveugler. Ils se fixent, mâchoire cadenassée, comme s'ils ruminaient des injures qui ne passent pas leur gorge. L'homme à la voix acide, un petit maigre qui n'arrête pas de sautiller dans l'ombre de Babu, finit par briser le silence :

– Alors, on lui coupe le nez ?

Vikram intervient aussitôt :

– Il vaut mieux attendre.

Sa voix est molle, sa lampe tremblote ; Devi remarque aussi que l'étreinte de sa poigne se desserre. Babu s'esclaffe, lâche Devi, promène lentement sa lampe sur son corps, s'amuse à l'éblouir.

– Bonne idée, finit-il par grommeler. Cette nuit, je suis d'humeur aux femmes. Pour son nez, on verra après.

Et il la pousse dans une barque en la frappant à nouveau sur la nuque.

Malgré la violence du coup – ou peut-être à cause d'elle, parce que c'en était trop, décidément, que le jeu était trop inégal –, Devi s'est obligée cette fois à redresser la tête. Elle s'est retournée, elle a secoué son sari trempé d'eau et de pluie et lui a lancé en pleine face, juste au moment où elle sautait dans la barque :

– Ne gaspille pas tes forces. Si je viens, c'est que je le veux.

17

Ils ont traversé le fleuve. L'averse a repris. Sur son front, son dos, les gouttes se sont mêlées à la transpiration – la sueur de la mousson dans la pluie de la peur. Les barques louvoyaient à l'estime, dérivaient parfois, saisies par le branle subit d'un remous. Le rayon des torches fouaillait le bouillon d'eaux bourbeuses, puis l'esquif leur échappait d'un coup, s'échappait en glissant dans un courant, un rapide lisse et fuyant dont il fallait s'arracher à force de rames.

Devi avait été placée d'autorité au centre de la barque, encadrée de Babu et Vikram. À chaque effort, au premier tourbillon, elle était précipitée contre eux. Il y avait la chair épaisse de Babu, ses muscles lourds et rugueux – comme la corne d'une bête rompue à amortir les coups, à charger, écraser, broyer. Ou c'était le corps longiligne de Vikram, nerveux, léger, avec quelque chose en lui qui évoquait l'oiseau; en tout cas, un de ces animaux palpitants et fugaces qui savent depuis toujours que la vie n'est que passage.

Tantôt l'un, tantôt l'autre : chaque secousse était imprévisible. De Babu, Devi connaissait tout, le poids effrayant de ses muscles, sa poigne, son odeur, le goût de sa salive et celui de sa sueur. De Vikram, presque rien, hormis son regard assombri et humide, toujours lent à se détacher du sien ; et l'éclat d'ironie qui l'égayait de temps à autre, une lueur brève, dure. À présent, elle l'inquiétait davantage que les étreintes de Babu.

Mais rien à faire, comme toujours, rien à choisir. Rien d'autre que s'abandonner aux secousses, chanceler à chaque pulsation du courant. Se laisser bringuebaler par le roulis, houspiller comme une mule à l'extrémité de sa longe. Attendre, la gorge sèche, l'ultime choix des dieux.

Ils prirent leur temps, s'amusèrent. La traversée fut si longue qu'elle pensa un moment qu'on allait la noyer. Puis elle s'aperçut que Vikram et Babu étaient autant qu'elle impatients d'arriver ; Babu surtout, qui n'arrêtait plus de harceler les rameurs et menaçait de faire verser la barque chaque fois qu'il se penchait pour tenter de suivre le rayon des lampes.

Quand la coque de la barque, sous l'effet d'un brusque soubresaut, se souleva depuis l'avant, elle crut son heure venue : la crosse d'une arme s'enfonça dans ses côtes, il y eut un long raclement, puis une dernière saccade la jeta contre la hanche de Vikram. Il la repoussa sur-le-champ. Dans le pinceau laiteux des torches surgirent des falaises détrempées, à demi englouties dans la bruine. Ils étaient arrivés de l'autre côté du fleuve, là où commençaient, près d'un gigantesque lacis de fondrières, les riches plateaux du pays thakur.

Elle reçut un nouveau coup de crosse dans le dos. On la poussa vers l'avant. Un à un, les gangsters sautèrent sur le sable. Elle les imita, suivie dans la seconde par Vikram et Babu. Presque instantanément, tous les bandits s'agglutinèrent à eux. Devi était à nouveau prisonnière, captive d'une nasse humaine plus sûre que la meilleure des chaînes. Quelques minutes plus tard, deux autres embarcations surgirent du noir. On les amarra à l'abri des courants, dans une entaille des falaises, et la marche commença.

Le gang s'est d'abord engouffré dans un sentier très raide qui remontait une fissure. Puis la crevasse s'est élargie, la pente s'est adoucie. C'est tout ce qu'elle a su du chemin qu'ils ont pris. La route était ouverte par deux hommes porteurs de lampes. Ils en balayaient les murailles de terre, grommelaient parfois des injures, de brefs commentaires sur les accidents du terrain. Les autres les suivaient à l'aveugle. Hormis la certitude d'avoir traversé le fleuve et d'être à l'orée du pays thakur, elle n'avait pas la moindre idée de l'endroit où elle se trouvait.

Vikram et Babu l'encadraient toujours aussi étroitement. Elle n'entendait plus que le glissement de leur pas sur le sol visqueux, et, de loin en loin, le souffle de Babu, son haleine parfois plus courte. Entre les deux hommes, c'était maintenant le silence. Au moment où la nuit s'est mise à pâlir, où le ciel s'est éclairci au-dessus des ravines – une brèche dans les nuées blafardes de la mousson, une combe plus large, aussi, sur la ligne des falaises –, Devi a épié leurs visages : deux faces également impassibles où rien ne trahissait la fièvre, sinon, à l'angle de leur mâchoire, la même petite boule musculeuse qui se contractait par intervalles, comme le pouls d'une colère muette.

Le ciel blanchissait, s'agrandissait de minute en minute sous l'effet d'un vent chaud qui chassait les nuages. Dans la buée qui s'élevait des crevasses, on distingua bientôt une large cluse pierreuse où le bourbier n'avait pas encore tout recouvert. Entre deux cloaques, des petites plates-formes semblaient appeler la halte ; et dès qu'on fut dans le défilé, Babu désigna à ses hommes une sorte de terrasse naturelle à l'abri d'une falaise de grès. Ils s'arrêtèrent aussitôt, détachèrent de leur paquetage leurs bâches et leurs réchauds, entreprirent de monter leurs tentes.

Tout était rouge dans ce défilé, se souvient Devi. Rouge la pierre des murailles, rousse l'eau qui ruisselait du plus infime interstice de roche ; et la terre spongieuse prenait elle-même des reflets de cuivre sous les rayons obliques du soleil levant. Toujours silencieux, Vikram et Babu ne quittaient pas leur prisonnière. Ils feignaient de ne pas la surveiller, observaient le montage des tentes. En dehors des brefs coups d'œil qu'ils lui jetaient de temps à autre, nul n'avait un regard pour elle.

Sauf le petit maigre, celui qui n'avait pas arrêté de sautiller derrière Babu, la nuit précédente, quand on l'avait conduite aux barques. Celui-là a défait son paquetage en un tournemain, arrangé en quelques instants la bâche qui lui tenait lieu de tente, et il s'est remis à trépigner dans le dos de son chef :

– Alors, son nez, Babuji ? Son nez, on s'occupe de son nez ?

Babu n'a pas pipé mot. Il a continué, comme Vikram, à fixer les hommes qui dépliaient les bâches. Le petit maigre ne s'est pas découragé, il a recommencé à nasiller, en tirant à petits coups brefs sur les pans de son uniforme :

– On y va, Babuji, son nez, on lui coupe le nez ?

Babu l'a repoussé d'un coup de coude qui a manqué de le faire s'étaler dans la boue. Il s'est néanmoins acharné :

– Babuji, on avait dit…

– On n'avait rien dit, est intervenu Vikram. Ce qu'on fera à la fille, c'est moi qui le décide.

– Tu crois ?

C'était Babu, cette fois. Tous les hommes levèrent la tête, laissèrent un moment leurs bidons et leurs bâches. Pourtant, Babu avait parlé d'une voix nonchalante, comme si la discussion l'ennuyait d'avance. Vikram s'entêta :

– Cette fille est à moi. Son cousin m'a donné dix mille roupies pour la tuer.

Babu lâcha un long bâillement. Puis il cracha dans la boue et lui tourna le dos :

– Arrête de nous bassiner avec le cousin de cette pute.

Il s'approcha de sa tente qu'un de ses hommes venait de planter sur un minuscule îlot de rocaille à peu près sec, au beau milieu d'une bauge de vase rougeâtre. Il marchait à pas lents, le dos brusquement ramassé, presque voûté ; et il semblait prêt à s'effondrer sous sa bâche quand le petit maigre se remit à harceler Vikram :

– Tu vas la tuer, dis, tu vas la tuer ?

– Son cousin me l'a donnée. J'ai droit de mort sur elle. On m'a payé.

– Alors tu vas la tuer ?

Devant la tente de Babu, un bandit préparait du thé. Babu se pencha sur un gobelet, chercha des morceaux de sucre au fond de son paquetage. Il avait tout de l'homme absent et las. Il tendait son gobelet vers la théière quand il entendit Vikram répéter :

– Cette fille est à moi. J'en ferai ce que je veux.

Comme s'il n'avait, depuis le début, attendu que cette occasion, Babu se redressa d'un seul coup. Il jeta son gobelet, fit aussitôt volte-face :

– Et c'est quoi, ce que tu veux ? La tuer ? La sauter ?

– J'ai tous les droits sur elle. Sans moi, tu n'aurais pas su où elle habitait. Sans moi, personne ne l'aurait retrouvée...

– Quand on a décidé de monter là-haut, tu parlais bien de lui couper le nez, toi aussi ?

Et il marcha sur Vikram. Il avançait dans la boue à pas comptés, soulevait doucement sa mitraillette. Vikram saisit le bras de Devi, la plaça en bouclier entre Babu et lui :

– Elle est à moi, reprit-il. C'est moi qui dois la tuer. J'ai été payé.

Elle reçut alors le soleil en face, ce soleil étrange des

aubes de mousson qui plombe tout de son gris rougeâtre ; et c'est dans ce jour de sang caillé qu'elle a vu les bandits, un à un, laisser tomber leurs paquetages et leur bâches, abandonner leurs bidons, leurs réchauds, et s'avancer à leur tour, le doigt sur la détente de leur arme, du même pas que Babu, cette démarche flexible de tigre à la chasse. Sans se retourner, Babu les sentait lui aussi venir; et son sourire s'élargissait, il se rengorgeait, sûr de sa force, sûr de sa bande ; démesurément fier de l'ascendant muet qu'il avait sur ses hommes.

Il fit encore un pas vers Devi. Vikram la serrait si fort qu'elle avait peine à respirer. Babu tourna un moment autour d'eux. L'œil froid, il examinait Devi de pied en cap, ignorant Vikram. Puis il en eut brusquement assez de cette danse bizarre. Il se planta devant elle et, d'un geste subit mais sans effort, il l'arracha à l'étreinte de Vikram, qui céda, comme défait par une force invisible.

Les gangsters se mirent aussitôt en cercle, prêts à décharger leurs fusils et leurs mitraillettes. C'était, mystérieusement rabouté en l'espace d'un instant, le même agglomérat nerveux qu'au moment où ils avaient sauté des barques, un peloton de violence à l'unisson, rallié au premier signe de colère ou de sang. Et lui, Vikram, avait fait comme tout le monde, il avait été repris par l'instinct de la bande, il s'était fondu dans le troupeau.

Pour une fois, Devi eut un regard effaré. Babu le surprit ; il eut alors un petit rire de gorge, un ricanement saccadé où passait toute sa colère, autant que le plaisir d'avoir gagné la partie. Puis il lui pinça à plusieurs reprises les bras, les seins ; et, comme elle s'obstinait à ravaler ses cris, il grinça à l'adresse de Vikram :

– Le cul de cette fille, ça fait belle lurette que je le connais ! Et moi, je l'ai eu pour rien !

Il se remit à la pincer. Une fois encore, elle serra les dents. Alors il la renversa dans la boue.

L'instant d'après, il lui avait ouvert les cuisses, il était en elle, étouffant ses cris. Elle n'eut ni le temps ni la force de se débattre. Tout ce qu'elle put, c'est tirer sur ses yeux un morceau de son voile, tandis que le petit maigrichon sautillait de droite et de gauche dans la flaque de boue en lâchant des hoquets suraigus – de jubilation ou de dégoût, on n'aurait su dire.

18

Quand elle parle de la souffrance, Devi ne dit jamais son nom. Elle ne dit pas douleur non plus. Ni tristesse, ni chagrin. Ce n'est pas qu'elle ignore les mots. Mais, pour avoir pris le malheur en pleine face, Devi va au plus simple, au plus clair. Elle dit qu'il y a des jours de ciel et de soleil où tout est joyeux, même les rides sur le visage des vieillards, même la poussière des chemins; et qu'il y a d'autres jours qui sont jours de boue.

Quand elle prononce le mot *boue*, Devi sait de quoi elle parle. Les sept jours qui ont suivi son rapt, elle les a passés dans la vase rouge du pays thakur. Sept nuits de marche dans les fondrières, sept nuits à glisser, à patauger. Les bandits ne s'arrêtaient qu'au matin pour sommeiller quelques heures dans des renfoncements des falaises. Leurs vêtements, leurs tentes avaient pris la couleur de la terre; et quand ils s'écroulaient sous leurs bâches, on aurait cru qu'ils cherchaient à se dissoudre dans la glaise.

Des hommes allumaient un feu, puis se postaient devant les tentes pour monter la garde. Babu poussait Devi sous sa toile, la ligotait, attachait son poignet au sien. Ils s'endormaient presque aussitôt, réunis dans le même épuisement. Au moment où la garde était relevée, on venait la réveiller, on lui dénouait ses liens. Il fallait alors préparer du thé et du riz pour la bande, tâcher de se laver; et, quand la troupe avait mangé, subir à nouveau, au milieu des hommes, les assauts de Babu.

Mais il n'y avait pas de règle. L'espace de quelques heures, Babu pouvait la dédaigner, s'amuser à lui laisser croire qu'elle ne l'intéressait plus, qu'elle pouvait, si elle le souhaitait, aller se perdre dans les gorges, courir au-devant d'une mort solitaire; puis, brusquement, comme le soir tombait, juste avant de reprendre la marche, il reparlait de lui couper le nez. Il lui ligotait les poignets, lui passait une corde autour de la taille, la promenait parmi la bande comme une chèvre qu'on mène au sacrifice. Tout finissait de la même façon : il lui arrachait son sari, la jetait dans la boue, la prenait devant ses hommes. Et nul ne bronchait.

Babu aimait tout particulièrement la réduire quand elle venait de se laver, quand elle avait découvert au creux d'une fissure quelque chose qui ressemblait à une source, un filet d'eau non pas limpide – rien n'était limpide dans la souille des gorges –, mais un ruissellement moins alourdi de vase, une saignée d'eau libre entre les coulées de limon où elle pouvait chasser la terre qui la poissait. Durant ces sept jours d'errance dans les ravins, elle eut cette chance à deux reprises; mais, chaque fois, la hargne de Babu redoubla comme s'il lui était plus intolérable que tout de l'avoir vue débarrassée de la lie où s'enlisait le gang. Aussitôt, il fallait qu'il la rabaisse. La seconde fois, du reste, il n'avait même pas envie d'elle. Il s'est contenté de la faire trébucher dans une ornière. Elle s'est relevée trop vite à son goût, il s'est remis à la bousculer. Elle a glissé dans une flaque. Il l'a retournée face contre terre, puis s'est amusé à lui tremper la tête dans la boue en la tirant par les cheveux. Il la relevait, lui laissait une maigre seconde de répit. Elle se croyait sauvée, tentait de reprendre haleine, la bouche encore emplie de vase. Il la forçait alors à s'incliner vers le cloaque pour la soulever à nouveau, ruisselante, en lui criant aux oreilles des mots plus infects encore que la fange où il s'amusait à la plonger.

Puis, d'un seul coup, le jeu l'a fatigué. Il a lâché ses cheveux, elle est retombée dans la mare. Il est rentré sous sa tente, a marmonné qu'il voulait être au fleuve le lendemain soir, que l'étape serait longue, la marche très dure. On ne partirait qu'à minuit, il avait besoin de dormir. Il leur conseillait à tous d'en faire autant.

Il est allé s'écrouler sous sa bâche sans la ligoter, pour une fois, ni l'attacher à son poignet. Le petit maigre qui sautillait toujours autour de lui s'en est aperçu, mais il était éreinté lui aussi, car il s'est contenté de pousser Devi sous la tente de son chef, s'est blotti à ses pieds sous une couverture de plastique, et s'est endormi à son tour. Avec le jour qui tombait, la pluie a repris, des averses brèves, vite lasses de leur propre fureur. Devi s'abandonnait à leur crépitement capricieux sans pouvoir trouver le sommeil. Ce n'était plus la peur, ni même la honte. Elle avait atteint désormais l'autre versant des choses, là où disparaissent les balises des sentiments ordinaires, où l'on trouve en soi pire bourreau que les autres – le seul battement du sang aux tempes, par exemple, qui fait sourdre dans le noir d'intarissables ruisseaux d'angoisse. Et puis il y avait le ronflement des deux hommes, celui de Babu, ample et vibrant, et l'autre, celui du maigrichon, un contrepoint sifflant, irrégulier, dont les chuintements faiblissaient à mesure que l'obscurité envahissait la tente. Enfin Babu lui aussi a cessé de ronfler. Il s'est retourné sur le dos, s'est figé, emporté dans une paix béate – celle-là même que Devi cherchait et ne trouvait pas.

Elle ressassait à l'infini les épisodes qui l'avaient menée là, surtout la nuit de l'enlèvement. Au-dessus de son cauchemar, elle revoyait toujours l'œil de Vikram, railleur et dur. De ces derniers jours, il ne l'avait plus approchée. Elle ne l'avait aperçu que de dos, à bonne distance, comme s'il avait renoncé à ses prétentions sur elle ; comme s'il la méprisait.

Elle agita quelques idées de fuite ; mais elle n'avait toujours pas la moindre idée de l'endroit où les bandits l'avaient emmenée. Elle ignorait aussi sur quoi se repéraient les deux éclaireurs qui dirigeaient la colonne pendant les nuits de marche. À des pierres, lui avait-il semblé, aux monstrueux rochers de grès, tous de formes différentes, qui boursouflaient la terre du pays thakur. C'était sans doute une grande science que de remonter dans la nuit ce chapelet de pierres : les pluies ne devaient pas manquer de bousculer les roches ou de les recouvrir de nouveaux limons. Du reste, à plusieurs reprises, les éclaireurs s'étaient fourvoyés ; il avait fallu faire demi-tour sous les injures de Babu qui leur avait promis, comme à elle, le nez coupé ou la cervelle brûlée.

Une fois encore, Devi se rappela la menace qu'il lui grommelait chaque jour au moment où les brigands détachaient ses liens pour qu'elle préparât le repas de la bande : « Si tu te sauves, j'irai tuer ton frère. » Pourtant, elle ne pouvait s'empêcher d'espérer ; et si elle ne dormit pas, cette nuit-là, ce fut aussi parce qu'elle était sur le qui-vive. Elle n'attendait rien de précis ; c'était l'espoir éperdu de la bête aux abois.

C'est ainsi qu'elle surprit, au moment où le camp semblait engourdi dans la moiteur qui suit les averses, des chuchotements venus des tentes voisines. Ce ne fut au début qu'un mince bruissement, un murmure grêle qui filtrait dans le noir ; et Devi n'eut d'abord, pour l'écouter, que le réflexe de l'animal traqué. Puis il y eut des bruits de corps qui changent de position, de bâches que l'on repousse, et les chuchotis reprirent. De loin en loin, une voix s'enfiévrait. Elle s'étouffait presque aussitôt, une autre prenait le relais, qui s'assourdissait à son tour, susurrait de longues phrases qu'elle finit par comprendre à force de tendre l'oreille.

Les hommes parlaient du fleuve, d'un refuge qui les attendait dans les grottes d'un temple. Ils disaient qu'ils étaient pressés d'arriver, qu'ils en avaient assez de courir dans la boue. Ils évoquaient aussi deux inconnus, les frères Singh, qui étaient en prison ; et une femme, une certaine Kusumana dont ils se moquaient, parce qu'ils l'avaient chassée le jour où elle avait voulu rester avec la bande et tenir un fusil. Enfin ils parlèrent d'elle, Devi.

Elle n'est pas certaine que Vikram ait été le premier à prononcer son nom. En revanche, elle est sûre que c'est lui qui a parlé de la « coutume des femmes » ; et, d'après elle, c'est encore lui qui a rappelé aux autres l'histoire d'Amrit Lal, chef d'un des gangs les plus féroces qu'on ait connus dans les ravines, et qui fut pourtant abattu dans son sommeil par ses propres hommes, comme un vieux chacal, pour avoir torturé des femmes qu'il avait enlevées.

Les amis de Vikram connaissaient bien l'anecdote, car ils l'ont interrompu très vite, avec des mots d'approbation. « C'est la règle chez les Hommes Perdus, insista-t-il pourtant, on peut enlever les femmes, les injurier, on sait bien ce qu'elles valent, même pas la semelle de leurs savates, même pas la crasse qu'il y a par en dessous. Mais ne jamais les torturer. C'est la coutume, c'est l'honneur. Ou bien il faut les tuer. Celle-là, Devi, c'est une dure à cuire. Coriace, trop coriace. Son cousin m'avait prévenu. Il aurait fallu la tuer avant d'embarquer. »

Il ne craignait plus de parler à mi-voix, un bourdon mal étouffé auquel les autres répondirent d'un bref murmure. Il y eut quelque chose de pesant dans ce sourd assentiment – la marque de la fatigue, celle d'une vieille rancœur, c'était indémêlable. Puis ils se turent. Dans ce silence, un parti venait d'être pris ; et ce choix, c'était clair, conspirait contre Babu.

Ensuite, plus personne n'a bougé. La torpeur est retombée sur le camp. Jusqu'à l'heure du départ, la nuit a été calme. Il n'a même pas plu. Dans le noir, avant que Babu ne recommence à ronfler, Devi a encore entendu quelques mots chuchotés. Il n'y était question que du chemin du fleuve.

19

Comme l'avait promis Babu, la marche qui suivit fut particulièrement épuisante. Les averses reprirent dès l'aube en cataractes brutales. Elles ne s'essoufflaient que pour mieux reprendre, et creusaient la terre de larges veines brunes où ruisselaient la pierraille et la boue. On ne cessait de monter et de descendre, on louvoyait entre les crêtes et le fond des gorges menacées par la crue subite des sources. Avec le jour, la marche parut soudain plus décourageante, même pour les éclaireurs qui s'arrêtèrent souvent en jetant vers le ciel bas des regards de rancune. Cependant, la troupe se serrait davantage ; c'était la conscience du danger, la certitude qu'un ruisseau, soudain transformé en torrent, pouvait tous les emporter au fond des ravins ; ou que la crête de terre où ils s'avançaient à pas comptés pouvait s'ébouler d'un instant à l'autre et les ensevelir indifféremment sous la même chape bourbeuse. Mais, pour s'échiner ainsi à flanc de falaise, les bandits n'en oubliaient pas leurs biens les plus précieux. Ils avaient étroitement resserré les sangles de leurs sacs à dos, assuré avec plus de soin leurs bidons et leurs bâches. Quant à Babu et Vikram, comme au premier soir, ils encadraient Devi. Qui la protégeait de l'autre, qui méditait sa perte, elle ne cherchait pas à le savoir. Elle se contentait de marcher à égale distance de chacun, l'œil en quête, comme le leur, des accidents du terrain : les striures vineuses qui annonçaient une corniche sur le point de s'effondrer, un affouillement subit au creux d'une fondrière, présage d'une inondation imminente. Il fallait aussitôt remonter ou redescendre, toujours à pas de chat, comme pour se faire oublier de la terre alourdie.

Environ une heure après l'aube, on dut franchir une

cluse aux falaises plus sombres où semblait s'être concentré tout le limon des hauteurs. Les parois étaient abruptes, il fut impossible d'éviter le cloaque, comme on le faisait d'habitude, en se réfugiant sur la ligne de crête. On eut de la boue jusqu'à mi-cuisse ; une fange très fluide, parcourue de longues traînées blanchâtres – comme une suppuration du monde d'en bas, les crachats de la terre, peut-être, ou la salive des Rois-Serpents. Par moments, la bauge était traversée de lents remous, une succion tenace, avide, à croire qu'on allait être happé par une bouche invisible ; et on n'avançait plus. Enfin, au moment où l'on désespérait d'y échapper jamais, un éclaireur désigna, derrière un rocher, une faille au milieu des à-pics. Dans le jour qui montait, on y distingua une pente sablonneuse, de la verdure, un pan d'eaux miroitantes. On était arrivé au fleuve.

Et le ciel s'ouvrit presque en même temps que l'horizon. C'était un de ces matins comme il s'en trouve parfois à la saison des pluies, un grand jour bleu, lavé. Le fleuve roulait très vite entre son corset de falaises, gorgé de boue et de branchages arrachés à ses berges ; mais, de loin en loin, lovées dans un méandre, demeuraient des anses tranquilles où le soleil réveillait de grands reflets turquoise, comme au plus beau de la saison sèche.

C'est au bord d'une de ces plages que se trouvait le refuge évoqué la veille par les hommes de Babu, à moins d'une heure de marche, au bout d'un sentier qui serpentait entre des arbustes aux feuilles fraîchement reverdies, tout emperlées de pluie. Bientôt le chemin décrivit un coude, se mit brutalement à descendre, et l'on déboucha sur une baie bien abritée que la crue du fleuve n'avait pas entièrement recouverte. Un temple de la Déesse était creusé dans la falaise. Il était précédé d'un escalier et d'un parvis de marbre avec des rampes ajourées, comme les palais construits autrefois dans les gorges par les fondateurs des vieux royaumes bandits. Dans la buée bleue de ce matin tranquille, il paraissait sans épaisseur, un caprice de la lumière. Tout appelait la halte dans cette petite baie, le répit, le repos : les arbres aux feuilles neuves, vernies de sève fraîche, le sable de la rive, le soleil franc qui chassait la moiteur; l'abri du temple, surtout, un vrai toit, de la pierre taillée à main d'homme, bien ajustée, bien équarrie. Sans même en gravir les degrés, on devinait, derrière l'ombre de la Déesse, qu'il se prolongeait par des grottes, de longues galeries forées sous la falaise. Certains hommes couraient déjà y déposer leurs paquetages. Et puis il y avait le fleuve, tout en face, l'anse épargnée par les courants bourbeux.

Babu et Vikram ralentirent le pas, comme saisis eux aussi par la grâce du lieu. Devi n'y résista pas : elle se jeta à l'eau.

Ce fut un geste de pur désir, sans un moment d'hésitation, sans l'ombre d'un calcul. Sans peur, mais sans courage non plus : elle était sale comme elle ne l'avait jamais été et le fleuve était là, limpide et tiède, un sourire de la nature, une promesse des dieux. Elle a serré les mâchoires, elle s'y est plongée tout entière. Elle est restée sous l'eau quelques secondes en se frottant les jambes, le ventre avec fureur. En fermant les yeux, en faisant le noir en elle, sans penser à rien, surtout pas à Babu ni à ce qui allait suivre. Elle fit bien : elle n'avait pas émergé qu'il se jeta sur elle.

Il la traîna sur le parvis du temple, la déshabilla, la bourra de coups de poing, de coups de pied. Puis, comme toujours, il la renversa à terre.

Mais le bain l'avait ragaillardie, elle se débattit, cette fois, elle lui décocha un énorme coup de genou entre les cuisses. Il se mit à glapir; l'espace d'un instant, elle crut qu'il allait s'écrouler sur le marbre. Et c'est à ce moment-là qu'on entendit Vikram.

Il était tranquillement adossé à un pilier du temple, il avait le même œil que d'habitude, féroce et moqueur.

– Tu ferais mieux de la tuer, a-t-il lâché. C'est une dure, celle-là, ce n'est pas Kusumana. Tu vas voir, maintenant qu'on est sortis des gorges, elle va cavaler à la police. Elle va nous balancer, on va tous se retrouver à l'ombre, comme les frères Singh...

Babu se tint un moment les bras ballants, comme s'il ne savait plus où devait d'abord aller sa colère, à Vikram qui le narguait de derrière son pilier, ou à cette fille demi nue, renversée à terre, qui avait osé le frapper.

C'est alors qu'une rafale est partie, suivie de cinq ou six autres. Leur crépitement fut aussitôt répercuté par les murailles qui enserraient le fleuve ; on aurait dit que les détonations ne s'arrêteraient jamais. Le corps de Babu s'est affalé sur l'escalier du temple, puis deux autres bandits se sont effondrés sur lui : l'un des éclaireurs et le petit maigre, frappé en pleine tête, dont le sang se mêla, sur les marches, à celui de Babu. Ils étaient tous morts sur le coup.

Pas un homme ne broncha. Vikram lui-même n'osait bouger. Il restait figé à l'abri de la colonne, la mitraillette encore braquée sur les trois cadavres. Devi était toujours à terre ; entre ses vêtements et elle, il y avait les corps percés de balles, et une mare de sang qui s'arrondissait.

Vikram se détacha alors de son pilier. Il ramassa ses hardes, les lui jeta sans un mot. Puis il se tourna vers la bande en désignant les trois corps :

– Nettoyez-moi ça !

Les bandits ne firent pas un geste. Ils fixaient, hébétés, le sang qui continuait à ruisseler sur les marches, et le cadavre de Babu, raidi dans le geste qu'il avait eu lorsque la rafale l'avait atteint, la main gauche refermée sur un petit collier qu'il ne quittait jamais, un lien d'argent où pendait un gri-gri : une sorte de pierre ponce érodée, tavelée, parcourue de minuscules veines jaspées, un caillou qui semblait avoir déjà vécu des milliers d'existences.

– Allez ! insista Vikram.

Et, pour donner l'exemple, il se pencha vers le cadavre de Babu, lui arracha son amulette et la jeta dans le fleuve.

– Il repart d'où il vient ! hurla-t-il en revenant vers Devi, tandis que son cri résonnait tout au long des falaises.

Elle s'était relevée, elle tâchait de se draper dans son sari mouillé. Par-dessus la mare de sang, elle lui fit face. Elle le regardait sans crainte, mais sans sourire non plus ; elle était devant lui comme un vent apaisé.

Il fut pris au dépourvu. Il la dévisagea, puis ôta sa veste, s'approcha d'elle et la déposa sur ses épaules :

– À partir de maintenant, tu es ma propriété.

Il avait parlé avec solennité, en forçant un peu la voix, comme pour une proclamation à l'adresse de la bande – ou pour se convaincre lui-même de son autorité. Mais il n'avait pas fini sa phrase que Devi le foudroya d'un mot :

– Explique-moi comment une propriété peut essayer de dire non !

20

Le moins qu'on puisse dire, c'est qu'ils ne tombèrent pas dans les bras l'un de l'autre. Ils passèrent même plusieurs jours à se battre froid. La réplique de Devi avait laissé Vikram sans voix. Le premier moment de stupeur passé, il saisit dans son paquetage le pantalon d'un uniforme, le lui jeta et la somma d'aller s'habiller dans les galeries souterraines qui prolongeaient le temple. Elle s'exécuta de mauvaise grâce, prétendit qu'elle devait commencer par prendre un autre bain à cause du sang qui l'avait éclaboussée. En réalité, pas une goutte ne l'avait atteinte. Vikram n'eut pas le temps d'argumenter ni même d'élever la voix : sans attendre sa réponse, elle se précipita dans le fleuve.

Puis elle a pris son temps. Dans les falaises de l'anse,

elle a découvert des herbes aromatiques dont elle s'est parfumé les aisselles et le sexe, comme aux plus beaux temps de sa vie de sauvageonne ; et un filon de glaise fine dont elle s'est enduit les cheveux. Vikram a perdu patience et est allé la chercher. Elle avait à peine fini de se rincer, mais il l'a d'autorité fait sortir de l'eau, sous prétexte qu'elle devait aider la bande à brûler les corps de Babu et de ses acolytes – ses cousins, lui apprit-il, recrutés trois mois auparavant en remplacement des frères Singh, capturés par la police.

Ce ne fut pas une mince affaire, ces funérailles. Il fallut une bonne heure pour récolter les bois parmi la mince bande d'arbustes qui ourlait les falaises. On dressa le bûcher dans un de leurs replis. Mais le bois collecté par le gang était encore humide, il crachota avec une mauvaise fumée qui déchirait la poitrine. On aurait dit que Babu, même s'il ressemblait maintenant à une vieille outre égarée au milieu des branchages, avait encore le pouvoir de repousser les flammes et d'imposer à ses hommes sa monstrueuse force. Au bout d'un moment, Vikram n'y tint plus. Il s'empara d'un bidon de kérosène qui servait à allumer les réchauds et le vida sur les fagots.

De gigantesques flammes bleues et vertes les embrasèrent aussitôt ; Devi fut alors saisie d'effroi et se retourna vers Vikram en lui soufflant : « Ce n'est pas comme ça qu'on doit brûler les morts. »

Elle n'avait plus rien de l'effrontée qui l'avait nargué une heure plus tôt. « Je n'ai pas le choix », lui a-t-il rétorqué avant de l'entraîner dans le sentier qui ramenait au temple.

Au bas de l'escalier, il a voulu lui prendre la main. Elle l'a retirée, nerveuse et maladroite. Ce n'était pas seulement l'effet de la fatigue ; il y avait aussi ses nouveaux vêtements, ce pantalon et cette veste couturés à toutes les jointures. Elle avait du mal à s'y faire, cherchait toujours à ramener des plis, des drapés absents.

Il l'a vue se rembrunir, il a pensé qu'elle allait se buter, en profiter peut-être pour se sauver. Alors il a cru bon de s'expliquer. Il lui a dit qu'il ne pouvait imposer à ses hommes l'épreuve de retraverser les gorges avec trois cadavres arrimés à leur paquetage. De toute façon, ils étaient maintenant trop loin du pays de Babu pour aller rendre, comme c'était l'usage, même pour les ennemis, les corps à la famille. Il aurait été tout aussi risqué d'aller quérir au plus proche village un prêtre qui pût brûler les morts selon les règles, avec des formules magiques, de vraies bûches, de l'encens, des guirlandes de fleurs. Dans les gorges, lui dit-il, la trahison était partout. Et il conclut : « Il faut bien que tu t'y fasses. »

À mesure qu'il parlait, il la voyait s'assombrir davantage. Quand il en eut fini, elle secoua les épaules, alla arracher une branche odorante à un arbuste qui ombrageait la plage. Elle en détacha une feuille qu'elle se mit à mastiquer ; puis elle remonta s'asseoir sur la rampe de marbre qui courait autour du temple. Elle avait l'air plus gaie, tout à coup, elle agitait les jambes dans le vide comme une gamine qui attend son tour au jeu. Et elle lui a lancé en recrachant la feuille qu'elle mâchouillait :

– Qu'est-ce qui te fait peur, Vikram Mallah ?

– Un bandit n'a peur de rien.

Il avait répondu sèchement la première phrase qui lui était passée par la tête. Elle aurait pu en rire, secouer les épaules comme tout à l'heure, avec son petit air méprisant. Elle n'en a rien fait. Elle a feint de ne pas avoir entendu, puis elle a repris, en pointant la faille de la falaise où on avait dressé le bûcher et d'où montaient des effluves de kérosène, comme un relent sacrilège :

– Tu n'as même pas peur du fantôme de ton chef ?

– Je n'avais pas le choix, je te l'ai déjà dit.

– Avec le bûcher que tu lui as offert, il n'entrera jamais dans la Cité des Morts.

– Qu'est-ce que ça peut te faire ?

Il a levé la tête du côté du fleuve, ses yeux se sont perdus sur la berge d'en face, là où les eaux commençaient à se plomber, comme le ciel ; et il a marmonné :

– Pourvu qu'il pleuve.

– Pourquoi ?

– La fumée. Il ne faudrait pas qu'on nous voie de l'autre rive.

– L'autre rive, c'est chez moi.

Elle a détaché une seconde feuille de son rameau, qu'elle a recommencé à mâcher en contemplant à son tour le fleuve. Mais elle n'avait pas l'œil vague, loin de là ; le calcul aiguisait son regard. Vikram l'a surpris ; il a dû s'en inquiéter, car il a risqué :

– Tu veux te sauver ?

Elle a serré plus fort les mâchoires, un jus vert a giclé au coin de sa bouche. Elle a sorti un petit bout de langue pour le laper. Vikram était à deux pas d'elle, il pouvait sentir la fraîcheur acide que la sève donnait à sa bouche. Il s'est assis sur la première marche de l'escalier, a agité le bras du côté des gorges :

– Si tu cherches à te tirer là-dedans, ma pauvre fille...

– Tu as été payé pour me tuer, oui ou non ?

Il s'est levé sans un mot. Elle a insisté :

– C'est mon cousin qui t'a payé, non ? Tu as reçu du fric ?

– Qu'est-ce que tu en as à faire, maintenant ?

– Et il t'a donné combien, mon cousin ? Dis-le un peu : combien il t'a donné ?

Elle sauta du parapet, dévala l'escalier et s'approcha de lui. L'amande de ses yeux s'effilait comme chez un félin sur le point d'attaquer. Il lui a tourné le dos :

– Si tu sais que c'est ton cousin qui m'a payé, alors tu sais aussi combien il m'a donné.

– J'ai peut-être mal compris !

Puis elle a enchaîné, mi-sérieuse, mi-moqueuse, comme elle était souvent :

– Alors, ces dix mille roupies, je les vaux ?

Vikram a souri. Il s'est tranquillement adossé à l'arbre de la plage. Le vent se levait. Un long moment, il a observé le ciel à travers le feuillage tremblotant ; puis il a cassé une branche, qu'il a méthodiquement dépouillée de toutes ses feuilles, et il les a lissées, pliées les unes sur les autres. Cette fois, c'est elle qui a perdu patience. Elle s'est plantée devant lui, l'a pris par le bras :

– Vas-y donc, Vikram Mallah. On est seuls. Je n'ai pas d'arme. Allez, tu peux y aller ! Descends-moi, tiens ta parole !

Le ciel s'épaississait de seconde en seconde. Vikram a levé le nez.

– Il va pleuvoir, a-t-il repris. Tant mieux.

Il a jeté son paquet de feuilles et s'est éloigné sans un regard. Comme elle ne bougeait plus, la bouche ronde des mots qui ne lui venaient pas, il a ajouté en remontant l'escalier :

– Tu as bien des choses à apprendre, Devi, avant de mériter qu'on te fasse la peau. Et d'abord, il faut que tu dormes. On est en paix, ici. En paix et à l'abri.

À nouveau, il inspecta l'horizon où se pressaient des nuages gorgés de pluie. L'autre rive disparaissait déjà sous un écran brumeux. Alors, le dos un peu cassé, du pas ralenti qu'il avait depuis le meurtre de Babu, il s'enfonça sous les galeries. Il n'eut pas un mot de plus, ne se retourna pas une seule fois. Et cependant, elle le suivit.

21

Elle l'a attendu, pour une fois, cet homme qu'elle désirait. Trois jours et trois nuits, dans les galeries du temple. Au début, ce ne fut pas trop pénible, elle était épuisée, elle a beaucoup dormi ; et elle avait aussi beaucoup à oublier.

Quand elle se réveillait, elle s'étonnait toujours d'être libre, affranchie du corps immense et pesant de Babu ; mais il lui revenait sans cesse en rêve, le poing levé sur elle, avec sa face bouffie de haine. Ce n'étaient pas vraiment des cauchemars ; seulement des séquences fugaces, comme des éclats de mémoire vive qui venaient déchirer l'anéantissement de ses nuits. La mousson, dehors, avait repris de plus belle. Il pleuvait sans discontinuer ; des ondées furieuses, parfois traversées d'éclairs. Leur crépitement presque ininterrompu, la moiteur de l'air, la fatigue, tout poussait à la léthargie.

Dès que Devi se réveillait, c'était cependant plus fort qu'elle, il fallait qu'elle épie, dans la grappe de corps étalés à même la terre, la couverture bleue sous laquelle s'était replié Vikram. De lui elle ne voyait qu'une forme frêle et recroquevillée, quelques mèches de cheveux. Elle s'asseyait le dos à la paroi des grottes, attendait un geste, un élan qui ne venaient pas. Alors elle se recouchait, rabattait sur elle sa petite couverture et s'abandonnait à nouveau à la torpeur des pluies.

Au troisième matin, le jour où Vikram décida que ses hommes avaient recouvré assez de forces pour gagner un autre refuge, il se décida enfin à s'approcher d'elle. Elle était penchée sur son pantalon d'uniforme, elle tentait de le raccourcir avec des moyens de fortune. Elle sentit qu'on la prenait par les épaules. Un mouvement sans brutalité, une simple pression des paumes, comme un signal convenu de longue date. Elle sut aussitôt que c'était lui.

Elle n'a pas osé bouger, pas osé répondre. Elle est restée penchée sur l'étoffe effilochée ; mais quand elle l'a entendu répéter dans un souffle où se cassait sa voix : « Viens, viens », dans l'instant elle a été debout.

Il l'a entraînée dans un coin de galerie, juste à l'arrière du temple. Il y filtrait une lumière verte, comme gorgée de la même sève que les jeunes pousses ranimées par les pluies. Le sol était humide, avec des plaques un peu moisies. Ils s'y couchèrent pourtant. Ils se laissèrent porter par l'heure et par les choses, ils furent amants dans le silence et la joie. Leurs chaleurs s'appelèrent, se cherchèrent, leurs visages se reflétèrent l'un en l'autre, et leur envie de vivre. Elle recevait enfin en elle le corps d'un homme voulu et qui l'avait voulue, sans la forcer; sa violence rejoignit la sienne, se reconnut dans la sienne. Il était sa préférence, une préférence reconnue, consentie, dans le monde de noire liberté où vivaient les bandits. Car elle le sut aussi, à l'instant même où elle ploya son dos comme il le demandait, où elle tendit son ventre ainsi qu'il le voulait, qu'elle signait avec lui un pacte contre lequel il ne serait plus de révolte possible : lui obéir quoi qu'il ordonnât, le suivre où qu'il allât dans la folie des ravines. Au risque, un jour, de s'en trouver abandonnée; de n'avoir plus en face d'elle que le néant.

Et néanmoins elle ploya, s'ouvrit, se cambra, se soumit, le reçut. Tout lui fut égal, qui lui vint de Vikram, coups et caresses, meurtrissures et chatteries – égal dans le plaisir. Les heures qui suivirent furent tranquillement banales : manger à côté de lui, rire en même temps que lui, parler avec lui, respirer avec lui. Apprendre de lui.

Juste avant que la bande ne vînt à quitter le temple de l'anse, Vikram lui a demandé : « Tu es sûre de pouvoir tenir ? On est pressés, tu sais… » Elle répondit : « Tu verras », et elle prit place à ses côtés quand la colonne se mit en marche.

Il n'y eut pas le premier soupçon d'insolence au fond de sa voix, elle était aussi calme que lui, c'était le tranquille répons d'une âme parlant à sa jumelle. Et, pour leurs corps, c'était la même chose; si bien que de dos, avec leurs uniformes, on aurait pu les prendre pour deux frères, tant leurs silhouettes frêles se ressemblaient, tant leur pas était égal et vif. Tout en marchant, ils se jetaient de temps en temps de brefs regards comme pour s'assurer qu'ils étaient bien côte à côte ou que l'autre suivait sans faiblir.

Vikram avait décidé de faire route vers les ravins d'Etawah, en amont du fleuve, là où il était sûr de reprendre langue avec ses informateurs et de trouver du ravitaillement. De peur d'être repéré par les policiers – depuis la capture des frères Singh, le gang craignait par-dessus tout d'être poursuivi par leurs hélicoptères –, il avait choisi un chemin encaissé entre les ravines et le fleuve, à l'abri d'une frange d'arbustes. La terre ici était moins meuble; sans les averses et les paquetages, la marche aurait pu passer pour une partie de plaisir. Car on était sorti de la partie la plus dangereuse des gorges, celle où ne se rencontrait ni champ ni âme qui vive; celle aussi où les refuges étaient distants de plusieurs journées de marche. À présent, la bande allait reprendre sa vie habituelle, la maraude en lisière des lieux à piller, l'errance de cache en cache, jamais trop loin d'une route, d'un village, d'une source, d'un marché. Préparer des kidnappings, tel était le projet de Vikram pour les semaines à venir. Encore faudrait-il attendre, disait-il, que le gang fût fin prêt, ses armes nettoyées, révisées, ses provisions refaites, ses réseaux d'indicateurs rétablis; et il ajoutait qu'on n'y serait pas avant la mi-août, avec la fin des pluies.

Il confia ses plans à Devi par bribes, au hasard du chemin, un peu comme par caprice, toujours à voix basse. Non qu'il se dissimulât de ses hommes; mais, dès le départ du temple, il l'avait prévenue qu'il ne fallait pas parler pendant la marche, et il avait tenu à donner l'exemple. Pourtant, de loin en loin, il ne pouvait s'empêcher de lâcher une phrase, puis une autre, le nez levé vers le ciel, en humant le vent, comme il en avait l'habitude quand il parlait de choses importantes; et lorsqu'ils arrivèrent à l'endroit de la halte – un petit mausolée moghol qui tombait en ruine, sa voûte à demi effondrée –, il se fit subitement plus précis, comme s'il était soudain pressé de passer aux actes.

Il ne pleuvait plus. Un grand pan de ciel bleuissant

s'élargissait au-dessus d'eux, là où la voûte s'était écroulée. Vikram a tiré de sa poche un peu de chanvre, l'a allumé, en a respiré quelques bouffées, puis s'est mis à parler, adossé à un pilastre. Autour d'eux, les hommes allaient et venaient avec indifférence. Il n'y avait que Devi à l'écouter.

C'est donc ce jour-là, quelques heures après l'avoir prise pour maîtresse, que Vikram Mallah lui a avoué que son affaire à lui, ce n'était pas le meurtre, mais le kidnapping. De l'argent vite gagné; peu de risques, peu d'efforts, sauf au moment où l'on marchande les otages. Il prétendait que c'était là le plus beau du plaisir, les palabres avec les familles. Il pouvait discuter des semaines durant. Babu, lui, n'avait jamais su, il s'énervait, finissait toujours par tirer dans le tas. Voilà pourquoi, le soir où ils étaient venus l'enlever, c'était lui, Vikram, qui avait tout mené. Il lui avait fallu forcer la main de Babu, d'où sa rancune, leur dispute, et la suite. Mais, à présent qu'il était mort, le gang ne ferait plus que des rapts. De toute façon, avec Babu, un jour ou l'autre, les choses auraient mal tourné; car il était trop brutal, à l'instar des frères Singh, les deux gangsters qu'il avait remplacés à la tête du gang après leur arrestation. Ceux-là et Babu, c'était tout comme, des voyous, pas de vrais bandits, des gredins qui aimaient tellement le sang qu'on les avait surnommés « les Bouchers de la Vallée »; d'ailleurs, maintenant qu'ils étaient à l'ombre, ils n'étaient pas près de sortir, car les politiciens de Kanpur voulaient faire un exemple, leur affaire était instruite tambour battant. On ne les reverrait peut-être jamais dans les gorges.

« Le sang, acheva Vikram, il en faut bien quand on est menacé ou quand on a des vengeances à prendre. Mais, pour manger, pour la vie de tous les jours... La bande, maintenant, elle va marcher à mon idée. Il faut seulement qu'on voie comment on va se partager le travail. Chacun à sa place, chacun à son rang. »

Il scruta à nouveau le ciel. Tout recommençait à

grisailler. Mais les averses avaient été plus rares, ce matin-là. C'était peut-être parce qu'on allait vers l'est. À moins que le plus gros de la mousson fût déjà passé.

Il se détourna d'elle, fit quelques pas dans le cercle de jour découpé par l'écroulement de la voûte. Devi regrettait déjà le moment des confidences, ce flot de paroles glissées à son oreille, sereines et fortes, qu'elle n'avait pas cherchées mais qui l'avaient réjouie autant que leurs caresses du matin. Vikram s'éloignait ; il allait réclamer à manger, s'écrouler pour un somme. Le plus fort, c'est qu'elle allait courir lui étaler son matelas, qu'elle réunirait, pour peu qu'il en fît la demande, leurs derniers paquets de riz, qu'elle chercherait une source, allumerait un réchaud, deviendrait dans la seconde celle qu'elle n'avait jamais été dans les villages où elle avait vécu : femme-portefaix, femme-nourrice, pareille, malgré ses vêtements d'homme, aux troupeaux de femelles qu'elle avait fuis, infatigables et fatalistes, toujours penchées sur le feu ou sur l'eau, vouées depuis le fond des temps à la voussure, au silence de la soumission.

Elle sentait son cou, puis son dos se fléchir, sa main se préparer à enfanter de quoi lui rendre force. Et puis d'un coup, au fond d'elle-même, l'autre désir parla, celui qui toujours l'avait redressée, toujours poussée sur les sentiers vagabonds. Elle s'est entendue lui répondre – un appel plus qu'une réplique, quelque chose qui ressemblait à un cri :

– Avant de t'en aller, dis-moi tout de même quelle est ma place dans ta bande, Vikram Mallah !

Aussitôt il fit volte-face, la fixa de l'œil dont il toisait ses ennemis, tout affûté de raillerie :

– Et toi, Devi, dis-moi un peu quelle est ta force... Tu la connais seulement, ta force ?

Il souriait, mais elle sentit que son assurance était feinte, car il triturait une petite pierre qu'il portait à son cou, une concrétion bizarre, tavelée ici, aiguisée là, entièrement parcourue de minuscules stries, avec un long semis de paillettes dorées qui allait se perdre dans un sédiment noirâtre, comme de la crasse accumulée sur des siècles et des siècles. Devi l'avait remarquée le matin même, cette pierre qui lui avait égratigné la peau lorsque Vikram l'avait poussée à travers les souterrains. Elle ressemblait étonnamment à celle qu'il avait arrachée au cou de Babu et qu'il avait jetée dans le fleuve avec un long cri de malédiction. Il y avait aussi la façon dont Vikram la touchait : il l'effleurait du bout des doigts, par touches brèves, comme aussitôt repoussé par une décharge, une chaleur subite; et, malgré tout, il ne cessait d'y revenir.

– La force, reprit-il. Tu crois que tu l'as ? La force de tout et du pire...

– Tu m'as dit que tu te contenterais d'enlever des gens. Je pourrais...

Il l'interrompit sur-le-champ :

– Tu te trompes de force, Devi. Il y a aussi la force de se taire. La force de ne pas tuer quand on voudrait tuer. Et de tuer quand on ne veut pas.

– Tu ne crois pas que moi, quand Babu... ?

– Toi, toi...

Il ne l'a pas laissée finir sa phrase, il a évité son regard. Puis il a effleuré une dernière fois son amulette :

– Tu en voudrais une ?

Il l'a prise de court avec sa voix soudainement radoucie, et cette pierre qu'il faisait briller en l'agitant sous la lumière. Elle tendit la main pour la caresser :

– Ce serait bien qu'on ait la même.

Il la repoussa d'un geste réflexe, sans le moindre ménagement; puis il jeta avec la même brusquerie :

– Elle se mérite.

Il lança encore un coup d'œil au ciel à travers la voûte écroulée; et il soupira, juste avant de sortir de sa poche de nouvelles feuilles de chanvre :

– Il ne me reste plus assez de temps pour t'apprendre. Sauf... sauf si le vent ramène les pluies...

22

Le vent choisit de ramener les pluies. Elles furent moins drues que pendant la marche avec Babu, mais assez fortes encore pour que le gang se trouvât contraint de prolonger les haltes dans ses caches – des temples de la Déesse, la plupart du temps, des grottes dans les falaises ou de vieux mausolées en ruine, des restes de forteresses, seuls souvenirs des temps où les bandits avaient été des princes, et les gorges un royaume.

Mais on n'était jamais très loin des champs, de longues bandes d'un sol gras enserrées par les falaises, d'où sortait toute la richesse des thakurs. Avec la décrue des pluies, on voyait s'y risquer à nouveau leurs ouvriers mallahs, résignés d'avance à passer une nouvelle année le dos cassé au-dessus d'une terre qui n'était pas à eux ni ne le serait jamais. Pourtant ils couvaient déjà, le front soucieux, les premières pousses de millet et de blé, promesse du peu qui remplirait leur estomac jusqu'à l'été suivant où tout recommencerait : la fournaise, les greniers vides, l'anxieuse attente des pluies, un nouveau déluge fécondant, si du moins les dieux consentaient une fois encore à leur en offrir la faveur ; et ainsi de suite jusqu'à la délivrance de la mort et la migration de leur âme vers une vie meilleure.

C'est là, en plein pays thakur, en haut d'un coteau qui dominait les champs, que Vikram a commencé à expliquer à Devi le métier de bandit. Ce soir-là, sous un margousier tout agité d'oiseaux, il lui a dit que le bien et le mal, chez les Fils de Rien, ne recouvrent pas les mêmes choses que pour les autres hommes. Que le mal, c'est la justice traîtresse inventée par les policiers, les gens des villes, tous ceux qui leur sont vendus. Le bien, de ne jamais tomber entre leurs mains. Et de respecter la loi de la bande. Enfin, parfois, de se venger.

Au mot *vengeance*, Devi a levé l'œil. Alors Vikram a ajouté : « La vengeance n'est pas pour les femmes. »

Elle s'est durcie. Il a senti qu'il avait fait fausse route, a repris : « Il vaut mieux que tu oublies tout, maintenant qu'on est ensemble. » Et il a ajouté qu'elle aurait bientôt d'autres choses en tête. La vie serait très dure dans la bande, toujours à marauder, toujours à courir entre les champs et les gorges ; toujours dans la fatigue, toujours sous la menace. Il a dit aussi qu'elle en deviendrait plus grande, plus forte. Que les ravines avaient le pouvoir d'affûter les âmes et de tremper les corps. À une seule condition : qu'on en observe les règles sans jamais faillir.

Jusqu'à la nuit tombée, il les lui a égrenées comme il aurait récité une prière. Ne jamais commencer une marche avant d'avoir écouté ce que dit l'éclaireur. Chaque fois qu'on allume un feu en plein air, étouffer la fumée à l'aide d'une couverture pour ne pas être repéré. Reconnaître dans les sentiers l'odeur de la panthère, celle du daim, du chacal, du tigre. Distinguer le serpent des gorges et celui qui se cache dans les champs, le reptile mortel et celui dont il n'y a rien à craindre. Déchiffrer le vol des oiseaux, signe du vent qui tourne ou de l'approche des hommes. Apprendre par cœur, jour après jour, le chemin qu'on a fait, les sources, les caches, les trous où l'on dissimule les munitions, se forger des repères, garder silence le plus souvent possible, quitter la bande à l'approche des villages, ne dormir, ne manger, ne boire l'alcool de la Déesse qu'au seul ordre du chef. Le reste du temps, se soumettre et marcher.

Ce soir-là, Vikram ne lui parla pas des attaques. Il lui dit simplement qu'en s'entraînant, on pouvait flairer, dans les gorges, l'odeur d'un homme passé depuis moins d'une heure ; et qu'à force de courir les ravines, on finissait par retrouver le savoir des premiers temps du monde. « Tu n'as pas terminé d'en apprendre, conclut-il, tu es encore faible et molle comme de la cire fraîche, il te manque un moule où durcir, la Vallée sera ce moule où tu trouveras ta forme. » Puis il lui annonça qu'elle commencerait dans le gang au rang le plus bas. Elle continuerait à faire la cuisine pour les hommes ; mais, entre les repas, et tout le temps qu'on ne marcherait pas, dût-elle prendre sur son sommeil, elle s'occuperait de l'entretien des armes.

Vikram l'avait demandé : elle le fit. Par chance, il plut encore beaucoup, les marches furent brèves, les haltes durèrent souvent plusieurs jours, et Vikram ne se montra pas pressé de passer à ses kidnappings. Il commit quelques hommes à la tâche de rapporter du ravitaillement frais des villages voisins où il avait des accointances ; et il se chargea lui-même de l'initier aux armes lors de leurs longues soirées à l'abri des grottes et des temples.

Elle apprit très vite. Au bout de quinze jours, elle sut presque tout du fusil Enfield et du Mauser 430, du pistolet Sten, du SLR et de l'antique Henry Express à l'acier si patiné qu'on eût dit une caresse. Pour l'éprouver, Vikram choisit de commencer par le plus difficile, le nettoyage des mitraillettes. Il lui remit d'abord celle de Babu, qu'il parlait de revendre pour acheter plusieurs talkies-walkies afin de rendre ses kidnappings plus faciles et plus sûrs. Puis il lui confia la sienne, à la crosse ornée, comme toutes les armes du gang, d'une figurine de la Déesse. En dehors de lui, seuls deux hommes possédaient des armes automatiques, Lukka et son très jeune ami Kalla. Ils étaient inséparables. Pourtant, Lukka était l'aîné de la bande, il avait les cheveux blancs, vivait dans les ravines depuis des lustres, et l'on murmurait que pendant sa jeunesse, il avait approché Man Singh, le plus grand justicier, prétendait-on, qui fût dans la Vallée, celui qui volait aux riches pour distribuer aux pauvres.

Il fallut voir avec quelle solennité Lukka et Kalla vinrent remettre leur mitraillette à Devi, méfiants encore, mais essayant de le cacher, puisque tel était l'ordre de Vikram et qu'il était là, auprès d'elle, à guider ses mains dans l'huile et la crasse. Et les autres suivirent soir après soir. Il y eut d'abord Sethi, recrue de fraîche date, un adolescent trapu à l'œil si acéré qu'on le surnommait « Petite Panthère ». Puis vint son ami Motiram, aussi longiligne que l'autre était massif. Il possédait un magnifique SLR, mais proclamait, comme Vikram, qu'il abhorrait le sang. Le soir suivant, ce fut le tour des jumeaux Badru et Balo, deux colosses qui ne se quittaient jamais, maladroits et balourds quand on les voyait au repos, toujours à ronfler ou à réclamer à manger, mais marcheurs superbes, jamais las, d'une agilité éblouissante, très fins tireurs et surtout excellents conteurs ; ils furent les premiers, lors de ces longues veilles, à confier à Devi ce qui les avait conduits à prendre les ravines.

Soir après soir, tout le gang finit par défiler devant elle, même ceux qui n'étaient pas encore d'un rang assez élevé pour posséder autre chose qu'un poignard ou un simple coutelas. Tous arboraient des moustaches drues, le même regard brûlé de fierté. Et leurs histoires se ressemblaient, qui commençaient toutes de la même façon : un meurtre par un jour de colère. Ils étaient les premiers à le dire, on n'en sortait jamais, de ces histoires de vengeance. Mais c'était plus fort qu'eux, il fallait qu'ils les racontent ; comme si, dans le récit de leur propre injustice – une femme violentée, un père rabroué par un propriétaire avide –, ils pouvaient faire oublier à Devi l'outrage qu'ils lui avaient fait subir et ce qu'elle avait été pour eux tout le temps que Babu avait dirigé la bande : une simple proie femelle, torturée, humiliée comme le rebut des plus sordides bordels.

Peut-être aussi n'avaient-ils plus envie de s'en souvenir ; peut-être avaient-ils déjà chassé de leur mémoire l'image de son corps mis à mal. Car ils venaient à elle avec un regard vigilant et pensif, comme vers un jeune frère, un enfant en train d'apprendre le métier ; et tandis qu'ils faisaient cercle autour d'elle, reprenaient par le menu ce qui les avait menés là, à cette vie de zigzags au fond du grand chaos terreux, ils suivaient le moindre de ses mouvements, prêts à la corriger, à guider sa main sur le chiffon, la curette. Elle les écoutait sans un mot, yeux baissés. Ces hommes avaient tout vu, tout su de son humiliation : comment soutenir leur regard ? Habillée en homme, elle n'avait plus de voile à tirer sur son visage, plus de refuge dans l'ombre des étoffes. De soir en soir, elle s'enhardit pourtant à risquer un œil sur eux. Ce bandit à la lèvre fendue, à la très longue moustache, était-ce lui qui avait joué de l'accordéon lorsque les hommes s'étaient mis à chanter, la nuit où Kailash l'avait entraînée au temple du Dieu-Singe ? Et celui-là, maigre et inquiet, qui n'arrêtait pas de lorgner son Mauser pendant qu'elle le briquait, était-ce le gangster qui s'était écroulé au beau milieu de la fête, ce soir-là, foudroyé par une gourde d'alcool avalée d'un trait ?

Ses souvenirs s'emmêlaient, s'évanouissaient, comme en provenance d'une autre vie. D'ailleurs, Vikram le lui avait dit, des hommes étaient morts depuis ce temps, d'autres étaient entrés dans le gang, qui avaient commencé au plus bas, comme elle, et se contentaient encore des besognes les plus ingrates, porteurs ou éclaireurs. Ils venaient cependant lui parler, comme les autres. Pour eux aussi, elle était la femme du chef, même si on lui avait assigné les tâches les plus viles. Avant de déposer à ses pieds leur poignard, leur couteau, ils mettaient leur point d'honneur à répéter le rituel des propriétaires de SLR ou de mitraillette Thomson : ils réunissaient leurs mains au-dessus de leur front, fermaient les yeux, récitaient une formule sacrée où ils invoquaient la Déesse. Et quand Devi leur rendait leur arme, ils chuchotaient une seconde prière, caressaient la figure divine rivée sur son manche, avant d'y éparpiller, du même mouvement que les autres, un long trait de poudre sacrée.

Devi l'a dit et répété : ce qui lui a plu, dans la bande,

c'est qu'elle y trouva sa place. Dans le regard des plus forts comme dans celui des humbles – le petit Kok, par exemple, un jeune Intouchable qui était là depuis seulement deux mois et ne possédait encore qu'un minuscule canif, qu'il lui demanda de fourbir –, elle a lu qu'elle avait enfin un rang et qu'on ne la menacerait pas. Pour la première fois de sa vie, elle n'était plus seule – et pourtant pas de trop. Ce fut là le plus grand bonheur qu'elle eût jamais connu, du moins s'il faut en croire les quelques phrases impertinentes et lapidaires, bien dans sa façon, dont elle a résumé cette mousson de 1979 : « Les bandits m'ont enlevée. Chez eux, j'ai rencontré Babu, j'ai rencontré Vikram. Babu m'a torturée, Vikram a tué Babu et m'a prise comme sa femme. Il y a un dieu pour s'occuper de l'amour, après tout. »

23

Puis quelque chose s'est mis à changer dans la bande. C'est arrivé vers la mi-août, à peu près au moment de la Fête des Serpents, quand les paysans forment de longues processions pour offrir aux cobras les cadeaux qui apaisent leur âme venimeuse. D'abord les pluies sont devenues plus éparses, plus ténues : des crachins qui mouillaient à peine. Du coup, les marches dans les gorges ont été plus longues, on s'est remis à camper en plein air, à la lisière des champs, presque en vue des villages ; puis, un soir, comme on avait fini de manger, des inconnus sont venus par un défilé débouchant sur la plaine.

Aucun des quatre gardes qui surveillaient le camp ne les a arrêtés. C'étaient trois jeunes villageois à l'air joyeux, un peu goguenards, comme émerveillés d'avance à l'idée de rencontrer les bandits. Ils étaient accompagnés d'une femme plus âgée, au port hardi, qui promenait autour d'elle un regard de dédain. Elle marchait en tête du groupe, elle était belle – Devi l'a tout de suite remarqué –, de cette beauté solennelle, impavide, qu'ont souvent dans la Vallée les femmes qui ont vécu ; et cependant, sa démarche avait encore l'allant de la jeunesse, il n'y avait que le pli sec de sa bouche et ses formes épaissies, sous le drapé du sari, pour trahir qu'il y avait déjà eu plusieurs vies dans sa vie. Plusieurs hommes, peut-être ; et sûrement des enfants.

– Kusumana, a grommelé Vikram quand il l'a vue s'approcher des tentes.

Devi l'a surpris à se mordre les lèvres, à plisser les yeux comme chaque fois qu'il était inquiet. Aussitôt, elle a été sur le qui-vive. Ce nom de Kusumana lui a rappelé quelque chose, des phrases entendues la nuit où les hommes avaient conspiré contre Babu. Elle a dû aussi repenser à Kailash, au cri de sa première épouse, à leur retour de Kanpur, quand elle avait voulu la chasser de sa maison ; et tout s'est passé très vite. Elle a saisi la mitraillette de Vikram, posée comme chaque soir sur la bâche qui leur servait de tente. Avant même qu'il ait esquissé un mouvement, elle a fondu sur l'inconnue et a crié :

– Pas de femme ici !

L'autre a eu un moment de stupeur, elle a reculé d'un pas ; mais dès qu'elle a aperçu, tressautant sur ses hanches, la natte de Devi, elle s'est immédiatement reprise et elle lui a jeté comme elle aurait craché : « Et toi donc, qu'est-ce que tu es ? »

Elle avait une voix de gorge, rauque et puissante, qui semblait, à chaque vibration, dilater encore sa poitrine aux seins lourds. Il y avait aussi son maintien : celui d'une femme prête à prendre de front les ennemis les plus sauvages, les pires humiliations. Enfin il y eut son sourire, ce pli ironique et dur au coin de sa bouche ; et son œil sec, qui à lui seul paralysait. Elle le savait, car elle en a profité pour avancer un bras vers l'arme de Devi, tandis que de l'autre elle tentait de s'emparer de sa tresse.

Elle n'a pu qu'amorcer le geste. À l'instant, Devi lui a enfoncé en pleine poitrine la crosse de la mitraillette. L'autre s'est effondrée dans un hurlement mal étouffé ; et, avant que les trois villageois qui l'escortaient aient eu le temps de sauter sur Devi, Vikram est arrivé, lui a arraché la mitraillette et l'a pointée sur Kusumana en répétant d'une voix sourde :

– Va-t'en. Pas de femme ici.

Les paysans sont restés un moment les bras ballants, ils ont tour à tour regardé Vikram, puis Devi, et à nouveau Vikram ; et comme il continuait de braquer son arme sur la femme, ils ont choisi de renoncer à comprendre. Ils se sont rangés derrière lui en jetant, comme ils passaient devant leur compagne, un chapelet d'obscénités, avec des rires qui sonnaient mal. Vikram les a aussitôt emmenés à l'autre bout du camp où il a demandé qu'on leur serve à manger.

Personne n'a regardé la femme se relever, reprendre le sentier qui menait au défilé ; personne en dehors de Devi, qui a bien vu qu'avec ce pas si ferme, ce regard hardiment levé vers les rayons du couchant, cette femme-là, dont elle avait détesté le nom dès qu'elle l'avait entendu prononcer, avait déjà vécu dans les gorges et tâché de s'y faire une place. La même que la sienne, elle en était sûre, et par le même chemin : Vikram.

Cette nuit-là, pourtant, si Devi ne dormit guère, ce ne fut pas de jalousie. Elle avait découvert un plaisir neuf, voisin de l'alcool, par la joie qu'il dispensait. En tout cas, il la parcourait du même frisson. C'était l'enivrement d'une première victoire.

Elle n'eut pas le loisir de le savourer longtemps. Juste après l'aube, les trois villageois, qui étaient restés la nuit entière à palabrer avec Vikram, s'évanouirent par le chemin qui les ramenait à leurs champs. Ils n'avaient pas disparu au fond du défilé que Vikram annonça à la bande que la première attaque sous son commandement aurait lieu le surlendemain, de l'autre côté du fleuve, dans deux villages où il venait d'apprendre qu'il y avait du pillage à faire, Deokali et Mahespur.

– Mahespur ! s'est exclamée Devi. C'est le village de mon premier mari !

Jusque-là, elle n'avait jamais rompu, devant les hommes, la consigne de silence imposée par Vikram. À sa grande stupeur, il ne l'a pas reprise. Il s'est contenté de rétorquer, avec son premier sourire depuis la veille au soir : « Raison de plus. »

24

C'était uniquement pour le vol, a déclaré Vikram la veille de l'attaque. Pour les kidnappings, on verrait plus tard. On devait commencer par se faire une petite cagnotte afin de financer l'achat de munitions, acheter le silence des uns, la parole des autres, avant les enlèvements. Puis il a expliqué comment il entendait mener les opérations.

D'abord on traverserait le fleuve juste avant le lever du soleil. Les bateaux étaient prêtés par ses amis du village voisin, les paysans qui lui avaient rendu visite et lui avaient appris qu'il y avait du bon travail à faire sur l'autre rive. À quelques miles de là, à Kalpi, se tenait le lendemain une grande réunion politique. Les élections étaient proches, presque tous les hommes de Deokali et de Mahespur seraient absents de chez eux. Avec les femmes et les enfants, il ne resterait dans les deux villages que les malades et les vieillards.

On commencerait par s'attaquer à Deokali, puis on passerait à Mahespur. Du travail facile, même pour les débutants, estimait Vikram. En cas de pépin, ce qui était fort peu probable, le gang pourrait toujours se réfugier dans un souterrain, juste en contrebas de Deokali, dans un repli des falaises. Pour plus de sûreté, on procéderait à une reconnaissance avant l'attaque. On en profiterait pour vérifier l'état des quelques munitions entreposées par Babu six mois plus tôt, aux lendemains de l'arrestation des frères Singh. Pour le reste, l'affaire serait pure routine. Il suffisait, comme d'habitude, de respecter les règles.

Tous les hommes observèrent Vikram d'un air entendu, même le petit Kok, celui qui ne possédait qu'un canif. Il y eut un très long silence, comme un moment de recueillement au cours duquel chacun semblait se transporter en esprit sur l'autre rive du fleuve, dans le danger, la peur, l'envie de vaincre; Vikram comme les autres, qui ne regardait plus ses hommes mais fixait au bout du camp la brèche ouverte sur la Vallée. Et quand il reprit la parole pour distribuer à chacun sa tâche pour le lendemain, ce fut d'une voix plus sourde, déjà voilée d'alarme.

Il ne s'est pas adressé à Devi. Un à un, les hommes sont partis se coucher. Elle les a regardés s'éloigner sans un mot. Vikram s'obstinait à l'ignorer. Comme souvent au soleil couchant, il s'est allumé un peu de chanvre, en a tiré quelques bouffées. Elle a fini par s'approcher de lui. La rage l'étouffait quand elle lui a lâché : « Et moi ? »

Il ne s'est pas troublé. Il a inspiré la fumée du chanvre, lui a souri; puis, brusquement, il l'a saisie par le bras avec une vigueur qui l'a prise de court, et elle l'a entendu grincer : « Viens par ici, ouvre grand tes oreilles ! Si tu as peur, tu décampes. Mais que je ne te revoie plus ! »

Il l'a attirée à l'autre bout du camp, là où était posté le guetteur du nord, qui a sursauté à leur approche. Vikram a fait asseoir Devi sur le sol encore humide. Ils y ont passé une bonne partie de la nuit, le nez levé vers les étoiles. C'est Vikram qui a parlé le plus longtemps. Quand Devi n'était pas sûre d'avoir très bien compris, elle risquait quelques questions. Il y répondait avant même qu'elle n'eût fini sa phrase, sur le ton solennel des vieux villageois quand ils racontent aux enfants, les jours de fête, les grandes légendes des dieux. Dans ce qu'il expliquait, pourtant, il n'y avait pas d'immenses mystères et elle dut parfois l'arrêter en chuchotant : « Je sais, Vikram, je le sais déjà. » Par exemple, quand il lui déclara qu'à cette époque de l'année, mieux vaudrait se terrer dans les fissures des ravines, au cas où la police leur tomberait dessus, une fois en vue de Deokali : le millet, le blé n'avaient pas encore monté, ce n'étaient encore que des pousses dans les champs, on ne pouvait s'y cacher.

Elle eut un soupir d'exaspération ; quelques minutes plus tard, elle l'interrompit encore lorsqu'il voulut lui faire jurer, comme aux autres hommes de la bande, qu'elle ne parlerait pas si par malheur elle était prise : « Tu crois qu'après ce que les flics m'ont fait, j'irais leur cracher le morceau, à ces serpents ? – Ne les appelle pas serpents, coupa aussitôt Vikram en caressant son amulette. Tu auras peut-être l'occasion de connaître la Puissance du Serpent, tu sauras peut-être un jour l'étendue de sa force. Les policiers, ce sont des vers de terre. Rien que des asticots. Vermine, c'est le seul nom qu'ils méritent. » Et il reprit aussitôt le catalogue de ses conseils.

De fait, cette nuit-là, Vikram lui parla surtout des signes. En tout cas, c'est ce qui a frappé Devi, car lorsqu'elle évoque ce premier raid, elle n'arrête pas d'en parler. Elle tomba des nues quand elle s'aperçut que Vikram croyait aux présages. Jusque-là, elle avait pensé que les bandits, en renonçant au reste, avaient aussi renié la loi des signes, celle qui fait dire dans les villages, quand arrive un malheur, qu'on l'a vu venir de loin à cause d'une poule qui n'a pas mangé son grain, d'un chacal qu'on a croisé sur le bord gauche d'un chemin. À sa grande surprise, elle s'aperçut qu'il en allait chez les bandits comme chez n'importe quel paysan : tout était signe, sur les sentiers et dans le ciel, annonce mystérieuse des maîtres du destin ; et les éclaireurs, les guetteurs de la bande étaient particulièrement instruits dans cette science ardue. La nuit, par exemple, aux quatre coins du camp, ils n'épiaient pas seulement les ombres et les bruits des hommes, ils cherchaient dans le noir les messages des dieux, les veilles d'attaque plus qu'à l'accoutumée. Ainsi, au seul couinement d'un lièvre, au premier hurlement de chouette, le raid était annulé.

Sur ce chapitre, Vikram en savait long, lui aussi ; infiniment plus, en tout cas, que les prêtres ou les sorcières de villages, et il prenait plaisir à en parler. Il l'assura que le lendemain, quand on marcherait sur Deokali, si jamais un loup ou un lynx venait à couper la route du gang à partir de la droite, l'attaque serait un plein succès. On pouvait même s'attendre à un monceau d'or pour peu qu'un coq ou un perdreau s'avise de crier au moment de la traversée du fleuve. En revanche, si l'éclaireur annonçait, de droite à gauche sur le trajet de la bande, le passage d'une grosse antilope mâle ou d'un petit de daim, on rebrousserait chemin dans la seconde. « Si quelqu'un trébuche ou laisse tomber son fusil, c'est pareil, on lâche tout. Si une vache se met à nous suivre, si on croise une femme avec une cruche pleine, ce sera bon. Mais si sa cruche est vide, si on tombe sur un lépreux, un marchand d'huile ou un mutilé, on ne fait ni une ni deux, on se tire tous sans poser de questions. Le pire, c'est le serpent qui se dresse devant l'éclaireur. Alors là... »

Il se remit à caresser son amulette, chuchota une prière, guetta encore une fois les bruits de la nuit. Devi dut s'assoupir, elle ne se souvient pas de la suite, sinon qu'elle revint à la tente appuyée sur son épaule, puis qu'elle fut réveillée en sursaut par Vikram qui la secouait.

L'aube était là, avec sa brume grise. Devi n'avait pas assez dormi, elle prépara le thé à gestes gourds. Vikram le lui reprocha. Autour d'elle, il est vrai, tous les hommes étaient fin prêts ; plus fébriles que la veille, mais plus allègres aussi. Ils burent d'un trait le thé qu'elle leur avait infusé, et ils en redemandèrent. Alors elle s'est enfin animée, elle a trouvé le courage d'affronter l'œil durci de Vikram pour s'inquiéter à nouveau de ce qu'elle devrait faire. « On verra quand on sera de l'autre côté », a rétorqué Vikram. Il avait l'air tendu. Avant de partir, au lieu de fumer du chanvre, comme les autres jours, il a sorti de sa poche une fiasque de métal, il s'est octroyé une longue rasade d'alcool. Le flacon a ensuite passé de main en main. Devi a bu la dernière, en se forçant un peu.

Et la marche a commencé. Un sentier descendait au fleuve, que la bande a dévalé. Dans une anse attendaient quatre barques, devant un minuscule temple, un oratoire de la Déesse, de bonne et belle pierre, pour une fois, chaulé de blanc, avec des moulures fraîchement vernies de vermillon. Les hommes se sont arrêtés devant lui, ont à nouveau échangé la gourde de Vikram. Avant de boire, ils renversaient un peu d'alcool aux pieds de la statue noire. Ils ont ensuite murmuré une longue formule, une sorte d'imprécation qui appelait sur eux l'esprit de la guerre, le souffle du combat. Les mots de *mort*, de *sang* y revenaient souvent. Quand son tour fut venu, Devi n'a su que la bafouiller, mais personne ne l'a remarqué, car Vikram avait déjà sauté dans le premier canot et il grondait : « Le jour monte, il faut se dépêcher. » On a embarqué. On s'est fait tout petit au fond de la coque, c'était assez difficile à cause du canon des fusils et des mitraillettes qui dépassait des rebords. Seuls les rameurs se sont moins recroquevillés que les autres, l'oreille à l'affût autant que l'œil.

Les mâchoires se serrent, les muscles durcissent. Désormais, tout est ennemi : policiers, paysans, animaux, fleuve. Les dieux, peut-être ; mais ils avertiront.

On arrive à l'anse en contrebas de Deokali. Les barques glissent sans effort dans une eau qui clapote à peine. Elle est très sombre, le soleil ne donne pas encore de ce côté-ci du fleuve. La fissure par où s'infiltrent les bateaux a des parois très escarpées, elle doit être difficilement accessible par voie de terre. Avant de rejoindre le sentier qui s'accroche à la muraille, on devra sans doute escalader tout un grand pan de terre. Devi n'est pas sûre d'y arriver.

Mais Lukka extrait soudain une corde de son paquetage, il la lance d'un souple mouvement du bras. Du premier coup, la boucle qui la termine va s'arrimer à une grosse pierre rousse tout en haut de la paroi. Pour arriver à cette précision, à cette perfection, c'est à croire que Lukka a calculé, répété son geste des centaines, des milliers de fois. Le cordage retombe au pied de la falaise, son extrémité va se noyer sous la carène des barques.

Depuis quelques jours, les eaux baissent. Un minuscule pan de plage s'est découvert, encombré de branches mortes, de feuillages pourrissants. Les canots s'y échouent un à un. On les amarre aussitôt à des pierres de la falaise. Vikram saute sur le sable, écarte les amas de branches, découvre l'entrée d'un petit souterrain. C'est plutôt un boyau, d'ailleurs : impossible de s'y tenir debout, et il ne va pas bien loin. Il sent la terre et le bois moisi. Dans un angle, tout au fond, Vikram soulève des pierres, fouille le sol, le déchire à coups de crosse. Puis il se relève d'un air joyeux en jetant à ses hommes plusieurs paquets de cartouches enveloppés dans du plastique. Puis il se courbe à nouveau sur la terre, recommence à la fouailler. Il s'acharne, transpire. Les jumeaux Badru et Balo arrivent à la rescousse. Bientôt leurs doigts glissent sur une nouvelle pellicule de plastique ; et Vikram brandit alors sa trouvaille, un Mauser, celui de l'aîné des frères Singh, entreposé lui aussi par Babu qui avait réussi à le soustraire à la police au moment de leur arrestation.

On ressort aussitôt. Un éclaireur s'agrippe à la corde, suivi de trois autres guetteurs. Cinq minutes plus tard, tous sont réunis en haut de la muraille et agitent allégrement les bras pour annoncer au reste de la bande que le chemin de la plaine est libre, et les présages favorables. Alors commence l'ascension. Un à un, les hommes s'accrochent à la corde, se hissent au sommet de la falaise.

Ils sont partis selon un ordre qui semblait défini à l'avance, les plus humbles d'abord, le petit Kok, puis Gabbar et Pana, avec leur poignard au manche de cuivre, et Tunda, Mannu, Charna qui ne possédaient que de vieux fusils fabriqués à la va-vite dans des officines de Kanpur. Quand il n'est plus resté dans l'anse que Vikram, Lukka et Kalla, Devi a pensé que son amant voulait la laisser seule à garder les barques et le souterrain ; mais elle n'avait pas levé les yeux vers lui pour le supplier de l'emmener qu'il lui a passé le Mauser à l'épaule :

– Je te le prête. On va voir si tu comprends ce qu'on te dit.

25

Et il lui expliqua enfin ce qu'elle aurait à faire. À l'approche de Deokali, tous les hommes s'égailleraient dans les champs. On cernerait le village en ordre dispersé. Il faudrait s'arranger pour arriver en même temps derrière les murs des premières maisons. On n'attaquerait qu'à son signal : une rafale de mitraillette tirée en l'air. Chaque bandit accomplirait alors la tâche qu'il lui avait assignée la veille. Les uns fracasseraient les portes, les autres entreraient par les greniers, d'autres tiendraient en respect les quelques hommes présents, feraient avouer aux femmes ou aux vieillards réticents la cache de leurs bijoux et de leurs billets de banque. Le reste de la bande serait affecté au guet.

Elle, Devi, c'est à cette tâche qu'il l'avait commise. Au signal de l'attaque, il faudrait qu'elle fonce droit à la place du village où elle rejoindrait deux autres bandits. Elle tirerait alors en l'air trois coups de son Mauser pour terrifier les habitants. « À partir de là, tu ne bouges plus. Tu surveilles et tu la boucles. En cas de grabuge, on se casse. Rendez-vous dans le souterrain de la crique. Alors, ouvre grand les yeux si tu ne veux pas oublier le chemin. »

Il l'a prise par les épaules, l'a poussée vers la corde qui se balançait contre la falaise. Elle a grimpé aussi vite qu'elle a pu, en essayant de copier les gestes de ceux qui l'avaient précédée. Au début, elle a peiné. Pour l'encourager, Vikram lui criait : « Allez, pousse, vas-y, vas-y donc ! » Elle a fini par prendre le coup. Quand elle a été à deux doigts du but, il n'a pas pu s'empêcher de lâcher un petit rire : « Ma jolie petite guenon ! » Lukka et Kalla se sont mis eux aussi à rire.

C'est Vikram qui est parti le dernier. Comme tous les autres, il a escaladé la falaise en un tournemain. Là-haut, on a soufflé un long moment, le temps que les éclaireurs aillent patrouiller autour de Deokali et qu'ils reviennent pour confirmer que tout était en ordre. Les indicateurs de l'autre rive avaient dit vrai, presque tous les villageois venaient de partir pour Kalpi. Les éclaireurs rapportaient aussi un excellent présage : à la croisée d'un chemin, ils avaient aperçu une femme qui revenait d'un puits, une grosse jarre remplie d'eau sur la tête. Autre signe favorable, elle était accompagnée d'un jeune garçon.

Vikram a aussitôt donné l'ordre de marche. La frange de ravines qui s'étendait entre le fleuve et la plaine n'était pas très large ; pour être sûr de ne pas être repérés, il leur fallut traverser à plusieurs reprises des taillis d'épineux. Enfin Deokali est apparu au milieu de la plaine. C'était un village à peu près semblable à tous ceux de la Vallée, avec des toits et des auvents de chaume, des murs de terre, des courettes ; un peu plus gros que les autres, peut-être, plus opulent, avec quatre ou cinq maisons de ciment et un temple moderne en haut d'un éboulis de roches qui dominait les champs.

Durant toute la marche, Devi n'avait cessé de se répéter les ordres de Vikram, ses phrases au mot près, de peur d'en oublier une miette ; mais ce qui l'a surprise, aux abords du village, quand la bande s'est éparpillée dans les champs, c'est la rapidité des choses. À peine a-t-elle eu le temps de penser à Vikram qui était parti à l'exact opposé ; à peine a-t-elle senti son cœur battre plus fort à l'approche des murs de terre, les premiers qu'elle eût aperçus depuis son enlèvement. Elle a brusquement entendu la rafale de Vikram et tout s'est enchaîné dans l'évidence : chaque bandit a couru à son poste, elle comme les autres. Sans trop savoir comment, elle s'est retrouvée sur la place du village, debout sur un puits, le Mauser pointé sur deux vieillards éberlués et quelques enfants dépenaillés qui pataugeaient dans une flaque.

Elle s'est très vite reprise, elle a exécuté à la lettre les consignes de Vikram, elle a tiré trois coups en l'air. C'était la première fois de sa vie qu'elle appuyait sur la détente, elle s'était contentée jusque-là de regarder les hommes manipuler leurs armes, juste après qu'elle les avait nettoyées. D'après son récit, pourtant, ça ne lui a fait ni chaud ni froid ; ni le bruit ni le recul.

À la vérité, dans ce raid, tout a été facile. Aucun villageois n'a résisté. Au premier coup de feu, chacun a couru chez soi, s'est glissé dans la première cachette venue. Les quelques hommes qui avaient préféré rester assis dans les cours à fumer leur chanvre au lieu d'aller crier des slogans au meeting de Kalpi n'ont pas même eu le temps de sauter sur leurs armes. En moins de trois quarts d'heure, toutes les portes ont été fracassées, les coffres forcés ; et il y a eu des femmes qui ont préféré les ouvrir elles-mêmes afin de s'épargner le saccage de leur maison. Ici et là, avec les bijoux et les billets de banque, les gangsters ont mis la main sur des fusils. Quand Vikram a estimé que ses hommes avaient fait le plein de butin, il a tiré une nouvelle rafale de mitraillette et la bande s'est retrouvée au complet sur le chemin qui menait à Mahespur. En tout et pour tout, l'attaque n'avait duré qu'une heure.

La bande a rapidement rejoint la frange de ravines qui courait le long du fleuve. Vikram a commis quelques hommes à la garde du butin. Ils se sont glissés avec les sacs dans une faille bien cachée derrière un fourré, et on est convenu de se retrouver une heure plus tard, après le raid sur Mahespur. Alors qu'on était en vue du village, Devi s'est approchée de Vikram. Il avançait machinalement, on aurait dit qu'il ne savait plus où il était, où il allait. Elle s'est quand même risquée à lui souffler : « Pareil ? » Il a répondu : « Pareil. » Et il a tiré à nouveau une rafale en l'air.

Elle a aussitôt couru sur la place du village, comme à Deokali. Mais, arrivée à la grande mare, elle a failli faire demi-tour. Rien n'avait changé à Mahespur, ni la cressonnière où s'ébattaient les buffles, ni la maison de son mari, juste en face, avec la terrasse où elle avait si souvent dormi. Tout lui est revenu brutalement : le visage de sa belle-mère, ses lèvres minces, sa voix acerbe ; le corps pesant de Puttilal quand il avait déchiré le sien, la nuit où il l'avait prise pour la première fois ; la trahison de Moti, sa démarche arrogante après la naissance de son fils ; la rumeur du village, les murmures fielleux des femmes ; les ricanements des hommes ; et les coups, surtout les coups.

Alors, quand elle a vu Vikram débouler sur la place, juste après qu'elle eut tiré les trois coups de feu destinés à terrifier les villageois, ç'a été plus fort qu'elle, elle n'a pas pu se taire. Elle a crié en désignant la maison de Puttilal : « Allez donc là-bas, commencez par là ! » Deux silhouettes ont traversé la terrasse en courant. La première, en sari rouge, était Moti qui portait un nourrisson dans les bras. Ce n'était plus, tant s'en faut, l'adolescente narquoise qui avait réussi à lui prendre son mari. Elle s'était alourdie, affaissée. Malgré la peur, elle courait d'une jambe pesante. Puttilal, qui la suivait, paraissait en revanche beaucoup amaigri, il avait le souffle court, comme s'il était malade.

Lukka et Kalla se sont aussitôt précipités pour briser la porte. Elle a vite cédé. Vikram a bondi derrière eux. Il avait certainement entendu le cri de Devi, car il s'est retourné au moment de passer le seuil et lui a lancé : « C'est la maison de ton mari ? » et il est parti d'un rire. Puis il a fait signe à Devi de venir : « Allez, prends ta vengeance ! »

Elle est aussitôt accourue, elle a sauté sur la terrasse et a hurlé : « Je sais où ils sont, je sais où ils sont ! » De la cuisine, Lukka a glapi : « Il n'y a personne en bas ! – Viens par ici ! » a répliqué Devi, et elle a sauté sur une petite trappe découpée dans l'angle de la terrasse.

Ce n'est pas Lukka, mais Vikram qui l'a rejointe : « Dans le grenier, c'est sûr », lui a-t-elle chuchoté. Il a fait tomber la trappe et ils se sont retrouvés dans une pièce sombre qui sentait le chaume. Dans chaque coin de la pièce étaient entreposés de grands tas de lentilles. Au premier coup de crosse que Vikram a enfoncé dans les grains, il a heurté un objet métallique : un grand bidon d'aluminium sous lequel il a découvert Puttilal.

Celui-ci s'est lentement déplié en laissant tomber autour de lui une pluie de graines blondes. Devi s'est mise à rugir : « Ma dot, tu vas me rendre ma dot ! » Dans la pénombre du grenier, derrière un autre tas de lentilles, elle a vu frémir un paquet de tissu : c'était Moti, entièrement ramassée dans ses voiles. Elle a lentement allongé la main vers Puttilal comme pour lui demander de résister, de refuser. Il ne l'a même pas vue. Il est descendu sur-le-champ dans la cuisine, encadré de Vikram et de Devi. Il a déplacé quelques briques à l'arrière d'un réchaud, dégagé un gros coffret qu'il a immédiatement ouvert devant eux, comme un camelot pressé de placer sa marchandise. Il contenait quelques bracelets de laque, des boucles d'argent, des colliers, quelques babioles; enfin une grosse liasse de billets de banque.

– Ma dot ! a répété Devi.

Puttilal tremblait, des lentilles continuaient à lui ruisseler dans le cou, il en avait même à l'intérieur des oreilles. Il lui a tendu la boîte. Au moment où Devi avançait le bras, Vikram a intercepté son geste, a saisi le coffret, l'a enfoui au fond de son sac. Puis il a poussé Devi dehors :

– Reprends ton poste !

Elle s'est exécutée sur-le-champ. Ce qui lui fut beaucoup plus difficile, en revanche, pendant l'heure qu'il fallut pour achever le pillage et redescendre au fleuve, ce fut de contenir son rire. Elle ne put s'y abandonner que sur l'autre rive, quand ils furent rentrés et que Vikram étala sur la bâche, avec le reste du butin, les bijoux et l'argent volés chez Puttilal ; mais, presque aussitôt, il se cassa.

26

Sans être glorieux, les deux raids furent d'un profit parfaitement honorable. Les hommes avaient mis la main sur quelques milliers de roupies, quatre ou cinq transistors, une bonne quantité de bijoux et plusieurs montres. À Mahespur, ils avaient même trouvé un petit stock de piles, bizarrement entreposé chez une vieille femme au fond d'une jarre. Vikram se montra particulièrement satisfait de cette dernière découverte : il était presque certain que les piles s'ajusteraient au modèle de talkies-walkies qu'il comptait acheter à Gwalior chez un de ses amis trafiquants, dès que la bande aurait réuni assez d'argent pour y renouveler son équipement.

Avant d'entamer le partage, il souligna que cette

razzia était sans commune mesure avec les fructueuses attaques de trains et d'autobus qui avaient si vite enrichi le gang du temps de Babu. Mais il n'avait nulle envie de finir comme les frères Singh, il préférait prendre son temps. Quatre ou cinq expéditions du même genre, et la bande serait prête à se lancer dans sa campagne d'enlèvements. C'est là qu'on se ferait de l'argent. Il se donnait encore deux mois de préparation, le temps de remonter bien doucettement les ravines jusqu'au confluent du fleuve avec la rivière Chambal. Vikram était à peu près certain de passer inaperçu : d'après ses informateurs, les autorités des deux États riverains de la Vallée venaient d'entrer en conflit ouvert. En dépit des instances du gouvernement fédéral, les policiers ne se transmettaient plus un seul renseignement sur les déplacements des gangs. En changeant de rive à chaque raid, la bande n'aurait guère de peine à brouiller les pistes – si toutefois pistes il y avait ; car, avec la confusion qui régnait dans la police, rien, conclut-il, n'était moins sûr.

Vikram était d'un bel optimisme : dès le 15 août 1979, soit au lendemain de l'attaque, un rapport de la police de Kalpi signala à tous les États voisins qu'une bande très mobile et remarquablement entraînée maraudait sur la rive gauche du fleuve. Le même document rapporte que le gang n'avait pas hésité à passer sur l'autre berge pour piller deux villages isolés, dont les habitants n'avaient pu opposer la moindre résistance. L'auteur du document admet qu'il ignore tout de l'identité des gangsters, à l'exclusion d'un seul, une très jeune femme formellement reconnue par les victimes comme une vagabonde originaire de Sheikhpur Gura, où elle avait été compromise quelques mois plus tôt dans une affaire de vol. Le document est assorti d'un ordre de recherche et d'emprisonnement signé à son endroit par le même officier de police, au nom de l'État d'Uttar Pradesh, pour attaque à main armée.

Deux jours plus tard, un journal de Kanpur rapporte

à son tour l'attaque de Mahespur et de Deokali dans un entrefilet dû à un obscur plumitif qui crut pouvoir annoncer, avec la relation de ce raid, « un retour en force dans la Vallée de la tyrannie ignoble des gangs et de leur aveugle terreur ». Au milieu de ces phrases emphatiques, le journaliste releva toutefois le seul fait notable de l'affaire : la participation à l'attaque d'une jeune femme gangster. Ni l'homme de la rue ni le moindre politicien ne s'émurent de ce bref article : il n'était pas illustré de photos. Et cela s'était passé loin de la ville, au bout des ravines, dans de minuscules villages ; enfin, il n'y avait même pas eu de morts.

Curieusement, Vikram et Devi eurent connaissance de cet entrefilet. Tout le temps de son équipée, Devi l'a conservé sur elle, soigneusement replié entre les feuillets du jugement qui reconnaissait à son père la propriété de ses terres. D'après ses récits, l'article lui fut remis par Vikram quelques jours après l'attaque. Lui-même l'avait reçu d'un de ses informateurs, accouru de son village pour le lui montrer, juste au moment où la bande s'apprêtait à lever le camp et à s'enfoncer à nouveau dans le dédale des gorges.

Le porteur de nouvelles était un paysan illettré ; mais, tous les soirs, comme dans beaucoup de bourgades de la Vallée, il allait écouter sous l'arbre du conseil le chef de son village, qui lisait à haute voix le journal de Kanpur à l'intention de ceux qu'intéressaient les histoires de la ville. Quand il entendit le récit de l'attaque de Mahespur et de Deokali, saisi tout à la fois d'enthousiasme et d'alarme, le paysan ne put s'empêcher de demander au chef de lui découper l'article et de le lui relire jusqu'à ce qu'il le sût par cœur ; puis il se précipita dans les gorges pour tâcher de rejoindre Vikram avant son départ.

Il a déboulé juste au moment où l'on terminait les paquetages, vers midi, par un jour où le jeune soleil d'après la mousson recommençait allégrement à gercer les ravines. Il est allé droit à Vikram, lui a tendu le morceau de journal et, sans autre préambule, lui en a débité le texte d'une traite. Vikram n'a pas levé un seul instant le nez de son paquetage. Quand l'autre en a eu fini, il lui a lancé pour toute réponse une pièce de monnaie, puis lui a fait signe de détaler ; et il a attendu qu'il ait disparu au fond du défilé pour se tourner vers Devi et lui jeter en lui montrant la coupure de journal :

– Tu as entendu ? Maintenant tu es vraiment des nôtres.

Elle n'a pas cillé. Depuis que le villageois avait tourné les talons, elle s'était mise à fixer le sol d'un air buté en grattant la terre du pied, comme un animal qui hésite à charger.

– Tu as entendu ce qu'il a dit ? insista Vikram. Les gens de Mahespur t'ont reconnue. Maintenant, tu es des nôtres. Et tu ne me quitteras plus.

Il lui enfouit la coupure dans la main. Devi eut une sorte de moue, défroissa le papier, parcourut d'un œil affolé le dessin incompréhensible des caractères. Puis elle le fourra dans une de ses poches et détourna la tête.

– Tu regrettes ? gronda Vikram. Tu as bien pris ta vengeance, non ? Cracher sur ton mari, récupérer ta dot, c'était bien ça que tu voulais !

Elle ne répondit pas. Il ne l'avait jamais vue ainsi, tête basse, fermée, repliée sur des souvenirs qu'il ne connaissait pas. Aux pires moments de leur marche dans les gorges, quand Babu l'humiliait, l'outrageait à chaque instant, elle avait toujours gardé l'œil vif, le dos droit ; et là, subitement, elle ployait, s'affaissait de partout, comme écrasée d'un incommensurable fardeau. Seuls les muscles de son visage résistaient encore à l'accablement, ils se rétractaient, se crispaient jusqu'à la grimace ; mais son regard plissé ne quittait plus le sol, à la recherche d'on ne savait quoi dans les crevasses qui recommençaient à fendiller la terre.

Alors Vikram perdit d'un coup toute assurance.

Quelque chose affleura brusquement en lui – quelque chose qui n'était pas de mise dans les gorges, une source vive de mots et de phrases qu'aucun homme dans la bande ne lui avait jamais entendus, sauf peut-être aux lendemains des attaques, quand il avait fumé tellement de chanvre qu'il se mettait à rêver tout haut, les yeux dilatés sur un paradis qu'il était seul à voir. Il s'est approché de Devi avec le même sourire hagard que ces soirs-là, il a eu des gestes que, de mémoire de bandit, aucun chef n'avait jamais eus devant son gang, il lui a caressé les joues, les cheveux, lui a parlé comme à un enfant qui ne veut pas s'endormir, en répétant toujours les mêmes phrases : « Écoute, Devi, tu es des nôtres, ton malheur t'a aidée, ce n'est pas si facile d'entrer dans une bande, tu as souffert et tu as fait tes preuves, maintenant tu es avec nous, et ta famille est protégée puisque tout le monde sait que tu es dans un gang, personne, plus jamais personne n'osera s'attaquer à ton père ni à ton frère… »

Elle n'a même pas levé les yeux quand il a parlé de son frère. Vikram ne s'est pas découragé, il a recommencé ses phrases et ses caresses ; mais plus il en faisait, plus elle se rétractait ; et, au bout d'un moment, le silence de Devi l'a englué dans son piège.

Il n'a plus su que dire. Autour de lui, les hommes ont un à un lâché leur sac. Ils se sont approchés de lui, mais gourds et maladroits, paralysés à leur tour par cette nasse de silence. Sur le ravin pesait aussi la chape du grand midi, le soleil calcinait à nouveau la terre écorchée. Alors, comme la minute était trop lourde, Vikram, pour en finir, s'est penché sur son paquetage. À côté de sa mitraillette pendait le Mauser qu'il avait prêté à Devi pendant l'attaque. Il l'a détaché d'un coup sec, puis est revenu vers elle et l'a déposé à ses pieds.

– Prends-le. C'est mon cadeau de noce. Je te prends pour femme.

Elle a enfin levé les yeux, mais elle n'a pas ramassé

le Mauser. Son regard est allé se perdre du côté de la gorge qui menait au fleuve, dans la direction du sud, du côté de son village ; et elle a fini par grincer :

– Et les dix mille roupies que mon cousin t'avait données pour me tuer ?

Dans le cercle des hommes, derrière Vikram, Lukka a fait un pas en avant :

– Qu'est-ce que tu vas encore chercher ? Le Mauser vaut beaucoup plus !

Elle n'a pas paru l'entendre. Elle s'est remise à gratter la terre de sa sandale. Son dos demeurait voûté, toujours tassé sous le même invisible fardeau. Vikram s'est à nouveau penché sur l'arme ; mais, cette fois, il la lui a passée à l'épaule, comme le matin du raid :

– Allez, Devi. Il est à toi. Et toi, tu es à moi.

Alors seulement elle s'est redressée, elle a pris le soleil en face, elle est redevenue la femme qu'il avait toujours connue, résolue et vive, dure à la peine, hardie. Et insolente : car, à l'instant même où elle souleva son paquetage et prit sa place dans la colonne qui se mettait en marche, elle ne put s'empêcher de lui lâcher :

– C'est bien, Vikram Mallah. Tu fais bien de me prendre. Seulement, n'oublie pas qu'avec moi, tu prends aussi toutes mes vengeances.

Et elle le suivit sans un mot de plus dans la gorge de l'Ouest, celle qui, de ravine en crevasse, menait à la rivière Chambal, là où se déversent, depuis l'aube du monde, les germes vivaces du Mal.

27

« C'est ce jour-là, a raconté Lukka, qu'on a tous compris que les choses allaient prendre un mauvais chemin, si on ne faisait rien. Tout ça à cause du Mauser. Je suis sûr que Vikram le lui a donné sur un coup de tête, parce qu'il était pressé de partir. Il était pourtant bien placé pour savoir que ça se mérite, une arme ; on l'achète avec les gains qu'on a faits, on la vole, mais ça ne se donne jamais, un fusil, encore moins à une femme. Et comme cadeau de mariage, par-dessus le marché... »

D'après Lukka, c'est la nuit que les choses ont commencé à aller de travers. Le jour, Devi resta la même, elle se taisait, elle continua à s'occuper de la cuisine, à porter son paquetage en silence, sans regimber, à nettoyer les armes. Mais le jour même où elle a reçu le fusil, elle s'est mise à faire des cauchemars. Elle s'est réveillée en hurlant, elle a crié le nom de Babu, celui de Mayadin ; et aussi celui d'un inconnu, Mansouk dont elle a fini par avouer que c'était un policier de Kalpi qui avait tenté de la violer lors de son arrestation. Elle n'a pas pu se rendormir. Elle a sangloté pendant des heures ; et quand elle s'est arrêtée, elle a supplié Vikram de la laisser partir dans les gorges avec son Mauser pour aller prendre sa vengeance.

Les nuits suivantes, tout a recommencé. Vikram a cru que c'était passager, il a envoyé ses éclaireurs chercher des herbes à dormir. Il les a fait macérer lui-même dans l'eau du fleuve, il en a doublé, triplé la dose, au mépris des recommandations des hommes qui connaissaient les plantes. Rien n'y a fait. Chaque nuit, Devi s'est réveillée en sursaut, déchirée par un cri qui ne s'arrêtait plus. C'était presque toujours à la même heure. Quand elle se couchait, elle sombrait dans un sommeil hagard qui rendait espoir à Vikram ; puis peu à peu les fantômes égarés dans les limbes de ses souvenirs prenaient forme, flottaient quelques heures au profond de ses rêves, encore obscurs et vagues, et se précisaient d'un coup, se figeaient, affleuraient à sa conscience. Elle lançait un long cri, se dressait sur son séant, se mettait à chercher la sortie d'une pièce qui n'existait pas, puisqu'on dormait à la belle étoile maintenant que les pluies étaient finies. Parfois il fallut se mettre à quatre pour l'arrêter, la forcer à se recoucher. Elle murmurait souvent, au moment de retomber sur son matelas : « Je n'ai plus de toit, je n'ai plus de toit. » Puis elle éclatait en sanglots ; et quand elle s'arrêtait enfin de pleurer, c'était toujours sur le même mot : *vengeance*.

« Vikram a eu beau faire, il n'est arrivé à rien, a raconté Lukka. Il a pourtant tout pris sur lui, il lui a dit qu'il était tombé amoureux d'elle dès le premier jour, quand ce petit benêt de Kailash l'avait emmenée à la fête, au temple du Dieu-Singe. Il lui a dit et répété que c'était lui qui avait monté l'enlèvement, que Mayadin n'y était pour rien, qu'il ne lui avait proposé de la tuer que pour l'avoir à lui tout seul, à n'importe quel prix, et effacer la honte qui était tombée sur elle le jour où elle avait été forcée de coucher avec Babu. Et il lui a promis aussi que si elle tenait à se venger du policier et de son cousin, il s'en chargerait dès qu'il le pourrait, lui et lui seul, parce que la vengeance n'était pas une affaire de femmes. Mais plus il en disait, plus elle se butait. Alors il a bien fallu que je m'occupe de cette histoire. Un beau matin, j'ai pris Vikram à part. Je lui ai parlé, je lui ai mis le marché en main. »

C'était pourtant un homme qui parlait peu, Lukka. Quand il avait des choses à dire, il chantait ; et ça n'arrivait jamais que les lendemains d'attaque, dans les refuges, après le partage du butin. Il sortait de son sac un petit accordéon, se mettait à psalmodier des cantilènes de bandits, les vieux chants de révolte venus du fond des temps, qu'il accommodait souvent à sa manière, avec de longs couplets sur la noirceur de la Déesse et les purges de sang qui vivifient la terre. Et tout le monde l'écoutait, se laissait emporter par ses chansons de mort ; car, malgré sa voix douce, ses mains fines aux ongles toujours propres, aux paumes aussi lisses que la peau d'une fille qui vient de se passer le corps à la pierre ponce, Lukka en avait tué, des hommes, dans la Vallée ; et même des femmes et des enfants, nul ne l'ignorait. Il avait commencé le métier à quatorze ans, dans le gang du grand bandit Man Singh, celui qui pouvait massacrer tout un village, vieillards et nourrissons compris, uniquement parce qu'il soupçonnait qu'un ennemi s'y était caché. Man Singh était stupidement tombé dans une rafle qui l'avait surpris en pleine sieste. Lukka fut l'un des seuls à en réchapper. La belle Putli chercha alors à l'attirer dans sa bande. Il ignora ses avances. On prétendit qu'il ne se consolait pas de la mort de Man Singh ; et que son goût, du reste, ne le portait pas vers les femmes. De fait, sur le tard, juste avant de suivre Babu et les frères Singh, il s'était attaché à un jeune garçon, Kalla, à qui il avait appris le métier et dont il ne se sépara plus.

Ce n'était pas l'épisode le plus curieux de sa vie. Ce que personne n'avait jamais compris, dans l'histoire de Lukka, c'était qu'il n'eût jamais cherché à prendre la tête d'un gang. Après la mort de Man Singh, il était allé de bande en bande, coureur superbe, plus fin tireur d'année en année, un tueur comme on en avait rarement vu, jamais ému par les carnages, le geste toujours exact, capable à plus de deux cents mètres de liquider un homme d'une seule balle. Ses chefs finissaient invariablement par mourir sous les assauts des policiers ou d'une bande rivale, mais lui, Lukka, s'en sortait toujours. À la fin des années cinquante, il avait rejoint Lal Singh, le seul brigand dont la maîtrise de la terreur défia jamais le souvenir de Man Singh. En 1959, à la veille d'une attaque, Lal Singh avait organisé un sacrifice humain pour s'attirer les faveurs de la Déesse, il avait décapité cinq villageois au fond d'un de ses temples. Des organisateurs de cette liturgie funèbre, Lukka, dit-on, fut le seul à survivre. Quelques mois plus tard, Lal Singh et la plupart de ses hommes furent abattus par la police à l'issue d'une mémorable bataille rangée sur les rives du fleuve. Lukka s'en sortit une fois de plus ; et tout le monde, dans la Vallée, pensa qu'il allait prendre la relève de son chef.

Il n'en fut rien. Il partit un beau matin au plus

profond des gorges, avec son fusil et son accordéon. Il y erra seul pendant des mois et des mois, vivant d'on ne sait quoi, refusant de parler à qui que ce fût. On le surprit parfois en haut des falaises à chanter à pleine gueule les vieilles complaintes des bandits, debout face au fleuve, en s'accompagnant de son instrument, avec pour seul public quelques vautours et des buffles placides. Mais, comme toujours, Lukka trompa son monde. Au moment où les Hommes de Rien le donnaient tous pour fou, il choisit de rejoindre les frères Singh. Les premiers temps, les deux hommes doutèrent que cet homme émacié, au cheveu maigre et blanchissant, pût longtemps les suivre dans leurs interminables courses au fond du grand chaos terreux. Mais Lukka n'avait pas changé ; en dépit de ses airs de patriarche décharné, il était resté un excellent tireur, il dévalait toujours aussi vite les ravines. Dès la première attaque, il tua trois policiers en moins de cinq minutes, comme il avait toujours fait, d'une main légère, avec une exactitude de rapace, en visant au millimètre près. Et le lendemain soir, sur son accordéon fatigué, il chanta avec tant de cœur les exploits de la bande, les joies et les souffrances des hommes des ravines, qu'il arracha des larmes aux deux frères Singh que pourtant, de mémoire de bandit, personne n'avait jamais vu s'émouvoir de rien.

Mais lui, Lukka, garda l'œil sec, la pupille précise. Il voyait tout, même quand il chantait, et il voyait loin, très loin ; toujours au-delà de la minute présente. Et quand il avait bien vu, s'il le fallait, il frappait. Sans un mot, sans prévenir. Puis regardait la mort sans commentaires. Et l'oubliait. Ou du moins faisait semblant. À force d'avoir vécu dans le temps sans coutures de la vie de bandit, il paraissait vide de souvenirs. Il ne parlait jamais de son passé. Tout ce qu'on savait de lui, c'étaient d'autres qui l'avaient raconté. Et son ami Kalla ne parlait pas davantage. Il se contentait de le suivre aveuglément.

Aussi Vikram a-t-il pensé que son compte était bon

quand il a vu Lukka venir à lui, l'œil aiguisé de colère, à la fin d'une de ces nuits où les cauchemars de Devi avaient une fois de plus réveillé tous les hommes ; et les deux phrases qu'il lui siffla résonnèrent à ses oreilles comme une double menace de mort : « Vikram Mallah, la fille avec qui tu couches apporte dans la bande des choses trop mauvaises. Ou tu t'en débarrasses, ou je m'en charge. »

28

– Je ne pourrai pas, a aussitôt rétorqué Vikram. Si tu la tues, tu me tues avec.

La pupille de Lukka s'est encore étrécie. C'était une phrase définitive, l'un et l'autre le savaient ; Vikram, parce qu'il n'avait jamais vu Lukka se perdre en discussions avec qui que ce fût ; Lukka, car il avait choisi la seule heure où il pouvait se trouver seul à seul avec Vikram, ce court moment du matin où Devi partait à la corvée d'eau et où les hommes, pour soulager leurs intestins, s'égaillaient dans les gorges.

Du reste, Vikram n'avait pas fini sa phrase qu'il vit le regard de Lukka glisser vers la falaise, là où jaillissaient les sources. Devi avait achevé de remplir les jerricans de plastique. Elle se penchait maintenant sous un filet d'eau pour tenter d'y rafraîchir ses traits ravagés par la nuit.

– On ne peut la garder, a repris Lukka. Elle a la tête rongée de vengeance et de peur.

– Tue-moi avec elle, a répété Vikram.

Il s'est assis sur son paquetage, s'est voûté au-dessus de sa mitraillette et a entrepris d'en astiquer la crosse. L'œil de Lukka, pour une fois, s'est voilé d'un léger trouble.

– Ça m'est tombé dessus, a enchaîné Vikram. C'est comme la haine, un nœud, là…

Il a désigné son ventre avec une grimace, puis il a fait tournoyer, tel un jouet, la figurine de la Déesse qui pendait à son arme.

–… un nœud qu'on ne peut pas dénouer.

Et il a ajouté, comme l'image métallique pivotait une dernière fois :

– D'ailleurs, regarde-toi, avec Kalla.

– Ne parle pas de Kalla.

– C'est pourtant pareil.

Lukka a encore jeté un bref coup d'œil du côté des sources. D'une crevasse, il a vu surgir la tête d'un bandit, puis une autre ; et, du fond d'un petit défilé, juste à gauche de la falaise où se penchait Devi, émergea le visage juvénile et rieur de Kalla. Il revint aussitôt à Vikram :

– Tu sais au moins que ça n'est pas donné, la vengeance. Tu sais bien que ça s'apprend.

– Je te dis de me tuer avec elle.

– La vraie vengeance, ça s'apprend. Tu sais où et comment.

Vikram a soupiré, puis s'est levé, il a marché quelques instants autour de son matelas qu'il n'avait pas encore roulé ni attaché à son paquetage ; il avait le pas incertain, un peu hagard, d'un homme qui aurait bu. Un long moment, il a promené son regard sur les ravines, les grandes gorges d'Etawah où la bande était entrée la veille, les plus hautes de toute la Vallée, là où la terre paraît plus écorchée, plus fatiguée qu'ailleurs. Aux alentours des sources, les herbes folles se desséchaient, les arbres à peine reverdis se couvraient déjà de poussière.

– Tu es un bandit, a poursuivi Lukka. Tu sais bien que nos vies ne seront jamais de miel.

– Avec elle, la vie est de miel.

Lukka n'a pas bronché, cette fois-là. Il a simplement plissé les paupières, s'est mis à inspecter ses doigts l'un après l'autre, à la recherche, sous ses ongles, d'un infime dépôt de crasse. Puis il a relevé la tête, s'est rengorgé comme lorsqu'il se préparait à entonner une chanson ; et c'est d'ailleurs le premier verset d'un chant de bandit qu'il a murmuré à Vikram en guise de réplique, d'une voix grêle, tout aigrie d'ironie :

– Du miel au goût de cendre...

Vikram a détourné la tête. Il a ramassé sa mitraillette, l'a jetée aux pieds de Lukka :

– Prends ma place, Lukka. Descends cette fille, et moi avec. Tu peux même commencer par moi.

Il lui a montré les hommes, à l'autre bout du défilé, qui s'approchaient des sources, tout à la joie fugace que leur apportait à chaque aube la trêve de la toilette ; et il a conclu avec le plus grand calme :

– Tu as juste le temps.

Les yeux de Lukka se sont encore assombris, ils ont pris la teinte des pierres que l'on trouve à la naissance des rivières, en haut des montagnes du Sud, là où la terre se mêle de minéraux tranchants aux facettes aussi lisses que la lame d'un coutelas juste sorti de la forge ; et leur lumière noire s'aiguisait de seconde en seconde, comme à la vitesse des calculs qu'il déroulait au plus profond de son esprit, dans ce silence qui n'appartint jamais qu'à lui.

– Fais vite, a répété Vikram, et il a porté la main à son cou, à l'endroit où pendait son amulette.

C'est là, sans doute, que tout a basculé. Sous la chemise de Lukka brillait un talisman presque identique au sien, sauf que la pierre en semblait plus usée, plus tavelée encore, mais avec les même paillettes de mica – ou plutôt des traces d'argent, car l'éclat en était moins fuyant, plus intense. Lukka a aussitôt imité le geste de Vikram – un mouvement furtif, qu'il dut regretter dans l'instant. Mais, d'une façon tout aussi irrésistible, le geste lui arracha une phrase qu'il regretta encore plus :

– Bien sûr, il y aurait le Maître...

Presque au même instant, la silhouette de Devi, les

épaules cassées par les jerricans, se profila dans la sente qui descendait des sources.

– La voilà, a murmuré Vikram.

Elle n'était plus qu'à une centaine de mètres. Elle avait dû faire vite. À bout de souffle, elle s'arrêta au milieu du chemin, respira un long moment, les yeux levés vers le soleil, les mains sur les hanches, comme n'importe quelle paysanne qui s'accorde une halte. Mais dans son pantalon d'uniforme, la pose prenait une grâce singulière : ambiguë, déroutante, quelque chose de l'homme et de la femme ensemble, comme chez certains dieux gravés dans la pierre des vieux temples.

Alors, dans la seconde, Vikram a retrouvé sa posture et ses gestes de chef : le dos droit, le nerf tendu. D'un rapide regard circulaire, il a inspecté le camp, guetté le ciel, les hauteurs des falaises. Il a ramassé sa mitraillette, l'a passée en bandoulière ; et quand il s'est approché de Lukka, l'injure au bord des lèvres, toute la violence des gorges semblait se déplacer avec lui :

– Tu préfères que ce soit le Maître qui la tue, c'est ça ? Tu préfères que ce soit lui, parce que je t'ai dit que si tu voulais t'en débarrasser, il faudrait me liquider avec elle, et que tu as la flemme de commander un gang ?

Puis il a ajusté sur son épaule l'aplomb de son arme avant d'ajouter :

– Emmène-la chez le Maître, si c'est ça que tu veux. Mais ne m'en parle plus. Tu entends ? Jamais plus.

Au fond du chemin, la silhouette de Devi se précisait. Elle avait repris sa marche, à nouveau écrasée sous le poids des jerricans. Les hommes la rejoignaient un à un, encore éclaboussés de l'eau des sources, tout à l'espoir du thé qu'elle allait leur préparer, des aventures neuves que leur promettait la marche. De les voir s'approcher ainsi, allègres, frais, ce fut Lukka, d'un coup, qui parut harassé ; et, comme Devi débouchait du sentier, il grommela sans regarder Vikram :

– Et si le Maître trouve en elle la Grande Force-Femme ?

Tu y as seulement pensé? Elle sera guérie de la peur, mais elle sera aussi guérie de toi, Vikram Mallah, elle te fera passer par tout ce qu'elle voudra. Et nous avec... Elle nous mènera comme la flûte envoûte les serpents des charmeurs...

C'était un marmonnement qui ne s'arrêtait plus, des mots sourds, étouffés, mais cependant gorgés de rage et de menaces :

... Va savoir si elle ne l'a pas, la Grande Force-Femme... Et si le Maître la met au jour? Va savoir... Une fille qui a résisté à tout! À son mari, à sa famille, à son village! Qui est allée vivre chez des étrangers... Qui a tenu tête à Babu, devant nous! Qui l'a peut-être fait mourir, va savoir... Tu y as seulement pensé, tu le sais, toi, comment on a fait pour se retrouver là? Va savoir si ce n'est pas la Force, après tout... Tu te souviens comme moi de ce qu'il lui a fait, Babu... Et elle a tout supporté... Moi qui suis dans le métier depuis bientôt trente ans...

Il s'est interrompu. Une autre fatigue s'abattait sur lui, plus profonde, plus extrême : il était recru de mots. Mais sa colère était telle qu'il trouva encore l'énergie de maugréer :

– Tu sais où tu as commencé, avec cette fille, Vikram Mallah, seulement tu ne sais pas où tu vas finir. Ni comment... J'en connais, des histoires de bandits, et des histoires de femmes, j'ai commencé jeune, j'en ai beaucoup vu. Et toi, Vikram, tu verras que...

Il parlait maintenant en fixant l'intérieur de ses mains, avec la pupille immobile et dilatée des devins. Vikram ne l'a pas laissé achever. Il a saisi son bras, puis ses phalanges, l'a forcé à les rabattre sur sa paume :

– Emmène-la chez le Maître. Pour le reste...

Mais lui non plus, Vikram, n'a pu achever sa phrase; car Devi était maintenant devant lui, qui déposait ses jerricans à ses pieds, comme chaque matin, tels des trophées de guerre ou des offrandes de dévote, le front dégouttant de sueur ; et, derrière elle, les hommes dévalaient le chemin en désordre, tout entiers à la joie du matin.

Pareil alors à Lukka, qui recomposa dans l'instant son vieux masque de hauteur et d'impénétrable dureté, Vikram donna le change en lançant à la cantonade, comme s'il voulait conclure le plus futile des bavardages :

– Le reste, Lukka, tu sais comme moi qu'il est écrit dans les étoiles…

29

C'étaient vraiment des mots sans importance, des phrases comme on en entend cent fois le jour au long des routes et des fleuves, des paroles de parade, de façade, des mots pour ne rien dire, des mots pour laisser faire, de ceux qu'on lance dans les cours, sur les places, dès qu'on a conclu un marché, marié une fille, semé les graines de la prochaine récolte. Il n'y avait pas à s'émouvoir, pas de quoi s'alarmer ; et d'ailleurs, quand Devi l'a entendue, cette phrase, il ne lui est même pas venu à l'esprit que Vikram venait de parler d'elle.

Ce qu'elle a deviné, en revanche, et qui l'a surprise, c'est qu'il ait pu arracher des mots à l'homme, Lukka, qui ne parlait jamais. Mais puisque tout a recommencé comme la veille, puisqu'on a repris la marche sans une syllabe, mâchoires clouées, nerfs et muscles tendus, puisqu'il y a eu, comme n'importe quel autre jour, la patiente ascension des sentiers jusqu'aux crêtes, les descentes dans les éboulis, la quête des présages, l'espoir des sources, les haltes, les prières aux carrefours, Devi a suivi la bande à son accoutumée, résignée à talonner Vikram où qu'il aille, à le suivre en aveugle.

Elle marcha donc sans broncher davantage ; mais

l'œil égaré, le pas moins sûr à mesure que filaient les heures. Elle ne retrouva son allant qu'à la vue d'Etawah, en fin d'après-midi, au sommet d'une cluse abrupte. Derrière la ligne des falaises s'arrondit un long entrelacs de temples et de maisons agrippé aux murailles terreuses. À lui seul, ce feston désordonné annonçait les bazars, les marchands; le cambouis et la fiente, les femmes drapées dans leurs soies, les voyageurs, les mendiants, les bordels, les bureaux. En somme, c'était une ville. Un lieu où ne s'aventurer qu'en ordre dispersé, sous des habits de paysans, et pour des raisons suffisamment puissantes : acheter des munitions, revendre du butin.

La bande, du reste, ne s'est pas attardée sur la crête. Dès qu'est apparue la vallée d'Etawah, les hommes, comme par réflexe, ont couru en contrebas, à l'abri d'une ligne de monticules arrondis – de grosses dunes poussiéreuses que la dernière mousson n'avait pas réussi à balayer dans les gorges.

Il n'y a eu que Vikram et Lukka pour rester immobiles entre les pics où se découvraient la vallée et sa ville. Devi a glissé un regard inquiet du côté des deux hommes. Des mots allaient être prononcés, à coup sûr; cette fois, ils ne seraient pas pour ne rien dire.

À la distance soudaine qui s'est creusée entre la bande et son chef, les hommes les ont eux aussi senties venir, ces phrases qui font bifurquer les chemins du destin, et ils se sont figés derrière un monticule. Seul Kalla a tenté quelques pas du côté de Lukka. L'autre l'a aussitôt arrêté d'un geste calme, en abaissant vers lui ses mains jointes, pareil au prêtre qui invoque la paix des dieux sur les nouveau-nés, les jeunes troupeaux; et Devi eut envie, pour une fois, de quitter l'ombre de Vikram.

Il ne lui en a pas laissé le temps. Il l'a prise par la taille, l'a jetée dans un sentier qui descendait vers la vallée; et c'est sur elle qu'ont fondu les mots qu'ils étaient tous à attendre :

– Devi, reprends tes habits de femme. Tu pars.

Elle n'a pas eu la force de résister, ni même de balbutier un début de réplique. Vikram a aussitôt enchaîné en la poussant d'un coup de crosse dans les bras de Lukka :

– Avec lui.

Alors seulement elle a eu un sursaut, elle s'est retournée, a surpris le regard hébété du jeune Kalla, et le profil de Vikram dont les muscles, à l'angle de la mâchoire, s'étaient rétractés en une boule luisante. À l'instant même, elle a reçu sur la nuque un coup très violent. Elle a dû perdre conscience un bon moment, car, lorsqu'elle s'est relevée, elle était au fond de la combe, seule en face de Lukka. La bande avait disparu, Lukka ne portait plus d'arme. Il avait passé un pagne de paysan, il ne lui restait plus qu'un bissac fait d'une toile repliée. Elle a tâtonné dans les éboulis à la recherche de son Mauser et de son paquetage, mais elle avait la vue brouillée, et Lukka lui a presque aussitôt jeté à la tête l'étoffe repliée de son vieux sari ; et il lui a répété l'ordre de reprendre ses habits de femme.

Elle n'a pas discuté. Il l'a regardée se déshabiller d'un œil sec, passer son corsage sur sa poitrine amaigrie, entraver ses jambes dans les plis du sari. Puis il s'est emparé de son uniforme qu'il a enfoui un peu plus tard sous un amas de pierres, à la croisée de deux sentiers.

À son ordinaire, il était parfaitement froid et tranquille. Il semblait savoir exactement où il allait et quand il reviendrait ; et, comme toujours, il ne pipait mot. Il ne lui demanda même pas si elle avait recouvré assez de forces pour affronter la descente vers la ville, les jambes empêtrées dans ses tissus de femme.

Elle l'a suivi, elle n'a pas eu un geste pour regarder en arrière. Et pourtant, la bande n'avait pas bougé de l'endroit où elle s'était postée. Kalla se souvient d'ailleurs que Vikram a attendu un bon moment avant de donner l'ordre de reprendre la marche. Il est resté longtemps en haut de la falaise, adossé à un piton, à regarder Devi sautiller derrière Lukka qui se retournait parfois pour la bourrer de coups de coude, quand il jugeait qu'elle n'allait pas assez vite.

Kalla a aussi raconté que lorsqu'il l'a vue disparaître au fond de la combe, Vikram s'est tourné vers l'ouest et s'est mis à hurler un chapelet d'obscénités. Elles n'étaient pas pour Devi, mais pour les dieux, au mépris de leur gloire dans le soleil couchant.

30

Lukka ne la quitta pas d'une semelle. Sa seule présence était une prison. Même lorsqu'il guettait les lointains, son regard semblait vissé sur elle. Ils évitèrent Etawah, traversèrent un champ de millet. Puis il l'entraîna du côté de la grand-route. Ils se retrouvèrent près d'un caravansérail ruiné, halte des camions et des bus où des marchands de boissons avaient dressé leurs éventaires. À sa grande surprise, Lukka lui fit cadeau d'une orangeade. Devi n'en avait pas bu depuis son escapade à Kanpur, du temps où elle voulait épouser Kailash. Elle s'empara sans vergogne de la bouteille, but à grandes goulées. Elle s'essuyait la bouche à un pan de son sari lorsqu'il lui dévoila où il l'emmenait. « Chez un Maître, a-t-il dit de sa voix qui sifflait comme une serpe. Chez un Baba qui te guérira de la peur. C'est Vikram qui le veut. Il y aura des épreuves. Si tu t'en sors, tu reviendras dans la bande. » Et ce fut tout.

D'un seul coup, le pas de Devi s'est fait plus léger ; et il y a eu, au fond de son œil, cette étincelle qu'il détestait plus que tout en elle depuis qu'elle était la maîtresse de Vikram. Il a regretté aussitôt de lui avoir parlé. « À ce moment-là, j'ai pensé la tuer, a-t-il confié plus tard.

Dans un fossé, la nuit, ni vu ni connu. Ou même le jour. C'était facile. Sur la route, il arrive tellement de choses. Et ce n'était pas l'envie qui m'en manquait. »

Le temps non plus ne lui a pas fait défaut, car le voyage a duré une petite semaine. Au début, ils ont suivi la route, se sont mêlés à la cohue de voyageurs et d'errants qui parcourent en toute saison les vieux chemins. Devi n'a jamais cherché à se sauver, elle s'est couchée, elle s'est levée quand Lukka l'a ordonné, elle a suivi sa trace comme sa propre route. Dès l'instant où il lui a parlé, elle l'a pris pour ce qu'il était : un gardien chargé d'une mission dont le détail lui échappait, mais qui devait être bonne, puisque Vikram l'avait décidée. Et pourtant, elle ignorait où elle était, où il l'emmenait. Tout ce qu'elle savait, c'est qu'ils allaient plein est. Chaque matin, à l'aube, ils prenaient le soleil en face, qui déversait des rouges royaux sur leurs loques délavées. Ils ont fini par atteindre l'endroit où se jettent dans le fleuve les eaux malsaines de la rivière Chambal. Alors Lukka lui a dit qu'ils allaient passer sur l'autre rive, et il a viré plein sud.

C'était le soir. Il a fallu attendre le bon vouloir du batelier, un passeur indolent et décharné qui a rappelé à Devi le souvenir de son père. Quand ils sont arrivés de l'autre côté, tout était déjà noir. Ils ont dû dormir sur la berge, à même le sable, et la nuit lui a rapporté son lot de cauchemars. Mais, dès le lendemain, elle a repris courage. Le pays ne ressemblait à rien de ce qu'elle avait vu. On entrait dans la forêt. C'était un maquis de plus en plus dense, de plus en plus sec où s'enchevêtraient toutes sortes d'arbres, les margousiers avec leur écorce qui purifie la bouche, l'arbre kika, l'arbre babul, et des fourrés d'eucalyptus où se cachaient des daims. Malgré les broussailles, les sentiers étaient beaucoup plus aisés que dans les ravines, jamais très escarpés, sans doute entretenus par les gens des tribus – les quelques peuples à rester des temps d'avant les dieux, qui tuent encore leurs proies avec des armes de pierre et se terrent au fond des ronciers dès que s'approche l'étranger. Tout au long de ces deux dernières journées de marche, Lukka et Devi entrevirent une dizaine d'entre eux en arrêt devant des autels ornés d'une pierre noire dessinant grossièrement une vulve. Ils étaient jeunes et à demi nus, c'étaient le plus souvent des femmes à la peau sombre, aux jambes longues, le cou ployé sous de lourds colliers d'os. Lukka n'avait pas levé l'œil sur elles qu'elles s'enfuyaient, ombres presque aussi furtives que les singes au sommet des arbres, ou les troupeaux de daims. D'elles, il ne restait dans la sente que leur odeur un peu fauve, parfois une fleur rouge abandonnée sur le sexe de pierre.

Le second jour de marche, il y eut aussi, sur le bord du chemin, l'empreinte d'un pas de tigre ; et, un peu plus loin, la queue et les sabots d'une biche, reliefs de son repas. Devi se figea. « Tu vois bien que tu dois te guérir de la peur », ricana Lukka. C'était la première fois qu'il lui adressait la parole depuis la traversée du fleuve. Elle l'entendit à peine, elle avait mal dormi, une fois de plus. La nuit durant, elle avait été tourmentée par le glapissement obstiné des chacals, les cris irréguliers d'oiseaux inconnus qui conjuraient dans le noir on ne savait quel danger ; et il y avait surtout, entre le ciel et elle, ce toit qui n'était pas un toit, la couverture d'épineux et de broussailles sous laquelle Lukka avait tenu à s'arrêter jusqu'au lever du soleil.

Ils marchèrent encore une bonne demi-journée. Ils traversaient un grand fourré d'eucalyptus quand, à trois pas d'elle et de Lukka, au beau milieu du sentier, elle vit se dresser un homme minuscule armé d'un long bâton, presque nu, un collier de graines passé au cou, une chevelure hirsute roulée en énorme chignon sur le sommet de la tête. Jeune ou vieux, on n'aurait su dire, tout comme la teinte de sa peau était indéfinissable – couleur de terre ou de racine. On aurait cru qu'il venait de sortir du sol à l'instant même. Presque immédiatement, Lukka s'est prosterné à ses pieds. Il s'est mis à lui baiser les chevilles, les orteils ; dans sa ferveur, il fouaillait la poussière de son nez. L'autre a longuement apposé les mains sur sa tête, puis l'a caressée, comme on fait aux enfants pour les apaiser, les bénir. Mais il n'a pas accordé à Lukka un seul regard.

Il n'avait d'yeux que pour Devi.

Il s'est passé alors quelque chose de bizarre. Un éblouissement, a-t-elle assuré ; peut-être un rai de soleil qui a traversé les buissons, a éclairé les écuelles qu'il portait en bandoulière, le signe de poudre blanche tracé sur son front. Par la suite, elle a dit que ses yeux s'étaient perdus dans ceux du petit homme, comme si elle le connaissait de toute éternité.

Du reste, les premiers mots qu'il lui a adressés, en même temps qu'il contraignait Lukka à se relever, furent ceux de quelqu'un qui l'aurait retrouvée après des vies et des vies. Il a ouvert vers elle ses bras squelettiques et a dit :

– Toi qui es mienne, tu es venue à moi.

Alors elle a su qu'elle avait trouvé le Maître. À son tour elle s'est effondrée à ses pieds, les yeux brouillés de larmes, elle a étreint ses chevilles, ses orteils ; et, pendant un bon moment, elle n'a plus rien vu, rien entendu, pas même la course de Lukka, reparti en sens inverse, ni le sifflement, sur son passage, des feuilles d'eucalyptus.

31

Devi était facile et n'était pas facile, a confié Baba Narayan, l'un des derniers Grands Maîtres à connaître, au fond de la forêt, les étranges secrets de la Puissance du Serpent. Douce un jour et dure le suivant, au même instant tendresse et noirceur, dehors comme un feu dévorant, à l'intérieur tel un rayon de miel, à moins que ce ne fût le contraire, ou tout en même temps.

Le chemin n'a pas été sans peine pour la délivrer d'elle-même. Il en a fallu, des épreuves et des mots; elle en a mis, du temps, avant de découvrir la source de sa force. Elle revenait sans cesse à la nuit de son enlèvement. Un jour, le Maître lui a lancé : « Ce n'est pas ce qui t'est arrivé qui compte, petite imbécile. C'est la façon dont tu t'en souviens ! » Et il l'a secouée avec une violence telle qu'elle a roulé dans la poussière. Pendant plusieurs jours, il ne lui a plus adressé un mot. Il a fallu qu'elle le supplie pour qu'il consente à reprendre la suite des épreuves. Déjà, elle n'était plus la même.

Pourtant, il ne prononça jamais de formules magiques, il n'y eut pas de chaudron aux herbes, pas de musique qui enivre la tête. Le Maître lui-même ne payait pas de mine, sa silhouette était si gracile qu'on aurait pu le prendre pour un très jeune adolescent quand on le voyait de dos, il était toujours couvert de cendres ou de poussière, tout paraissait toujours très sec autour de lui. Lui et Devi vivaient seuls à côté d'un petit temple au fond d'une clairière où jaillissait une source. Peut-être Baba Narayan a-t-il connu son corps, peut-être au contraire l'a-t-il respectée. Ou repoussée durement, comme font certains Maîtres, en la barbouillant de ses déjections et en la forçant à les manger. Il se peut aussi qu'ils se soient contentés de se frôler, de partager la même eau, les mêmes racines. On ne sait pas, on ne saura jamais : chez tous ceux qui ont reçu les leçons des Grands Maîtres, la règle impose de ne rien révéler des rires et des larmes qui les ont conduits vers eux-mêmes. Vraisemblablement, comme les autres, Baba Narayan a dû la forcer à chercher sa nourriture en rampant sur la terre ingrate de la jungle, à rester des jours et des jours sans manger ni boire; il a dû la ligoter la nuit sur des treillis d'osier, à la merci des bêtes, obligée de prendre de front tous les démons de la terre. En tout cas, il est sûr qu'il lui a enseigné le Savoir du Serpent – le plus ancien, celui de la vieille forêt, dont la force déploie ses anneaux lentement et non en un éclair. À son retour, Devi connaissait par cœur la légende des Rois-Cobras, elle pouvait réciter d'une seule traite leur histoire prodigieuse, de l'accouplement de la Lune et du Soleil qui leur donna naissance jusqu'à leur exil sous terre, où ils se sont faits gardiens des trésors et des gemmes, comme de la pierre fabuleuse qui réalise tous les souhaits. C'est du reste un fragment de cette pierre que Baba Narayan remettait à ses disciples – du moins le prétendait-il – au terme des épreuves. Pour Devi, ce fut un minuscule caillou noir veiné de rose, avec une inclusion de cristal bleuâtre dont elle a toujours assuré que c'était un saphir.

La pierre était percée, enfilée sur un cordonnet. Au moment de le lui passer au cou, le Maître prononça une longue incantation. Ce n'était pas une prière mécanique, celle qu'on entend trop souvent chez les gourous des grand-routes. C'étaient les mots vibrants de la vieille forêt, un chant venu des temps les plus reculés, quand les dieux n'étaient encore que des germes dans le sein rond du Ciel et de la Terre. Il s'est assis, a fermé les yeux, longuement inspiré ; puis il a joint les mains sur son front comme pour défendre les mots sacrés des impuretés de la matière ; et il a dit : « Devi, que la haine protège ta jeunesse. Ne te laisse plus reconnaître à ta tristesse. Souris. Souris du sang que boit la terre avide. Souris de son caillot qui se fige dans la poussière. Fais payer d'une parole de haine la parole de haine, et d'un coup meurtrier le coup meurtrier. Fais de ton cœur un loup carnassier. Enivre-toi de colère, fatigue tes entrailles de ton aigreur. Oppose, au sombre, plus obscur encore ; apprends que dans ton cœur dorment des milliers de mystères. Apprivoise la noirceur qui somnole en toi, prends l'habitude du noir, fais-toi un cœur de fer, car la douceur est sans nerf ; repousse la pitié comme un poison. Apprends à aimer l'odeur chaude du sang. Sois un feu sans fumée, une violence que rien n'arrête. Que le sang soit ton orgueil. »

Puis il a caressé la pierre qu'il venait de lui passer au cou et lui a expliqué que les êtres capables d'éprouver la Puissance du Serpent ne sont pas légion mais qu'elle était de ceux-là, maintenant qu'elle portait l'amulette. « Désormais, ta haine est pure, a-t-il ajouté, tu t'en vas vers l'indifférence, Devi, et le mépris du goût du miel. Tu vas oublier la peur, tu vas entrer dans le monde où l'homme n'est plus la mesure de la femme, tu ne sauras même plus quelle est cette mesure. Fille, épouse ou mère, tu seras tout ensemble, tu seras outrance et folie, sagesse et terreur, vie et destruction. Chacun de tes souffles sera un acte rebelle, tu feras de ta loi la loi, tu donneras naissance au meurtre, et non à des enfants. Tu seras l'Insaisissable, celle qui se transforme à chaque instant, tu seras l'Invincible qui trouve son chemin dans le sang, car tu détiens la force qui séduit le Serpent. Va-t'en joyeusement vers cette source noire. Oui, Devi, le fond des choses est affreux, mais cours vers lui dans l'allégresse, contemple-le dans son horreur. Tu m'es venue alourdie de peur, tu parlais en dormant, tu cherchais un toit qui n'existait pas, aveuglée de toi-même et de ta pauvre vie. À présent que ta haine est limpide, tu vas pouvoir boire le sang de ton ennemi, plus délicieux que le lait de ta mère, plus doux que la plus douce liqueur. Tu n'es plus misérable à présent que tu me quittes, tu t'en vas reine de toi-même. Dans l'eau tu seras eau, sous le soleil tu seras feu. Au printemps, tu seras feuille fraîche, en hiver tu deviendras aussi dure que le gel, aussi sèche que le vent qui fait mourir les faibles. Dans la forêt tu entendras le silence, dans le désert la musique du vide. Car tout résonne en ce monde, Devi, ton âme comme la poussière des chemins. Maintenant que tu es en paix, reprends la route, affronte sans crainte la vie où ruissellent le sang, l'urine, le lait et la semence. Va en paix, Devi, car j'ai lu ton secret dans tes yeux, j'ai reconnu dans tes prunelles la Déesse et sa force. Mais plus touffue encore que cette jungle est la forêt de l'illusion. Ne l'oublie jamais, sur la route qui te ramène à ton homme. »

Et il s'est tu. Elle s'est effondrée à ses pieds, elle a répété plusieurs fois avec de longs sanglots : « Garde-moi, Maître, garde-moi ! » Il n'a pas répondu. Il est retourné au fond du temple d'où il est revenu avec un grand rasoir. Elle était restée à genoux, tête basse, elle n'arrivait pas à bouger. Elle l'a entendu murmurer au-dessus d'elle la prière qui appelle la Déesse : « Pousse sur cette femme ton souffle sanglant, dessèche-la de la vapeur de la vengeance », et d'autres mots encore, mais d'une voix de plus en plus faible ; puis, d'un coup sec, il a sectionné sa natte, qu'il a aussitôt jetée dans les broussailles où elle est retombée ainsi qu'un serpent mort.

Elle a lâché un cri. Il a chuchoté : « Ne regarde pas en arrière, Devi, tu es enfin toi-même. » Puis il a imposé les mains sur sa nuque rase et s'est éloigné au fond de la clairière, de son pas ordinaire, calme et léger, pareil au premier jour.

Elle s'est retrouvée seule. Elle a pleuré un petit moment, puis ses sanglots se sont espacés. Elle a fini par lever les yeux vers le ciel, qu'elle a trouvé étrangement clair. Elle a pensé alors que l'hiver approchait, que les nuits seraient bientôt froides, qu'elle avait envie de revoir le fleuve, de sentir à nouveau contre la sienne la peau de Vikram. Alors, exactement comme Lukka, elle a repris le chemin des gorges à toutes jambes, comme si elle venait de piller un trésor.

32

Depuis la mousson, au bourg de Sheikhpur Gura, tout le monde donnait Devi pour morte. Même son père, plus que jamais renfermé dans sa prison de silence, même son frère, même ses sœurs. La nuit de l'enlèvement, les villageois avaient longtemps guetté, derrière le grésil des ondées, les bruits qui annonceraient qu'elle allait finir selon l'ordre des choses, au fond des ravins, boue elle-même, retournée à la boue. Personne n'a bougé derrière les murs de terre quand les bandits ont dévalé les ruelles. Seul l'Intouchable Nathu a voulu la prévenir. Frappé par les gangsters sur le seuil de sa porte, il est allé s'écrouler au fond de la première cour. C'est de là, dit-il, qu'il a assisté à son départ, quelques minutes plus tard. Des éclats de lumière électrique se sont croisés dans la bruine, il a entrevu une forme voilée, entourée d'autres formes. Il y a eu une bousculade, des cris étouffés, les éclairs de torche ont glissé vers le chemin qui descendait au fleuve ; et ce fut tout.

Les jours suivants, rien n'a transpiré du soulagement des villageois. Il fut bref, du reste, comme la plupart de leurs joies. Les orages répétés avaient coupé les chemins. On se replia avec les enfants et le bétail à l'abri des auvents. On redoutait les fièvres, les piqûres des serpents chassés de leurs terriers. Empêchées d'aller au puits, les femmes se mirent à recueillir l'eau dans de grandes bassines et en profitèrent pour s'offrir du répit.

Car l'effet ordinaire des pluies, dans les hameaux des ravines, c'est de tout émousser, tout affaiblir, les désirs, les envies, jusqu'aux gestes les plus machinaux. Aux lendemains de l'enlèvement, il n'y eut guère dans le village que le cousin Mayadin pour braver les averses et venir promener, plusieurs jours durant, des airs arrogants dans la ruelle où vivaient les parents de Devi. Mais, bientôt pris d'un rhume, il finit par rester chez lui et succomba lui aussi à la torpeur du temps. Il ne demeura alors à Sheikhpur Gura qu'un seul habitant pour repousser de tout son être la léthargie de la mousson ; une femme, celle-là même dont on attendait le moins cette énergie féroce : Moola, la propre mère de Devi.

Elle n'arrivait pas à se faire à l'idée que sa fille fût morte. Amaigrie, le dos raidi par une insondable énergie, Moola allait et venait sans relâche, mâchoires serrées, bouche amincie, la main précise mais la tête oublieuse, rongée en même temps de volonté et de souci, toujours aux aguets, même la nuit, quand tous s'abandonnaient au bercement des pluies ; et l'après-midi, lorsqu'elle s'affalait enfin sous son auvent, ce n'était pas, comme les autres femmes, pour tuer le temps à trier des lentilles ou frotter à perte de vue des pots déjà briqués la veille. Elle répétait toujours le même geste – non moins inutile, mais il passa chez ses voisines, à cause de la mort supposée de sa fille, pour le comble de l'absurdité : elle sortait de son coffre le sari de Devi.

Il ne lui en restait qu'un, celui des jours de fête, rouge avec un semis de fleurs jaunes et des bandes orangées. Moola le dépliait, l'étalait sur une corde au milieu de l'auvent, bien à l'abri des averses ; puis, des heures durant, accroupie au fond de sa courette, elle regardait l'étoffe se balancer sur son fil.

C'est à cette manie que l'Intouchable Nathu, qui venait de temps à autre rôder du côté de chez elle, a fini par comprendre ce qu'elle avait en tête. Pour avoir épuisé sa vie en lessives, Nathu connaissait tous les tissus et leurs propriétaires ; il était capable de dire, rien qu'à regarder un lambeau de coton sécher au bord du fleuve, quel villageois était malade et dans quelle famille, qui serait bientôt père et qui allait mourir. Il ne s'était jamais trompé, Nathu, malgré son âge, il savait observer, même s'il était forcé de le faire par en dessous, à distance, comme il convenait à son rang de misère ; et il connaissait surtout les cotons des saris, en apparence si souvent identiques, mais toujours différents. On les croyait du même dessin, mais il y avait toujours un ramage, une petite rayure, parfois même un simple filet qui n'étaient pas tissés selon la rigueur du modèle, qui n'avaient pas trempé dans la même couleur et qui faisaient que chacun, comme la femme qui le portait, était toujours unique.

Aussi, à l'instant où il vit Moola l'étendre sur son fil, Nathu reconnut-il le sari de Devi. Au début, il se dit qu'elle voulait le vendre, qu'elle le dépliait à l'air pour éviter qu'il ne moisisse. Mais quand il s'aperçut que Moola recommençait son manège tous les après-midi, fixant indéfiniment la cotonnade qui se balançait au vent, il devina qu'elle attendait sa fille.

Sa fille vivante, et non un spectre. Contre tout le village, contre toute raison. Il fallait une foi aveugle pour lui préparer chaque jour, en pleine mousson, un sari sans le moindre pli et qui sentait le frais, comme si elle allait surgir d'un instant à l'autre du ruissellement fangeux où se perdait le monde. Il en fallait aussi, de l'oubli ! Moola avait tout effacé, ses lâchetés, ses silences; jusqu'au dégoût qu'elle avait eu pour Devi dès son premier cri, peut-être même jusqu'à la supplique qu'elle lui avait faite, après le désastre de son mariage, quand elle lui avait demandé de se jeter dans le puits. Et maintenant qu'elle avait accepté le marché des bandits, gardé son fils au prix de sa fille, Moola se forçait à croire qu'elle était en vie. Ce n'était même pas du remords. Ce sari déplié tous les jours à la face du village était quelque chose qui ressemblait à une prière. Ou davantage : une forme de volonté.

Nathu, dont l'œil était si perçant, fut le seul à le pressentir. Il fut aussi le seul aussi à suivre Moola lorsqu'elle se risqua dans les ravins, la première de tout le village, avant même qu'on eût célébré la fête qui calme les serpents. Les pluies commençaient à peine à s'espacer. Les chemins n'étaient plus coupés, mais les éboulements et les coulées de boue menaçaient toujours.

Nathu n'eut pas le courage de Moola, il ne la suivit pas longtemps. Il pensa qu'elle cherchait la même mort que sa fille, qu'elle allait se perdre dans le néant des boues. Il l'a néanmoins guettée un petit moment depuis les hauteurs d'une gorge. À sa grande surprise, il l'a vue prendre le chemin de Kalpi.

L'Intouchable Nathu s'est alors rigoureusement comporté comme son père et les pères de ses pères commandaient de le faire aux hommes de sa naissance, quand les gens des autres castes commettaient des actes qui n'étaient pas dans l'ordre : il a renoncé à en savoir plus. Pourtant, il n'était pas très difficile de deviner ce qui conduisait Moola à Kalpi. Elle allait tout bonnement se plaindre à la police.

33

Elle a fait comme aurait fait sa fille, elle y est allée tout droit, elle a traversé la place de Kalpi la tête haute, a passé sans trembler devant le bureau du policier Mansouk, l'homme qui avait promis les jeeps, la nuit de l'enlèvement, et n'avait rien tenu. Au seul vrombissement d'un énorme ventilateur, elle a repéré, au bout d'un corridor éclairé au néon, le bureau du superintendant. La porte était ouverte. Avant même que le policier de garde n'ait pu esquisser un geste, elle a couru au fond du couloir, poussé la porte. Le superintendant, un dénommé Singhal, a eu un mouvement de surprise. Après un instant d'hésitation, Moola s'est reprise et a débité d'une seule traite ce qu'elle avait à dire.

Elle pour qui les mots étaient toujours des ennemis ou des traîtres, elle a perdu sa voix mince, elle a parlé haut et fort, elle a dit qu'on lui avait enlevé sa fille, la nuit de la mousson où il avait tellement plu. Elle a dit aussi que le policier Mansouk lui avait promis aide et protection, mais qu'il n'était pas venu; et maintenant que sa fille avait disparu, il fallait la lui retrouver à n'importe quel prix, parce que c'était cruel, parce que ce serait justice.

Derrière elle, la porte était restée ouverte. Ce fut là sa seule erreur. Elle n'avait pas fini de parler que le policier Mansouk a bondi dans la pièce.

– Cette famille de putes ! a-t-il rugi. Ces putes et ces voleuses !

Il a hurlé si fort que ses cris ont couvert le ronflement du ventilateur ; puis il a saisi Moola à bras-le-corps et l'a entraînée dans le couloir. Derrière son bureau, le superintendant Singhal n'a pas bougé. Il s'est contenté de soupirer, puis a arrêté son ventilateur pendant quelques instants, histoire de se faire une idée sur ce qui se passait.

– Dehors, dehors ! s'époumonait Mansouk. Famille de chiennes ! Ne te pointe plus jamais ici !

Il y a eu quelques bruits assourdis, des coups sans doute. Une porte a claqué. Le superintendant a remis son ventilateur en marche en appuyant sur le bouton de la vitesse maximum, afin de ne pas entendre la suite. C'était toujours la même chose : on venait geindre, crier sous ses fenêtres. Pour se débarrasser des importuns, il fallait parfois leur faire donner le gourdin. Rien qu'à voir les yeux calcinés de cette femme, le superintendant Singhal était certain qu'on en arriverait là. Il en était fatigué d'avance.

Il se trompa, pour une fois. Précipitée dans les flaques de la place, Moola s'est relevée sans une plainte et a repris dans la minute le chemin de son village, aussi raide qu'avant, poussée par la même inébranlable foi.

Et les semaines qui suivirent ressemblèrent aux précédentes. Personne ne lui demanda où elle était allée, pas même son mari, et elle n'en parla à personne. L'œil fixe, plus maigre de jour en jour, elle allait et venait sans un mot au milieu des villageois, indifférente à tout – jusqu'à leur propre indifférence. C'était à croire qu'elle ne voyait rien, ni le ciel à nouveau serein, ni les fêtes, ni les champs reverdis, ni la poussière qui remplaçait la boue.

Il faut cependant croire qu'elle resta vigilante, car elle fut la première des femmes, un soir de janvier 1980, à apprendre ce que venaient de se dire les hommes sous le figuier sacré, après lecture du journal par le chef du village : il y avait eu un crime dans une bourgade voisine. Un habitant y avait été abattu à la mitraillette, un policier qui travaillait à Kalpi. Il avait été tué froidement, un matin, alors qu'il partait à son bureau. L'homme se nommait Mansouk Mallah, il était de la même caste que son assassin, une femme. La meurtrière, soupçonnait-on, n'était autre que Devi.

Nathu avait épié lui aussi la réunion des hommes. Depuis sa cachette – la terrasse de son maître Krishna, d'où il suivait ordinairement les faits et gestes des gens de Sheikhpur Gura –, il vit Moola s'écrouler au pied d'un muret. Elle s'était laissée brusquement aller comme si elle avait voulu se fondre corps et âme avec la matière de la terre. Et elle se mit à soupirer. Plus qu'un soupir, d'ailleurs, ce fut un souffle profond qui lui montait du ventre ; comme si c'était là, dans cette haleine retenue pendant des semaines et des mois, que s'étaient réunis tous ses espoirs.

Du coup, elle n'écouta pas la suite, elle manqua le bon mot dont Krishna, mi-fier, mi-goguenard, commenta la nouvelle : « Ça m'amuserait bien de tomber sur elle, maintenant qu'elle s'est descendu un flic. Une fille qui a zigouillé un mec, au lit, c'est forcé, c'est sûrement une affaire ! »

34

C'est du 26 janvier 1980 qu'est daté l'ordre de recherche et d'arrestation signé par le superintendant Singhal, chef du poste de Kalpi, à l'encontre de Devi.

Début février, la nouvelle était connue dans toute la Vallée.

Le meurtre d'un policier n'était pas un événement insolite, même quand le fonctionnaire était victime d'une vengeance personnelle, comme il semblait que ce fût le cas. Bon an mal an, les autorités déploraient la perte d'au moins une trentaine d'hommes. Après des coups de filet ou des rafles particulièrement spectaculaires, il en tombait parfois deux par semaine. Mais les assassins s'attaquaient rarement à des gens de leur caste; et il était encore plus exceptionnel que le criminel fût une femme.

C'est ce qui attira l'attention des journalistes. Toutefois, ni dans la presse de Gwalior, ni dans les journaux de Kanpur ou Agra, les entrefilets consacrés à l'affaire ne firent alors allusion au fantôme de Putli, la légendaire Reine des Bandits. Même si on en soupçonnait les mobiles sans jamais les évoquer, on préféra voir dans l'assassinat de Mansouk Mallah l'acte d'une démente. C'était chose facile : de ces filles habitées soudain par le démon de la vengeance, on en avait connu quelques-unes dans la Vallée, les années précédentes. Il y avait eu Kuntala en 1975 : simple cuisinière qui suivait une bande, elle entrait en transe après les attaques et, au lieu de s'enfuir, revenait rôder au milieu des cadavres pour leur arracher les yeux. À peu près à la même époque, il y avait eu Munni, celle qui ne regretta qu'une chose au moment de son arrestation : ne pas avoir eu le temps d'aller égorger toute sa belle-famille. Il y avait eu Chunni, Phoolshi, Gita, toutes redoutables manieuses de gâchette. Et Kapuri, qui défraya la chronique en ne s'en prenant aux hommes que pour les tuer, sans jamais les voler. Comme elle louchait et n'arrivait pas à tirer droit, elle avait choisi de s'attaquer à eux à coups de chaîne de bicyclette. Les quelques policiers qui crurent pouvoir l'arrêter moururent comme les autres, assommés, puis battus à mort. De l'avis général, ces femmes étaient des solitaires, des égarées; ou, quand elles n'opéraient pas seules, les comparses d'impitoyables gredins, entraînées dans leur sillage aux pires cruautés. Pour tenter de les guérir de la folie des ravins, les autorités eurent recours à la manière forte : en 1978, lorsque la police abattit Hasina, la plus âpre d'entre elles, son cadavre mutilé, entièrement nu, fut exposé plusieurs jours d'affilée en pleine place d'un village. Elle était enceinte de plusieurs mois. Quand le corps commença à empester, on refusa de le rendre à la famille, on le jeta de nuit aux vautours. Depuis ce temps, aucune femme, fût-elle aveuglée par une passion vengeresse, ne s'était risquée à attaquer un policier. Chaque fois qu'ils se réunissaient pour tenter de coordonner leurs raids sur les ravines, les fonctionnaires de Kanpur, Gwalior et Agra ne manquaient jamais de s'en féliciter. Si le mythe du bandit d'honneur était toujours vivace, se gargarisaient-ils, l'arrivée dans les gorges des jeeps et des hélicoptères avait dissipé tous les charmes de la romance de Putli.

Des journalistes aux policiers, on se força à le croire après l'annonce du meurtre de Mansouk. Mais, pour les paysans de la Vallée, les faits étaient là, dans leur tranquille et insoutenable évidence : une femme avait tué un homme ; une rôdeuse, un policier ; une mallah, un mallah. Un acte aussi sauvage était inexplicable, à moins d'invoquer la mémoire de la grande aventurière.

Aussi, dans les villages, à mesure que s'avança l'hiver, les femmes furent-elles de plus en plus nombreuses à reprendre sans plus se cacher les vieux couplets qui retraçaient la geste sauvage et triste de la Reine des Bandits. Les hommes laissaient faire : à écouter ces couplets qui racontaient comment l'esprit de révolte avait possédé la chair d'une simple mortelle, ils partageaient la même ardeur sacrée. Ce fut le cas jusqu'à Sheikhpur Gura, où Moola eut du mal à cacher sa fierté. Car assez rares furent ceux qui réussirent à ignorer pourquoi, si soudainement, renaissait la légende. Quelques-uns, par dépit, tentèrent de jouer les indifférents : Mayadin, bien sûr, et l'oncle Gurudayal. Mais leur dépit était flagrant, de même que celui des policiers.

Tout comme, à l'autre bout des ravines, vers le confluent du fleuve avec la rivière Chambal, la rancune d'une femme qui revenait souvent rôder aux alentours du camp abandonné par Vikram et sa bande à la fin de la mousson : la fière et lourde Kusumana, celle-là même qu'aux plus beaux temps de leur passion Vikram avait prémonitoirement surnommée Rage-au-Cul.

35

« Longue haine vaut mieux que prompte colère », dit un proverbe de la Vallée. On dirait qu'il a été inventé tout exprès pour Kusumana : entre le moment où elle a compris que Devi l'avait remplacée auprès de Vikram et le jour où elle a trouvé moyen de se venger, il s'est écoulé six mois pleins.

Six mois d'aigreur, de fureur froide. Mais Kusumana a su donner le change. Dans le village où elle vivait avec ses deux filles depuis son veuvage – une minuscule bourgade loin de tout –, on n'a rien vu de sa rancœur. Souriante et silencieuse, le pas solennel, elle a continué d'aller et de venir entre le puits et la rivière avec ses airs de reine en visite. Tout le monde savait pourtant qu'à la dernière mousson, elle en avait été pour ses frais quand elle avait tenté de rejoindre le gang de son ancien amant, ce petit coureur de ravines qui avait eu le cran de tuer son chef et dont on murmurait qu'il était de taille à devenir un des plus grands gangsters qu'eût connus la Vallée. Nul n'ignorait qu'il avait pris une autre femme, on connaissait même le nom de celle qui l'avait remplacée. Une terreur, disait-on, une petite frappe femelle ; car elle vivait avec la bande et s'était chargée elle-même de chasser sa rivale.

Au village, on savait aussi comment Kusumana avait rencontré Vikram : chez son oncle, le vieux Papu, deux ans plus tôt, juste après la mort de son mari. Vikram n'était alors dans le gang qu'un jeune porteur ombrageux et timide. Entre autres basses besognes, il devait acheter le ravitaillement. Quand la bande, à la fin des raids, venait se replier dans les gorges abruptes de la rivière Chambal, c'était toujours chez Papu qu'il venait se fournir. Cet été-là, en sus des sacs de lentilles et des bouteilles d'alcool, les frères Singh lui avaient demandé de ramener des filles. Lorsque Vikram transmit, un peu embarrassé, leur demande à Papu, celui-ci, à sa grande surprise, lui proposa sa nièce.

« Elle est veuve, elle me coûte cher », argua l'oncle. Il se frottait la panse d'un air contrarié. Vikram jeta sur Kusumana un coup d'œil furtif. Il eut un long moment d'hésitation, puis lança aux pieds de Papu la liasse de billets qu'il réclamait ; et il emmena la femme au camp, avec les autres marchandises.

Là-bas, Kusumana fut partagée entre les hommes, comme le reste. Durant les quelques semaines que dura la halte, elle coucha avec tous les gangsters – à l'exception de Lukka et Kalla, ainsi qu'il fallait s'y attendre. Elle ne s'est jamais plainte, elle a fait la cuisine, la lessive sans rechigner. Puis les frères Singh ont levé le camp. Elle est retournée à son village comme si de rien n'était, mais tout le monde là-bas a bien remarqué qu'elle n'était plus la même. Elle rabrouait ses petites filles, elle n'aimait plus descendre au fleuve. Par le froid comme par les chaleurs, on la voyait toujours à l'orée des chemins, à guetter la nuée poudreuse qui annoncerait le retour de la bande.

Elle a attendu un an. Comme l'année précédente, Vikram est revenu acheter des marchandises à l'oncle Papu ; et il a remmené Kusumana comme la fois d'avant, sauf que Papu a marchandé et qu'il a fallu payer beaucoup plus cher. Au camp, Kusumana a continué de coucher avec qui le souhaitait. Mais les hommes étaient lassés d'elle ; ils lui reprochaient d'être trop bruyante quand elle faisait l'amour. Au bout d'une semaine, il n'y eut guère que Vikram à y trouver son compte. Ils passaient des heures sans réémerger de leur bâche. Quand les pluies ont cessé, l'aîné des frères Singh a décidé de l'adjoindre à la bande, le temps d'un raid dans les gorges de la Chambal. Kusumana a porté sans broncher les sacs de nourriture, elle s'est docilement occupée des repas. Puis le gang est reparti en maraude à l'autre bout de la Vallée, et on l'a renvoyée au village, comme la dernière fois.

Avant deux mois, Vikram lui a rendu visite. Il est revenu souvent. Il arrivait à la nuit tombée, repartait juste avant l'aube ; il était toujours exténué. Kusumana ne voulait plus qu'il paie, malgré les marmonnements réprobateurs de l'oncle Papu qui les écoutait et les regardait faire à travers le treillis séparant leurs chambres. Après sa dernière visite, au milieu du printemps, Kusumana annonça à son oncle que la prochaine fois que Vikram viendrait, elle le suivrait dans les ravines. L'oncle Papu n'a rien dit, il savait qu'il y avait eu des promesses entre Vikram et elle, de ces mots dangereux qui se disent après l'amour ; et il n'a rien fait pour la retenir, à la fin de la mousson, quand elle est allée rejoindre la bande.

Lorsqu'elle s'est fait chasser du camp, Kusumana n'en a pas voulu à Vikram. Tout son ressentiment est allé à la femme. Une colère muette : Kusumana était patiente. La haine était son chemin.

Elle prit cependant le temps de l'affiner, de la choyer, elle sut en faire jour après jour un pur venin qui lui laissa le teint frais, la démarche paisible. Elle s'est seulement un peu épaissie durant ces quelques mois. Mais, avec ce rempart de graisse fraîche, elle offrait aussi tous les dehors de la sérénité. Elle a même réussi à tenir la face, le jour où elle a appris, avec les autres villageois, le meurtre par Devi du policier Mansouk. Quand l'œil de Papu s'est arrêté sur elle, elle lui a opposé comme chaque matin un grand sourire tendre. Et elle a encore attendu un bon mois avant de passer aux actes.

Lorsqu'elle quitta le village, par un matin de février où son oncle était descendu à la rivière, elle semblait si douce que les voisines à qui elle confia ses deux filles gobèrent tout ce qu'elle leur raconta. Elle prétendit que sa sœur, qui vivait à Etawah, n'allait pas tarder à accoucher, et qu'elle la réclamait pour tenir sa maison.

Mais qu'y avait-il à soupçonner ? Kusumana est partie de son pas souverain, bien sagement drapée dans ses voiles de veuve, lourde et cérémonieuse, à son habitude. Elle a pris son temps, elle avait les mains nues et était sans arme. Ou plutôt, elle emportait avec elle tout un invisible arsenal : la sombre matrice des mots, où se plaisent à couver les germes fielleux des vengeances.

36

Elle avait tout pesé, tout calculé. Le ton, les phrases ; jusqu'aux silences. Pour mieux toucher son but, elle le savait depuis longtemps, sa haine devait aller de biais. Ce biais, ce furent les frères Singh.

Depuis leur arrestation, deux ans plus tôt, ils étaient enfermés à la prison d'Etawah. Le plus difficile, pour Kusumana, fut de se faire admettre au parloir de la prison. Mais, là encore, elle sut trouver les mots. Elle se fit passer pour la belle-sœur de Lalaram, le plus avenant des deux frères, celui qu'on avait surnommé Boîte à Outils à cause de la taille considérable de ses organes génitaux. Elle prétendit que son mari était mort le mois d'avant, elle demanda à parler cinq minutes à son beau-frère. Elle prit une mine lasse, tira ses voiles blancs sur sa bouche. Tout en parlant, elle se passait et repassait la main sur le ventre comme pour calmer une douleur rebelle.

On la crut sur parole. On lui donna rendez-vous au parloir pour l'après-midi même. Lalaram s'y présenta en compagnie de son frère. Kusumana en fut soulagée : à cause de la présence du gardien, elle avait craint de devoir lui servir la même comédie qu'au directeur de la prison ; et Lalaram était si emporté qu'il aurait été fichu de la renvoyer illico à ses foyers avec un flot d'injures, sans chercher à comprendre ce qui l'avait amenée.

Mais Sri Ram était là, derrière Lalaram, l'œil vif, le nerf tendu, la tête déjà lourde de feintes et de calculs. Il faisait très chaud, cet après-midi-là. Il n'y avait pas de ventilateur dans le parloir. L'officier de police chargé de surveiller les frères Singh ne les eut pas plus tôt introduits dans la pièce qu'il s'affala sur une chaise et s'endormit.

Kusumana a été très forte. La partie se présentait beaucoup mieux qu'elle ne l'avait pensé, mais elle n'a pas estimé pour autant qu'elle était gagnée. Elle a rassemblé toutes ses forces, toutes les finesses de ses ruses, elle a su mêler comme personne le vrai et le faux. Du reste, elle a dit beaucoup de vrai. Elle a raconté aux deux frères, sans rien y changer, ce que la rumeur lui avait appris de la mort de Babu, de l'ascension de Vikram, du meurtre par Devi du policier Mansouk. Mais elle a voilé ce récit de minuscules touches de pure invention : des mensonges légers, artistes, jetés de loin en loin, l'air de rien, à la manière de certains tisserands quand ils s'amusent à faire courir un fil précieux dans la chaîne d'une banale étoffe, histoire d'attirer l'attention à moindres frais. Par exemple, elle a dit aux frères Singh que Vikram avait juré leur perte depuis des mois et des mois. Ou elle a chuchoté au détour d'une phrase qu'il se faisait donner le même surnom qu'eux, Boucher de la Vallée, maintenant qu'il avait pris la tête de leur gang. Et c'est seulement à la fin de son histoire qu'elle a marmonné que Vikram partageait le pouvoir à égalité avec Devi ; et elle a ajouté – voix cassée, tête basse, comme pour se faire pardonner d'avance – qu'il la laissait de temps à autre commander les hommes : « Des hommes qui étaient à vous, que vous avez armés, nourris... Ils sont maintenant aux mains d'une pute... D'une pouffiasse qui n'arrête pas de leur dire que vous êtes des lâches, parce que vous avez préféré vous laisser conduire en prison, quand vous avez été pris, au lieu de vous faire sauter la cervelle, comme tous les grands bandits... »

À ce moment-là, il y a eu un grand silence dans le parloir. Sri Ram a soufflé à Kusumana : « Achève... », en posant le bras sur celui de son frère qui commençait à écumer. « Finis, a-t-il repris. Raconte-nous tout. » Kusumana a baissé les yeux : « Il n'y a pas grand-chose d'autre à ajouter », a-t-elle murmuré. Puis elle a soupiré : « C'est un grand malheur. Cette fille, une nettoyeuse de chiottes... Ils se sont bien trouvés, Vikram et elle... Et dire qu'ils vous ont pris votre place. À vous, des guerriers, des thakurs... »

C'est à ce moment-là que les frères Singh ont vu rouge. Ils se sont agrippés au grillage qui les séparait de Kusumana et se sont mis à cracher des injures. Comme il fallait s'y attendre, c'était Lalaram qui beuglait le plus fort. Le policier s'est réveillé, Kusumana a eu un instant de panique. Mais elle s'est très vite reprise. Elle a choisi de fondre en larmes, ce qui a eu l'effet qu'elle escomptait : les deux frères ont aussitôt cessé de vociférer. Alors elle a gémi : « Je ne suis qu'une pauvre veuve, je n'ai plus de famille, je n'ai plus que vous au monde. Comment faire, avec mes deux filles ? Je ne vous demande pas d'argent, mais je n'ai plus que vous deux... Que vous deux à aimer... »

Les deux frères ont eu une vague grimace de la bouche, ce qui était chez eux le signe – rare – d'un début d'émotion. Kusumana a jugé qu'il était temps de s'éclipser. Elle s'est inclinée devant eux, leur a effleuré les pieds à travers la grille, et elle a décampé – en se voûtant, pour une fois, en se faisant humble et légère, ramassée sous ses voiles, pareille à une mendiante.

Le jour suivant, de retour au village, elle avait retrouvé sa superbe. On ne l'attendait pas de sitôt. À celles de ses voisines qui risquèrent des questions, elle expliqua, inchangée et sereine, que sa sœur n'avait plus besoin de ses services, car elle avait accouché quinze jours plus tôt d'un enfant mort-né. En parlant, Kusumana affichait comme toujours son grand et doux sourire. Tout le monde la crut. Personne ne vit au fond de son regard ce bref éclat de lumière noire qui ressemblait si fort, pourtant, à l'œil agrandi de la Déesse sur les chromos des calendriers ou les images des temples, quand on la montrait au retour de ses œuvres de mort.

37

Aimer, c'était un mot que les frères Singh n'avaient pas entendu depuis des lustres. On pouvait d'ailleurs douter qu'on le leur eût dit un jour : personne ne les avait aimés, ces deux-là, peut-être pas même leur mère. Ce qui les laissait de marbre : ils étaient jumeaux. Jamais rien ni personne n'avait pu les séparer. Il y avait le plus grand, Lalaram, le plus râblé, le plus avantageux, avec ses yeux dorés, sa belle peau claire, sa « boîte à outils » toujours saillante sous son jean. Et l'autre, Sri Ram, dit « le Gourou », le plus astucieux de la paire. Le plus laid aussi, petit et malingre, les dents gâtées, la face grêlée de variole ; comme si la maladie, pour se venger d'avoir manqué son frère, avait concentré sur lui toutes ses purulences. Mais Sri Ram était aussi fin tireur que le beau Lalaram, et il avait l'esprit si tortueux que certains n'hésitaient pas à dire qu'il était la réincarnation d'un des diaboliques Rois-Serpents qui avaient, dans la nuit des temps, commandé la Vallée. D'où son surnom, car on disait que Lalaram ne tirait pas une cartouche sans en référer à son frère.

La vérité, comme on s'en doute, était plus nuancée : Lalaram était violent, il prenait feu et flamme pour un rien. Dans ces moments-là, il n'y avait que Sri Ram à pouvoir le contenir, à défaut de le raisonner. Depuis l'époque où ils avaient pris le ravin – une décennie plus tôt, à l'âge de quatorze ans, un record dans la Vallée –, on ne comptait plus leurs razzias et leurs raids meurtriers. Ils n'avaient pas vingt ans qu'ils avaient leur bande à eux. Les frères Singh ne savaient pas voler sans tuer. Le sang et le meurtre étaient leur élément, aussi nécessaire que le fleuve au poisson. La police et les bandits les honoraient du même titre, « les Bouchers de la Vallée » – surnom, soit dit en passant, qui ne manquait pas de piquant, car ils étaient strictement végétariens et la seule idée qu'un résidu carné pût se mêler à leur nourriture les jetait dans une fureur qui faisait peur à voir.

C'étaient leurs atrocités qui les avaient rendus célèbres, en sus de leur extrême rapidité dans les attaques. On leur attribuait plusieurs assassinats d'enfants en bas âge, on prétendait qu'ils ne manquaient jamais de couper le nez des femmes qu'ils venaient de violenter. La police leur imputait aussi l'un des meurtres les plus sauvages qu'eût connus la Vallée depuis l'Indépendance : lors d'un raid contre un village des environs d'Etawah, ils avaient égorgé cinq paysans sous prétexte que ceux-ci les avaient trahis ; puis ils avaient entièrement dépecé les cadavres.

Par peur des représailles, les témoins n'avaient pas osé incriminer formellement les frères Singh. Ou bien ils s'étaient rétractés dès qu'il avait fallu signer une déposition en bonne et due forme. Faute de preuves, les jumeaux restèrent longtemps à l'abri des poursuites. Comme ils étaient d'une vélocité peu commune, la rumeur se répandit qu'ils étaient protégés par une force mystérieuse qui faisait d'eux des êtres surhumains, insaisissables, au même instant partout, fils d'ailleurs et de nulle part, en tous points pareils à la Déesse Noire. La légende fut vite accréditée par le petit temple que les frères Singh, avec une partie de leurs gains, édifièrent à Kali en contrebas de Behmai, leur village natal, juste en face de Sheikhpur Gura. Ils voulurent lui offrir tous les agréments du confort moderne : l'eau au robinet, d'immenses chromos, de grands placages de faïence multicolore autour de sa statue. Les jumeaux installèrent aussi à l'entrée du sanctuaire ce qui devint rapidement son attraction majeure : un distributeur automatique d'eau parfumée et d'alcool de canne. La machine était rouge et noir, comme la figure de la Déesse. Elle arrivait tout droit d'un souk de Gwalior où elle avait été acquise à grands frais. En des temps qui semblaient fort éloignés, elle avait distribué du thé et de la limonade. Dès qu'on effleurait ses monumentales manettes, elle tressautait, se mettait à cliqueter avec des hoquets frénétiques, à croire qu'elle allait d'un instant à l'autre retomber sur le sol en un amas de ferraille. Elle finissait pourtant par se calmer, crachotait posément son liquide, non sans répandre une fois sur deux le sirupeux alcool dans l'essence de rose, et vice versa. Jamais personne ne s'en formalisa. Dès sa mise en service, pour tous les thakurs de Behmai, la machine fut la preuve irréfutable que les jumeaux – dans une vie précédente, peut-être, dans un autre monde, allez savoir ce qui se trame sur l'autre versant des choses – avaient passé des accords particuliers avec Kali la Noire.

Car les frères Singh prenaient toujours de gros risques, et tout aussi constamment demeuraient hors d'atteinte. La violence leur était si nécessaire qu'ils ne pouvaient s'en passer, même quand la raison l'ordonnait. Ainsi, au plus fort des pluies, on les vit plusieurs fois quitter leur refuge des ravines et s'en revenir deux ou trois jours plus tard, hagards mais repus, racontant qu'ils étaient allés marauder le long des grand-routes pour forcer des filles, dévaliser des pèlerins. Ils se vantaient aussi d'avoir assassiné leurs victimes, ce qui n'était peut-être pas de la forfanterie : dans des faits divers relatés par les journaux, ceux des bandits qui savaient lire reconnurent des détails qui recoupaient point par point les récits des deux frères.

On imputa toujours à Sri Ram, alias le Gourou, l'idée de ces sinistres équipées. On disait que c'était lui qui avait commerce avec la Dame Noire, on assurait que son jumeau n'était qu'un acolyte, le bras indispensable à ses basses besognes, tandis que lui se consacrait à l'essentiel : les machinations et sacrifices destinés à se concilier en toutes circonstances l'inspiration et les grâces de la Déesse Insaisissable.

Les policiers des ravines n'étaient pas loin d'y croire. Les hauts fonctionnaires de Kanpur, ceux de Gwalior et Agra, en revanche, élevés dans la froide raison des collèges à l'anglaise, penchaient pour une autre explication. Lors de leurs rituelles réunions de concertation, faute de trouver, face au banditisme, une politique commune aux trois États traversés par la Vallée, ils aimaient à se perdre en longues spéculations sur la caractérologie criminelle. Avant de passer aux choses sérieuses – trancher une fois pour toutes s'il fallait conduire la chasse aux bandits en lâchant dans les gorges des légions de tigres affamés ou en rasant les ravines au bulldozer, voire en les ennoyant grâce à des barrages de retenue sur le fleuve –, ces brillants sujets de l'Inde indépendante, à l'esprit vernissé de teinture oxonienne, thé à cinq heures, cricket, cravate club, bureaux constamment rafraîchis au climatiseur électrique, réunions hebdomadaires au Rotary local –, se plaisaient à agiter un moment d'élégantes théories. Ils ne dissimulaient pas leur prédilection pour l'étrange dossier des frères Singh. Selon le mot qui leur était cher, il était le plus *pittoresque*. C'était assez bien vu ; car, pour compenser l'absence de témoins et de preuves, les policiers l'avaient bourré de descriptions colorées, de mirifiques récits d'embuscades et d'assauts dont il était aisé de soupçonner qu'ils étaient pour une bonne part purement imaginaires. Mais, au milieu des statistiques et des austères rapports de mission, le dossier de Lalaram et Sri Ram offrait tout le dépaysement d'un roman d'aventures. Certes, l'évocation fréquente des dévotions rendues par les jumeaux à la Grande Déesse jetait le trouble dans les esprits de ces grands bureaucrates qui affectaient de prendre le culte de Kali pour une superstition d'un autre âge, et leurs digressions psychosociologiques étaient une façon de se cacher mutuellement cette fascination secrète. Ainsi, on vit un jour le ministre de l'Intérieur d'Uttar Pradesh présenter les frères Singh comme « un exemple achevé de dédoublement agissant ». Une autre fois, son homologue du Rajasthan improvisa à leur sujet une thèse très brillante qu'il développa plus tard sous la forme d'un long article dans une revue savante, sous l'intitulé « Le meurtre et sa doublure, dominant et dominé dans un cas de gémellité criminelle ». Il y dépeignait les jumeaux comme s'il les avait observés durant des mois dans un hôpital psychiatrique. Sri Ram y apparaissait sous les espèces d'un cerveau d'une ingéniosité et d'une invention sans limites, et Lalaram comme l'instrument aveugle du génie destructeur de son frère. Puritanisme ou ignorance crasse du monde bandit, le ministre n'avait pas saisi le véritable sens du surnom « Boîte à Outils ». Au lieu des spectaculaires attributs du fringant Lalaram, pourtant signalés dans tous les rapports de police, il imagina qu'il désignait « sous forme symbolique », selon ses propres termes, « l'appendice mental externe du jumeau dominant, la panoplie musculaire obéissante et servile qui permet au criminel le passage à l'acte sans le sentiment de culpabilité ».

Le ministre ne comprit son erreur que plusieurs mois après, lors de l'arrestation des frères Singh. Car c'est la trop fameuse « boîte à outils » qui entraîna leur perte, un jour de la fin août 1978, dans des circonstances à la vérité peu glorieuses. Chaque année, au début de la mousson, pour fêter la fin des raids, les jumeaux se rendaient ensemble chez une maquerelle d'Etawah qui avait la réputation d'héberger les plus belles filles de la Vallée. C'était une habitude qu'ils avaient prise très tôt, dès l'année où ils s'étaient enfuis dans les ravines. Quels qu'eussent été la nervosité de la police et l'état de leurs finances, les frères Singh n'avaient jamais failli à leur rituel : ils allaient voir la maquerelle d'Etawah, demandaient la fille la plus chère et se la partageaient. Était-ce la fatigue d'une saison difficile, Lalaram s'aperçut cette année-là que sa voyante « boîte à outils » demeurait, en dépit de tous ses efforts, rigoureusement inopérante. Son désespoir fut à la mesure de la flaccidité de son organe : il repoussa la fille et s'écroula en larmes dans les bras de son frère. Sri Ram eut toutes les peines du monde à le calmer, puis à lui faire quitter discrètement la place. Après une journée passée dans les plus sombres calculs, il décida de l'emmener au profond de la jungle où il soumit la boîte à outils défaillante à l'examen approfondi d'un Baba de ses amis, initié, disait-on, aux grands mystères de Shiva, Maître des Serpents et de tout ce qui ressemble en ce bas monde à Son Auguste Queue. Après trois semaines d'un jeûne très strict et de flagellations sévères, Lalaram recouvra, grâce à la miséricorde du dieu, la maîtrise de sa précieuse extrémité, pour la plus grande satisfaction de Sri Ram qui l'engagea derechef à reprendre là où ils les avaient laissées leurs érections gémellaires.

Ce n'était même pas affaire de point d'honneur : nul, sinon la fille, n'était au fait du fiasco de Lalaram. Ils coururent pourtant à Etawah, déboulèrent chez la mère maquerelle, exigèrent la même fille que trois semaines plus tôt. Elle n'était pas libre. Lalaram entra aussitôt en furie. Il se mit à pousser des hurlements suraigus et, dans la minute qui suivit, assomma la tenancière et deux de ses domestiques. Sri Ram n'eut pas le courage de s'interposer. Pris de terreur, les clients s'enfuirent par une arrière-cour. L'un d'eux était un policier. Il avait participé six mois plus tôt à une embuscade tendue contre les deux frères et crut les reconnaître. Plus tard, il assura que Lalaram était nu, et qu'il l'avait identifié à son légendaire attirail, version que rapportèrent tous les journaux mais que les frères Singh démentirent avec la dernière énergie. Quoi qu'il en soit, ils se firent prendre de la façon la plus déshonorante qui soit, au lit, moins d'une demi-heure plus tard, par quinze policiers qui firent irruption dans la pièce où l'élue de leur cœur, sous l'œil attentif de Sri Ram, tentait vaillamment d'éteindre les ardeurs d'un Boîte à Outils revigoré au-delà de toute espérance.

Les jumeaux furent immédiatement ceinturés, puis incarcérés à la prison d'Etawah. Après quelques semaines à enrager sans discontinuer, ils sombrèrent peu à peu dans une hébétude résignée, dûment entretenue par les vapeurs du chanvre que les gardiens leur distribuaient avec la plus grande libéralité. Seule une allusion aux circonstances burlesques de leur arrestation pouvait les en arracher. Lorsqu'elle leur rendit visite, en fine mouche qu'elle était, Kusumana se garda bien de les évoquer. De détour en détour – ce fut là son génie –, elle réussit à toucher la plus ancienne, la plus sûre source de colère et de haine chez tous les hommes de la Vallée : la vieille rivalité entre guerriers et gratteurs de terre, la guerre immémoriale des thakurs contre les mallahs.

Déjà, dix-huit mois auparavant, aux lendemains de leur arrestation, les jumeaux avaient pesté pendant des jours et des jours rien qu'à la pensée que leur gang avait été repris par Babu, un de ces bouseux qui, lorsqu'il était entré dans la bande, ne connaissait même pas la différence entre un pistolet et un fusil mitrailleur. Mais, cette fois-là, le coup fut beaucoup plus dur ; car c'était une femme qui était venue leur porter la nouvelle. Une veuve, elle-même née dans la fange, une pute, une moins que rien. Et elle était venue leur dire que c'était un autre couple qui dirigeait le gang. Une paire, comme eux ; mais où figurait, pour comble, une fille qui n'avait pas vingt ans.

La rage de Sri Ram fut la plus étrange. Dix jours d'affilée, il arpenta sans s'arrêter, le front rongé d'angoisse, les dix mètres carrés de sa cellule. De temps à autre, il s'écroulait sur le sol, comme foudroyé. Il pouvait rester prostré une journée entière ; puis, d'un seul coup, il se remettait sur pied et reprenait sans un mot sa marche fulminante.

Il faut croire que la folie n'était pas inscrite dans son destin, car un coup de théâtre, en cette mi-mars 1980, vint l'arracher à point nommé au délire où il s'enfonçait. À l'approche des élections, le Premier ministre d'Uttar Pradesh, qui souhaitait l'appui des intégristes hindous, fit plusieurs violentes déclarations à l'encontre des musulmans, des Intouchables, et plus généralement de toutes les basses castes. Après des années de politique égalitaire, tout ce qui dans l'État était brahmane ou thakur recouvra en un jour la faveur du pouvoir. Or le magistrat qui instruisait l'affaire des frères Singh, le juge Shankar, était un Intouchable originaire de Lucknow, où il avait toute sa famille. Depuis dix ans qu'il était en poste à Etawah, il n'avait jamais réussi à obtenir sa mutation. Il l'avait longtemps attendue du dossier des frères Singh. Dix-huit mois durant, en dépit des insultes dont les jumeaux l'abreuvaient à longueur d'interrogatoires, il s'était acharné à les questionner. Il ne leur avait pas encore extorqué le moindre aveu.

Il se crut perdu et joua son va-tout. Quinze jours après le début de la campagne électorale, moitié par peur des hommes en place, moitié dans le fol espoir de voir enfin arriver sur son bureau l'enveloppe à en-tête du ministère lui annonçant sa mutation, le juge Shankar proposa oralement à son supérieur hiérarchique – un thakur – d'élargir Lalaram et Sri Ram. Pour toute réponse, l'autre agita vaguement la main, signe que la décision était à son entière discrétion. Le 15 mars 1980, sans plus attendre, le juge Shankar jeta l'éponge et parapha le formulaire officiel rendant aux frères Singh leur pleine et entière liberté, faute de preuves.

38

C'est à peu près à la même époque que se déroula la mémorable attaque du village de Guffiakhar, dans les environs d'Etawah. Les coupables incriminés dans les rapports de police furent des membres de ce qu'on appelait encore – mais plus pour longtemps – la bande de Vikram Mallah.

Le village de Guffiakhar était riche, construit dans un site qui, à lui seul, appelait le pillage, au fond d'un cirque percé d'étroites cluses. Les éclaireurs de Vikram, venus plusieurs fois en reconnaissance, avaient été encouragés par d'excellents présages. Le soir de l'attaque, les paysans, pris au dépourvu, n'offrirent aucune résistance. C'est seulement vers la fin que l'affaire se gâta. Les bandits achevaient leur razzia quand une patrouille de police déboucha d'une gorge. Posté sur un toit aux côtés de Devi, Vikram surveillait la plaine et le fleuve. Le soleil sur le déclin avait brouillé peu à peu l'horizon dans un nimbe de poussière rouge et il n'avait rien vu venir.

Il fut pourtant le plus rapide. Au premier uniforme qu'il aperçut, il ordonna de faire feu sans chercher à démêler s'il s'agissait de la police ou d'une autre bande. L'affrontement fut bref, mais sanglant : trois policiers y laissèrent la vie. Le gang, par miracle, n'eut aucune perte ; et comme les hommes se repliaient dans les ravins, Vikram ne put résister à un geste qui surprit les plus crânes parmi ses compagnons : il bondit au sommet d'une arête de terre, brandit un mégaphone et hurla à plusieurs reprises : « Ceci est l'œuvre de Devi la rebelle ! Vive Devi, la Reine des Bandits ! Vive Putli Bai, vive Devi ! »

Répercuté tout au long du demi-cercle dessiné par les falaises, le nom de Devi résonna interminablement aux oreilles des villageois, toujours massés autour des cadavres des victimes. Les témoins se souvinrent aussi que l'écho renvoya plusieurs fois le nom de Putli Bai. Mais, dans leurs récits, ils rapportèrent ce dernier fait de façon incidente, comme s'il était entendu depuis longtemps que la Dame des Ravins, trente ans après sa mort, avait repris vie dans la chair violente et nerveuse de la petite paysanne de Sheikhpur Gura.

C'est bien ce qui inquiéta les hauts fonctionnaires de Kanpur, quelques jours plus tard, quand ils se mirent à éplucher les rapports de la police locale sur l'attaque de Guffiakhar, qui avait fait grand bruit dans la presse. Paysans ou policiers, tous les témoins affirmaient qu'ils avaient vu, de leurs yeux vu la nouvelle Reine des Bandits. Mais, dès qu'on leur réclamait un signalement précis – âge, stature, taille approximative, couleur de peau, ne fût-ce qu'un minuscule signe particulier, un tatouage, une cicatrice –, les réponses étaient identiques et tout aussi nébuleuses : « Elle est très belle. » En dépit de leur insistance, les enquêteurs n'avaient obtenu que des commentaires lyriques ; ils reproduisaient presque mot pour mot les complaintes à la gloire de Putli : « Magnifique, une petite princesse, une vraie biche », ou « Jeune et belle comme une fleur de jasmin ». « Vive, rapide », précisèrent quelques paysans avant de renchérir, comme dans les chansons : « aussi souple que la panthère, aussi fine que le cobra ». À la fin des interrogatoires, la plupart des témoins lâchaient tout de même une phrase dont ils estimaient à l'évidence qu'elle devait déboucher sur une identification extrêmement facile : « C'était une fille aussi belle que dans un film. »

Une semaine durant, le digne et compétent Mr. Mahendra, inspecteur général de la police de Kanpur, se perdit en hypothèses sur la signification exacte de cette dernière déclaration. Depuis qu'il avait été nommé à son poste – dont l'importance se mesurait notamment au fait qu'il était en charge du banditisme dans les ravines –, Mr. Mahendra n'était guère allé au cinéma. Lorsqu'il voulait se distraire de l'infernale paperasserie de procédures et de rapports où se consumaient ses journées, il partait explorer les jungles au nord de la ville, un volume de l'*Archeological Survey* en main, à la recherche de cités perdues. Il rêvait de prouver que le royaume des Nagas évoqué dans l'épopée du *Mahabharata* n'était pas une invention poétique. D'après lui, des dynasties adoratrices du serpent avaient bel et bien régné sur le pays des millénaires plus tôt, avant l'arrivée des envahisseurs aryens. C'étaient elles, soutenait-il, qui avaient transmis aux tribus locales leurs traditions en matière de sorcellerie. Pour le prouver, tel Schliemann à Mycènes ou à Troie, il voulait retrouver leurs sanctuaires et leurs villes. Au bout de quinze ans passés à écumer les jungles pendant ses jours de congé, Mahendra avait fini par exhumer des friches plusieurs restes de sanctuaires qui, pour n'avoir tout au plus que cinq ou six siècles, lui avaient valu les honneurs d'entrefilets dans des bulletins archéologiques. Eu égard à son rang, et moyennant quelques pots-de-vin, il obtint de garder pour lui quelques-unes de ses découvertes – des fragments de frises et des statues à peine abîmées – qui ornaient maintenant la pelouse de sa belle maison georgienne aux quatre coins d'un parterre de rosiers.

En dépit de cette passion pour ce qu'il appelait parfois, avec un soupçon d'émotion dans la voix, l'« Atlantide indienne », on définissait généralement Mahendra comme un homme froid, réaliste; et il faut reconnaître que depuis l'Indépendance, on n'avait pas vu à Kanpur un inspecteur général de la police qui se montrât aussi soucieux des faits. Il tenait l'imagination pour l'ennemie la plus résolue du policier, « plus dévastatrice que le plus violent des gangsters, répétait-il à ses subordonnés, plus perfide que le meurtrier le plus machiavélique ». À cinquante ans passés, sa flamme tatillonne n'avait pas faibli. Il vérifiait tout, ordonnait qu'on recoupât les plus minces témoignages, exigeait des reconstitutions, des photos. L'un des points les plus originaux de l'enseignement qu'il dispensait à ses subalternes portait sur l'analyse des dépositions. Leur unanimité, d'après lui, n'était souvent qu'apparence. Il affirmait qu'il ne les avait jamais vues se correspondre exactement ; et c'était généralement là, proclamait-il, dans l'interstice, l'infime faille qui les séparait, que gisait l'indice qui menait au vrai.

C'est bien ce qui l'irrita dans l'affaire de Guffiakhar : pas la moindre faille entre les témoignages. Rien que ce leitmotiv sur la présence au sein de la bande d'une beauté de cinéma. Pour le reste, les faits, accablants et indiscutables : trois policiers tués, un village entier mis à sac. Le meneur, Vikram Mallah, avait été formellement identifié. Enfin, il y avait la fille. Qu'une femme eût été admise dans le gang de Vikram Mallah, on le savait depuis quelques mois, tous les rapports l'avaient signalé. Qu'elle eût assez d'envergure pour que son amant la désignât à la face du monde comme la nouvelle Reine des Bandits, c'était beaucoup plus surprenant. Et même inouï : aucune femme bandit, depuis la mort de Putli, n'avait eu la prétention affichée de lui succéder. Que, de surcroît, cette spectaculaire déclaration fût sortie de la bouche même de l'homme qui lui avait appris le métier, voilà qui ne s'était jamais vu dans toute la Vallée.

Une semaine durant, les calmes certitudes de Mr. Mahendra furent donc sévèrement mises à mal. Chaque soir, après le départ de ses subordonnés, il sortait à nouveau des armoires les rapports sur l'affaire de Guffiakhar et les passait au crible jusqu'à une heure avancée de la nuit. Mais il eut beau les relire, en dehors de l'identité des policiers tués et de l'inventaire des objets volés, il n'y trouva que flou poétique. Par exemple, aucun témoignage n'indiquait à quelle star de cinéma ressemblait la supposée nouvelle Reine des Bandits. Ce qu'on savait d'elle tenait en trois lignes. On donnait son nom : Phoolan Devi, fille de Devidin Mallah, originaire du village de Sheikhpur Gura. Elle avait déjà été poursuivie pour vol et on lui imputait le meurtre d'un policier de Kalpi. On n'avait pas de photo d'elle. Son âge lui-même variait selon les documents : dix-huit ans, disaient les uns ; vingt-deux, selon les autres.

Ce qui mit un comble, cette semaine-là, à l'agacement de l'honorable Mr. Mahendra, c'est qu'après vingt ans de carrière comme fonctionnaire dans la police, il ne savait plus à quoi ressemblait exactement une beauté de cinéma. Tous les matins, en se rendant à son bureau, il passait devant la plus grande salle de la ville dont les affiches bariolées attiraient tous les regards – sauf le sien. Il ne cédait rigoureusement jamais à la tentation de lever les yeux vers les panneaux publicitaires, encore moins à celle de pénétrer dans la salle. C'était pourtant dans cette obscure caverne traversée d'éclats colorés et intermittents qu'il avait éprouvé ses premiers émois amoureux. Vers l'âge de douze ans, il était retourné dix fois de suite voir le même film, rien que pour une scène où l'héroïne était renversée dans un fleuve et révélait sous son sari humide des formes d'une précision émouvante. S'était ensuivie une période étrange dont il préférait ne pas se souvenir, où le seul bruissement d'une étoffe féminine, fût-ce le vêtement d'une Intouchable, lui remettait en mémoire la scène de la rivière. Puis les études l'avaient entièrement absorbé. Même lors de sa première affectation, dans une petite ville du Nord, sur les contreforts de l'Himalaya, Mahendra n'était pas retourné au cinéma. Ensuite il y eut son mariage, sa brillante promotion à Kanpur, et les dossiers, les réceptions, les réunions au Rotary Club, les antichambres des politiciens. Enfin ces trop rares échappées, le dimanche, sur les chemins de brousse, à la recherche des hypothétiques reliefs de cités perdues.

Les chaleurs étaient très en avance cette année-là, ce qui acheva d'exaspérer Mahendra. C'est sans doute pourquoi, au terme de cette semaine éreintante, il se laissa aller à une investigation dont l'idée, la veille encore, lui aurait à elle seule soulevé le cœur : il consulta, pour en avoir le cœur net, les magazines de cinéma que collectionnait sa femme. Il le fit nuitamment, au retour du bureau, non sans avoir vérifié que Mrs. Mahendra était profondément endormie. Il craignait tellement d'être surpris par elle qu'il revint à plusieurs reprises sur le seuil de sa chambre et guetta dans la pénombre les ronflements qui soulevaient sa moustiquaire à intervalles réguliers.

Car la passion du cinéma était le seul et profond différend qui séparait ce couple apparemment tranquille. Mahendra était assez pragmatique pour admettre que la vie conjugale était un pacte de politesse mutuelle dissimulant de silencieux constats de divergences irréductibles. Ainsi, quand sa femme, peu après leurs fiançailles, lui avait avoué son faible pour le célébrissime acteur Ramachandran, il s'était contenté de se moquer gentiment d'elle, bien qu'il détestât ledit Ramachandran qui s'était servi de sa popularité pour se frayer un chemin en politique, s'était fait élire à la tête d'un État et avait fini par se faire passer pour un dieu vivant, sans que personne y trouvât à redire. Mais, des années après cet aveu, le jour où Mahendra surprit sa femme, le front plissé, la bouche durcie dans une grimace prognathe, à négocier fébrilement un billet de cinéma au marché noir avec l'un de ses domestiques intouchables, il en conçut une sorte de secrète acrimonie, laquelle ne s'était jamais tout à fait apaisée. Mrs. Mahendra avait fini par acheter le ticket pour cinq fois son prix. Ce ne fut pas ce qui affligea l'inspecteur général, ni même l'idée délicate qu'il s'était faite jusque-là du romanesque intime de son épouse – il l'avait cru peuplé, comme le sien, de rêveries échevelées sur le passé légendaire de l'Inde. Ce fut plus simple et beaucoup plus désagréable : devant l'expression d'avidité passionnée qui déforma, à la seule vue du billet, les traits ordinairement si lisses de sa placide épouse, il fut envahi d'un dégoût sans limites.

Et lorsqu'il eut fini, cette nuit-là, de feuilleter ses magazines, ce fut la même répugnance qui s'empara de lui. À quelques exceptions près, les beautés grassouillettes et lourdement maquillées qui en remplissaient les pages n'étaient pas différentes de celles qui avaient suscité ses émois dans ses jeunes années. Seule leur coiffure avait changé : elles avaient souvent les cheveux coupés à hauteur de l'épaule ; et elles portaient parfois des jupettes à l'occidentale, voire des jeans dont les coutures semblaient près d'éclater. Comment imaginer ces opulentes jeunesses un Mauser à l'épaule, sautant de toit en toit, de ravine en ravine, comme dans la scène décrite par les gens de Guffiakhar ? Pas plus qu'en Mrs. Mahendra, rien ne rappelait en ces filles la souplesse du félin. Il y avait d'ailleurs gros à parier que si on les avait entraînées sur les chemins des gorges, elles auraient rebroussé chemin au bout de dix minutes, suantes et glapissantes, tout comme sa femme l'unique fois où il avait voulu l'entraîner dans une expédition en pleine jungle.

L'honorable Mr. Mahendra passa donc une très mauvaise nuit. Après avoir rangé, toute honte bue, les magazines de son épouse, il ressassa le même raisonnement : les assertions des paysans de Guffiakhar demeuraient incompréhensibles, à moins d'admettre l'hypothèse que la femme bandit était une fille de la ville – la grande ville, s'entend, Delhi, Bombay, Calcutta. Or, tous les rapports de police l'affirmaient : elle n'avait jamais quitté la ceinture des ravines, elle était née près de Kalpi, à Sheikhpur Gura, un minuscule bourg – le bout du monde. De deux choses l'une : ou les gens de Guffiakhar avaient été victimes d'une hallucination collective – on en voyait d'autres, dans les petits villages du fin fond des campagnes travaillés à longueur d'année par des histoires de revenants et de sorcières ; ou bien il fallait admettre l'existence d'une nouvelle Reine des Bandits.

Mahendra ne se rappelait plus si le salmigondis en CinémaScope qui l'avait tellement troublé, à l'âge de douze ans, était le film inspiré aux producteurs de Bombay par les aventures de Putli Bai. En dehors de la scène du sari mouillé, il croyait se souvenir de poursuites à cheval dans des ravins, mais il n'en aurait pas juré. Quoi qu'il en soit, la seule idée de la résurrection de la Reine des Bandits lui était insupportable. D'abord pour l'impact qu'elle pouvait avoir sur les cervelles romanesques et corrompues des journalistes. Ensuite et surtout parce qu'il s'agissait d'une femme. Car Mahendra dut se l'avouer, cette nuit-là : il n'avait jamais bien su y faire, avec les femmes.

Pour tromper le temps, il sortit dans son jardin, erra un moment entre ses vieilles statues arrachées à la jungle. Au bout de quelques minutes, il s'arrêta devant la plus belle pièce de sa collection, une nymphe céleste presque nue, figée dans une expression de divine extase. Et c'est là, par un effet d'enchaînement qu'il préféra ne pas s'expliquer, qu'il prit une décision dont il devait estimer plus tard qu'elle était particulièrement héroïque : lui, le digne et compétent Mr. Mahendra, inspecteur général de la police de Kanpur, entre les mains de qui reposait la sécurité de tous les citoyens du district, résolut de s'ouvrir de ses inquiétudes à son subordonné, l'inspecteur général délégué Mr. Jaïn – tout aussi respectable que lui, mais néanmoins beaucoup moins compétent –, lors de la soirée qu'il donnait pour la meilleure société de la ville, tous les derniers samedis du mois, dans sa belle maison georgienne de l'ancien quartier anglais.

39

« C'est bien simple, a confié Jaïn. Ce soir-là, on n'a parlé que de l'affaire de Guffiakhar. Et de la fille, comme l'appelait Mahendra. Il n'arrivait pas à prononcer son nom. »

Si Jaïn a été particulièrement frappé par cette soirée de la fin mars, c'est que Mahendra était un homme de rites. Or il commit ce soir-là plusieurs entorses à son cérémonial. Par une habitude dont l'un et l'autre ne savaient plus quand ni comment ils l'avaient prise, les soirées du dernier samedi du mois se déroulaient de manière immuable. Jaïn arrivait avec une demi-heure d'avance sur tous les autres invités, y compris sa femme. Mahendra et lui s'installaient dans des fauteuils de rotin sous la colonnade de la véranda – en hiver, pendant les soirées froides, ils se réfugiaient au salon, devant une cheminée aménagée par les Anglais du temps de l'Empire. Puis les domestiques leur apportaient deux verres de jus de citron vert allongé d'eau. Ils en buvaient quelques gorgées et, de l'air le plus dégagé du monde, entamaient leur point sur les affaires en cours. C'était toujours Jaïn qui prenait l'initiative de la conversation.

Jaïn était direct, volubile, il n'avait pas, loin s'en faut, l'extrême retenue de son supérieur. Au bout de deux phrases, Mahendra devinait quel était le dossier qui le préoccupait. Jaïn ne possédait pas non plus la prestance de l'inspecteur général. Autant l'autre était grand, sec, raidi de l'intérieur par sa fierté de haute caste, autant Jaïn semblait préoccupé de disparaître dans les innombrables courbes de son petit corps replet. Sa peau même, noire et graisseuse, son sourire perpétuel, tout rappelait en lui les façons des commerçants du bazar. Il avait comme eux la voix fluette, le ton suave, il pouvait annoncer les pires atrocités sans se départir un instant de sa molle quiétude. Mahendra s'en amusait. Quand Jaïn l'agaçait, il l'interrompait d'un simple geste de la main où se découvrait, l'espace de quelques secondes, la morgue de ses origines.

Il faisait très lourd, ce soir-là, se souvient Jaïn. Des insectes venaient sans cesse s'égarer dans le voile de mousseline qui protégeait l'entrée de la villa. Jaïn savait qu'il devait être concis : selon le rituel implicite qui régissait les réceptions de Mahendra, son épouse franchirait le portail de la villa exactement trente minutes après lui. Elle jouait le jeu, elle aussi, elle était ponctuelle, s'avançait dans l'allée avec le même sourire affable, fière d'étaler ses soies de Bénarès et faisant gentiment cliqueter ses gros bracelets d'or.

Est-ce la chaleur, ce soir-là, qui engourdit Jaïn et éprouva au contraire les nerfs de Mahendra ? Toujours est-il que depuis cinq ans que se déroulait la cérémonie du dernier samedi du mois, ce fut l'inspecteur général qui parla le premier :

– Savez-vous à quoi ressemble la fille de Guffiakhar ?

Jaïn venait de s'asseoir, il n'avait même pas eu le temps de soulever son verre. Sous l'effet de la surprise, son coude vint heurter le cristal, et les glaçons tintèrent contre ses parois fragiles. Juste au même instant, le ventilateur qui tentait de repousser la chaleur eut un long hoquet, puis retrouva brusquement son souffle avec un vrombissement qui couvrit un moment les bruits de la nuit. Jaïn devina pourtant la phrase de Mahendra quand celui-ci eut repris :

– Vous avez bien lu les rapports ? Cette fille...

Sa voix s'étouffa. Jaïn se recroquevilla davantage dans ses replis de graisse et bredouilla :

– Tous... tous les témoignages se recoupent.

– Vous savez bien ce que je pense des témoignages qui se recoupent.

Mahendra avait recouvré son expression sévère. Jaïn le laissa poursuivre :

– Ces dépositions sont un tissu de banalités. Vous avez bien lu ? Une nouvelle Reine des Bandits, une fille qui ressemblerait à une star de cinéma... Une vedette de cinéma au fond de cette cambrousse !

Il agita le bras dans la direction du portail, au bout de la pelouse, là où était posté le garde devant l'avenue, là où commençait ce qu'il abhorrait : le désordre, le grouillement humain, les remugles d'odeurs pourrissantes, le tumulte indéfini de pétarades et de sonneries de klaxons qu'il est convenu, en Inde, de nommer une ville.

Il y eut un long silence. Puis Mahendra laissa tomber, comme si la discussion était déjà close :

– De toute façon, les gens de là-bas n'ont jamais mis les pieds au cinéma. Ils ne sortent jamais de leur trou.

Jaïn eut un large sourire, comme toutes les fois qu'il s'apprêtait à contredire Mahendra ; et, du fond de son fauteuil, chacun de ses bourrelets sembla accompagner les inflexions onduleuses de la phrase qu'il allait lui opposer :

– Il y a des magazines de cinéma qui traînent partout. Même dans les ravins.

– Allons donc ! coupa Mahendra, et il se remit à guetter le portail.

D'un seul coup, on aurait dit qu'il était pressé de voir arriver ses invités. Mais Jaïn ne se départit pas une seconde de sa placidité et s'entêta :

– Les gens de là-bas sont comme tout le monde. Les photos de ces magazines les font rêver. Rien que le nom de ces revues : *Star Dust, Star in Style*...

– Vous les lisez ?

– Tout le monde les connaît, n'importe qui a vu au moins une fois dans sa vie une de ces filles qui...

– Tout le monde, n'importe qui... Vous savez comme moi que les gens des ravines ne sont pas tout le monde ni n'importe qui !

Mahendra eut un nouveau geste de la main, mais cette fois vers l'intérieur de la villa, plus précisément vers sa bibliothèque :

– S'ils étaient comme tout le monde, on n'aurait pas envoyé des sociologues les observer pendant des mois, et je n'aurais pas un rayonnage plein à craquer d'études à leur sujet.

Mahendra se redressa contre le dos de son fauteuil, ce qui le fit paraître encore plus sec. Autour d'eux, des domestiques allaient et venaient, qui entreprenaient de planter, tout autour de son cher parterre aux statues, des lignes de torches à l'ancienne. Leur éclat orangé reposait des cercles trop nets, trop blancs des néons de la véranda. Le regard filait instinctivement vers elles, s'abandonnait à leur danse hésitante contre la ronde-bosse des sculptures. Un bref instant, Jaïn s'y laissa prendre ; puis il se ramassa à nouveau dans ses replis avant de risquer une petite bravade :

– Les policiers qui étaient à Guffiakhar lisent aussi ces journaux. C'est peut-être eux qui ont lancé l'idée que…

Mahendra tapotait la table, ce qui était chez lui la marque la plus achevée du mépris. Jaïn chercha un biais :

– On n'a pas de photo d'elle. Après tout, elle n'a jamais fait que…

– Vous savez bien que des photos d'eux, on n'en possède que lorsqu'ils sont morts. Une photo d'elle…

Mahendra disait toujours *eux* quand il parlait des bandits. Mais maintenant qu'il devait dire *elle*, c'était plus fort que lui, sa voix s'y refusait ; et il dut s'interrompre un instant avant de pouvoir enchaîner, sur le ton uni qui lui était habituel :

– Ces photos, c'est comme du temps des Anglais, quand il y avait de grandes battues au tigre. Nos petits chefs locaux composent des tableaux de chasse pour faire plaisir à ceux de leurs sous-fifres qui ont eu la chance de ne pas mourir quand on les a attaqués.

Il s'empara de son verre, fit lentement voyager les glaçons le long des parois de cristal, contempla à nouveau sa ronde de sculptures :

– Est-ce qu'elles sont belles, seulement, ces vedettes de cinéma…

Mahendra murmurait comme pour lui-même, ce n'était pas une question. Pour la première fois de sa vie,

Jaïn le crut au bord d'une confidence. Il laissa passer un moment, mais la confidence ne vint pas. Alors il choisit de reprendre l'offensive :

– Vous savez bien comment ça se passe, dans les villages. Il suffit qu'un paysan lance une histoire, les autres la répètent. Ils aiment à répéter tout ce qu'ils aiment croire... Cette fille, si ça se trouve... Ce n'est peut-être jamais qu'une gamine qui court vite et porte des jeans.

Il y eût un petit souffle d'air. Les moustiquaires se gonflèrent toutes en même temps. Des odeurs d'épices filtrèrent des cuisines.

– À moins qu'elle n'ait jamais existé, soupira Mahendra.

L'idée parut le soulager. Jaïn, pour autant, ne lâcha pas prise :

– Les rapports sont formels, Mr. Mahendra. Il y a une fille dans la bande de Vikram Mallah. On en a l'assurance absolue depuis que...

– Je sais.

– Les gens de Guffiakhar ont même dit que c'était une nouvelle Putli Bai...

– Vous avez mal lu, Jaïn. Cette déclaration, c'est le chef de bande qui l'a faite, juste après l'attaque. Il a pris son mégaphone, il a crié ce qui lui passait par la tête. Les gens de là-bas, bien sûr, ça leur a aussitôt échauffé la cervelle, policiers compris, et on voit bien pourquoi, avec trois hommes sur le carreau... Vous connaissez leur système : un homme qui en tue un autre est un meurtrier ; s'il en tue dix, il devient un héros. Mais mon travail à moi, c'est qu'il n'y ait plus de héros dans les ravins. Pas de vedette, pas de dieu justicier !

L'irritation de Mahendra était à son comble, car il était rare qu'il parlât aussi longtemps ; et il eut aussi un geste que Jaïn ne lui avait jamais vu : il s'empara d'un gravillon qui traînait sur le sol et le jeta au beau milieu du parterre aux statues. Le mouvement étonna jusqu'aux domestiques, qui sursautèrent ; puis ils se remirent à aller et venir avec indifférence entre le jardin et la véranda. Devant les flammèches, leurs silhouettes drapées de coton blanc prenaient la couleur de l'ambre ; elles perdaient toute épaisseur, à croire qu'elles allaient basculer dans l'irréalité.

C'est peut-être ce qui a fait que Mahendra s'est calmé. Il s'est même senti obligé de revenir en arrière et a repris avec une ombre de sourire :

– Elle n'a peut-être jamais existé, la fille. Dans notre pays, c'est toujours ainsi, depuis le début. On prend une forme et une idée qui traînent, de vagues images, des rêves inconsistants, on mélange, on laisse reposer, fermenter. On finit toujours par se retrouver avec des dieux. Des dieux par milliers, par dizaines de milliers. Des millions, peut-être ! On n'a jamais compté.

Il s'empara de son verre, le vida d'un trait. Il était redevenu le grand Mahendra, le dos droit dans son fauteuil, cultivé et méthodique, raffiné, distant, le meilleur inspecteur général de la police qu'on eût connu à Kanpur. Prêt à s'évader dans ses rêves d'Atlantide indienne. Mais toujours détaché, précis ; et souverain, malgré la chaleur qui ne s'apaisait pas avec la nuit.

Il se leva. C'était le signe que l'entretien était clos. Les domestiques approchèrent le buffet roulant. L'odeur des currys se répandit dans le jardin. D'ici quelques minutes, la bonne société de Kanpur, Mrs. Jaïn en tête, serait sous la colonnade à jacasser de tout et de rien, dans les bruissements de soies précieuses et le cliquetis des bijoux.

C'est pourtant le moment que Jaïn choisit pour s'offrir une seconde bravade. Il y avait, dans un des rapports, un détail que Mahendra s'était refusé à évoquer. C'était précisément le seul qui l'eût retenu, lui, Jaïn, quand il avait lu les dépositions. Le seul aussi sur lequel il avait pensé que Mahendra allait l'entreprendre, ce soir-là, au lieu de lui rebattre les oreilles avec les boniments des villageois. De deux choses l'une : ou Mahendra jugeait ce détail accessoire, ce qui était extrêmement surprenant ; ou bien il ne l'avait pas remarqué. Dans les deux cas, en le relevant, Jaïn allait l'agacer. Peut-être même le mortifier.

Mais il s'y risqua. Il s'enfonça le plus qu'il put dans son fauteuil et articula d'une voix qu'il voulut exquise :

– Il y a quand même un détail, à propos de la fille. Un policier affirme qu'il l'a blessée.

– Blessée ?

Mahendra se retourna immédiatement vers la table :

– Quel rapport ? Quelle date ? Vous venez de le recevoir ?

– Je croyais que…

– Peut-être, grommela Mahendra. Mais oui, bien sûr… Blessée…

Jaïn sentit qu'il se devait de le tirer d'affaire :

– Oui, à la cuisse. Mais vous avez remarqué aussi, dans une autre déposition… Un autre policier dit qu'elle a été touchée au ventre…

Mahendra se rassit, tendit la main vers son verre, s'aperçut qu'il était vide, le repoussa ; puis il se passa les doigts dans ses cheveux blanchissants. À la racine, ils étaient légèrement collés de sueur ; et ses doigts frémissaient. Jaïn jugea prudent d'abréger :

– On finira bien par la retrouver. Belle et blessée : difficile de passer inaperçue.

Mahendra ne répondit pas. Il se leva sur-le-champ, tourna les talons et partit s'enfermer dans sa bibliothèque.

Lorsqu'il se remémora la scène, des mois et des mois après, Jaïn conclut : « L'idée qu'une femme pût prétendre à la succession de Putli Bai avait réussi ce miracle : faire perdre à Mahendra sa légendaire précision. Il n'avait même pas remarqué la déposition des policiers qui prétendaient que la fille avait été blessée. Je sais ce qu'il a fait quand il est allé s'enfermer dans la sa bibliothèque, je l'ai appris le lundi suivant, dès mon arrivée au bureau. Il a immédiatement lancé des recherches dans tous les hôpitaux du district. Lorsqu'il est revenu sous la véranda, il était à nouveau comme d'habitude, calme et distingué. Ma femme était déjà arrivée. C'est une fine mouche, elle n'a pas été dupe. Quand nous sommes rentrés chez nous, après la réception, elle m'a demandé : "Qu'est-ce qu'il avait, ce soir, Mahendra ? Il n'a même pas parlé des cités perdues…" »

40

« Le corps n'est qu'une écriture sur de l'eau », avait dit le Maître à Devi quand il lui avait remis le Savoir du Serpent et lui avait enseigné le mépris de la chair. Lorsqu'elle se remémore la première fois où elle en éprouva la douloureuse vérité, ce sont pourtant des images de feu qui reviennent dans ses propos. Comme si la fièvre qui consuma son corps ce printemps-là n'avait été que la contagion d'un plus vaste incendie, celui qui étouffa la plaine trop tôt dans la saison.

Elle réussit à se faire admettre à l'hôpital de Gwalior où personne ne soupçonna qu'elle arrivait des ravines. Elle en tira une grande fierté. Tout le mérite, en fait, en revenait à Vikram. Il s'était montré extrêmement prudent. En choisissant d'emmener Devi à Gwalior, il avait obéi à la première règle en vigueur chez les chefs de gangs : ne jamais faire soigner un malade ni un blessé dans la région où se déroulent les attaques ; passer, quel qu'en soit le prix, la frontière de l'État. S'il avait choisi Gwalior, sur la route du Sud, c'est qu'il aimait l'endroit depuis qu'il l'avait découvert, quelques années auparavant, à l'époque où il s'était offert son premier fusil, chez un trafiquant du réseau des frères Singh. C'était la seule ville à rappeler les gorges. Elle était surplombée d'une forteresse, au sommet d'un long plateau aux flancs creusés d'énormes grottes où des dizaines de statues colossales, à une époque très reculée, avaient été sculptées dans une pierre pâle.

Et jusque dans la plaine, au cœur du bazar, au fond de l'enchevêtrement de rues, de courettes, de boutiques et d'arrière-boutiques où se tramaient les plus sombres trafics de la Vallée, Vikram retrouvait quelque chose des gorges. La facilité à s'y perdre, peut-être. Ou l'étroitesse des passages. C'était là, au fond d'une venelle nauséabonde, qu'il avait son marchand d'armes ; tout naturellement, il y emmena Devi, dissimulée sous la bâche d'un char à bœufs, pour la faire examiner par le médecin des bandits.

Personne ne sait précisément de quoi elle a été opérée. Devi a parlé à plusieurs reprises d'un fibrome. D'autre fois, elle a laissé entendre qu'elle avait été blessée au bas-ventre lors d'un raid, sans en préciser ni le lieu ni les circonstances. En tout cas, il est assuré que sa blessure ou sa maladie était loin d'être bénigne : au lieu de la soigner sur place, comme il en usait le plus souvent, à même le sol et sous une anesthésie des plus sommaires, le médecin préféra la faire admettre à l'hôpital central. D'ordinaire, il ne s'y risquait que contre un énorme pot-de-vin, afin d'acheter, disait-il, le silence des infirmiers. Pour Devi, Vikram ne lésina pas. Il voulut l'hôpital et rien d'autre. Il y mit le prix : celui d'un Mauser – soit exactement la somme, pour la sauver, que son cousin Mayadin lui avait offerte pour la tuer. C'est sans doute aussi Vikram qui choisit le curieux prénom sous lequel figure Devi dans les registres de l'hôpital : *Poupée.*

Mais, en dépit de tout l'argent que Vikram y laissa, le médecin ne tint pas à la voir s'éterniser. Il la fit sortir très vite, beaucoup trop tôt sans doute, car deux jours plus tard, au moment de reprendre le chemin des gorges, elle fut prise d'une violente fièvre. On rappela le médecin. Il lui laissa quelques cachets, mais la fièvre ne voulut pas céder. Du reste, ce n'était pas vraiment une fièvre. C'étaient plutôt de brèves poussées brûlantes qui ne prévenaient jamais et repartaient de la même façon. Ils restèrent à Gwalior une semaine de plus. Pour tromper le temps, Vikram emmena Devi au cinéma. C'est ainsi qu'elle vit le film qui devait la marquer à jamais et dont le titre s'accordait si bien avec son mal : *Flammes*.

Elle a dû la voir une bonne dizaine de fois, cette interminable histoire de meurtre et de vengeance. Et elle l'a dit et répété : elle aurait donné sa vie pour la revoir encore. Les deux héros étaient des prisonniers en cavale, l'un d'eux finissait par filer le parfait amour avec une fille du peuple, naguère martyrisée par une horde d'affreux bandits. On y voyait aussi un personnage tragique qui avait durement payé sa double condition de policier et de thakur : tous ses proches, hommes, femmes, enfants, avaient été abattus à la mitraillette au fond d'un cirque de montagnes ; et lui-même y avait laissé ses deux bras. Au beau milieu de cette haine brute, le film racontait enfin une histoire d'amour impossible entre une veuve à la douleur muette et un héros joyeux et frivole, brusquement saisi par la passion. Il en mourait. Le rêve de la rébellion et la soif de justice animaient toute l'histoire de leurs forces contraires.

Il faisait de plus en plus chaud dans la plaine de Gwalior, et la fièvre de Devi ne cédait toujours pas. Au-dessus de la ville calcinée, la forteresse finit par prendre l'incandescence du fer chauffé à blanc – à croire que, d'un moment à l'autre, on allait y voir brasiller à nouveau le bûcher où s'étaient jetées jadis les princesses du lieu, quand elles avaient voulu échapper aux envahisseurs du Nord. Dans la pénombre du cinéma, ce que racontait le film n'était pas plus apaisant. Chaque matin, pourtant, Devi voulait y retourner. Elle n'était jamais lasse, l'orage était en elle et ne la quittait plus ; son ventre la brûlait, sa tête s'échauffait encore bien davantage. Au fond de la forêt, le Maître le lui avait bien prédit : si jamais la Grande Force venait à trouver son chemin en elle, elle serait feu sous le soleil – n'importe quel soleil.

C'est aussi pendant cette semaine de fièvre à Gwalior que Devi prit l'habitude de retenir ses cheveux sous un grand bandeau rouge. Il était très large, lui couvrait entièrement le front. Vikram détesta cette coiffure. Il le lui dit sans ménagements. Elle s'entêta, argumenta : « Je n'arrête pas de transpirer, je transpire tellement... » Il laissa faire. Du reste, avec elle, il n'y avait déjà rien d'autre à faire.

Et quand la fièvre s'éteignit, qu'ils reprirent le chemin des gorges, le pli était pris : elle ne quitta plus son bandeau rouge. Comme s'il lui était désormais impossible de faire un pas sans signaler qu'elle était consumée de l'intérieur par une flamme qui la distinguait de tous les autres mortels et dont elle-même n'aurait su dire ce qu'elle était au juste, désir de haine ou soif d'amour.

41

Ils ont repassé sans difficulté la frontière du Nord. Quand ils sont entrés dans les gorges d'Etawah, le sol se craquelait de partout. La terre entrait en agonie ; entre les touffes d'herbe sans couleur ne restaient que des buissons étouffés de poussière. De loin en loin, le vent se mettait à souffler, engloutissant les ravines dans ses nuées poudreuses.

La veille du jour où ils ont rejoint la bande, Vikram

et Devi se sont arrêtés pour dormir dans un village ami. Le paysan qui les a hébergés est venu les réveiller bien avant l'aube. « La police, a-t-il grommelé. Les flics sont dans le coin. Depuis quelque temps, ils n'arrêtent plus de rôder. » Et il a agité la main dans la direction du fleuve. Vikram a jugé prudent de décamper sur-le-champ. Il a repris dans l'ombre le chemin des ravins. Il ne marchait plus aux côtés de Devi, ainsi que la veille et l'avant-veille. Il allait devant elle à grandes enjambées malgré la chaleur. Et il gardait la tête enfoncée dans les épaules, comme s'il voulait éviter, en se tassant, de laisser échapper une seule de ses pensées.

Devi le savait depuis très longtemps, il n'y a jamais d'espoir dans le silence des autres ; rien qu'un peu d'amertume, des moments difficiles à porter. Elle se tut donc et prit son mal en patience. Cela dura jusqu'au soir, quand ils eurent rejoint le gang tout au fond d'une gorge, dans le même campement où ils l'avaient laissé avant sa maladie. Pour les attendre, la bande s'était réfugiée dans ce qui avait dû être, des années et des années plus tôt, le pavillon de chasse d'un roitelet local, tout près d'une source qui n'était pas encore tarie. Rien ne semblait avoir changé depuis le soir de leur départ, l'heure était la même, comme les gestes des hommes : sous un portique noirci par les moussons, ils se réchauffaient à manger.

Le premier à les voir arriver fut Lukka, posté à l'entrée de la cluse. Il les salua en silence, puis les accompagna sous les ruines du pavillon de chasse. Les hommes remarquèrent aussitôt le tourment de Vikram, mais il n'y eut aucune question, aucun des gestes ou des vivats qui marquent toujours dans les bandes le retour du chef. Chacun se réfugia dans l'instant ; et l'instant, c'était le repas, la joie fugitive d'un verre de thé, d'une platée de lentilles.

Devi fit comme les autres, elle ne dit mot, s'accroupit près des réchauds où bouillottaient les marmites. Seul

Lukka resta à bonne distance. Pour autant, il n'alla pas reprendre son poste à l'entrée de la gorge. Du haut d'une volée de marches à demi écroulée, insensible à l'odeur des plats, il sondait Vikram de sa pupille rapace. Les hommes feignaient le détachement ; mais ils ne pouvaient s'empêcher de lui lancer des coups d'œil furtifs, dans l'attente du mot cinglant qu'il semblait prêt à lâcher.

C'était compter sans la rapidité de Vikram. De la place où elle surveillait les réchauds, Devi l'entendit gronder :

– Il va falloir trouver des alliés. Faire l'union avec une autre bande. La police est partout. On ne peut plus travailler seuls. On va être obligés de…

À la fin de sa phrase, sa voix s'embarrassa. Il joua pourtant les bravaches, releva le visage vers le sommet des gorges, vers les derniers rais du soleil. Mais Lukka refusa de s'en laisser conter. Il descendit des marches, vint se camper devant lui :

– L'union est toujours dangereuse, Vikram Mallah. Les dieux n'ont pas eu besoin de mettre deux têtes au serpent quand ils ont voulu le rendre plus fort. Ils lui ont simplement donné un peu de venin.

– Qu'est-ce que tu veux dire ? Qu'il nous faut de nouvelles armes ? Il te reste de l'argent pour nous en faire cadeau ?

L'irritation de Vikram n'ébranla pas Lukka :

– Tu es un bandit, tu sais voler. L'argent comme le reste.

– Je viens de traverser toute la Vallée. Avec les chaleurs en avance, les greniers sont déjà presque vides. Si les paysans ont faim, nous aurons faim aussi. Il est trop tard pour les attaques. Il faut nous y prendre autrement. Surtout avec tous ces flics qui…

– Quand on a la force, il n'est jamais trop tard pour rien. Je croyais que tu le savais. Le temps peut se vaincre autant que les hommes. Et lui au moins ne trahit pas.

– Il n'y aura pas de trahison si je m'allie avec Moustakim.

Au nom de Moustakim, des hommes sursautèrent ; il y en eut même pour déposer leur écuelle et s'approcher de Vikram, mi-surpris, mi-inquiets ; Lukka lui-même en perdit contenance, qui répéta d'une voix blanche le nom de Moustakim. Mais, à son habitude, il se reprit vite. Il enchaîna, plus sec que jamais :

– Tu l'as déjà vu ? Tu as conclu l'union ?

– Je vais le trouver. Question de jours.

– Moustakim n'est pas un grand bandit.

– Tu deviens vieux, Lukka. Le monde change, l'argent peut couler sans faire couler le sang.

– Moustakim n'aime pas les attaques. Il préfère les enlèvements. Beaucoup d'argent, comme tu dis. Mais rien pour le courage. Rien pour la grandeur. Rien que le fric !

Ses derniers mots, Lukka les avait sifflés ; et ses pupilles avaient recouvré leur fixité habituelle. Vikram s'obstina pourtant :

– Justement.

– Tu deviens lâche, Vikram Mallah ?

– On n'est pas lâche quand on a faim. On est malin. Jusqu'à la nouvelle récolte, la nourriture va se vendre au prix de l'or. Six mois sans manger, tu y as pensé ? Et encore, si seulement les pluies viennent. Parce que les années où les chaleurs commencent trop tôt... Sans compter les flics... Et ceux-là, Lukka, tu les as déjà vus maigres ? Allez, dis-le, tu en as déjà vu, toi, des flics mal nourris ? Tous des grosses bedaines, même quand les paysans crèvent la faim...

Lukka ne répondit pas. Il partit s'asseoir à l'autre bout du portique, là où il avait installé son matelas et son paquetage. Il détacha sa mitraillette de son épaule, la déposa sur le sol, souleva l'étui de son accordéon, en caressa longuement le vieux cuir. Les hommes s'agglutinèrent à nouveau autour des marmites. Des écuelles, des quarts de métal s'entrechoquèrent. Il y eut aussi, dans les arbustes qui entouraient la source, quelques crissements de criquets ; des bruits trop ténus, un silence qui n'était pas le silence. Alors, comme fatigué de l'heure plutôt que de lui-même, Vikram choisit d'aller rejoindre Lukka :

– Je n'ai pas moyen de faire autrement, dit-il en s'asseyant près de lui.

Lukka se releva sur-le-champ, rajusta à son épaule la bandoulière de sa mitraillette.

– Tu ne raisonnes pas faux, soupira-t-il à son tour. C'est vrai, tes hommes ont besoin de se remplir le ventre. Mais tu oublies qu'on n'a jamais pu faire entrer deux épées dans le même fourreau. De Moustakim et de toi, qui sera le chef ? Y as-tu seulement pensé ?

– Moustakim est un sage. Ses hommes l'appellent Maître. Les vrais sages...

– Un sage peut avoir envie d'être chef. Et la Vallée est pleine de gens qui se font passer pour des Maîtres. Il suffit de...

Vikram ne le laissa pas finir. Il se redressa lui aussi, releva à nouveau la tête vers le sommet des gorges, là où sombrait le soleil, dans une brume poudreuse qui virait au bistre. Puis il jeta sans un regard pour Lukka :

– Je connais Moustakim. Je sais ce qu'il vaut. Je sais aussi ce que je vaux.

Il ne fanfaronnait plus, sa voix avait à nouveau sa belle gravité, il contemplait le sommet des crêtes avec un demi-sourire, celui d'un homme absent, déjà en imagination derrière les vallées, les ravines ; déjà en palabres avec le grand Moustakim. Si bien que Lukka préféra repartir sans un mot vers l'entrée de la cluse, quand il l'entendit répéter :

– Je vais faire l'union. Et quand je l'aurai faite, vous aurez les poches tellement pleines, tous autant que vous êtes, que vous viendrez de vous-mêmes me baiser les pieds.

42

D'emblée, Moustakim et Devi ne s'aimèrent pas. Ce n'est pas pour autant qu'ils se détestèrent. Ce fut bien autre chose, contre quoi il n'y eut rien à faire : dès qu'il la vit apparaître aux côtés de Vikram, avec son jean et son bandeau rouge, Moustakim estima que Devi apportait le malheur.

Devi revoit la scène : cela se passe en pleine nuit, vers la fin du mois d'avril. Grâce à ses amis bateliers qui tenaient en esprit le registre de tous ceux qui longeaient ou passaient le fleuve, Vikram sut très vite où campait Moustakim. Mais, à cause de la police, il a fallu en faire, des tours et des détours, avant d'arriver au petit cirque de collines où il s'était établi. Par bonheur, la chaleur avait un peu faibli, ces jours-là ; la nuit où ils ont atteint son camp, il faisait presque frais, au point que ses hommes s'étaient risqués à allumer un feu.

Moustakim était assis à quelques pas du brasier, au beau milieu d'une bâche de plastique. Il tirait sur une pipe à eau. Au moment où Vikram et Devi se sont avancés vers lui, Moustakim a tourné la tête pour déposer son tuyau sur la bâche. Du même coup, la première image que Devi a eu de lui a été celle de son profil, découpé sur fond de flammes avec une extrême précision. De lui, à cet instant-là, elle n'a remarqué que le nez. Et c'est là que, d'emblée, le bât a blessé.

Il faut dire à la décharge de Devi que le nez de Moustakim était vraiment particulier : très fin, très allongé et légèrement retroussé, ce qui ne se voit guère dans la région. Il faut préciser aussi, en hommage à Moustakim, qu'il avait déployé beaucoup d'art pour faire oublier le curieux appendice dont il était affligé. Il y était parfaitement parvenu en se faisant pousser la plus belle moustache de la Vallée. Le bruit courait que c'était au fond de ces sombres fourrés, huilés et brossés poil après poil au moins deux fois le jour, que logeait sa mystérieuse puissance sur les êtres et les choses. Car nul ne l'ignorait davantage, l'âme du Grand Moustakim était l'exact reflet de l'ordonnance de sa moustache : grandiose et rigoureuse, constamment égale. Du reste, dès le soir où Vikram annonça à ses hommes qu'il avait décidé de s'allier avec Moustakim, il ne fut plus question entre eux que des fameuses bacchantes.

Ils eurent même à leur propos une petite querelle. Ce fut le jeune Attu qui la déclencha. Il était l'un des seuls dans le gang à parler et à écrire l'anglais, avec une passion telle qu'il rédigeait dans cette langue le journal intime où il consignait, à côté des recettes et des dépenses de la bande, tous les événements qui en marquaient les journées. Un peu cuistre, Attu voulut démontrer que le nom même de Moustakim était un emprunt à la langue de l'ancien occupant : « *Moustakim*, moustache », répéta-t-il avec délectation. Il traînait à plaisir sur le mot anglais, pour bien faire apprécier la finesse de sa prononciation. À sa grande stupeur, il souleva un tollé. *Moustakim*, s'exclamèrent les bandits, était un mot venu des plaines du Nord, et qui signifiait *l'Inflexible*. Certains se souvinrent même qu'il s'était choisi ce surnom dès l'âge de quinze ans, quand il était allé tenter sa chance comme catcheur sur les tréteaux de Kanpur. Un nom de guerre, d'après eux, dont il n'avait jamais démérité, car il n'avait pas perdu un seul match, et il serait peut-être devenu champion de l'Inde s'il ne s'était un jour enfui dans les ravines pour un vol de jeep.

Devant le nombre et le tapage de ses contradicteurs, Attu s'inclina. Mais, pour ne pas perdre la face, il découvrit une conclusion habile en proclamant qu'une moustache comme celle de Moustakim, vraiment, il n'y en avait qu'une dans toute la Vallée, et qu'il était évident, avec une telle renommée, que les Anglais, dans leur île brumeuse, avaient fini par l'apprendre ; et c'était en l'honneur du Grand Moustakim, il pouvait en jurer, lui qui avait étudié au collège, qu'ils avaient inventé leur barbare *moustache*. Attu fit ainsi l'unanimité et le calme revint. Sauf dans l'esprit de Devi qui avait écouté toute la discussion en silence. Comme elle avait toujours jugé la pilosité de Vikram un peu rare – le seul petit défaut qu'elle lui eût jamais trouvé –, elle fit comme tout le monde, dans la bande et dans la Vallée : elle se mit à rêver aux mystérieux pouvoirs dissimulés dans la moustache du Grand Moustakim.

Pourtant, à la seconde où elle l'a vu, elle a su que ce qui comptait chez lui, c'était le nez, et rien d'autre. Et c'est là que tout s'est joué. Car tout aussi infailliblement, le nez de Moustakim a senti que Devi l'avait vu. Et ce nez qui n'était, à tout prendre, qu'un amas de cartilages un peu trop grêles, un peu trop étirés, ce nez s'est senti nu. Et comme il était habitué à sentir les choses d'extrêmement loin, ce nez-là s'est mis à frémir. Un frisson qui, comme de bien entendu, n'a pas échappé à l'œil de Devi et lui a confirmé qu'elle avait débusqué sa faiblesse. Et qu'elle aurait mieux fait, cela dit, de regarder ailleurs. Car la force, chez elle, n'était pas celle du nez, mais celle de l'œil. Mais il était déjà trop tard, la guerre était déclarée, la guerre du nez contre l'œil, de l'œil contre le nez. Alors Devi a jugé qu'elle devait feindre la retraite, et c'était chose facile, car les yeux peuvent se dissimuler, mais non pas les narines, fût-ce par l'artifice d'un buisson moustachu. Néanmoins, ce nez-là était décidément très prompt : avant même qu'elle eût cillé, avant même qu'elle eût esquissé un début de geste pour s'abriter derrière Vikram – des réflexes qui remontaient à loin, au temps de son mariage : la paupière humble, le front bas, c'est tout juste si elle n'a pas cherché à ramener devant sa bouche le voile qu'elle ne portait plus –, Moustakim, depuis sa bâche de plastique, a déclaré à Vikram, de cette voix solennelle et lente qui faisait toujours croire qu'il était en commerce avec les forces invisibles :

– Éloigne cette femme de nos palabres, Vikram Mallah. Elle a l'œil trop hardi.

Et, de ses doigts graciles, il a décrit devant les flammes un signe qui, pour être minuscule, n'a échappé à aucun des bandits : les cinq branches de l'étoile à conjurer les sorts.

43

Le marchandage entre les deux chefs dura jusqu'au matin, ce qui ne fut pas long, d'après Lukka qui considérait Moustakim comme un grand chicaneur. Mais ni lui ni Vikram n'eurent le cœur d'ergoter. En quelques jours, la disette avait encore gagné du terrain, l'heure n'était plus à finasser. Moustakim offrit donc à Vikram, comme il l'espérait, sa science consommée de l'enlèvement. Quant à Vikram, il apporta à Moustakim le renfort de ses hommes et de ses munitions.

Car la faiblesse de Moustakim, en ces temps où la police rôdait sans relâche aux alentours des ravines, c'était la taille de son gang : à peine une dizaine d'hommes. En cas d'attaque massive de policiers, il n'était à l'abri nulle part. Autant que les kidnappings eux-mêmes, la garde de ses otages devenait périlleuse. L'offre de Vikram lui apparut donc comme une bénédiction. Mais il demeura circonspect : il ne s'engagea avec Vikram que sur une seule affaire, l'enlèvement d'un très riche thakur. Il l'espionnait depuis des mois, il savait tout de sa fortune et de ses habitudes. D'autorité, il en fixa la date au surlendemain.

Selon Lukka, l'accord aurait pu se faire plus vite si Vikram ne lui avait annoncé, juste à la fin de leurs palabres, qu'il avait l'intention d'admettre dans son gang les deux frères Singh, dont il venait d'apprendre la libération. Dès qu'il entendit leur nom, Moustakim se durcit :

– C'est ton affaire. Mais n'amène jamais ces deux chiens dans ma bande. Jamais, au grand jamais !

– Eux aussi ont faim, maintint froidement Vikram.

– Le ciel donne de la pluie à la terre. Mais la terre ne renvoie au ciel que de la poussière.

Même s'il vivait dans les ravines, le front creusé par les nuits blanches et les courses sous le soleil, Moustakim parlait avec la tranquillité, la perfection d'un Maître. Il avait le mot juste et la parole lente, des phrases qui venaient sans effort, qui vivaient toutes seules, sans que la main les y aidât. Pas un frisson n'en troublait jamais le cours serein, pas un muscle tendu, pas l'ombre d'un rictus. À peine si on distinguait, derrière sa moustache, ses lèvres remuer. Et Moustakim savait aussi l'art de laisser respirer le silence. Il attendit un très long moment avant de reprendre :

– Ta vie t'appartient, Vikram Mallah. Tu es libre de choisir tes amis, libre de choisir les moyens de manger à ta faim. Tu es libre de donner à qui tu veux ce que tu as dans ton assiette. Même si c'est un serpent que tu nourris, tu es libre. Et moi, je suis libre aussi de vouloir mourir seul.

Puis il ferma les yeux comme s'il avait voulu signifier que, sur ces mots, la discussion était close ; et qu'il s'était préparé de longue date à la famine et à la mort.

– Je viendrai sans eux, lâcha aussitôt Vikram. Tu as raison, je viendrai sans eux.

Moustakim ne bougea pas. L'aube approchait, la bâche en plastique se voilait d'humidité ; le feu ne renvoyait plus sur son front que l'éclat terni de quelques braises.

– Tu changes bien rapidement d'avis, soupira alors

Moustakim. D'ordinaire, je m'éloigne toujours des hommes comme toi, dont l'esprit tourne aussi vite que le vent. Mais tu as faim, tu me fais pitié. Pour une fois, je consens à t'aider. Pour une seule fois...

Il rouvrit enfin les yeux. C'était là tout Moustakim : en quelques mots, il avait retourné l'affaire à son avantage, il allait exactement là où il voulait aller, sans rien donner, sans rien céder. Et Lukka, toujours assis derrière Vikram, crut alors voir arriver la suite : il allait demander le départ de Devi.

« Mais il y a eu l'aube, a raconté Lukka. Il y a eu la faim. Vikram n'était pas aussi tortueux que Moustakim, il allait au plus simple, ce qui faisait sa force. S'il avait jeté son dévolu sur Moustakim, c'est qu'il savait qu'il était à bout de vivres et que ses hommes étaient affamés. Avant même d'être arrivé dans son camp, il avait ordonné à Devi de se tenir loin de la palabre. Pas du tout parce qu'il avait prévu que Moustakim ne l'aimerait pas. Tout bêtement parce qu'il se disait que ce qu'il n'obtiendrait pas par la tête, il l'aurait par le ventre. Il avait donc demandé à Devi de se tenir à l'écart pour préparer le repas qui scellerait l'union. »

Ce que Devi a fait, scrupuleusement. Elle avait tout emporté dans son paquetage, les légumes, les épices, et surtout le sel qui, mélangé à la nourriture, rend les pactes sacrés. Le repas a été prêt juste avant l'aube, comme Vikram l'avait demandé ; et, toujours comme il l'avait ordonné, elle le leur a apporté quand le soleil s'est levé.

Cette fois, elle a évité de regarder le nez de Moustakim, elle a joué de son charme garçon, de ses gestes de femme dans des vêtements d'homme. Il y a eu aussi la beauté de l'instant : la rosée sur les herbes sèches, les gorges gris et bleu dans le matin levant. Et c'est sûr, tous les hommes l'ont dit, il y a eu aussi sa démarche insolente, sa façon de ne pas sembler toucher terre ; toute cette jeunesse sûre d'elle-même qui éclatait dans le petit matin, avec ce costume jamais vu à aucune fille dans les ravines, le bandeau rouge, les jambes étroites du jean; enfin sa mitraillette qui, à chaque pas, venait frapper ses hanches.

Enfin il y a eu ce qui n'était pas prévu, le cadeau des dieux – ou leur grimace, comme on veut, tout dépend de la façon dont on regarde les choses : la jeune bête effarouchée qui a déboulé des gorges et coupé la route de Devi à l'instant même où elle s'apprêtait à déposer sa marmite entre Vikram et Moustakim. C'était un chacal, il courait ventre à terre, l'œil hagard, de la droite à la gauche, un présage de fortune comme on n'en voit jamais.

Il n'y avait pas de doute, c'était bien elle, Devi, que le chacal avait désignée, car il l'a frôlée, et elle a eu si peur qu'elle a failli en renverser son plat; et Moustakim, qui allait parler – parler contre elle peut-être, tracer à nouveau contre elle les cinq branches de l'étoile qui conjure –, Moustakim en est resté bouche bée. Et alors qu'elle aurait pu l'humilier, l'écraser, lui renvoyer le signe de conjuration avec mille autres étoiles, mille autres formules d'anathème et d'exécration, Devi s'est contentée de déposer la marmite entre les deux hommes.

L'instant d'après, c'en était fait, Moustakim avait goûté au curry, il avait partagé son sel avec Vikram, l'union était scellée, c'était désormais la foi jurée, jusqu'à la mort.

44

L'enlèvement que projetait Moustakim eut lieu le surlendemain de l'accord et se déroula exactement comme il l'avait souhaité. Selon son habitude, il avait jeté son dévolu sur un riche propriétaire thakur. Depuis des semaines, ses informateurs avaient observé tous les faits et gestes de la future victime et dressé le répertoire de ses plus infimes manies. Moustakim les avait consignées dans un petit cahier avec un soin bureaucratique, puis les avait assorties d'une évaluation approximative de ses biens. C'est au terme de cette estimation qu'il avait décidé de l'enlever, sans en référer un seul instant à ses hommes. Il ne les consulta pas davantage quand il leur exposa son plan, qui fut adopté sans discussion. Vikram lui-même ne broncha pas. Il savait qu'il fallait prendre Moustakim comme il était : silencieux, solitaire. Mais sûr. En des temps où l'on risquait d'un jour à l'autre de ne plus manger à sa faim, cette confiance-là n'avait pas de prix.

Ainsi donc, par un soir d'avril, les hommes de Moustakim surprirent à l'orée d'une gorge l'un des plus gros propriétaires terriens de la région d'Etawah, un dénommé Thakur Vallah, sur le chemin d'un temple où il allait prier Lakshmi la généreuse pour qu'elle continuât à lui offrir, en ces jours difficiles, tous les bienfaits de la prospérité. Il fut ficelé en un tournemain. On lui banda les yeux, on l'emmena, tremblant de toute sa graisse, jusqu'aux ruines du pavillon de chasse, sur les hauteurs d'Etawah.

Pendant ce temps, les hommes de Vikram gardaient les issues des ravins environnants et semaient la terreur dans le village du thakur afin d'offrir à ses habitants un avant-goût du sort qui les attendait au cas où la famille ne verserait pas la rançon. Ils étaient tous à se reposer après l'heure du repas et furent eux aussi pris de court. D'après les rares témoins qui se risquèrent à parler à la police après l'affaire, Devi ne fut pas la dernière, ce matin-là, à assommer des vieillards et à plaquer des femmes contre les murs de terre, le canon de son Mauser enfoncé dans leur ventre.

Elle l'a toujours nié. Ce qui est indiscutable, en

revanche, c'est que, sans l'appui de Vikram, Moustakim n'aurait pu enlever son thakur avec la même sérénité. Les habitants ne se hasardèrent à prévenir la police que bien après la libération de l'otage. Ils demeuraient si épouvantés que la peur gagna les policiers. Pour n'avoir pas à patrouiller sur les terres des thakurs, ils arguèrent auprès de leurs supérieurs que la route qui les traversait était infestée de cobras. La chaleur, d'après eux, les rendait particulièrement agressifs ; à plusieurs reprises, les serpents auraient tenté de sauter dans leurs jeeps.

On n'insista pas. Les serpents sauteurs étaient une de ces histoires comme il en naît des milliers par les mois de fournaise où le feu qui consume le ciel finit aussi par embraser l'imagination des hommes à mesure qu'il épuise les ressources de leur corps. D'un bout à l'autre de la Vallée, hommes et bêtes rechignaient à bouger. Le fleuve lui-même s'avachissait, asphyxié par les sables où se perdaient ses eaux. Seules semblaient rester vives les forces qui détruisent. La Déesse, par exemple. Ou les serpents. Enfin les bandits. Vikram et ses hommes avaient déboulé dans le village comme des démons surgis de la terre, doués d'une violence intarissable. Et, sous sa forme apparemment placide, ce fut la même énergie qui anima Moustakim lors du marchandage avec la famille du thakur.

Il l'exerça comme à l'accoutumée, depuis sa bâche en plastique, en tirant sur sa pipe à eau. Malgré l'exorbitante rançon qu'il réclamait, les parents de l'otage furent vite découragés. Au bout d'une petite semaine, ils consentirent à en payer les trois quarts. Car il ne fut pas tendre, Moustakim ; et dans les paroles qu'il adressa à l'émissaire de la famille, Devi sentit souvent passer quelque chose qui ressemblait à de la hargne. C'était très fugitif ; un bizarre séisme qui dérangeait un bref instant la superbe quiétude de ses traits. Il ne se manifestait qu'au moment où l'émissaire ou lui-même devait prononcer le nom du thakur.

Il y avait pourtant des thakurs dans la bande, des thakurs pauvres, s'entend, des misérables spoliés de leurs terres, le plus souvent, par un autre thakur, et qui l'avaient tué puis avaient fui l'injustice ordinaire du monde au fond du chaos de ravines où, depuis Raju, premier Roi des Bandits, régnait, toutes castes confondues, la sombre fraternité des hommes aux vêtements de poussière. Aucun chef de gang ne l'oubliait jamais. Avant chaque raid, ils tenaient rituellement devant leur bande un bref discours rappelant que Raju le Rebelle, tout guerrier qu'il fût, n'avait pas craint d'épouser une vachère. Avant le départ pour l'enlèvement, Moustakim n'avait pas failli à la règle, il avait repris la légende. Il l'avait assortie, comme il en avait le pouvoir, de quelques phrases sur son Dieu à lui, l'Etre suprême de son livre, un Coran dont il ne se séparait jamais. Et, sans frémir, il avait dit *justice*, il avait dit *égalité* : le sésame qui ouvrait à tous les humiliés le funèbre labyrinthe des gorges. Qui les rendait prêts, qu'ils fussent thakurs ou mallahs, fervents des dieux à dix bras ou zélateurs du Dieu unique et sans image, à n'importe quelle faim, quelle soif, n'importe quel destin sauvage et foudroyant.

Cependant, le soir où le marché fut conclu, Moustakim, jusque-là si distant devant l'émissaire des thakurs, ne put se retenir de lui jeter une insulte en pleine face à l'instant même où il abattait la main sur les liasses de billets :

– Argent de chien ! De chien thakur !

Tout le temps du marchandage, l'œil de Devi n'avait pas quitté le visage de Moustakim. Elle ne fut pas surprise de le voir déformé, une fois encore, par sa petite grimace fugitive et amère. Dans cet instant suspendu entre deux gestes, entre deux phrases, Moustakim basculait dans un autre monde. Il en perdait sa superbe. Il n'était plus le grand et souverain Moustakim ; simplement, une force brute, aveuglée d'elle-même. Le plus saisissant, c'était qu'elle se réveillait, comme chez les magiciens, au son de deux frêles syllabes – au seul mot de thakur.

45

Avec l'argent de la rançon, les deux bandes pouvaient tenir jusqu'aux pluies. Ce n'était pas assez, toutefois, si la disette venait à se prolonger. Vikram et Moustakim s'entendirent donc sur deux autres enlèvements.

Moustakim s'attaqua encore à des thakurs, et le scénario des kidnappings fut rigoureusement le même. Pas plus que la première fois, les familles ne renâclèrent à payer la rançon.

Sur le carnet de Moustakim restaient les noms de deux autres proies alléchantes. Les hommes commençaient à donner des signes de fatigue, mais la fièvre de Vikram et de Moustakim ne baissait pas. Il leur suffisait d'échanger un regard pour être pris d'un rire – un ricanement complice, plutôt – où passait la jubilation de leurs faciles victoires. Tout avait été si simple, dans leurs expéditions, ils en étaient grisés. Il y avait aussi l'ivresse de se sentir si légers quand suffoquait le reste du monde.

Des deux chefs, Vikram était le plus exalté. Moustakim, lui, dissimulait son euphorie sous des déclarations sentencieuses et son appareil de petites manies : le rigoureux nettoyage de sa moustache, ses interminables méditations devant sa pipe à eau ou son quart rempli de thé. En dehors des raids où il se montrait d'une rapidité peu commune, ses gestes lents et minutieux continuaient d'établir une distance princière entre lui et ses hommes, comme une barrière sacrée que nul n'osait profaner.

Seul Vikram s'y risqua. Il le fit au moment où l'on s'y attendait le moins, juste après le troisième enlèvement, quand on eut terminé de partager la rançon. La chaleur, ce jour-là, avait tellement monté qu'on avait établi le camp au fond d'une petite crevasse. La lumière y pénétrait mal. Du fond de la gorge, on n'apercevait que les eaux effilochées du fleuve, jaunies par l'après-midi finissant. L'œil à demi-fermé, Moustakim buvait du thé, assis en tailleur, comme toujours, sur sa bâche en plastique. On aurait pu croire qu'il somnolait. Il était bien réveillé, pourtant, car à six heures précises, il tourna cérémonieusement le bouton de son transistor.

Personne n'y prit garde. Où qu'il fût, c'était l'heure où Moustakim écoutait sa radio, même pendant les marches, au mépris de la règle du silence. Les hommes continuèrent à sommeiller ou à nettoyer leurs armes, à fourbir les plaques d'argent qui en décoraient la crosse, comme Vikram et Devi, assis sur une autre bâche, à quelques pas de Moustakim. N'eussent été les fusils et les mitraillettes, les paquetages éparpillés dans les broussailles sèches, on aurait pu penser, de loin, à une scène comme on en voit partout dans les plaines à l'approche du soir, pendant les semaines qui précèdent les pluies : des hommes réfugiés à l'ombre, las de compter les jours, d'interroger le ciel, la tête lourde, le cerveau gourd.

N'y manquait plus, pour y croire, que l'air de flûte qui monte souvent des villages à cette heure-là, comme pour encourager l'après-midi à finir. Au terme du bulletin d'informations, la radio diffusait d'ailleurs de ces airs rustiques. Loin de leur village, c'était lui que les hommes attendaient, plutôt que les nouvelles. Ils avaient tous soif d'ombre et de sommeil, la musique les aidait à attendre le léger mieux de la nuit. La main refermée sur son quart de thé, Moustakim lui-même fermait l'œil, comme s'il n'avait branché son transistor que par soumission à sa routine.

Et puis, d'un coup, il a posé sa tasse, son dos s'est raidi, il a relevé le nez vers le transistor, à croire que c'était par les narines qu'il écoutait. Rien qu'à ce geste, Devi a senti qu'il était surpris. Derrière elle, le jeune Attu, toujours à griffonner ses pensées dans son journal intime, s'en est aussi aperçu, car il a lâché son carnet. À son tour,

Lukka s'est tendu brutalement, puis Kalla. Du même geste, ils ont tourné la tête vers Moustakim, comme Baladin et Mousquetaire, ses deux jeunes lieutenants, jusque-là occupés comme les autres à fourbir leurs fusils.

Au beau milieu de tout ce bulletin en hindi, ils ont sans doute été alertés par le mot anglais *kidnapping*. Mais c'est quand ils ont vu Moustakim coller le poste à son oreille qu'ils ont compris qu'il y avait danger, grand danger. Tout le son, crépitements compris, s'est alors perdu dans l'oreille de Moustakim, et ils n'ont plus rien entendu.

Ça n'a pas duré bien longtemps, une demi-minute, une minute au plus. Moustakim a reposé le poste sur la bâche en plastique, puis s'est tranquillement resservi du thé. Le bulletin d'informations s'est terminé sur des nouvelles futiles, le récit d'un tournage mouvementé dans les studios de Bombay, l'annonce d'un mariage dans une ancienne famille princière, des maharadjahs du Sud. Le journaliste s'est tu et la musique de la fin du jour s'est enfin élevée, douce et languide, remontant lentement tout au long des falaises.

Il était très limpide, cet air de flûte, en dépit des grésillements du transistor. Moustakim a tenu à attendre qu'il fût fini avant de tourner le bouton du poste. Il a choisi de garder ses calculs pour lui, il a continué à boire son thé à petites lampées, la paupière mi-close, comme si rien n'avait plus d'importance que ces notes frêles, prière fragile à la fraîcheur, qui allaient se perdre dans le ciel en fournaise.

Mais lui, Vikram, ne les entendait pas, il était fébrile, il a sauté sur ses talons, alerte comme par les matins d'hiver quand les hommes sont pressés, pour se réchauffer, d'aller courir dans les ravines ; et il est venu s'asseoir juste en face de Moustakim pour lui jeter, tout faraud :

– Les flics t'ont repéré, Baba Moustakim...

Moustakim n'a pas levé les yeux de son quart de thé. D'un geste du poignet, il s'est mis à lui imprimer de petits mouvements circulaires, comme pour s'assurer que tous les grains de sucre s'y étaient bien dissous. Et il n'a pas cessé de fixer le fond du récipient lorsqu'il s'est décidé à lui rétorquer :

– Toi aussi, Vikram Mallah, on t'a repéré. À cause d'elle.

Il a eu un geste mou du côté de Devi et a poursuivi :

– Elle nous a…

À ce moment-là, il a levé le nez de son thé, ce qui fut une erreur, car il a rencontré sur-le-champ l'œil de Devi et il lui a fallu aussitôt regarder ailleurs. Et c'est d'une voix blanche qu'il a ajouté :

– On se sépare, Vikram Mallah.

Vikram s'est figé. L'instant d'avant, quand il avait sauté devant Moustakim, il avait des mots plein la bouche, des phrases fiérotes ainsi qu'il les aimait ; il allait lui dire combien leur union était forte, qu'on n'avait jamais vu une alliance pareille dans la Vallée, capable de tout défier, la police sur les dents, les gros bonnets de Kanpur, les journalistes, et jusqu'aux fausses nouvelles qu'ils répandaient à la radio. D'un seul coup, il a perdu ses mots, et ses idées avec. Jusqu'à son dos qui s'est cassé, son dos si droit, si ferme, qui le rendait d'ordinaire si flambant. Au point que Moustakim lui-même s'en est trouvé embarrassé ; il a fait une entorse à sa règle de distance, s'est senti obligé de bougonner en désignant le fleuve étouffé dans ses sables :

– Je vais sortir de la Vallée. Je vais aller attendre les pluies de l'autre côté du Gange. Si tu veux me rejoindre quand les flics seront calmés…

Vikram restait toujours sans voix. Moustakim dut se demander s'il avait bien compris, car il répéta :

– De l'autre côté du Gange, en allant sur Lucknow. À Kanpur, on te dira…

Il cita le nom d'un de leurs amis trafiquant d'armes. Vikram continuait de le dévisager sans pouvoir articuler un mot. Alors, comme l'air de flûte, sur le transistor, commençait à s'essouffler, Devi eut peur du silence et choisit de répondre pour Vikram. Pour une fois, elle prit la parole sans la moindre insolence, sans cesser un instant d'astiquer les six bras de la Déesse, sur la plaque d'argent qui décorait son Mauser. Et c'est sur le ton le plus uni, le plus serein qui soit qu'elle s'adressa à Moustakim, l'homme à qui aucun bandit, à ce jour, n'avait jamais parlé qu'en retenant son souffle :

– Ça tombe bien qu'on se sépare, Baba Moustakim. Vikram et moi, on venait justement de se dire qu'on ferait bien de rejoindre les frères Singh.

46

Alors, pourquoi sont-ils allés vers les États de l'Ouest, vers le Rajasthan où il faisait si chaud ? Il fallait prendre la route exactement inverse pour retrouver Lalaram et Sri Ram, le chemin de Behmai, là où se trouvaient leur village et leur temple. Quand on le lui demande, Devi a une réponse toute prête : « Il y avait tellement de bons présages du côté de l'ouest. Le matin même de notre départ, un chacal a traversé notre route de gauche à droite, comme la nuit de l'union, et il y a eu ensuite des cris de perdrix. Un autre matin, on a vu au milieu d'un ravin une antilope mâle, elle allait de droite à gauche, juste comme il fallait. Si on avait rebroussé chemin, les signes auraient été contraires. »

Il y a tout de même quelque chose que Devi préfère taire : c'est elle qui les a vus, ces présages. C'est elle qui a signalé le chacal, crié à l'antilope ; elle aussi qui a entendu les perdrix. Elle et personne d'autre. Vikram l'a crue ou a feint d'y croire. En réalité, elle a fait tout ce qu'elle a pu pour qu'il ne prenne pas la route de Behmai. Car Lukka est formel : ce qu'il fallait savoir sur les frères Singh, Devi le savait. Pour une bonne et simple raison : le soir même de sa sortie à Moustakim, c'est lui, Lukka, qui le lui a appris.

« Elle avait été très forte, se rappelle-t-il, elle avait trouvé l'astuce avant tout le monde, avant Vikram lui-même, pour qu'on sauve la face, qu'on puisse se séparer la tête haute de la bande de Moustakim. Mais elle avait jeté le nom des frères Singh au hasard, elle ne savait même pas de qui elle parlait. J'ai préféré la mettre au courant. Je n'ai pas traîné, je m'en suis occupé le soir même. Au début, elle n'a rien voulu entendre. Alors j'ai pris un biais, je lui ai parlé de Kusumana. Il a suffi que je prononce son nom pour qu'elle change de tête. Le lendemain soir, on était au Rajasthan. »

La bande est donc partie vers l'ouest, vers ces terres qui sentaient déjà les sables. La police paraissait inerte. Le gang s'est risqué en dehors des ravines, les hommes ont souvent marché dans le lit presque sec de la rivière Chambal. Ils y ont croisé des caravanes, des tribus de nomades hardis cheminant sans s'arrêter, bravant le soleil de midi. Devant les chameaux, Vikram a parlé à Devi de cités roses et jasminées, de trésors cachés au fond de palais aux fenêtres en dentelle, de villes, de déserts qu'il n'avait jamais vus, de merveilles, sans doute, qu'il inventait à mesure. Elle l'a laissé dire, elle y a cru. Elle avait besoin d'y croire ; tout comme Vikram, de son côté, avait besoin de croire aux présages qu'elle prétendait voir sur leur route pour le persuader de continuer vers l'ouest.

Ils ne sont pas allés bien loin. Rien ne bougeait pourtant du côté de la police. Les bulletins de la radio ne faisaient plus la moindre allusion aux kidnappings ni même aux bandits. On n'y parlait que de la sécheresse. De fait, dans les villages environnants, les paysans passaient leur temps à consulter le ciel qui se plombait de jour en jour. Les puits se vidaient, on ne remontait dans les seaux qu'une eau boueuse. Aussi les hommes ne s'éloignèrent-ils guère de la rivière. De loin en loin, au long de ses rives, ils tombèrent sur des mausolées, des caravansérails abandonnés, ultimes souvenirs des vieilles routes mogholes, des gigantesques batailles que livrèrent les princes d'autrefois pour la domination des gorges. Ils s'y arrêtèrent parfois plusieurs jours d'affilée. Car à force de croître, la chaleur accomplissait ce miracle : les fondre, tout rebelles qu'ils étaient, vagabonds ignorants des lois et des routes communes, dans le creuset de l'humanité ordinaire. Ils étaient désormais réduits aux mêmes envies brutes : l'ombre, l'eau.

À écouter Devi, on pourrait croire qu'elles ont duré des mois et des mois, ces haltes et ces marches, elle y revient sans cesse, n'arrête pas de parler des vents brûlants qui torturèrent la terre cette année-là. En réalité, ce passage au Rajasthan ne dut pas excéder trois semaines; et si ces moments ont pris dans sa mémoire une place démesurée, c'est qu'ils furent aussi les jours les plus ardents qu'elle eût jamais vécus aux côtés de Vikram.

Ni lui ni elle ne pensaient plus aux hommes, ni même au danger. La seule concession qu'ils lui accordèrent, ce fut d'écouter, comme Moustakim, les bulletins d'informations sur leur transistor. Puisqu'on n'y parlait plus d'eux, ni d'ailleurs d'aucun bandit, il ne furent plus à l'affût de rien, hormis des gestes qu'ils avaient l'un pour l'autre. Ils méprisèrent tout, même le soleil, comme les hommes du désert. Ils devinrent oublieux et forts. On ne peut dire que ce fut une trêve, ils vivaient entre sable et poussière, toujours trop près du ciel en feu, trop près de la terre douloureuse; les journées se traînaient, s'engluaient dans la chaleur. Mais, dans ces longues plages où s'étirait le temps, ankylosant les hommes dans ses anneaux monstrueux, l'un et l'autre ont pu voir en face ce qui les unissait.

Ainsi, Devi, qui jusque-là avait aimé Vikram en aveugle, a enfin compris quelle femme il venait chercher en elle quand il lui ouvrait les bras. Elle l'a pressenti à des choses simples, à de minuscules attentions. À des années de distance, elle s'en souvient encore ; mais elle les décrit sans émotion apparente, comme si elles parlaient d'elles-mêmes : « Vikram veillait constamment à ce qui me manquait. Quand on avait soif et qu'on trouvait de l'eau, il me faisait toujours boire la première. Il insistait toujours pour que je mange, même quand je disais que je n'avais pas faim. Quand il lavait ses vêtements, il lavait les miens. Il y avait même des jours où il me brossait les cheveux. »

Et puis, entre eux, il y a eu des paroles – de vraies paroles d'amants où le destin se glisse à l'improviste, de ces mots qui viennent parce qu'ils doivent venir, à leur heure, en leur temps, qui scellent des pactes irréversibles. Par exemple, un soir, dans un mausolée en ruine, pendant qu'il la prenait, Vikram lui a dit qu'elle était sa femme. Il a répété son nom, l'a crié jusqu'à la fin de son plaisir ; et, le lendemain matin, il lui a demandé quand elle lui donnerait un enfant. Elle n'a rien dit, elle a simplement posé son visage contre le sien, sa joue au creux de sa pommette à lui – il disait toujours qu'à cet endroit, leurs visages s'encastraient parfaitement comme les deux parts d'une galette juste rompue, d'un fruit qu'on vient d'ouvrir. Et il a repris : « Je te préfère à tout », avant de suspendre une cible contre un vieux mur, pour l'entraîner au tir, comme tous les matins, avec son propre fusil. Il était fier d'elle, elle devenait de plus en plus adroite. « Tu m'as trop longtemps caché ta force », lui a-t-il dit ce matin-là. Elle n'a pas répondu, elle n'a même pas osé le regarder, elle n'arrivait pas à détacher les yeux de son fusil, elle en frottait le chien usé du plat de la main, de la même manière pensive et douce dont elle caressait son visage après l'amour, à la recherche des vies qu'il avait déjà vécues. Alors Vikram l'a saisie par le menton, l'a forcée à le regarder et a poursuivi : « Je sais maintenant que tu peux te gagner un nom par toi-même et faire face à tes ennemis comme un vrai bandit. » Et il lui raconta une fois de plus l'histoire de Putli.

Depuis quelque temps, il était intarissable sur ce sujet-là, il ne se passait plus un jour sans qu'il lui en parlât, en ajoutant chaque fois de nouveaux détails – le goût que Putli avait pour l'alcool, par exemple, ce Coran qu'on trouva dans sa poche après sa mort, à côté de son flacon d'huile capillaire ; ou bien il lui décrivait la façon dont elle menait son cheval dans les ravines, ce petit cheval noir qui mourut de chagrin deux jours après qu'elle fut tombée sous les balles de la police. Souvent, Devi l'arrêtait : « Je la connais par cœur, ton histoire, change de chanson ! » Elle ne le fit pas, ce jour-là. Au ton de Vikram, elle comprit qu'il commençait à perdre pied, entre sa présence à elle et la légende de la Reine des Bandits ; et qu'elle, Devi, était en passe de devenir un rêve. Or le Maître le lui avait appris, il n'y a rien à faire quand il y a un rêve derrière la chair d'une femme ; tout peut arriver, le meilleur et le pire. Pour l'instant, ni Vikram ni les dieux n'avaient choisi leur camp. Il s'agissait donc simplement de continuer à vivre.

Alors, pour lui, rien que pour lui, au long des jours fébriles qui suivirent, elle fut la femme la plus douce, celle que rien ne blessait, la plus tendre et la plus brûlante, et la plus forte en même temps, celle dont les balles sur la cible frappaient de plus en plus souvent au cœur, celle dont le corps, sous le sien, sur le sien, répondait au plus juste. Elle fut le tambour frappé à l'instant où s'assoupit la flûte, et la flûte vivace quand se fatigue le tambour. Mais toujours à point nommé. Ils furent l'un à l'autre des couleurs bien mariées, des notes qui se plaisent, l'un à l'autre leur préférence. Il eut pour elle goût de justice, et elle aussi. Deux violences jointes pour n'en former qu'une seule. Également abandonnés au désordre, à l'oubli, toutes rancunes dissoutes dans le chaos du plaisir – comme la poussière, dans leur salive, qu'ils ne sentaient même plus. Et, quand la nuit venait, que la chaleur ne retombait pas, que tous les hommes, paysans ou vagabonds, étaient pris d'insomnie et se mettaient à guetter entre les étoiles lasses le premier espoir de fraîcheur, ils étaient seuls à s'endormir.

Ils avaient la nuque souple, la gorge libre d'angoisse, ils se laissaient engloutir par un sommeil épais. La fatigue des amants, croyaient-ils, oublieux des leçons du Maître. Il leur avait pourtant appris à les reconnaître, les voiles pervers et les jeux d'ombre de la souveraine des passions – Maya, la Maîtresse Illusion.

47

Car la rivière des désirs ne s'était pas perdue en eux, loin de là, leurs caresses, leurs étreintes avaient goût d'éternité, ils se croyaient délivrés des filets du temps ; mais, tout au fond d'eux-mêmes, l'orgueil était tapi, le passé, le futur les épiaient, les souvenirs, les projets leur tendaient embuscade. Il n'y manquait que l'occasion ; et l'occasion se fraie toujours un chemin, même dans le désert, même quand les jours, comme en cette saison-là, font mine de se suivre et de se ressembler.

Ainsi un soir, alors que la nuit gagnait le lit du fleuve, Devi dit à Vikram qu'elle aimerait faire un saut à la ville. À Agra, dit-elle, Agra qui n'était pas si loin. Juste une petite journée, le temps de faire un tour, d'aller voir un photographe. Au seul mot de photographe, le visage de Vikram s'allongea. Elle insista pourtant : « Nous deux sur la même image, nous deux pour toujours, une trace qu'on garderait sur nous, si jamais il arrivait, on ne sait pas, si jamais... – Tu es folle ! » cingla Vikram. Et il poursuivit : « Je te croyais plus futée, Phoolan Devi. Si tu veux qu'on nous tire le portrait, tu devras attendre que les policiers nous butent. Nous autres bandits, nous n'avons pas d'image. Sauf quand nous sommes morts. »

Quelques jours plus tard, ce fut au tour de Vikram d'être pris à l'improviste dans la nasse du temps, Vikram qui fut rejoint par les ombres des vies qu'il avait eues avant elle – à croire que les dieux du destin aimaient ce moment-là, l'heure du crépuscule où des nuages bas, lourds de pluies chimériques, venaient boucher l'horizon du fleuve. D'un seul coup, il se mit à lui parler de sa femme, épousée dix ans plus tôt. Il l'avait quittée pour les ravines dans les mois qui suivirent, avec un enfant sur les bras. Il lui raconta aussi les orgies où l'entraînait Babu, chaque année, après la saison des attaques. Le gang partait faire la tournée des bordels de la Vallée, les hommes demandaient à voir les filles qui dansaient nues, ils se partageaient parfois des gamines de douze ans qu'on leur laissait pour la nuit, contre une montre ou un transistor.

Devi l'écouta sans l'interrompre. Elle attendait le nom de Kusumana, qui ne vint pas ; et, comme s'il l'avait pressenti, Vikram se pressa de conclure, il lui balbutia à la hâte qu'il n'avait jamais été fou d'une femme avant elle, Devi : « Rien qu'à dire ton nom, j'ai envie de toi. Rien qu'à ton regard, je t'ai voulue pour moi. Rien que pour tes yeux. Je veux voir le monde avec tes yeux. »

Il n'y eut pas de silence, pour une fois, entre les phrases de Vikram, ses mots s'écoulaient comme une rivière en crue, ils furent la forme, ce soir-là, que prenait son désir, irrésistible et sans réserve. Tout ce qu'il avait tu jusque-là, par prudence, par peur de la perdre, il fallait qu'il le lui livrât. Les secrets qui l'avaient si bien protégé tombèrent un à un, il reprit leur histoire à partir du début, lui dit par exemple que c'était du jour de leur rencontre qu'il avait décidé de l'arracher à Kailash, à l'instant même où il l'avait vue entrer dans le refuge des gorges. Il revenait sans cesse à son regard : « Tes yeux, tu comprends, la façon dont tu m'as regardé, sans peur, si longtemps… Et Kailash, cet idiot qui n'a jamais rien vu… Chaque fois qu'il me rencontrait, il fallait qu'il me raconte comment il te faisait l'amour, sur la petite plage, au bord du fleuve. Il n'arrêtait pas de dire que tu étais un bon coup. J'ai failli aller voir comment tu t'y prenais… »

De phrase en phrase, Vikram s'enhardissait, il ne voyait plus le danger, il a même fini par lui confier que la première nuit où Babu l'avait forcée à venir sous sa tente, il avait cru devenir fou, il s'était juré de la tuer. « Voilà comment je me suis retrouvé chez ton cousin Mayadin. Il voulait te supprimer, moi aussi. Lui et moi, on a très vite fait affaire. C'est moi qui ai convaincu Babu de t'enlever. J'avais même décidé de te couper le nez avant de te liquider. » Vikram est alors parti d'un rire – un rire léger, tranquille, comme s'il lui parlait d'une bonne farce. Devi est restée de marbre. Elle s'est contentée de murmurer : « C'était il y a un an, juste un an. » Sa voix était sourde. Il a dû s'en alarmer, car il était plus grave lorsqu'il a répété après elle : « Oui, un an, un an tout juste » ; et, pendant un long moment, il n'a plus rien dit.

La nuit était venue. Vikram a allumé la mèche d'une lampe-tempête. Devi a cru qu'il en avait fini avec ses confidences, elle a pensé qu'il allait, comme tous les soirs, la prendre et s'endormir ; et elle s'est fait la réflexion qu'elle n'aurait peut-être plus les mêmes gestes après ce qu'il avait dit.

Mais elle était encore loin du compte, les souvenirs de Vikram ressemblaient à des fautes, il fallait qu'il les dévide tous avant d'espérer dormir ; et il avait la gorge serrée quand il reprit :

– … Je ne voulais pas te laisser à Babu. S'il ne t'avait pas prise devant les hommes, je t'aurais tuée.

Elle ne frémit pas ; si bien qu'il poursuivit, plus soulagé à chaque mot :

– Oui, je t'aurais tuée, j'en suis sûr. Je ne sais pas comment, mais je suis sûr que je l'aurais fait.

– Dix mille roupies, je comprends ! C'était une bonne affaire...

Ce fut à elle, cette fois, d'éclater de rire ; mais ce fut de son rire de colère, si sec, si bref. Vikram tenta d'argumenter :

– C'est avec ce paquet de billets que je t'ai payé ton Mauser !

– Je croyais que c'était un cadeau !

– Tu sais bien qu'on n'entre dans un gang que du jour où on peut se payer une arme ! Je l'ai payée pour toi. Avec les dix mille roupies...

– L'argent de ma mort !

Elle repoussa la bâche d'un coup de pied, fit quelques pas vers les sables, puis lança sans le regarder :

– Maintenant que je sais tirer, Mayadin...

– Arrête... On a traversé dix mille vies, depuis ce temps-là.

– Alors il ne fallait pas en reparler !

Il la rejoignit, voulut la prendre par la taille. Elle se débattit. À quelques pas de là, depuis le monticule où ils guettaient la nuit, les hommes se retournèrent avec des gestes mous, puis s'abandonnèrent à nouveau à leur somnolence. Elle aussi dut se laisser gagner par la torpeur, car elle finit par se calmer, posa la tête sur l'épaule de Vikram. Il pensa avoir gagné la partie, chercha à la ramener vers leur bâche ; mais au moment où il la tirait par le bras pour qu'elle s'y étendît, il l'entendit lui souffler :

– Emmène-moi tuer Mayadin.

Il ne répondit pas. Elle se raidit :

– Je suis ta femme, tu me l'as dit.

Il détourna la tête. Elle se fit rageuse, s'obstina :

– Tu m'as dit que j'étais ta femme, Vikram Mallah.

Pour toute réponse, il eut un long soupir, puis il la prit doucement par les poignets, en formant autour d'eux un cercle de ses doigts qu'il s'amusa à faire tourner autour de leur attache gracile, à la façon d'un bracelet trop large.

Le geste dut la surprendre ou l'émouvoir, car à nouveau elle se laissa faire ; et il trouva la force de répondre en relevant enfin les yeux :

– Oui, Devi, tu es ma femme. Mais moi je suis d'abord l'homme de mes hommes.

– Mayadin…

– Mayadin est une vieille histoire. Une histoire où il n'y a que toi. Une fille que tu n'es plus. J'ai mieux à faire. Mes hommes aussi.

Et, de sa voix de commandement, brève et coupante, comme avant les attaques, quand la mort passe entre chaque mot, il ajouta :

– Avant de tuer un homme dont tu veux te venger, apprends donc à tuer quelqu'un qui ne t'a rien fait.

– Je me suis déjà vengée du policier Mansouk !

– Tu as visé. Mais j'ai tiré le premier. Tu n'as rien eu à faire. Il arrivait sur son vélo, on était postés dans la crevasse, je t'ai dit de tirer, tu n'es pas allée assez vite et…

– J'ai cru qu'il m'avait vue !

– Tu l'as regardé. Je te l'avais pourtant dit, de ne jamais regarder ton ennemi au moment de la vengeance. Je t'avais bien expliqué, pourtant…

Elle ne l'écoutait plus, elle revoyait ce premier mort qu'il y avait eu entre eux, la silhouette flasque du policier Mansouk tressautant sur sa bicyclette dans le petit matin, au fond d'un chemin sableux, entre son village et Kalpi. Elle revoyait son regard, cette seconde de trop entre leurs yeux à l'un et à l'autre. Vikram avait raison, tout s'était passé comme il le disait. Et il en abusait, insistait, la voix narquoise, l'obligeait à revivre ce moment qu'elle souhaitait effacer de sa mémoire, l'instant où elle n'avait pas pu tirer, où il avait tiré à sa place, la seconde de la détonation ; et le pire, la suite, quand il avait fallu rouvrir les yeux, voir le corps rouler dans le chemin, la cervelle éclatée, le sang jaillissant comme d'une source.

– Tu n'as pas pu tirer… Il t'avait pourtant fait quelque

chose, celui-là... Dis-le donc, répète-le-moi, ce qu'il t'avait fait...

– Tu l'as voulu pour toi, le policier Mansouk, tu as tiré le premier parce que tu le voulais, tu...

Elle était plus faible à chaque mot qu'elle prononçait, et il s'en rendait compte, il en profitait, la prenait maintenant par les épaules, en pétrissait les chairs, elle n'arrivait plus à lui résister, elle transpirait, à chaque seconde la chaleur l'écrasait davantage. Alors, comme saisi du même accablement, Vikram l'a fait tomber avec lui sur la bâche. Mais, au moment où il soulevait sa chemise, il n'a pu s'empêcher de la narguer une dernière fois :

– Tu es sûre que toi, une femme, tu aurais le cran de tuer un homme qui ne t'a rien fait ? De le tuer rien que pour le tuer... ?

Des phrases comme celles-là, nerveuses, en feu de paille, il s'en dit des milliers par jour pendant les jours de fièvre qui précèdent la mousson, on ne le les jette que pour soi, pour tenter de repousser, l'espace de quelques mots, la chape de la canicule. Mais Devi ne l'a pas pris ainsi. Dans l'instant, elle s'est dégagée de l'étreinte de Vikram, s'est relevée ; et dès qu'elle a été debout, qu'elle s'est sentie libre, elle lui a crié dans le noir :

– Attends donc demain matin, Vikram Mallah ! Tu vas bien voir. Tu entends ? Pas plus tard que demain matin...

Aucun des hommes n'a bougé, peut-être même ne l'a-t-on pas entendue, ou a-t-on préféré ne pas l'entendre, il faisait si chaud. Alors, à son tour, elle s'est laissé engourdir. Sa colère est retombée aussi vite qu'elle était venue, elle a fait quelques pas autour du camp, est allée s'étendre un peu plus loin, puis est revenue s'allonger aux côtés de Vikram.

Il était déjà assoupi. Elle a été longue à s'endormir. Il y avait la chaleur, bien sûr, la nuit des hommes ordinaires ; elle avait oublié qu'elle était si lourde, si lente. Elle ne cessait de remâcher ce que Vikram lui avait dit ; c'était si difficile d'entrer dans le rêve qu'il s'était forgé d'elle !

Pourtant, le matin n'était pas levé qu'elle est allée patrouiller, mitraillette à l'épaule, jusqu'à la naissance des sables. Elle l'a réveillé avant de partir, lui a dit ce qu'elle allait faire. Il n'a pas protesté, ne l'a pas retenue, il l'a même accompagnée. Ils ont rôdé une bonne heure le long des berges, jusqu'à ce qu'ils croisent un vieux paysan exténué qui allait laver ses hardes à ce qu'il restait de fleuve. Elle l'a tué aussitôt, sans un mot, sans sommation, presque à bout portant. L'homme ne l'avait aperçue qu'au tout dernier moment.

Au-dessus du sable qui buvait son sang, Vikram n'a pas trouvé grand-chose à dire, en dehors d'une formule qu'il devait tenir du Maître : « Quand on se venge, au moins la mort a goût de sel. » Puis il s'est mis à observer le ciel. Avec le jour montant, son bleu grisailleux virait au métal sombre. Alors il a jeté, durci par elle ne sut quelle volonté bizarre : « Maintenant, suffit. On va retrouver les frères Singh. »

48

La présence des frères Singh dans la bande de Vikram Mallah est attestée dès le début du mois de juin 1980 dans les rapports de police de la région d'Etawah, ainsi que sur un document officiel émanant d'un poste isolé des gorges de la Betwa, au sud des jungles d'Hamirpur. L'arrivée dans le gang des deux ex-détenus coïncide avec des raids d'un genre nouveau : l'attaque nocturne de camions circulant sur l'une des artères les plus fréquentées de l'Inde, la Nationale 2, qui relie Delhi à Calcutta. La technique d'agression était toujours la même : un groupe d'hommes, postés à une centaine de mètres en arrière de la bande, signalait par talkie-walkie les véhicules à attaquer. À la faveur de leur uniforme de policier, le chef de gang et ses hommes ordonnaient aux chauffeurs d'arrêter leur machine sur le bas-côté de la route. L'un des gangsters brandissait quelques feuilles dactylographiées qu'il présentait comme un mandat de perquisition. Le camion, prétendait-il, transportait de la drogue, il fallait le fouiller. Le chauffeur, généralement illettré, ne protestait pas. À peine descendu de son véhicule, il était dépouillé de tous ses objets personnels, ligoté et bâillonné, comme les éventuels passagers qu'il pouvait transporter. Puis les bandits crevaient les roues du camion avant de le dévaliser.

Le lendemain du premier coup de main, la police dénombra vingt-deux véhicules mis à sac. Pour le second, une semaine plus tard, on en compta trente-six. Vikram dut se sentir particulièrement fier de ce dernier exploit, car il tint à le signer. Sur le dernier camion pillé, il placarda une feuille où Attu, sous sa dictée, calligraphia dans un anglais parfait cet effronté message : « Chiens de flics ! C'est Vikram Mallah qui a braqué ces trente-six camions. N'accusez pas les pauvres, ils sont innocents. Si vous voulez des coupables, venez plutôt voir Vikram Mallah et Phoolan Devi ! »

Les rapports de police ne mentionnent pas la nature des marchandises volées. Pour l'essentiel, il devait s'agir de nourriture, facile à écouler par temps de disette : une semaine plus tard, Vikram fit cadeau aux frères Singh de quatre-vingt-cinq mille roupies prélevées sur sa propre part, à titre d'avance sur leurs gains futurs, pour qu'ils pussent convenablement doter une de leurs nièces, une orpheline qui devait se marier sous peu. Vikram tint à les accompagner dans leur village, à Behmai. Il alla déposer avec eux les liasses de billets chez le fiancé éberlué ; et, tout comme s'il avait été le père ou le grand-père de la future mariée, il fallut aussi qu'il distribuât à ses proches le lot de montres, transistors et menus bijoux qui lui était échu en propre après la répartition du butin.

Bien entendu, cela se sut. La police locale en fut

immédiatement informée par des mallahs employés sur les terres des thakurs. Même au prix de la mise en cause d'un frère de caste, ils se sentirent trop heureux de dénoncer leurs maîtres. La nouvelle mortifia les policiers ; mais beaucoup moins que les hauts fonctionnaires de Kanpur lorsque la presse, après la seconde attaque, publia en fac-similé l'affichette placardée par Vikram sur le dernier camion. Le lendemain, le Premier ministre d'Uttar Pradesh fut sévèrement interpellé au Parlement et l'opposition, comme il fallait s'y attendre, l'accusa d'incurie et de corruption. Plusieurs membres de son parti lui rappelèrent aussi, en termes plutôt rudes, qu'il était censé représenter la pureté et les intérêts multimillénaires des castes supérieures qui l'avaient porté au pouvoir ; et ils lui déclarèrent sans ménagements que l'impunité des « gredins de la Nationale 2 », comme les avaient baptisés les journalistes, pourrait bien lui coûter son poste aux prochaines élections.

Au lendemain de cette séance animée, l'ensemble de la hiérarchie policière entra en effervescence. Des bureaux de l'inspecteur général Mahendra au moindre poste de police isolé dans les jungles, il ne fut plus question, même si sa tête n'était pas encore officiellement mise à prix, que de prendre Vikram Mallah mort ou vif – si possible en compagnie de son âme damnée, cette fille au nom de fleur, plus belle que dans les films.

49

Juste avant les pluies, comme au fond de la nuit, chimères et mensonges aiment à venir visiter les hommes. La chaleur et la sueur leur tiennent lieu de terreau, ils y engraissent à une vitesse inouïe ; et, à mesure que le ciel se gorge de nuées, un voile, une buée recouvre toutes les âmes, qui fausse le jugement, conduit à l'erreur. Devi n'explique pas autrement les extravagances de Vikram en ce mois de juin 1980. Ni les siennes. Car elle l'a suivi sans barguigner. Sans rien lui dire de ce qu'elle sentait, de ce qu'elle voyait. Et ce qu'elle voyait, ce qu'elle sentait, c'était qu'il était fou, qu'il allait trop loin ; mais, pour lui, elle avait envie d'être folle, d'aller trop loin. La canicule rouvrait en chacun les routes les moins sûres, les chemins de tous les appétits. Devi fit comme les autres, elle se laissa glisser sur la pente de sa passion, vers son royaume de façade ; et Vikram était ce royaume.

Du coup, elle ne se rappelle même plus comment la bande est sortie du Rajasthan, ni comment les hommes se sont retrouvés à attaquer des camions sur la Nationale 2. Elle se souvient seulement de la rencontre avec les frères Singh, en contrebas de Behmai, sur le seuil de leur temple, près du distributeur de boissons peint en noir et rouge qui ne crachait plus que de l'eau de rose au lieu de l'alcool de canne en vigueur avant la disette.

Elle revoit les deux frères assoupis l'un sur l'autre à l'ombre d'un auvent, près de la statue de la Déesse. Dès que Vikram les réveille, d'emblée, d'instinct, elle les déteste. D'abord ils sentent mauvais ; et ils n'ont pas d'excuse, car le fleuve, où ils pourraient se laver, coule à deux pas. Et puis il y a ce petit rien dans l'intonation de Vikram, au moment où il les salue, ce quelque chose d'un peu trop humble, qui rappelle à Devi son père quand il s'adressait aux propriétaires thakurs. Cette faiblesse-là, même dans l'amour, Vikram ne l'a jamais eue pour elle. Ensuite, il y a la façon dont Vikram s'approche de ces deux porcs aux yeux jaunes et chassieux – à croire que c'est par là qu'il puent. Il se courbe insensiblement au moment où il leur adresse la parole ; encore un rien, mais un rien qu'elle sent, qui lui ramène à l'esprit, une fois de plus, les platitudes de son père, lorsqu'il allait se vendre, naguère, dans les fermes des thakurs. Vikram, autant qu'elle le sache, n'a jamais eu à se pencher sur la terre de ces chacals. Et voilà cependant qu'il se fait tout entier voussure et petitesse, qu'il se met à empester la honte, le respect indu. À moins que ce ne soit les deux à la fois. En tout cas, il n'y a pas de doute, Vikram est depuis longtemps, par elle ne sait quel mystère, sous la coupe de ces deux gredins-là.

Et pourtant elle ne dit rien, elle ne fait rien, elle est éteinte, son regard aussi ; elle est exténuée, recrue d'insolence. Il faut dire aussi que Vikram s'est déjà retourné vers elle. Il se redresse, se rengorge, lui fait signe d'avancer ; et eux, les frères Singh, les hommes thakurs, en dépit de leurs noms qui résonnent de toutes les gloires guerrières, il les oblige à la saluer à l'égal d'une reine. Au moment où les jumeaux se retrouvent contraints de joindre leurs mains devant elle, Vikram a d'ailleurs des mots royaux : « Voici Devi, ma femme et mon égale. Honorez-la comme votre propre fille. Le destin n'a pas été tendre avec elle. »

Il n'a pas fini sa belle déclaration qu'il se détourne. Il sort de sa poche un sachet de poudres sacrées – le mélange si rouge et si rare que remet le Maître au fond de la forêt avant de renvoyer ses disciples affronter la vie du dehors. Malgré le prix du divin viatique, Vikram ne craint pas d'en oindre le front poisseux et malodorant des frères Singh. Il y trace un cercle, puis les dessins en étoile qui attirent sur le corps et l'âme la faveur de la Dame des forêts. Et tandis qu'il étale avec soin la précieuse couleur, Vikram honore les jumeaux de phrases généreuses et nobles – de ces mots qui sonnent si bien qu'ils se gravent dans les mémoires et qu'on ne pourra jamais les renier : « Sri Ram et Lalaram, vous avez tant souffert en prison. Venez avec moi, suivez-moi. Je vous prends dans cette bande qui fut naguère la vôtre. Venez partager à nouveau avec nous le sel de l'égalité et le miel de la justice. »

Là, les deux frères (surtout le plus costaud, celui que Lukka appelait Boîte à Outils) ont eu une très franche grimace. Mais le petit maigre, le Gourou, l'homme au visage allongé et piqueté de variole, celui-là s'est très vite repris. Il a donné une tape dans le dos de son jumeau – comme un signe de connivence, plutôt, un code établi entre eux deux depuis toujours. L'autre a baissé la tête ; pour autant, il n'a pas cessé de poser sur Vikram sa pupille grossie d'une rage sournoise.

Rien n'a échappé à Devi. Mais elle est restée interdite devant ces deux faces qui puaient le vice à plein nez : c'était la première fois que Vikram l'appelait sa femme devant des inconnus. Et il y avait la chaleur, la fatigue ; et plus encore la soif, la soif ardente des chemins, toute cette poussière qui se mêlait à sa salive, qui lui remontait sans cesse du fond de la gorge depuis les sables de la rivière Chambal. Elle avait lorgné dès son arrivée les robinets installés à l'entrée du temple, elle avait tout de suite vu qu'ils étaient à sec. Mais une femme vient d'approcher qui lui tend une cruche de cuivre tout juste remplie au fleuve. Devi allonge le bras, s'en empare. Le métal est chaud, l'eau, loin d'être fraîche. La femme s'est baissée pour lui chercher un verre. Devi n'attend pas. À même la cruche, elle boit.

Elle boit à en perdre le souffle, la tête en arrière, animale, le sein haletant, elle s'abreuve sans vergogne, sans gaspiller une seule goutte de liquide, selon l'usage des ravines ; puis elle s'écroule sous l'auvent, elle ferme les yeux. Si bien que c'est dans la plus complète hébétude qu'elle entend Vikram continuer à plastronner : « Vous avez vu la bande, nos armes... – Tout va bien, je vois ça, coupe le Gourou. Tu as des armes neuves, et même une maîtresse. – C'est ma femme, corrige Vikram. – Ta femme, ta femme », ricane le Gourou, et, derrière lui, Boîte à Outils grommelle un mot qui ressemble à une obscénité.

Tout le monde a feint de ne rien entendre ; et comme les hommes commençaient à se disperser pour aller remplir leurs gourdes au fleuve, Vikram a détaché sa mitraillette de son épaule et l'a tendue au Gourou en lui déclarant, aussi solennel qu'au moment où il avait sorti de sa poche les poudres du Maître : « Prends-la, Sri Ram. Prends mon arme. C'est bon de te voir parmi nous. » Le Gourou a esquissé un geste de refus. Vikram a insisté : « J'ai une cache où il me reste des armes. J'ai une autre mitraillette pour ton frère. On ira voir ça ce soir. Allez, prends-la. »

C'est ainsi que les frères Singh sont entrés dans la bande : dans la plus complète indifférence. Pour les hommes, rien ne comptait plus que le jour où arriveraient les pluies. Les enjeux, les haines, les projets, l'idée même que le temps puisse s'ouvrir sur l'avenir, rien de tout cela n'avait plus lieu d'être, aussi longtemps qu'il ferait si chaud. Même pour Devi, même pour Lukka. Leur instinct n'était pas émoussé; simplement, comme les autres, ils l'avaient mis en veilleuse. Et s'ils ont marché dans l'affaire des attaques sur la Nationale, c'est parce qu'elles étaient sans risque, ou presque.

Car Lukka est formel, comme Devi, et leurs affirmations, pour une fois, rejoignent le témoignage des indicateurs mallahs qui vivaient à Behmai : l'idée des raids sur la Nationale 2 était du Gourou, non de Vikram. Cela faisait des années qu'il en caressait le projet. À la fin de la seconde attaque, il aurait très bien pu s'en prévaloir et contraindre Vikram à inscrire son nom à côté du sien sur l'affichette où il revendiquait les deux raids. Le Gourou s'en est bien gardé. Et il n'a pas protesté non plus quand Vikram a dicté à Attu le nom de Devi après le sien.

Et c'est encore lui, le Gourou, qui a demandé à Vikram de l'accompagner chez sa nièce, à Behmai, pour lui porter le montant de sa dot. Vikram ne s'est pas fait prier, il est allé parader là-haut comme un Intouchable qui a gagné à la loterie. Pourtant, Behmai était la vieille capitale du pays thakur, là d'où étaient parties toutes les attaques contre les mallahs, autrefois, quand les guerriers venus du Nord avaient déferlé sur la Vallée pour leur prendre leurs terres. C'était de l'histoire très ancienne, mais il y avait encore beaucoup de chansons qui la racontaient, et les enfants les apprenaient au berceau. Dans une version ou sa contraire, selon qu'ils étaient nés chez des thakurs ou des mallahs – selon la haine qu'on leur faisait sucer.

Quand Vikram est allé là-haut, elle n'a pas du tout été d'accord, Devi, malgré sa torpeur. Mais elle était trop engourdie pour se perdre en mots. Elle s'est contentée d'un *non* très sec lorsqu'il lui a proposé de l'accompagner, et elle est restée faire la sieste près du temple, en contrebas du village. Ce n'est qu'au retour de Vikram, au moment où les hommes lui ont parlé des cadeaux qu'il avait distribués à la famille du Gourou, qu'elle a compris qu'elle aurait dû l'empêcher de monter à Behmai.

Après coup, bien sûr, Devi et Lukka ont trouvé à Vikram toutes sortes d'excuses – sans doute parce qu'ils ne sont pas très fiers de ne pas avoir su le retenir. « Même s'il en parlait de temps en temps, Vikram n'était pas du tout décidé à partager le pouvoir avec le Gourou, il ne lui a rien proposé », argumente Lukka. Et il poursuit : « Le Gourou ne lui a d'ailleurs rien demandé. Il n'a même pas réclamé de comptes sur la mort de Babu. Il savait fort bien comment c'était arrivé, il savait aussi pourquoi, mais il a fait l'imbécile et n'a rien dit. De toute façon, lui et son frère étaient au bout du rouleau, à leur sortie de prison. Ils n'avaient plus d'armes, plus rien, pas une roupie. Ils avaient vraiment besoin de nous, ils avaient l'air assagis, et le Gourou nous a tout de suite apporté un très bon coup. On s'en est mis plein les poches. Qu'est-ce qu'on pouvait demander de plus ? »

Sur l'histoire de l'affichette, Devi fait montre de la même indulgence. Pour défendre Vikram, elle a des phrases tour à tour véhémentes et pensives : « Vikram a bien fait d'écrire à la police que c'était nous, pour les attaques. Sinon, ces chiens-là auraient fait comme d'habitude, ils auraient accusé des innocents. Et puis on n'a tué personne, sur la Nationale ! De toute façon, Vikram était comme ça, il ne pouvait s'empêcher de braver, de narguer. Oui, Vikram était comme ça, par moments : enfant, tellement enfant ! Et il savait bien qu'on ne pouvait pas monter un troisième coup sur la route sans se faire prendre. Il préférait se griller tout seul plutôt que d'être grillé. »

Sur ce dernier point, on ne peut lui donner tort. Tous les témoignages concordent : dès qu'il est rentré de Behmai, Vikram a retrouvé sa tête. Il n'a pas attendu les bulletins de la radio pour annoncer à la bande, le Gourou et Boîte à Outils compris, qu'il n'y aurait pas de troisième attaque et qu'ils devaient se cacher jusqu'au retour des pluies. Il avait choisi, au sud du fleuve, un repaire très difficile à atteindre, protégé par les gorges abruptes de la rivière Betwa et les panthères qui infestaient ses jungles, l'épaisse et vieille forêt d'Hamirpur.

50

Ils gagnèrent donc les jungles, l'ordre premier des choses. Ils commencèrent par traverser la plaine, indifférents à sa terre gercée, aux longs cortèges de femmes amaigries qui la parcouraient en tous sens pour rejoindre des puits de plus en plus secs et de plus en plus reculés. Le ciel s'était à peine assombri, pas un éclair ne venait le déchirer, même dans les lointains ; pas un seul grondement de tonnerre pour laisser entendre qu'il pût un jour crever. Les campagnes, on le voyait bien, étaient rongées d'inquiétude. Sur les murs des maisons, le dessin qui attire la pluie avait été tant de fois répété qu'il ne restait plus un pouce de terre qui ne fût recouvert des triangles et cercles magiques. Aux carrefours des sentiers, les renonçants hirsutes et à demi nus en perdaient eux-mêmes leur glorieux détachement, ils faisaient tournoyer leurs bras squelettiques en grondant des bribes de phrases où il était question des fautes innombrables qu'avait commises l'humanité impure et du prix douloureux dont elle devrait les payer.

Vikram et ses hommes passaient leur chemin sans un mot, confiants, presque joyeux. Leur paquetage était léger ; avant leur départ, ils avaient entreposé leur butin dans des caches, placé leur argent chez des usuriers, dans des villages sûrs. Ils n'emportaient que le strict nécessaire, des munitions et de la nourriture pour un mois. Du côté de la Betwa, avait dit Vikram, il y avait de l'eau, des fourrés toujours verts, des sources jamais sèches. Bien sûr, avait-il précisé, répétant sans vergogne les leçons du Maître, la forêt est aussi l'endroit où tout arrive, où le danger ne s'annonce jamais, où les chemins les plus droits sont les plus trompeurs, où l'esprit et le corps doivent demeurer en alerte. Et il avait fini, plus grave encore : « Mais la première leçon de la forêt, c'est de comprendre que le labyrinthe, en l'homme, est infiniment pire ; et qu'il y a plus touffu qu'elle : la forêt de l'Illusion. »

Il ne croyait pas si bien dire. Car c'est dans la forêt que la vérité s'est montrée – ou plus exactement, c'est là qu'elle s'est frayé son chemin ; comme s'il lui avait fallu, à elle aussi, avant de pouvoir éclater, toutes ces nuits de veille et d'alarme à l'affût de l'odeur des panthères, du premier glissement de reptile, toutes ces journées à patrouiller à travers les buissons d'épines et les taillis d'eucalyptus.

La bande a mis une bonne semaine avant d'arriver aux sources ; et ce fut un grand moment de liesse que leur découverte subite après des heures à peiner le long d'un coteau aride où des épineux bas et gris ne cessaient de gifler les jambes et les joues. La poussière s'arrêta brusquement, la chaleur elle-même parut retomber devant ces larges coulées d'eau limpide qui ruisselaient de grands panneaux de grès. D'un seul coup, la terre n'était plus douleur et déchirure, plaie ouverte à tous les démons de la Vallée, ronciers, broussailles, maquis, scorpions, fauves, serpents; mais une glèbe souple, tendre, qui apaisait, qui accueillait. Jusqu'aux arbres qui n'étaient plus les mêmes : de vrais grands arbres droits et verts, avec une belle ombre bien noire, bien étale, des fûts hauts et alertes – comme de jeunes dieux de la paix qui les auraient attendus là, à la porte du dédale, pour leur annoncer la fin de l'épreuve.

Après avoir bu, presque tous les hommes s'écroulèrent pour dormir, indifférents aux moustiques, aux cris des perruches, aux facéties des singes courant de branche en branche. C'était, comme dans la plaine, l'attente des pluies. Moins le tracas, puisqu'on avait de quoi manger; et surtout de quoi boire : cette eau, à deux pas, généreuse, inépuisable. Il n'y avait plus qu'à rester là.

Telle était aussi l'intention de Vikram. Dès que les hommes émergèrent de leur sieste, il leur donna tous les détails de son plan. On ne bougerait pas avant la première averse. Dès qu'il se mettrait à pleuvoir, on dévalerait la longue pente menant à la Betwa. Ses falaises étaient creusées de grottes où on pourrait s'abriter. On redescendrait tranquillement le cours de la rivière, ses gorges désertes, seulement peuplées de chacals et de vautours. Il avait calculé le temps que mettrait la bande à sortir du défilé, à revenir à la plaine. D'après lui, à ce moment-là, les pluies seraient bien installées; et les policiers, anéantis de paresse, ne mettraient plus le nez dehors.

« Vikram avait bien pensé son affaire, se souvient Lukka, il savait le pays par cœur, il était né au débouché des gorges, il connaissait tous les bancs de sable, tous les gués, les tourbillons, les sentiers à mi-falaise pour le cas où la rivière viendrait à déborder. Il avait parfaitement calculé son coup, il n'y avait rien à redire.

Et puisqu'il n'y avait rien à redire, personne n'a rien dit. »

Pas même lui, Lukka, le vieux bandit, l'homme à l'esprit rompu depuis si longtemps à débusquer chez les autres le premier soupçon de dissimulation et de ruse. Oui, il faut bien l'avouer, et il est d'ailleurs le premier à le reconnaître : lui, le sagace Lukka, l'homme qui avait tout vu, cette fois-là, n'a rien vu.

Par la suite, il n'a plus cessé de se le reprocher, il répéta qu'il ne comprenait pas ce qui lui était arrivé. En fait, il le sait très bien. Son aveuglement, ce soir-là, vint sans doute du goût subit de la halte, de l'oubli, du poids de l'âge. De la lassitude, pour tout dire, instillée avec l'eau des sources par les dieux tortueux et subtils.

51

Les choses n'ont pas traîné, tout s'est passé le soir même. À un quart d'heure de marche, Devi a repéré une seconde clairière avec un minuscule ruisseau. Elle est allée s'y laver, puis y est retournée pour s'exercer au tir. Avant de partir, elle a prévenu tout le monde. Nul ne la dérangeait jamais quand elle s'entraînait ; pas même Vikram qui ne s'intéressait plus à ses exercices depuis qu'elle avait tué le vieil homme, dans les sables.

C'est pourquoi elle a eu un sursaut de frayeur lorsqu'elle s'est aperçue, au beau milieu d'un tir, qu'on l'observait de derrière un arbre. C'était le Gourou. Elle ne l'avait pas entendu venir. Son premier réflexe a été de vérifier s'il était armé. Il ne l'était pas. Elle a décidé de l'ignorer.

Il est resté adossé à l'arbre, l'a regardée un moment tirer sur sa cible. Mais il s'est vite lassé ; et comme elle se baissait sur sa cartouchière pour réarmer son fusil, il n'y a plus tenu et lui a lancé :

– Tu vas rester toute ta vie avec Vikram Mallah ?

Elle n'a pas levé les yeux de ses cartouches ; ce n'est qu'au moment où elle a recommencé à viser qu'elle a consenti à répondre :

– Et alors ?

Le Gourou s'est approché, il s'est assis tout près d'elle et a poursuivi en fixant la cible, comme si c'était lui qui s'apprêtait à tirer :

– Parce qu'il y a des gens dans la bande qui pensent que tu as tout pour faire un chef. Un jour, tu auras ton gang à toi. C'est moi qui te le dis. Tu verras...

Il a été interrompu par sa première balle. Elle a tiré une dizaine de fois ; et il a dû attendre qu'elle en ait fini avant de pouvoir reprendre :

– Peut-être que toi et moi, on pourrait commander un gang.

Elle a alors laissé retomber son fusil et est partie d'un rire – un ricanement plutôt, long et profond, qui est allé résonner contre les murailles de grès. Le Gourou a paru dépité. Elle a pensé qu'il allait la planter là, elle en était déjà soulagée. Mais il a insisté, plus sombre que jamais :

– Oui, toi et moi. Pour commander le même gang.

– Explique-moi ça !

Elle a recommencé à rire, puis elle s'est remise à tirer. Mais, cette fois, elle s'est arrêtée au bout de deux coups ; elle s'est retournée vers lui et a repris froidement, en le regardant droit dans ses yeux jaunes :

– Alors, le Gourou, tu me l'expliques, ton affaire ?

Il s'est levé, est allé faire quelques pas près du ruisseau où elle s'était lavée. Il gardait la tête baissée, il n'arrêtait pas de se mordiller les lèvres. Puis il est revenu vers elle. Il s'est redressé et lui a déclaré avec une gravité qui lui a rappelé Vikram :

– Parce que ce serait un grand honneur de servir à tes côtés, Phoolan Devi.

Elle en est restée sans voix. Il en a aussitôt profité pour ajouter :

– Si je pouvais choisir une femme pour courir avec moi dans les gorges, ce serait toi. Dans toute la Vallée, je ne pourrais pas trouver mieux. Tu es une grande rebelle. Tu es un grand bandit.

Elle a eu un bref instant de surprise : il copiait Vikram, il ne lésinait pas sur les mots – *honneur, rebelle, grand bandit*. Mais, dans la bouche grasse du Gourou, les plus belles phrases prenaient quelque chose de boiteux. Rien que pour cette fausseté, elle n'y est pas allée de main morte :

– Passe ton chemin, chien thakur. J'ai un homme, il me suffit. Je n'ai pas besoin entre mes jambes d'un petit chacal comme toi.

Elle a senti tout de suite qu'elle avait eu un mot de trop ; tout de suite aussi, elle a compris lequel. Le Gourou était arrivé la bouche remplie de flatteries, de beaux raisonnements bien pensés, bien remâchés. Sûr de son fait, et, pour y parvenir, prêt à tout endurer. Sauf des injures. Surtout pas celle-là : *chien thakur*.

Pour autant, Devi ne l'a pas regrettée. Elle s'est remise aussitôt à tirer sur sa cible, sans un regard pour lui, ce qui a eu pour effet de lui faire tourner les talons. Elle a continué son exercice pendant un bon quart d'heure ; et quand elle est revenue au camp, sa décision était prise : elle avait résolu de tout dire à Vikram.

Elle lui parla donc le soir même, dès qu'ils furent couchés. Il la laissa dire sans poser une seule question. Quand elle en eut fini, dans le noir, son silence s'approfondit encore au point qu'elle n'entendit plus sa respiration ; et il fallut qu'elle étendît sa main vers lui pour s'assurer qu'il était bien là. Dès qu'il la sentit sur sa poitrine, il s'en empara, la pétrit avec une force inouïe. Il ne cessait plus de répéter :

– Tu vas me jurer que c'est vrai. Sur la Déesse, tu vas me jurer...

Elle finit par lâcher une plainte, tellement il la serrait ;

et comme si ce gémissement lui avait tenu lieu de serment, il se jeta sur sa torche électrique, courut droit à la bâche où dormaient les frères Singh, braqua sa lampe sur le visage du Gourou, le prit par le col, le secoua de toutes ses forces puis le laissa retomber en hurlant dans la nuit, aussi loin qu'il put :

– Ne joue pas avec ma femme, Sri Ram Singh ! Ne touche pas à un seul de ses cheveux !

Ce fut tout. Personne ne bougea dans le camp, ni Lukka, ni même Boîte à Outils. Et Vikram lui-même, comme si sa colère s'était épuisée à travers ce seul cri, revint s'écrouler sans un mot aux côtés de Devi.

Mais c'est aussi cela, les nuits d'avant la mousson, en forêt ou dans la plaine, où qu'on soit : les hommes saisis de colères subites, soudainement pris de mots grotesques et violents, qu'ils pensent ou ne pensent pas, peu importe, il ne faut pas chercher à comprendre, tout se mélange, par les chaleurs, tout se confond, se brouille. Après ce cri, il y n'eut donc dans la clairière que des froissements de branchages près des sources, des animaux, sans doute ; et, de bâche en bâche, des chuchotis vite étouffés, murmures furtifs auxquels ni Devi ni Vikram ne prirent garde. Le sommeil qui rôdait depuis un moment sur le camp avait commencé à réparer leur corps, il continuait, insidieux, d'engager leur âme à la fuite ; et il ne tarda pas à les engluer dans sa poisseuse torpeur ; si lourd qu'aux premiers rais de lumière, lorsqu'ils s'éveillèrent – au même moment, comme d'habitude, et les premiers de la bande –, le mal était fait depuis déjà longtemps : les frères Singh avaient déserté.

Ils avaient été suivis d'une partie du gang, tous des thakurs, qui avaient chargé dans leur paquetage les réserves de nourriture et le plus gros des munitions.

52

Un seul thakur était resté : un éclaireur, le jeune et frêle Avatar, qui détestait les deux frères depuis que Boîte à Outils avait tenté de le malmener sous l'œil narquois de son jumeau. Avatar apprit à Vikram que le Gourou complotait contre lui depuis une bonne quinzaine de jours avec les thakurs de la bande. Il n'eut pas à lui expliquer pourquoi, Vikram l'avait déjà compris, il savait qu'il avait frôlé la mort. Le moyen choisi par le Gourou l'étonna davantage : pour de mystérieuses raisons qui tenaient peut-être aux rumeurs sur la naissance d'une nouvelle Reine des Bandits, le Gourou s'était persuadé qu'il n'y parviendrait qu'en possédant Devi.

Il avait jubilé quand Vikram avait parlé de s'enfoncer dans la forêt, d'aller chercher les sources ; il préférait le calme pour lui régler son affaire ; et, du jour où il eut fait entrer dans son complot tous les autres thakurs, il ne rencontra devant lui qu'un seul obstacle : les ardeurs de Boîte à Outils. Lui aussi voulait Devi ; il prétendait même qu'en lui faisant montre de ses volumineux arguments, elle lui céderait sur-le-champ. Le Gourou jugea plus prudent de les éteindre pour un temps : tous les matins, en cachette, il versa dans son thé une pleine sachée de poudre sédative. Boîte à Outils n'y vit que du feu.

Avatar détaillait à plaisir ses trahisons, et Vikram l'écoutait sans l'interrompre, comme s'il lui fallait mesurer la fourberie du Gourou dans toute son étendue avant de pouvoir admettre qu'il avait été berné. Mais il laissa passer une ombre de sourire quand Avatar lui raconta que, tout retors qu'il fût, le Gourou avait buté sur l'écueil le plus imprévu : Devi elle-même. Malgré son jean et son bandeau rouge, malgré son endurance et ses manières d'homme, en dépit même du bruit qui faisait d'elle une nouvelle Putli, le Gourou n'était jamais arrivé à la voir autrement que Kusumana la lui avait décrite : une prostituée. Pour le flatter, quelques thakurs l'encouragèrent dans son illusion en se vantant d'avoir couché avec elle. Le Gourou les crut ; et au moment de rejoindre Devi dans la clairière, il n'imagina pas une seconde qu'elle pût le repousser.

Encore moins qu'elle pût l'insulter, puis parler à Vikram. Avant son séjour en prison, il les aurait aussitôt massacrés tous les deux et aurait abattu sans sommation le premier homme à vouloir les venger. Du reste, les thakurs furent très surpris de ne pas le voir bouger quand Vikram vint le menacer. Mais ils comprirent qu'il avait dû échouer, avec Devi. Et que sa vengeance, plutôt que par la violence et le sang, commencerait par une fuite.

Tout s'était passé vers minuit, raconta Avatar. Les thakurs avaient été prêts en moins d'une demi-heure. Ils étaient si impatients de déguerpir qu'ils ne s'aperçurent pas que lui-même restait en arrière. Dès qu'il les avait entendus dévaler la pente menant à la rivière, il était retourné s'écrouler sur sa bâche, puis s'était rendormi de soulagement ; et il avait été aussi stupéfait que les autres, à son réveil, d'apprendre qu'ils avaient emporté la nourriture et les cartouches.

– Assez parlé, coupa Vikram.

Il tapotait le chien de sa mitraillette, sa mâchoire se durcissait de seconde en seconde. Avatar reprit :

– Je n'ai pas trahi, pour cette nuit... Pour la nourriture, je ne savais pas...

– Tu es bien thakur ?

L'autre n'osait répondre. Vikram s'approcha, répéta sa question. Il finit par acquiescer. Vikram souleva sa mitraillette et lui jeta alors sèchement :

– Mes hommes ne se nourrissent pas de mots.

L'instant d'après, Avatar roulait à ses pieds, la tête

fracassée par une rafale. Il n'eut pas un regard pour lui. Il saisit l'épaule de Lukka, puis celle de Devi, et les poussa tous deux jusqu'à la falaise. Il ne s'arrêta qu'à l'extrême bord de la pente ; et sa voix n'avait jamais été aussi paisible quand il leur dit en leur désignant le filet d'eau qui miroitait au fond du goulet :

– Nous voici entre nous. Rien que nous.

53

On ne prit pas le temps de brûler le cadavre d'Avatar, on le jeta du haut d'un à-pic. D'ailleurs, on ne prit le temps de rien, ce jour-là, pas même de se laver. On para au plus pressé : on fit l'inventaire des munitions restantes, on se compta. Ils n'étaient plus que quinze, tous mallahs ou de basse caste. On dut alors réfléchir à un plan. Il fut très vite trouvé : d'abord manger. On n'avait d'autre ressource que d'attaquer des paysans ; pour ce faire, on devait passer la Betwa – par chance, elle n'était plus très profonde. Puis on lancerait un raid sur le premier village venu.

La bande se mit en marche. Les hommes dégringolèrent la falaise sans trop de peine, passèrent la rivière avant midi. Quelques heures plus tard, ils repérèrent un petit bourg dissimulé dans une saignée des falaises. Les présages étaient bons, ils l'attaquèrent juste avant la nuit. Tout se passa sans encombre, les hommes raflèrent le peu qui restait dans les greniers. Les paysans avaient été pris de court, il n'y eut aucune résistance.

À son habitude, Vikram s'était posté sur une crête qui surplombait les maisons, afin de donner l'alerte et de diriger la retraite s'il fallait se replier. Devi se trouvait à l'autre bout de la paroi, surveillant elle aussi l'horizon. Accourues de partout, d'énormes nuées commençaient à étouffer le soleil du soir.

C'est au moment où les hommes escaladaient les rochers pour les rejoindre qu'elle a entendu une détonation; et, presque aussitôt, un cri étouffé. Sur le moment, elle a pensé qu'un homme était resté en arrière et qu'il avait été surpris par un villageois. Elle a tourné la tête dans toutes les directions avant de s'apercevoir que c'était Vikram qui avait été touché.

Elle a couru à lui, sans même chercher d'où était venu le coup de feu. Il s'était évanoui, le sang noyait déjà son pantalon, qu'elle arracha. Il était blessé à la cuisse, juste au-dessus du genou. Elle se jeta sur son paquetage, s'empara d'un tee-shirt, en fit un garrot; puis, comme Vikram avait encore la bouche entrouverte, elle y laissa tomber une longue rasade d'alcool, si bien qu'il reprit connaissance avant même que la bande les eût rejoints.

Dès qu'il eut recouvré ses esprits, Vikram comprit qu'il ne pourrait plus marcher. Il faudrait le porter, il n'était plus question de descendre les gorges de la rivière Betwa. On devrait, jugea-t-il, les prendre en sens inverse, puis entrer dans les plaines de l'Est, pour retrouver Moustakim là où il avait dit passer la mousson, de l'autre côté du Gange. Cela prendrait une bonne semaine. Mais si le monde tournait comme il avait toujours tourné, les pluies n'arriveraient pas avant une dizaine de jours; et même si le butin de l'attaque était maigre, ils avaient de quoi tenir jusque-là.

Vikram avait raisonné vite, comme toujours. À plusieurs reprises, toutefois, un frisson le parcourut des pieds à la tête – une onde de douleur, sembla-t-il à Devi, qu'il avait le plus grand mal à contenir. Au beau milieu de son discours, il lui demanda de lui verser le peu d'alcool qui lui restait; et il se hâta de conclure sur quelques mots très secs, pour annoncer aux hommes qu'il fallait redescendre au plus vite à la rivière. Avant l'attaque du village, il avait repéré sur ses berges une grande grotte où ils pourraient passer la nuit.

Ils l'atteignirent à la lueur des torches, une heure après

le coucher du soleil. Ils étaient exténués et s'endormirent sur-le-champ. Ils ne virent pas les premiers éclairs, ni n'entendirent le tonnerre. Le lendemain matin, quand ils sortirent de la grotte, les pluies étaient là.

54

Ce furent tout de suite des cataractes, un cataclysme d'eau et de boue, le ciel n'arrêta plus de se débonder.

Ce n'était pas dans l'ordre. D'habitude, la pluie s'annonçait, il y avait de fausses alertes, des vents subitement levés et retombés, des grondements au bout de l'horizon, des foudres sèches, des cieux noirs en plein midi. Car la pluie n'aime pas à se donner d'un coup ; les autres années, elle s'était toujours fait prier, elle avait joué les aguicheuses, elle avait dit patience, c'était la loi des choses, la danse du désir avant l'offrande de la vie. Elle commençait par une averse, une belle ondée allègre qui rafraîchissait l'air, faisait fumer la terre. Puis la chaleur revenait pour un jour, pour une nuit, le sol racorni se fendillait encore, il semblait près de retourner à ce qu'il était depuis des mois, une plaie vive offerte à une combustion dont on ne voyait pas la fin. Éclatait alors un autre orage, plus fort que le premier, l'eau commençait à détremper la terre. La pluie lui laissait un répit, mais plus bref ; car le ciel lâchait vite une nouvelle averse qui, celle-là, abreuvait sans retenue les ravines et les champs.

C'est à ce moment, d'ordinaire, lorsque les hommes ont repris souffle, quand la terre a déjà son content et demande grâce, que la pluie se laisse voir dans sa toute-puissance. Elle jette bas ses cataractes, l'éclabousse, l'engloutit avec férocité ; et c'est là seulement, pas avant, quand les bêtes, les hommes et la terre commencent à se confondre dans le ruissellement du monde, qu'on peut dire sans crainte de se tromper que la mousson est là.

Mais voilà, cette année-là, entre le Gange et la Betwa, la pluie est venue sans prévenir, dans toute sa majesté. En une journée, elle a rempli les crevasses, revigoré les ruisseaux et les fleuves, envasé la campagne dans un bourbier spongieux qui alourdissait les jambes, embarrassait le pas. La bande mit plus de quinze jours à sortir des ravins; et quand elle entra dans la plaine, toutes les rivières étaient en crue.

Le Gange lui-même était sorti de son lit, il n'était plus possible de rejoindre Moustakim. On était à bout de provisions et le déluge empêchait la moindre attaque. Tout juste pouvait-on dévaliser une ferme ici ou là, arracher à des paysans isolés le peu qui leur restait. Et c'était compter sans la blessure de Vikram qui s'était infectée. Elle n'était pas très profonde; Lukka avait demandé à Kalla, qui connaissait les herbes, de lui trouver les racines qui éteignent le feu des plaies. Pour espérer en découvrir, avait dit Kalla, il fallait attendre d'être sorti des ravines. Mais trop tard : quand ils débouchèrent dans la plaine, la rivière avait déjà débordé, la boue était partout, elle avait englouti les plantes.

C'était la lune descendante, le moment préféré des fièvres. La plaie de Vikram était gorgée de pus; chaque fois que Devi lui changeait ses bandages, il répétait cependant : « Dans trois jours on n'en parlera plus, la Déesse est avec moi, jamais personne n'aura ma peau, cela fait trop longtemps que la Déesse est en moi... » Mais les hommes voyaient bien que son visage avait la même couleur que la boue, tous devinaient que son corps brûlait. Et, dès la première nuit où, comme l'année précédente, ils durent étendre leurs bâches en plein bourbier, ils commencèrent à se demander ce qui les avait conduits là alors qu'on les donnait, un mois plus tôt, pour le gang le plus prospère de la Vallée.

Alors ils remontèrent en eux-mêmes le cours du

temps et butèrent sur un autre jour de pluie et de boue : celui de la mousson passée où Babu était tombé sous les balles de Vikram. Qui avait pu multiplier sur leur route tant d'excellents et d'insolents présages, qui avait pu instiller dans l'esprit de Vikram son extravagante loyauté envers les frères Singh, sinon une puissance acharnée à leur perte ? Qui, sinon Babu ? Babu dont le corps n'avait pas été rendu à sa famille et n'avait pas voulu brûler. Babu livré au feu impur du kérosène, sans encens, sans guirlandes. Babu dont l'esprit devait les poursuivre en silence depuis ce jour-là, dans l'attente de la vengeance qui lui ouvrirait les portes de la Cité des Morts. Tout portait à le croire, là se trouvait la source de leur malheur présent. À commencer par la balle tirée sur Vikram, dont personne n'avait su dire d'où elle était venue – un paysan, jurait Vikram, un villageois perché sur un toit, mais il était le seul à l'avoir entrevu. Puis, dès le lendemain, ces pluies venues avant le temps, après des chaleurs elles-mêmes trop précoces, ces monstrueuses nuées d'eau qui leur barraient l'accès à Moustakim, infectaient le sang de leur chef, les condamnaient à une errance de rats.

La peur gagna les plus endurcis. Même Badru et Balo, les deux colosses jumeaux, qui souriaient toujours et ne parlaient jamais ; même le beau Baladin qui d'habitude marchait joyeux en tête de la colonne ; même le rêveur petit Kok qui avait toujours l'esprit ailleurs, et que rien ne semblait toucher ; et même Plazza, un vigoureux éclaireur dans la force de l'âge, qui portait sans broncher double paquetage, le sien et celui de Vikram, depuis que celui-ci était blessé. Par ces nuits de pluie et de faim, tous eurent la tête assaillie d'idées noires et de mots qui affolent, l'esprit de mort vint pourrir leur sommeil. Le jour, ils rêvaient de s'enfuir.

C'était le mal des bandes, Vikram le reconnut tout de suite, malgré sa fièvre ; cette angoisse qui fait que les hommes se sentent d'un coup plus faibles, à force de vivre et de souffrir ensemble. Cette peur, un beau matin, qui pousse l'un d'eux à s'évanouir sans un mot au bout d'un défilé. Puis c'est un autre, en plein midi. Et encore un autre, le soir ou le lendemain. On les retrouve morts, trois jours plus tard, tombés au fond d'une gorge; ou la cervelle éclatée, l'arme encore enfoncée dans la bouche. Ou bien des mois et des années après, dans une autre bande, loqueteux ou splendides, selon l'œil du destin.

Alors, au bout de deux nuits passées dans la boue, Vikram a préféré prendre les devants :

– Chacun pour soi, maintenant, a-t-il annoncé aux hommes. Je vais remettre mes habits de paysan et aller me faire soigner à Gwalior. Je vais prendre le train avec Devi.

Au frémissement qui parcourut le gang, il vit que les hommes étaient soulagés; il sentit qu'il avait vu juste. Et ce ne fut pas seulement la fièvre qui lui cassa la voix quand il se força à poursuivre :

– La police est tranquille, là-bas. On se retrouvera après les pluies.

« Il faisait peine à voir, se souvient Lukka, il voyait bien qu'on était tous décidés à le quitter. Mais si je lui ai donné le conseil d'écouter la radio avant de partir, ce n'était pas par pitié, pour reculer le moment de la séparation. C'était par prudence. Pas pour lui, ni pour les autres. C'était pour moi et pour Kalla. Chacun pour soi, Vikram l'avait bien dit. Il aurait pu se taire, d'ailleurs, ça faisait un bail qu'on le savait. J'étais assez grand pour écouter la radio dans mon coin, et les autres aussi. Depuis les attaques sur la Nationale 2, tout le monde avait son transistor dans la bande. Seulement, on n'était pas encore habitués à ces machines-là, on n'avait pas fait attention, au début des pluies. Nos piles avaient pris l'eau, elles étaient déjà rouillées et on n'en avait pas de rechange. Plus personne n'avait de piles sèches dans son transistor. Sauf Vikram... »

55

Une fois de plus, la radio a commandé le destin de la bande. En dehors de la mousson et des événements consécutifs à la mort accidentelle de Sanjay Gandhi, fils cadet d'Indira, on n'y commentait qu'une seule nouvelle : les remous suscités dans l'État voisin par un massacre de paysans. Malgré les pluies, la police du Madhya Pradesh, pourtant généralement placide, était à son tour sur le pied de guerre. Le responsable de cette fièvre était Pan Singh Tomar, l'un des gangsters les plus surprenants de la Ceinture du Crime. Avant de s'enfuir dans les gorges, il avait remporté la médaille d'or du marathon aux jeux Asiatiques de Tokyo en 1958. On avait parlé de lui pour les jeux Olympiques, on l'avait longuement entraîné à cet effet dans les casernes de l'armée, mais il avait fini par retourner dans son village et n'avait pas tardé à prendre les ravines où il avait fondé avec son frère un gang redouté. Quelques mois avant la mousson, après une dénonciation, une bataille rangée avait opposé son gang à la police, et son frère était mort. Pan Singh était parvenu à arracher son cadavre aux policiers, il s'était enfui dans les gorges en le portant sur son dos, l'avait traîné ainsi dans les ravins sur des dizaines et des dizaines de kilomètres, avant d'atteindre le Rajasthan où il avait réussi à l'incinérer selon les rites, de ses propres mains, à Bharatpur, sa ville natale. Cet exploit avait fait de Pan Singh une légende vivante. Mais, quelques jours plus tôt, la légende vivante était revenue dans le village où les policiers avaient tué son frère, et elle y avait froidement abattu cinq personnes, dont un vieillard, en plein jour, sous les yeux d'une vingtaine de témoins. Comble d'insolence, Pan Singh avait pris le temps de laisser sur les cadavres une note enflammée dans laquelle il revendiquait son crime et détaillait par le menu toutes les puissantes raisons qui l'y avaient poussé.

Le bulletin radio fit état de plusieurs éditoriaux inspirés par cette affaire, qui avait fait la une de tous les quotidiens de Delhi. On en avait même parlé au journal télévisé où elle avait momentanément éclipsé les intarissables commentaires sur l'accident tragique de Sanjay Gandhi. Du reste, Indira elle-même commençait à recouvrer ses esprits. Entre autres mesures prouvant que la vie reprenait son cours, elle venait de sommer les autorités du Madhya Pradesh de se remettre avec ardeur à la chasse aux bandits.

Ce n'était guère qu'une battue de plus, jugea Lukka, elle s'arrêterait dès que les policiers auraient pris quelques têtes. Il convenait seulement que ce ne fût pas les leurs. Dans l'immédiat, la nouvelle n'avait pour eux qu'un effet : elle leur coupait les routes du Sud et de l'Ouest, là où la mousson était beaucoup moins forte; et elle interdisait à Vikram de se rendre à Gwalior.

Il ne lui restait plus qu'une issue, acheva Lukka en prenant un ton assez distant pour montrer à Vikram qu'il ne confondait pas son sort et celui de la bande : trouver une maison amie, un village où il aurait des parents, des hommes à qui il aurait pu naguère rendre service. Puis y faire venir discrètement un homme versé dans la science de longue vie et qui le soignerait avec des plantes, des poudres de pierre, des orviétans, des élixirs comme on en fabrique au fond des campagnes depuis la nuit des temps.

Lukka n'avait pas parlé au hasard de « village ami », il se souvenait que Vikram était né en aval de la rivière. La réponse de Vikram, du reste, ne se fit pas attendre. Il n'avait plus de famille dans son village natal, mais il se souvint d'un oncle qui vivait à Rajpur, un très gros bourg situé non loin de là, à la frontière des deux États.

Vikram n'avait pas vu son oncle depuis des années, mais l'endroit était idéal pour la convalescence d'un blessé recherché par la police : un immense dédale de maisons, de courettes et d'échoppes étagées autour d'une colline qui dominait le fleuve. On pouvait en effet s'y cacher. On y avait même intérêt – comme d'envoyer des éclaireurs avant de s'y aventurer : il se trouvait en plein cœur du pays thakur.

56

Ce furent Plazza et Kok qu'on envoya à Rajpur rencontrer l'oncle de Vikram et lui demander s'il pouvait abriter son neveu. Il ne fit aucune difficulté. Il vivait dans une grande maison en surplomb sur le fleuve, au fond du quartier mallah, tout au bout d'un labyrinthe de ruelles et de cours. Outre ses fils et leurs femmes, il y hébergeait une de ses nièces, Prianka. Elle avait seize ans, elle était atteinte d'une maladie de faiblesse contre laquelle les médecins n'avaient rien pu. Il avait fallu renoncer à la marier. Elle ne quittait presque jamais son lit. Un homme qui connaissait les plantes venait encore la visiter pour tenter d'adoucir une fin qu'on estimait proche.

L'homme aux plantes était là le jour où Vikram s'installa chez l'oncle Barelal. Il était minuscule, sec, très vif ; il s'aperçut tout de suite que la blessure de Vikram était due à une balle ; il comprit aussi qu'il était bandit. Mais il ne lui posa aucune question. Il se contenta de lui faire boire un liquide verdâtre, d'une petite bouteille qu'il gardait dans sa besace, entre ses paquets d'herbes. Puis il lui massa longuement les jambes et le ventre en marmonnant des incantations. Enfin il sortit un pot d'emplâtre qu'il appliqua sur sa plaie. Vikram ne tarda pas à s'endormir. L'homme aux plantes demeura accroupi à ses côtés, silencieux, les paupières à nouveau baissées – lui aussi, on aurait pu croire qu'il dormait. Mais, au moment où Devi commençait à somnoler, il se leva brusquement et s'éclipsa.

Vikram dormit trois jours et trois nuits d'affilée. Les deux premières nuits, Devi ne ferma pas l'œil. Chaque fois qu'elle s'assoupissait, le crépitement fantasque des averses, comme par malice, venait l'arracher à ce début de paix. C'était alors plus fort qu'elle, il fallait qu'elle aille poser son front contre celui de Vikram. S'il ne brûlait plus, elle reprenait espoir. L'instant d'après, elle palpait sa joue, ses bras, les trouvait glacés, recommençait à se désespérer en silence. Le troisième soir, à bout de nerfs, elle supplia l'oncle Barelal de faire revenir l'homme aux plantes. « Il vient quand ça lui chante, lui répondit Barelal avec résignation. Il ne sauve pas les hommes, il les soigne. » Cette réplique acheva de l'abattre. Elle repartit sans un mot veiller Vikram. Mais, curieusement, la nuit suivante, elle réussit à dormir ; et quand l'aube se leva, ce fut Vikram qui la réveilla.

Il n'allait guère mieux, il réclama aussitôt l'homme aux plantes. Elle n'osa lui répéter la réponse de Barelal, elle lui dit qu'il n'avait pas cessé de pleuvoir, que les boues commençaient à couper les chemins, que son oncle lui-même ignorait où il habitait. Alors Vikram voulut savoir si des hommes de la bande étaient venus prendre de ses nouvelles, selon la promesse que lui avait faite Lukka au moment où ils s'étaient séparés. Devi n'avait vu personne. Elle eut beau lui répéter qu'il était trop tôt, que les pluies n'avaient jamais été aussi fortes que pendant les trois jours et trois nuits où il avait dormi, l'angoisse prit Vikram et ne le quitta plus. Il n'arrêta plus de ressasser les serments que lui avait faits Lukka, au carrefour des sentiers menant à Rajpur, lorsque Plazza et Kok, revenus de chez son oncle, lui avaient annoncé que la voie était libre et que Barelal voulait bien le cacher.

Lukka lui avait juré qu'il empêcherait le gang de se défaire, il avait dit que dans l'attente de sa guérison, il allait emmener les hommes s'abriter dans des temples souterrains, en amont du fleuve, et qu'il enverrait des éclaireurs à Rajpur deux fois la semaine, déguisés en paysans, pour s'y ravitailler et prendre de ses nouvelles. « Belles paroles, pestait maintenant Vikram, belles promesses, ils sont tous partis, chacun pour soi, Lukka le premier ! Personne n'est venu me voir, personne ne viendra jamais. » Et il se remit à remâcher les mêmes frayeurs contraires : la police avait-elle capturé la bande, les frères Singh avaient-ils retrouvé leur trace, le fleuve, en débordant, avait-il englouti ses hommes, Lukka était-il de la race des traîtres ? La peur lui obscurcissait l'âme, il ne savait plus quoi redouter, tout s'emmêlait dans son esprit, il en oubliait le Savoir du Serpent, il ne voyait plus en lui que faiblesses ; et il finissait presque par jubiler à mesure qu'il en reprenait le catalogue : sa blessure qui ne guérissait pas, les pluies qui redoublaient de violence, ce refuge qui n'en était pas un, en plein pays thakur, et dont il détaillait comme à plaisir toutes les menaces – même si la maison de l'oncle se trouvait au fond du quartier des petites gens, derrière les échoppes des barbiers et les cours des tisserands, qui pouvait l'assurer qu'il n'était pas espionné, qui pouvait lui jurer qu'on ne le donnerait pas ? Il y avait à Rajpur un poste de police, lui avait dit Barelal, avec une antenne radio, tout comme à Kalpi, et plusieurs jeeps. Son oncle avait des voisins, des domestiques. Quant à l'homme aux plantes, il n'avait rien dit en voyant sa blessure, mais il avait tout compris, il n'en pensait pas moins. S'il ne revenait pas, c'était peut-être tout simplement qu'il les avait trahis.

Vikram aurait pu continuer ainsi pendant des heures. Plus il s'obstinait, moins Devi trouvait à redire. L'eût-elle d'ailleurs contredit qu'il ne l'aurait point écoutée, ou bien il aurait découvert dans son espoir à elle de nouvelles raisons de se laisser accabler. C'était le noir tourbillon du désarroi, celui qui brise les plus durs courages, happe tout dans sa trombe infernale; mais qui peut aussi se figer d'un seul coup pour peu que les dieux choisissent de le porter à son comble avec le spectacle d'une autre douleur, sans commune mesure. Or, cette douleur-là se trouvait à deux pas, dans la chambre voisine. C'était Prianka.

Il a suffi qu'elle se montre. Cela s'est passé quelques heures après l'aube, au moment où Devi changeait les bandages de Vikram. Il recommençait à accuser l'homme aux plantes de l'avoir trahi quand Devi lui lâcha brusquement la jambe. Il étouffa un cri : au même moment, il comprit ce qui avait attiré le regard de Devi. Prianka s'était levée et s'avançait sur la terrasse qui dominait le fleuve.

À leur arrivée, Barelal leur avait assuré qu'elle était perdue, qu'elle ne passerait pas la semaine; de fait, Devi ne l'avait jamais vue debout. Elle avait plusieurs fois tenté de s'approcher d'elle, avait écarté les domestiques pour lui tendre un verre d'eau, lui murmurer quelques mots de réconfort. Prianka ne lui avait jamais répondu, elle avait toujours semblé dormir, comme Vikram, la couverture rabattue sur son visage. Si bien que d'elle, Devi n'avait jamais entrevu que son énorme natte qui pendait le long de son lit ainsi qu'un serpent mort; et elle avait imaginé qu'elle ressemblait à ces moribonds croisés à Kanpur ou Allahabad, au bord du Gange, là où les âmes laissent plus facilement derrière elles le fardeau de souffrances qui va avec le corps. Comme eux, en effet, Prianka était très maigre, elle avançait à pas comptés, on aurait pu croire à un spectre. Mais ses traits étaient restés absolument intacts, d'une rare beauté, harmonieuse et lisse, comme si la maladie elle-même répugnait à l'attaquer; et, malgré la peine qu'elle avait à marcher, elle gardait la tête haute, rajustant avec grâce les plis de son sari. Jusqu'à sa voix qui n'avait pas le timbre assourdi qu'on entend aux malades; au point que Devi eut un sursaut lorsque Prianka laissa tranquillement tomber depuis la terrasse où elle venait de s'accouder :

– La pluie se calme, le soleil vient.

Pourtant il faisait sombre, tout annonçait un jour pareil aux autres, obscur et accablé d'orages. Vikram et Devi n'osèrent bouger, ils ne savaient plus de quel côté ils étaient, celui de la détresse ou celui de l'espoir ; Prianka elle-même leur sembla un court instant incertaine, leur adressant à tous deux un grand sourire chaleureux où passa la joie simple des filles de son âge quand elles s'en vont au bain, ou qu'elles enfilent leurs bijoux pour rejoindre une fête ; mais, presque aussitôt, son regard repartit se perdre dans les lointains, le long des terrasses du village étagées à flanc de colline. Sa silhouette parut se dissoudre dans l'ocre du muret et Devi ne distingua plus d'elle que son profil, avec la minuscule boule d'or qui brillait au creux de son nez.

C'est alors que le soleil, comme elle l'avait annoncé, se mit à déferler contre les murs de terre. Ce ne fut d'abord qu'un simple filon d'or, une inclusion de paillettes dans les courants roux et bourbeux qui engorgeaient le fleuve. Mais il prit vite force et vint réveiller, sur les berges, le grès des temples et des quais, puis se mit à courir de toit en toit, il monta à l'assaut des maisons, réchauffa un à un leurs murs détrempés, envahit la terrasse de Barelal, la dernière de la colline, où il vint mourir, telle une vague lasse, sur le seuil même de la chambre de Vikram.

Alors, comme Prianka se retournait vers eux avec les yeux flous de ceux qui sont déjà sur l'autre versant des choses, Devi trouva enfin les mots qui éloignèrent de Vikram l'esprit de malheur et de mort :

– Lève-toi, Vikram, tu as la force de marcher, viens, lève-toi, allez, viens voir, regarde, regarde en bas, regarde l'eau, le beau temps se remet à couler dans le fleuve…

57

Car Vikram était bien comme elle : il avait toujours aimé le fleuve. À eux deux, comme à tous les mallahs fils de mallahs, le fleuve avait toujours tout apporté : de quoi manger, de quoi mourir, les épidémies et les récoltes, les pluies et les sables, le plaisir du bain, la peine des lessives, les noyades, l'osier des nasses, le poisson, l'eau qui fait pousser le grain, les grands vents de chaleur qui remontent son lit et les trombes de la mousson qui le descendent ; enfin les frères, les fils, les cousins, les oncles, les amis de même naissance qui sillonnaient ses eaux depuis que le monde est monde, et les ennemis thakurs qui les regardaient passer sur leurs barques d'un œil mauvais, du haut des terres qu'ils leur avaient volées en des temps cachés loin, au fin fond des années et des siècles, mais qu'on n'oublierait jamais, tant justement que le monde serait monde. Dans les eaux du fleuve coulaient toutes les rancunes, tous les espoirs. C'est à lui qu'on offrait les guirlandes, à lui qu'on remettait les cendres encore chaudes des morts ; c'est sur ses berges qu'on venait prier, maudire, jeter des sorts, murmurer des plaintes ou des exécrations. C'est là aussi, au bord du fleuve, de préférence à tout autre lieu, qu'on descendait, d'un bout à l'autre de l'année, savourer ces joies minuscules qui, beaucoup plus que les grandes, font penser simplement qu'il est bon d'être en vie.

À la mi-juillet, ce petit bonheur-là se nomme pastèques. Dans les semaines qui avaient précédé la mousson, Devi en avait souvent parlé, elle avait dit à Vikram, les jours des vents de poussière, quand la bouche et la gorge finissent par brûler à force de sécheresse : « Vivement la saison des pastèques, vivement qu'on aille en manger au bord de l'eau ! – Une vraie gamine, s'était chaque fois attendri Vikram. Tu les auras, tes pastèques, attends donc un peu ! » Et il s'était mis à rire en revoyant sans doute, lui aussi, le temps de ses dix ans, quand il allait chaparder les fruits dans les champs avec les autres enfants du village, pour les manger ensuite dans une anse du fleuve.

On les voyait venir, les enfants, mais on les laissait faire, c'était leur fête à eux, une cérémonie dont ils croyaient avoir inventé les rites, mais qui était la même depuis toujours, partout dans la Vallée. Il fallait d'abord ramasser les pastèques sans se faire voir ; puis on les descendait au fleuve, on les chargeait dans une nasse, on les faisait rafraîchir une bonne heure au fond de l'eau, il fallait patienter, c'était cela aussi le secret de la fête : apprendre qu'il n'y a pas de plaisir sans patience. Enfin on les retirait de l'eau. Ceux qui avaient des couteaux tranchaient la pastèque, l'épépinaient dans le courant avec des gestes de prêtre ; et ils étaient aussi les premiers à mordre dans sa chair, à s'en goinfrer jusqu'à plus soif. Ensuite, quand on n'en pouvait plus, commençaient les batailles, on se barbouillait de la pulpe translucide qui scintillait dans le soleil, on se jetait les pelures à la tête ; et, comme d'habitude, tout se terminait dans l'eau.

C'était la grande joie des enfants, dès les premières éclaircies ; d'ailleurs, chaque fois que Devi avait parlé des pastèques, avant la mousson, elle avait eu des mots de petite fille : « L'an passé, on était perdu dans les boues, on a raté le moment des pastèques... » Elle en salivait de convoitise ; rien qu'à en parler, elle en oubliait ce qui s'était passé pendant ces jours de boue ; elle la voyait déjà, la pastèque de ses rêves ! Car Devi était ainsi faite : ardente, gourmande ; sa pente, c'était la joie ; et elle cherchait toujours à la faire partager.

Pourtant, quand Vikram a repris espoir, elle n'a pas tout de suite pensé aux pastèques. Sa seule idée, c'était qu'il se remît à marcher. Elle se disait que chaque pas qu'il ferait, ce serait autant de gagné pour elle, une petite marche vers le bonheur. Au premier rayon de soleil, elle l'entraînait sur la terrasse, découvrait sa blessure. De jour en jour, la plaie s'assécha, Vikram recouvra de l'assurance. Il se mit à lorgner l'horizon, à boitiller entre les cours; et elle n'a pas eu trop de mal, alors, à le convaincre de descendre au fleuve.

Cela s'est fait tout doucement, ils ont été prudents, ils ne sont jamais sortis du quartier mallah, ils n'ont jamais forcé, ils allaient posément de ruelle en ruelle, choisissaient leur heure, midi souvent, le temps des éclaircies; et ils ne restaient jamais très longtemps en bas. Ils s'asseyaient sur le parvis d'un temple du Dieu-Singe où ne venaient que les mallahs. Ils regardaient un moment la vie qui reprenait, les barques des passeurs, les femmes ployées sous les monceaux de linge, les bêtes, les enfants qui s'ébrouaient dans les mares gorgées par les averses, les vieux occupés à tresser des guirlandes pour remercier les dieux du bienfait des pluies. De jour en jour, le fleuve était moins bourbeux. Même s'il continuait à charrier des branchages et des cadavres d'animaux, de fins croissants de sable frais commençaient à s'arrondir sur ses berges, qui appelaient le bain. Mais Vikram n'était pas tranquille. Au premier ronronnement de moteur, il tressaillait, constamment aux aguets. Assez vite il voulait partir; il se levait d'un coup, l'œil sombre et disait : « Allez, on remonte. » Et il ajoutait parfois : « Vivement que je puisse courir ! »

Devi le savait bien, ce n'était pas seulement la police qu'il redoutait. Il avait peur que les frères Singh n'eussent retrouvé sa trace; et lors de leurs haltes au temple du Dieu-Singe, quand son regard quittait le fleuve, c'était toujours pour guetter les murs ocre du quartier thakur, son dédale de maisons massives souvent peinturlurées de grandes scènes guerrières. Un matin, Devi se risqua à lui demander : « L'autre jour… tu sais qui t'a tiré dessus ? » Une fois de plus, il éluda. Elle avait compris qu'il soupçonnait quelqu'un de la bande, d'autant plus qu'il n'avait aucune nouvelle de ses hommes. Mais, malgré tout, l'espoir fut plus violent que le doute, Vikram voulait marcher, courir, reprendre force, retrouver foi ; et, avec Devi pour suivre le moindre de ses pas, il était prêt à tous les courages, jusqu'à étouffer ses craintes les plus sourdes.

Les événements, du reste, ont semblé lui donner raison, car, deux jours plus tard, Lukka s'est montré chez Barelal. Il était vêtu d'un uniforme de camionneur trois fois trop grand pour lui, marqué au sigle d'une compagnie pétrolière, un angelot aux cuisses dodues qui crachait des flammes. Kalla et Kok le suivaient dans le même accoutrement cocasse, volé sans doute lors des attaques sur la Nationale 2. Rien qu'à les voir passer le seuil de la maison avec leurs gestes de fauves égarés, à sentir leur odeur de terre humide, à les entendre expliquer que tous les chemins avaient été coupés pendant plus de dix jours, Vikram fut saisi d'un regain d'énergie. Au récit de leurs dernières avanies, il crut renouer avec une vie familière ; et l'esprit de bande le reprit à mesure que Lukka lui racontait comment les hommes s'étaient abrités dans un refuge seulement connu de lui, des grottes dédiées à la Déesse où ils étaient restés à court de nourriture pendant près d'une semaine.

Les grottes n'étaient qu'à quelques miles de Rajpur, précisa Lukka, juste en amont du fleuve ; mais, à cause des coulées de boue, ils s'étaient retrouvés coupés de tout, et même à présent que les pluies s'étaient calmées, il leur avait fallu une demi-journée pour atteindre le village. Avant d'y pénétrer, ils avaient dû se changer, pour ne pas attirer l'attention avec leurs vêtements couverts de terre ; et il leur fallait maintenant du ravitaillement au plus vite, s'ils voulaient être au refuge avant la nuit.

Toujours diligent, Barelal leur proposa aussitôt des lentilles, des légumes, du thé, quelques boîtes de lait en poudre. Et il ajouta qu'il pourrait, d'ici quelques jours, leur offrir des pastèques.

Jusque-là, Devi n'avait pas ouvert la bouche, elle avait laissé les hommes à leurs palabres, à son habitude, sans perdre une miette de ce qui se disait. Mais dès que Barelal eut parlé des pastèques, elle cessa d'être sur le qui-vive. D'un seul coup, elle est redevenue enfant, elle a interrompu Lukka, elle s'est exclamée sans aucune retenue :

– Tu as des pastèques ! Et tu ne m'avais rien dit…

– Je fais pousser de tout dans mon petit champ. Seulement…

– Où est ton champ ?

Barelal a semblé embarrassé, il a eu un geste évasif. Mais il a vu s'aiguiser l'œil de Devi et s'est aussitôt repris :

– Je ne sais pas si elles sont à point.

– Où est ton champ ? s'est obstinée Devi.

Barelal s'est tourné vers la terrasse et a désigné d'une main molle les berges du fleuve, la lisière du quartier mallah :

– Juste là.

Elle a bien regardé l'endroit qu'il lui montrait, elle ne l'a plus quitté des yeux, elle a même failli en oublier de saluer Lukka et les deux autres au moment où ils sont repartis ; et, bien entendu, dès le lendemain matin, au lieu d'aller jusqu'au parvis du temple, elle a entraîné Vikram dans le champ aux pastèques.

58

Pour y descendre, tout de même, ça ne s'est pas fait tout seul. Au dernier moment, Barelal s'est ravisé, il a cherché à les retenir et, comme chaque fois qu'il n'était pas sûr de son fait, il a caressé sa moustache, puis son petit ventre en pointe, et il a grommelé : « Vous allez être déçus, mes pastèques ne sont pas mûres ! – Tu parles ! a rétorqué Devi. Sur le tas, on en trouvera bien une ou deux… » Barelal s'est rembruni, il s'est mis à tirer sur les poils de son ventre, par en dessous sa chemise qui bâillait; et, sur un ton qui se voulait autoritaire, il a repris : « Vikram, tu prends des pastèques si tu veux, mais tu remontes les manger ici. – Mais on n'est pas des gosses ! s'est écriée Devi. – Comme si ça n'était pas une histoire de gosses, tes pastèques ! » a continué à gronder Barelal. Devi n'a rien voulu entendre. Elle s'est campée devant lui, l'a nargué : « Et pourquoi on n'y resterait pas, en bas, alors qu'on l'a fait tous les autres jours ? Je suis en sari, Vikram en mallah. Pourquoi ? Explique-moi donc ça ! »

En dépit de sa solide quarantaine et de son petit ventre rond, Barelal a perdu ce qui lui restait d'aplomb, surtout lorsqu'il l'a vue se mettre à rire en pinçant le bras de Vikram : « Et toi, qu'est-ce que tu es allé lui promettre; à ton oncle, tu vas me le dire, allez, qu'est-ce que tu es allé encore trafiquer dans mon dos ? » Vikram a eu un silence un peu gêné, il a esquissé un sourire, puis a répondu : « Le champ est à découvert. On peut nous voir de partout. – Du temple aussi, on nous voit ! » lui a-t-elle alors assené, et elle l'a poussé dans la cour.

Elle a tellement agacé Barelal, à ce moment-là, qu'il s'en est arraché un poil du ventre; et il a recommencé à bougonner : « Les thakurs ne viennent jamais chez le Dieu-Singe. Mais si jamais on vous voit dans mon champ… » Elle lui a ri au nez : « Si on nous voit, si on nous voit ! Mais on est habillé comme tout le monde ! Et ici personne ne nous connaît ! – Personne, c'est vite dit, a grommelé Barelal. – Qui ? a aussitôt coupé Vikram. Il y a des gens qui parlent ? Tu as peur ? » Barelal a soupiré : « Personne ne vous connaît, c'est vrai. Mais on ne sait jamais. C'est tout, voilà : on ne sait jamais. »

Son front, son cou étaient humides de sueur, mais il n'osait les éponger, il se doutait bien qu'il n'avait pas encore gagné la partie, car Devi continuait à le fixer de son œil insolent qui avait l'air de rire mais ne riait pas; et, comme cet œil fonçait de seconde en seconde, Barelal s'est arraché un autre poil – à la moustache, cette fois – et il a brusquement lâché prise : « Allez, dépêchez-vous. Allez donc les chercher, vos pastèques. Mais revenez en vitesse les manger ici. »

Devi a failli lui répondre que c'était idiot, car tout le plaisir des pastèques, c'est de les manger près du fleuve ; et, dans ces conditions, il pouvait tout aussi bien aller les chercher à leur place. Mais elle a préféré se taire, elle avait son idée ; et il fallait voir la tête de Vikram, quand ils ont passé l'angle de la première ruelle et qu'elle a sorti de dessous son sari une nasse d'osier et un petit couteau. « D'où tu tires ça ? » a-t-il soufflé. Elle a éclaté de rire : « C'est Prianka. Elle les avait sous son lit. Elle aurait tellement aimé venir avec nous. Ça ne fait rien, on lui en rapportera... » Elle s'est adoucie, elle a levé les yeux vers la terrasse où Prianka continuait de temps à autre à venir s'accouder. Mais Prianka n'était pas là. Alors elle a poursuivi, à nouveau frondeuse : « Si tu crois que j'allais me laisser faire par ton oncle ! Elles sont mûres, ses pastèques. Seulement, il ne veut pas qu'on mette les pieds dans son champ. Il ne veut pas qu'on sache ce qu'il a. Il a peur qu'on lui en demande trop, quand on partira ! » Puis elle a froncé les sourcils : « Il peut dire ce qu'il veut, les pastèques, on les mangera sur place. »

Vikram n'a rien répondu. Il ne pensait qu'à marcher sans boiter, à suivre le rythme de ses pas. Tout alla bien ce matin-là, ils n'étaient jamais descendus aussi vite au fleuve ; si bien que, au moment où ils ont été en vue du champ, Vikram a glissé à Devi : « D'ici une semaine, je vais pouvoir courir. D'ici une semaine, on s'en va. »

Donc, pour commencer, tout s'est passé le mieux du monde, exactement comme elle l'avait voulu. D'abord, il faisait grand soleil, et les pastèques étaient à point. Rien que d'avoir raison, c'en était déjà un plaisir. Et puis l'endroit était vraiment très beau. Le champ de Barelal était petit, comme tous ceux des mallahs, mais il donnait directement sur le fleuve. Il s'étirait d'un bout à l'autre d'une anse, un arc de cercle parfait où clapotait une eau déjà limpide. Devi a aussitôt enfermé deux pastèques dans la nasse d'osier, elle y a accroché une longue ficelle qu'elle a nouée à son poignet, puis elle a plongé la nasse au fond de l'eau; et, dans l'attente qu'elle rafraîchît, elle s'est allongée sur le sable, à côté de Vikram. Il s'est assoupi. Elle, elle n'est pas parvenue à se détendre, elle se tournait et retournait sans cesse, s'asseyait, se rallongeait.

Ils n'étaient pas là depuis dix minutes quand Barelal est apparu à l'entrée du champ. Devi s'est relevée sur ses coudes et a grincé : « Mais qu'est-ce qui lui prend de se pointer ? » Comme elle le savait fort bien, elle s'est précipitée sur la nasse, l'a jetée sur la plage, a dégagé les pastèques et sorti son petit couteau; puis, au moment où Barelal a débouché sur la plage, elle s'est plantée devant lui en mordant dans la chair rouge sans même l'avoir épépinée.

Le jus lui ruisselait partout, sur les joues, dans le cou. Barelal est passé devant elle sans un mot et s'est approché de Vikram, l'a secoué : « Allez, tu remontes. Tu vas te faire repérer. » Vikram a soupiré, il s'est assis, a pris une poignée de sable qu'il a lentement laissé couler entre ses doigts. Puis il s'est levé, s'est retourné en bâillant vers Devi, et a soupiré : « Bon, on y va. »

Elle a pris le temps de se débarbouiller, elle a soigneusement renfermé les fruits à l'intérieur de la nasse, puis elle a rejoint les deux hommes avec son petit sourire de coin, comme chaque fois qu'elle jugeait qu'elle avait remporté une bataille. Mais Barelal, de son côté, avait eu lui aussi sa victoire; il n'a pu s'empêcher de lui rendre son sourire quand elle l'a rattrapé. Et ils se sont retrouvés si complices, d'un seul coup, qu'ils ne se sont même pas aperçus que Vikram ne les suivait plus.

Il s'était arrêté. C'était la chaleur subite de l'éclaircie, peut-être, la force du jeune soleil dès que les pluies se calment; à moins que son petit somme au bord du fleuve ne l'eût engourdi. En tout cas, il s'est arrêté – quelques secondes, une minute, on n'a jamais su. Car c'est seulement au moment d'entrer dans les ruelles du village que Devi s'en est rendu compte. Elle s'est retournée, elle l'a vu figé à l'orée du champ, pas très loin – cinquante, soixante mètres –, au beau milieu de la partie plate et nue qui s'étendait entre le fleuve et les premiers murs. Il a fermé les yeux, s'est passé la main sur le front, comme pour essuyer de la sueur. Et c'est à ce moment-là que les coups de feu sont partis.

Il y en a eu deux, elle s'en souvient très bien. Ensuite, elle revoit seulement les flots de sang qui giclaient le long de ses jambes. Puis Vikram s'est effondré ; et elle s'entend encore hurler, comme si le monde était vide, comme si, pour lui répondre, il ne devait plus jamais y avoir que l'écho des hauts murs au fond du quartier thakur : « Il est mort, il est mort ! »

59

Ce cri, on l'a su ensuite, c'est ce qui l'a sauvé. Vikram n'était pas mort, Barelal l'a deviné dès qu'il a couru à lui. Il avait simplement perdu connaissance. Il s'est d'ailleurs montré étonnant, ce jour-là, l'oncle Barelal, à croire qu'il n'avait fait que ça toute sa vie, relever des blessés. Il ne s'est pas perdu en mots, il ne s'est pas arraché un poil du ventre, il n'a pas hésité, pas chipoté, il n'a pas dit à Devi : « C'est de ta faute, je te l'avais bien dit », ni même : « Qui a tiré ? » Dans l'instant, il a su précisément ce qu'il devait faire, tout comme le jour où Kalla et Plazza étaient venus lui demander de planquer son neveu. Il a doucement soulevé l'étoffe sanglante du pagne de Vikram, il a découvert la blessure – au mollet, cette fois –, il a déchiré sa chemise pour en faire un garrot. Puis il a demandé aux hommes qui accouraient du quartier mallah de l'aider à porter Vikram à l'abri des ruelles ; et c'est seulement là, une fois derrière les murs, qu'il a parlé à Devi. « Cours devant, lui a-t-il ordonné. Demande à mes fils d'appeler un médecin. » Elle a questionné : « L'homme aux plantes ? – Non, un médecin, a-t-il répondu. Mes fils sauront qui. »

Moins d'une demi-heure plus tard, alors que Vikram commençait à recouvrer ses esprits, un homme jeune, au visage tendu, est arrivé chez Barelal, habillé comme à la ville et portant une trousse. Barelal l'a fait asseoir devant un verre de thé, Devi a entendu un long conciliabule. L'oncle a fini par jeter plusieurs liasses de roupies sur le tapis qui les séparait. Le médecin a secoué la tête, son visage de plus en plus fermé. Barelal a posé d'autres billets devant lui. L'homme les a comptés et recomptés, il a même fait passer les coupures neuves devant la lumière de la lampe pour en vérifier le filigrane, puis il les a soigneusement repliés au fond de sa trousse. Et il a enfin consenti à se tourner vers le lit de Vikram.

On a apporté un réchaud, fait bouillir de l'eau, préparé des linges, on a étendu Vikram sur une sorte de table. Puis tout s'est passé très vite, Vikram a eu à peine le temps de lâcher quelques plaintes. Il y a eu une forte odeur de produit pharmaceutique, l'éclat bref, devant la lampe-tempête, d'une seringue de verre ; et l'acier rougi d'une pince à travers la flamme du réchaud. Quelques minutes plus tard, la balle extraite des chairs a roulé au milieu des linges et l'homme a émis un marmonnement satisfait.

Le pansement n'était pas fini qu'il a rangé sa trousse. Vikram, a-t-il annoncé, dormirait une bonne demi-journée. Puis il a glissé à Barelal quelques mots rapides et empruntés : « Il devrait remarcher, mais tâchez de faire des radios, on ne sait jamais, l'os est peut-être touché. » Et il a ajouté à l'adresse de Devi : « Et toi, maintenant, profite de ce qu'il dort pour déguerpir avec lui... »

Moins d'une demi-heure plus tard, c'était chose faite. Une fois de plus, c'est l'oncle Barelal qui s'est occupé de tout. Dès le départ du médecin, il a annoncé à Devi qu'ils ne pouvaient plus rester, qu'ils devaient sortir au plus tôt du pays thakur. Et c'est lui qui a eu l'idée de leur nouveau refuge, Unnao, un gros village de mallahs situé sur l'autre rive, en amont, où vivaient les parents d'une de ses belles-filles. Entre le fleuve et les gorges, lui a-t-il confié, il y avait une petite piste où ne se risquaient que les nomades, à la saison des pluies. S'ils voyageaient comme eux, en carriole à cheval, personne ne les remarquerait. Il connaissait un vieil homme, derrière la colline, qui pouvait leur prêter un de ses attelages. Son fils aîné le conduirait. Par prudence, on cacherait Vikram sous des sacs de jute. Il serait un peu secoué mais ne sentirait rien, ou presque, à cause de l'anesthésique. Le temps qu'il se réveille, ils seraient arrivés au bac, juste en face d'Unnao.

Devi n'a rien trouvé à répondre. Les autres, à nouveau, décidaient à sa place. À moins que ce ne fussent les dieux, le destin. En tout cas, il n'y avait qu'à s'incliner. Et elle n'avait plus de force, plus d'aplomb; plus de désir – et si peu d'espoir.

En un rien de temps, elle a bouclé leurs paquetages. Au moment de passer le seuil de la pièce, alors qu'on enveloppait Vikram dans les sacs, elle s'est aperçue que, en dépit de son affolement, elle avait remonté la nasse et les pastèques. Elle a voulu tenir sa promesse et les donner à Prianka. Elle la croyait endormie : Prianka n'avait pas bougé au moment de l'arrivée du médecin, malgré tout le remue-ménage; et pourtant, dès que Devi est entrée dans la pièce, elle s'est assise sur son lit. « Voilà ta part », a murmuré Devi en lui montrant la nasse. Prianka a souri, elle était toujours aussi belle. Mais elle restait trop faible pour les mots; en guise de remerciement, elle s'est contentée de caresser le panier. Puis son regard s'est enfui vers la terrasse, il a parcouru le village, ses places, ses marchés, le réseau des ruelles, jusqu'au fleuve, en bas, jusqu'au champ de Barelal; et, au moment où il a atteint la rive opposée du fleuve, Prianka a cligné des yeux, comme éblouie; et c'est là qu'elle a soufflé : « Ton homme sera heureux, de l'autre côté. Plus de thakurs, plus de mallahs. Rien que la vérité, la profondeur. Dis-lui qu'il vienne me voir. Il sera si heureux... »

C'était la première fois que Devi l'entendait parler si longtemps, elle a été prise de court; sur le moment, elle a cru que Prianka lui parlait de l'autre rive du fleuve. « Je le lui dirai, je te promets, a-t-elle répondu. C'est vrai, tu as raison, on sera sûrement mieux là-bas. Et, je te jure, on reviendra te voir. »

Et elle lui a coupé un morceau de pastèque qu'elle a glissé entre ses lèvres. Mais, presque au même moment, Barelal est entré dans la pièce pour lui dire que la carriole attendait par-derrière la colline. Il était à nouveau nerveux, il transpirait, tirait sur les poils de sa moustache. Prianka a lâché le morceau de pastèque qui a laissé autour de sa bouche un long filet rouge. Devi n'a pas osé l'essuyer. Du reste, Barelal la poussait déjà dans la cour, dans les ruelles, il courait plus qu'il ne marchait; son fils aîné aussi, juste devant lui, le dos ployé sous le poids de Vikram, emballé dans le jute comme une carcasse de bête qu'on va débiter au marché.

Ce fut donc une fuite, ce départ de Rajpur, une fuite honteuse et solitaire. De l'autre côté de la colline, juste à l'endroit où commençait la piste, le propriétaire de la carriole les attendait, caché entre des haies d'épineux. Il leur a jeté un regard arrogant; au moment du départ, Devi a vu Barelal, comme avec le médecin, lui glisser liasses sur liasses. Elle a voulu s'incliner devant Barelal, a balbutié des mots de gratitude. Il l'a aussitôt arrêtée, lui a tiré, sous le voile, le bout d'une de ses courtes mèches et lui a dit d'une voix très douce, comme à une petite fille : « Soigne-le. » Elle s'est aussitôt raidie et a rétorqué avec hauteur : « Préviens les hommes. Dis-leur où est leur chef. »

Il n'a rien répondu. Il s'est contenté de l'aider à monter dans la carriole. Le fouet a claqué, le cheval a pris son trot. Elle s'est retournée, mais Barelal et le vieillard étaient déjà repartis à grands pas de l'autre côté de la colline. En contrebas, du côté du fleuve, la lumière limpide de l'après-midi continuait de baigner l'immense quartier thakur. Elle réchauffait l'ocre de ses murs, leur ôtait toute épaisseur, ce n'étaient plus que des façades. La phrase de Prianka lui est alors revenue à l'esprit, elle s'est demandé un bref instant ce qui l'attendait sur l'autre rive, là où, d'après la jeune fille, se trouvait la profondeur des choses.

Et elle a soudain pris peur, peur comme jamais depuis qu'elle était passée entre les mains du Maître. Elle a cherché son amulette sous les plis de son sari, elle a étendu la main vers le corps de Vikram bringuebalé par le pas du cheval. Elle a soulevé les épaisseurs de jute, elle a fini par découvrir, contre sa peau fiévreuse, la pierre ocellée qui le protégeait. Et tout le temps qu'elle a pu, en dépit des ornières et des cahots, elle a serré les deux pierres l'une contre l'autre dans le fol espoir qu'à elles deux, elles pussent faire croître à l'infini la Puissance du Serpent, conjurer les présages menteurs, les pièges, les faux serments, les simulacres, les traîtrises – les illusions qui font le monde, dans toute sa dureté.

60

Du haut en bas de la hiérarchie policière d'Uttar Pradesh, la satisfaction fut unanime quand se répandit le bruit de la mort de Vikram Mallah. Le rapport qui l'annonça donna pourtant fort peu de détails sur ses circonstances. Il ne fit état que d'une seule certitude : les assassins étaient les frères Singh. Ils avaient été aperçus la veille du meurtre dans le bourg de Rajpur, là où Vikram Mallah avait été abattu. Ils s'étaient fait repérer à cause d'une femme de basse caste – fort belle, au demeurant – qui les suivait comme leur ombre et se laissait besogner à tout bout de champ par l'un ou l'autre frère, parfois les deux ensemble, là où la fantaisie les prenait. Ces mêmes informateurs assuraient que les frères Singh avaient sillonné des miles et des miles avant de découvrir l'endroit où se cachait Vikram Mallah ; mais que la femme en avait parcouru encore plus pour retrouver la piste des jumeaux. De mémoire de thakur, on n'avait jamais vu une fille, même de basse caste, prise à ce point par la folie du vice.

Dans les deux États riverains du fleuve, ces précisions affriolantes portèrent à son comble la satisfaction des policiers ; particulièrement en Uttar Pradesh où ils avaient été très éprouvés par l'interpellation au Parlement qui avait suivi les attaques sur la Nationale 2. Outre qu'ils se trouvaient déchargés aux moindres frais d'une tâche très périlleuse, ils jugèrent que cette nouvelle pouvait ébranler la confiance des autres chefs de gang dans la loyauté de leurs hommes. Certes, le meurtre de Vikram par les frères Singh scellait aussi, au fond des campagnes, la reprise de la guerre entre thakurs et mallahs. Des rixes entre paysans, d'autres meurtres étaient à craindre ; peut-être des massacres. Mais c'était au moins revenir à de bonnes vraies batailles, le combat des pauvres contre les riches, des forts contre les faibles, l'immémoriale lutte entre ceux qui avaient la terre et ceux qui ne l'avaient plus ; le train du monde, pour ainsi dire, le vieil ordre des choses. En mélangeant dans leurs gangs les âges, les castes, les conditions, les bandits avaient tout dérangé. C'était aussi pour cela qu'ils étaient exécrables.

Telle fut l'analyse que se plut à reprendre, par un soir pluvieux de juillet 1980, le replet Mr. Jaïn quand il se présenta, avant la rituelle réception du dernier samedi du mois, sous la véranda de l'inspecteur général, tout encombrée en cette saison de rosiers capucine. Mais, décidément, Mahendra ne pouvait rien faire comme tout le monde. Au lieu de l'encourager à mesure qu'il parlait, de l'interrompre par des mimiques d'approbation et de satisfaction, comme tous ses subordonnés quand il avait testé sur eux la pertinence de son exposé, Mahendra l'écouta sans broncher, le laissa développer jusqu'au bout sa démonstration, remonter en transpirant le labyrinthe de ses considérations et arguties, lui versa une tasse de thé – en période de mousson, c'était toujours du thé qu'il faisait servir à Jaïn, dans un superbe service d'argenterie de Sheffield qui devait remonter aux années trente –, puis il laissa s'installer un interminable silence.

Jaïn en fut extrêmement déconcerté. Tous les membres de la hiérarchie policière devant qui il s'était entraîné avant de venir chez Mahendra l'avaient chaleureusement congratulé pour la justesse de ses vues. Il se passa et repassa en esprit les mots qu'il venait de prononcer, en quête de la minuscule faille de raisonnement qui lui valait ce mutisme. Il eut beau faire, il ne trouva rien – hormis le fait que la mort de Vikram Mallah avait été annoncée sur la foi d'un seul rapport de police émanant du poste de Rajpur.

Pour tenter de retrouver son aplomb, Jaïn voulut boire une gorgée de thé, mais n'y parvint pas ; et, dès qu'il eut reposé sa tasse sur la table, il s'effondra contre le dossier de son fauteuil de rotin. Il n'osait plus bouger – pas même essuyer la sueur qui lui ruisselait le long du cou, malgré la fraîcheur de la soirée. Mahendra persistait à se taire, fixant tendrement, comme d'habitude, son parterre de vieilles statues.

Dans son embarras, Jaïn se prit à espérer qu'il allait lui parler d'une autre affaire. Il commençait à se réciter la liste des dossiers qui le préoccupaient lorsqu'il entendit Mahendra laisser tomber de toute sa superbe :

– Montrez-moi donc la photo de ce Vikram Mallah, que je voie à quoi il ressemble.

Il continuait à contempler d'un air distant sa ronde de statues. Au fond de son fauteuil, Jaïn ne bougea pas d'un pouce.

– J'aimerais bien voir quel genre d'homme c'était, poursuivit Mahendra.

Et comme Jaïn demeurait interdit, il se retourna brusquement vers lui, l'œil tout aiguisé d'ironie :

– Simple curiosité. Il nous a assez embêtés, non ?

– Ça oui. Mais…

– Je n'ai pas vu cette photo dans le dossier, coupa aussitôt Mahendra. Je présume que vous avez oublié de la joindre. Ou que vous l'avez gardée pour vous. La mort de ce bandit semble tant vous réjouir…

Jaïn voulut lui aussi se redresser dans son fauteuil, singer l'élégante raideur de son supérieur. Mais il ne possédait pas son aisance, il s'y prit un peu trop brusquement et heurta du coude sa tasse de thé. Une partie du liquide se renversa sur sa chemise. Comme menacé dans sa pudeur, Mahendra détourna les yeux. Puis il se pencha au-dessus d'un pot de rosiers et lâcha d'un air désinvolte :

– Mais j'y pense : il n'y avait peut-être pas de photo dans le dossier ?

Jaïn n'eut pas le cœur de lui répondre. Du reste, Mahendra était déjà arrivé là où il voulait en venir et enchaînait d'un ton sec :

– Pas de photo, pas de cadavre. Pas de cadavre, pas de mort.

Jaïn tenta d'essuyer le thé que buvait le coton de sa chemise, y renonça, puis se tassa de nouveau au fond de son fauteuil, compressa le plus qu'il put tous ses bourrelets, les replia les uns sur les autres comme s'il devait se préparer à recevoir une volée de coups. Et il risqua d'une voix molle :

– Dans le rapport…

Il n'eut pas la force de finir sa phrase; du reste, Mahendra ne lui en laissa pas le temps. Il lâcha brutalement la tige de son rosier et rejeta la tête en arrière avant de lui assener ces mots définitifs :

– Il n'y a qu'un seul rapport qui vaille. C'est celui qu'établira la commission d'enquête que vous allez envoyer dès demain matin à Rajpur pour savoir comment s'est exactement déroulé ce supposé meurtre, et ce qu'est devenu ce supposé cadavre.

« Il fallait voir comment il disait "supposé meurtre" et "supposé cadavre", se souvient Jaïn. Il était froid, presque inhumain, c'était du Mahendra tout craché. Il ne s'était pas arrangé depuis les attaques sur la Nationale 2. Sa femme avait d'ailleurs dit à la mienne qu'il ne dormait plus et que, pour se changer les idées, il passait ses nuits à relire Shakespeare. Il faut dire que le Premier ministre était pendu à ses basques, il ne le lâchait pas, l'appelait à tout bout de champ, et quand ce n'était pas lui, c'était son chef de cabinet. Tout ce beau monde tremblait tellement, à cause des élections… Pour rameuter les voix, ils étaient prêts à n'importe quoi. Ils voulaient tuer ou coffrer au plus vite un maximum de bandits. Ne serait-ce que pour ôter cette joie à leurs opposants, le jour où ils auraient pris leur place. »

D'après Jaïn, il y eut tout de même un instant, ce soir-là, où un soupçon de chaleur passa dans la voix sévère de l'inspecteur général. Ce fut au moment précis où l'averse reprit, quand les premiers invités, Mrs. Jaïn en tête, passèrent la grille de la villa en courant sous leurs grands parapluies. Mahendra se pencha à nouveau vers un de ses rosiers, secoua le calice d'une fleur pour chasser les gouttes de pluie qui venaient de s'y égarer. Et il glissa à Jaïn : « Pour la fille, vous me trouverez aussi une photo. »

Interloqué par cette ultime intervention qui ressemblait, dans sa forme, plus à une supplique qu'à un ordre,

Jaïn lui rétorqua avec un peu d'humeur que personne ne parlait plus de la Reine des Bandits et qu'on ignorait à ce jour si elle était morte ou vivante. « Mahendra a eu alors une réponse inouïe, raconte Jaïn. Une réplique stupéfiante chez un homme qui, cinq minutes plus tôt, pouvait passer pour une merveille de raison raisonnante. Il a lâché son rosier capucine, s'est redressé de toute sa taille et m'a répondu avec la plus parfaite assurance : "Elle n'est pas morte, mais je veux une photo. " »

61

L'inspecteur général délégué Jaïn se rembrunit toujours quand on lui parle de cette fin juillet 1980. Il avait pourtant décidé, par surcroît de prudence, de conduire lui-même la commission d'enquête sur le meurtre de Vikram Mallah. Mais, le jour de son départ, la mousson reprit de plus belle. Il mit plus de trois jours avant de rejoindre Rajpur dans la branlante Ambassador mise à sa disposition par le gouvernement.

Les trombes d'eau ne se calmèrent qu'à l'extrême fin du voyage. Comme souvent en cette saison, les nuages s'enfuirent d'un seul coup, le déluge se transforma en bruine, et il vit brusquement surgir derrière son pare-brise l'énorme bourg des thakurs, enroulé à flanc de colline dans une boucle du fleuve. Ses hauts murs de terre lui parurent d'emblée franchement rébarbatifs. Rien qu'à quelques coups d'œil jetés dans les ruelles, il comprit que l'enquête ne serait pas des plus faciles. Au seul vu de sa voiture, les villageois se raidirent de méfiance. Ils avaient au fond des yeux des siècles de violence sournoise, ils semblaient couver, sous leurs turbans jaunes et rouges, les haines d'une vie âpre dont Jaïn, qui avait toujours vécu en ville, dut s'avouer alors qu'il en ignorait tous les ressorts.

Il attendait un peu de répit du bungalow où devait le loger le chef de la police locale ; au téléphone, on le lui avait décrit comme un palace en miniature. Ainsi qu'il aurait dû s'en douter, ce n'était qu'une frêle construction de ciment aux cloisons tapissées de moisissures et d'insectes divers. Dès les premières heures de la nuit, il put constater que, outre les moustiques, elle était infestée de rats. Pour comble, le curry servi par le gardien du bungalow souleva une tornade sans précédent dans les boyaux pourtant très aguerris de ses deux compagnons. Le lendemain, il fut évident que l'état où ils se trouvaient réduits – alternance de tortillements irrésistibles et de courses éperdues dans le jardin du *lodge* – les rendait parfaitement inaptes à une enquête en bonne et due forme. Jaïn fut donc contraint de les abandonner sur leur lit de douleur. Au bout d'une journée d'investigations, il n'en éprouva plus le moindre regret. L'impression qu'il avait eue la veille se confirma très vite : personne, fût-ce le plus fin limier de Delhi ou de Calcutta, n'arriverait à en savoir davantage que les policiers locaux. Il ne manquait pas de témoins pour certifier que Vikram Mallah avait été tué par balles devant le champ de son oncle, au bord du fleuve. Mais aucun villageois ne consentit à parler de la victime et de la femme qui l'accompagnait. Quant aux assassins présumés, dès qu'on prononçait leur nom, les mâchoires se contractaient, les visages se détournaient. Jaïn ne put arracher à aucun thakur le nom des frères Singh.

Bien entendu, l'oncle de la victime choisit le parti opposé. Cela ne facilita pas pour autant la tâche de Jaïn : Barelal Mallah était de ces hommes affables et mous qui n'offrent aucune prise, parce qu'ils ne nient jamais rien. Il reconnut sans difficulté qu'il avait abrité son neveu pendant une dizaine de jours, le temps qu'il guérît d'une petite infection à la jambe – rien de grave, dit-il, les suites d'une morsure de serpent. Il prétendit aussi qu'il ignorait tout de sa condition de bandit, jusqu'au matin où on l'avait abattu dans le champ aux pastèques. Jaïn lui demanda alors ce qu'était devenue la fille qui le suivait partout. Barelal Mallah eut un geste nonchalant du côté de la colline : « Elle s'est sauvée après le meurtre, on ne l'a plus revue. – C'était sa femme ? » questionna Jaïn. Barelal se fit plus suave que jamais : « C'est ce qu'il m'avait dit. » Jaïn mima la surprise : « Vous l'avez cru ? » Barelal ne s'y laissa pas prendre et répliqua avec un fin sourire : « Il fallait bien que je le croie. C'était mon neveu. Et je ne l'avais pas vu depuis qu'il était gamin... »

Tout en lui était élastique et spongieux, il avait réponse à tout, parlait sans jamais se troubler, de la même voix atone. Mais, sous ses airs de mollusque, Barelal Mallah savait précisément où il allait ; car, au moment où Jaïn lui posa des questions plus précises sur le meurtre de son neveu, il se durcit dans la seconde, n'attendit même pas que Jaïn l'eût interrogé pour désigner les coupables – les frères Singh, comme il fallait s'y attendre. Puis il lui raconta l'assassinat avec force lamentations. Mais, là encore, dans ce lyrique récit – il se livra notamment à une longue digression sur le sang de son neveu qui, à l'en croire, s'était mélangé en coulant au jus de la pastèque –, Jaïn lui trouva la douleur un peu flasque. Au fond de ses pleurs, il restait quelque chose d'avachi, de poussif qui sentait la jérémiade ; et Jaïn se sentit donc autorisé à une requête qui aurait pu, vis-à-vis de tout autre, paraître extrêmement déplacée, une semaine après une mort violente, surtout en période de mousson où la décomposition était particulièrement rapide : il demanda à voir le corps.

Barelal fut grandiose : il ne tomba pas dans le piège. Il cessa immédiatement ses plaintes, se fit d'un seul coup rigide et solennel. Il confia à Jaïn, avec la dignité d'un patriarche recru de tragédies, qu'il n'avait pas pu honorer son neveu comme le commandait son devoir : les thakurs, soupira-t-il, n'avaient pas plus tôt abattu Vikram qu'ils s'étaient précipités sur son cadavre et l'avaient jeté au fleuve dont les remous l'avaient aussitôt englouti.

Les Intouchables chargés des bûchers d'incinération appuyèrent cette version. Aucun cadavre de mallah ne leur avait été confié la semaine précédente. Réinterrogés à leur tour, les thakurs le confirmèrent à leur façon, toute en phrases évasives et en coups d'œil alourdis d'hostilité. Mais quand Jaïn leur demanda une seconde fois s'il était exact que les célèbres frères Singh avaient séjourné dans le village la veille du meurtre, et s'il était vrai, comme le voulait la rumeur, qu'ils étaient les assassins, il se vit opposer un épais silence.

Il aurait pu menacer, tempêter. Ou, selon une méthode éprouvée dans tous les États de l'Union, ordonner à quelque brute de la police locale d'appliquer une bonne bastonnade à des villageois pris au hasard, voire des chocs électriques prompts à délier les langues. Il y répugna. Son enquête l'avait beaucoup fatigué ; et il eut la finesse de saisir qu'il tenait déjà la réponse. Car si les frères Singh avaient été innocents, les thakurs les auraient vigoureusement défendus, lavés du crime dans l'instant.

C'est sur cette conclusion plutôt décourageante qu'il regagna le bungalow de la police. Les averses avaient repris, il était trop tard pour repartir. Mais il avait toujours aimé, pour travailler, l'étrange intimité créée par le ruissellement nocturne des averses. Il préféra donc s'atteler à la rédaction du rapport demandé par Mahendra. Il commença par y consigner scrupuleusement les réponses des témoins, agrémentées de commentaires un peu naïfs sur l'âpreté du pays et la loi du silence qui le gouvernait. Par ces banalités, il tentait sans trop d'illusions d'étoffer une enquête qui, à mesure que la nuit s'avançait, lui apparaissait comme un complet fiasco. D'abord il ne rapportait aucune photo. Ensuite, il n'avait rien appris de neuf sur « la fille », pour reprendre le terme dédaigneux dont la désignait Mahendra. Toutes les nouveautés qu'il avait pu glaner concernaient l'autre femme de l'affaire, Kusumana, la maîtresse des deux frères, et il doutait fort qu'elles pussent réjouir l'esprit puritain de l'inspecteur général. Comme ladite Kusumana était de basse caste, les thakurs ne s'étaient pas privés à son propos de commentaires salaces. Les femmes s'y étaient révélées encore plus féroces que les hommes : dès que Jaïn avait prononcé son nom, elles avaient maugréé les pires injures qu'il eût jamais entendues. Certaines avaient marmonné qu'elles l'avaient vue s'entraîner au tir derrière la colline, le matin même du meurtre – c'est tout juste si elles ne l'avaient pas accusée de l'assassinat de Vikram Mallah. Rien qu'à ces gracieusetés on pouvait être assuré que ladite Kusumana était belle, ainsi que l'avaient signalé les policiers de Rajpur. Mais nul n'avait dit ce qu'elle était devenue, pas plus que les deux frères; et, de peur que Jaïn ne poussât plus avant ses interrogatoires, on s'était bien gardé d'ajouter qu'elle les avait suivis.

C'était pourtant l'hypothèse la plus plausible. Après avoir reproduit fidèlement ces derniers témoignages – non sans s'amuser par avance du choc que pourrait ressentir l'inspecteur général à la lecture de certaines obscénités –, Jaïn termina son rapport sur une conclusion dont il attendait qu'elle détourne sur une autre piste l'esprit obsessionnel de son supérieur. D'après lui, Vikram Mallah avait été tué par les frères Singh avec la complicité de leur maîtresse commune, Kusumana, qui semblait aspirer elle aussi à la dignité de femme bandit.

Dans les jours qui suivirent son retour à Kanpur, Jaïn crut avoir gagné ce pari hasardeux : après avoir lu son rapport, l'inspecteur général ne lui fit pas un seul commentaire. Fait encore plus inespéré, dès le lendemain de son retour, deux volumes de l'*Archeological Gazeeter's* réapparurent sur son bureau. Un peu plus tard, sa femme lui apprit que Mrs. Mahendra venait de lui exposer au téléphone tous les nouveaux et innombrables griefs qu'elle nourrissait contre son mari ; entre autres, celui de s'être acheté en cachette deux nouveaux bermudas de brousse, ainsi que la dernière édition des cartes de l'*Indian Atlas*, signe indubitable qu'il n'allait pas tarder à reprendre ses expéditions dominicales et solitaires dans les fourrés des jungles. Fort de ces confidences, et autant qu'il pouvait en juger d'après la vie au bureau, Jaïn en déduisit que l'inspecteur général, en dehors de la routine administrative, n'avait plus en tête que ses cités perdues.

L'interprétation de Jaïn n'était pas si absurde. Car c'est un des effets communs de la mousson – surtout lorsqu'elle se prolonge, comme cette année-là – que de ramener les hommes à leurs aspirations les plus intimes. La moiteur, la gêne qu'on éprouve dans les moindres déplacements où, quelque précaution qu'on prenne, on a toujours un morceau de peau, un pan de vêtement mouillés, incitent à l'inertie, à la contemplation des choses. Il se produit alors dans l'esprit une sorte de repli, un retour engourdi, parfois mélancolique, à ce qu'on recèle en soi de plus ancien, de plus profond ; l'imagination et la mémoire vagabondent – mais sans résultat tangible, comme si elles s'engluaient, elles aussi, dans le voile d'humidité qui recouvre tout, abreuve de sève les pousses neuves et fait pulluler les germes de maladies. Plus encore que par la canicule qui la précède, on a envie de se soumettre, pendant la mousson ; de regarder les pluies achever de féconder la terre, les fleuves engorgés épandre leurs limons ; d'attendre que les choses se fassent. Et, inévitablement, elles se font.

C'est donc dans la plus parfaite apathie que, le 1er août 1980, l'inspection générale de Kanpur enregistra la nouvelle que trois bandits de la bande de Vikram Mallah venaient d'être arrêtés à Etawah. Pour une fois, le rapport donnait les noms des gangsters, leur âge, leur caste – tous des mallahs – et leur village de naissance. Si le gang s'était fractionné, se permettait d'extrapoler l'auteur du rapport, c'était nécessairement que son chef était mort. Du reste, il avait sévèrement questionné les trois bandits à ce propos. Après quelque résistance qui lui avait paru de pure forme, les bandits lui avaient confirmé le décès de Vikram Mallah.

Une fois de plus, le document ne contenait pas un traître mot sur la fille. Mais Mahendra ne le releva pas, et Jaïn se garda bien de soulever la question. La léthargie retomba aussitôt sur les locaux de l'inspection générale.

Jusqu'au détestable après-midi du 3 août où un planton fatigué vint déposer sur le bureau de Jaïn la copie d'un très long télégramme. Il était signé du chef de la police de Rajpur. Barelal Mallah avait perdu sa nièce, toute sa famille était venue pour l'incinération. Dans la foule qui avait suivi le corps jusqu'au bûcher, des thakurs avaient reconnu son neveu, déguisé en camionneur. On avait aussi aperçu la fille.

62

La colère de Mahendra fut à l'image de celles des dieux dans les livres sacrés : d'abord lente, froide, reptilienne ; puis foudroyante, une brève bourrasque sans réplique. Il avait attendu deux heures avant d'aviser Jaïn ; il avait préféré commencer par joindre la police de Rajpur. Au bout d'une heure et demie, comme sa secrétaire n'y parvenait pas, il finit par lui communiquer copie du message et le convoqua aussitôt à son bureau sans lui laisser le temps de la réflexion.

Il lui tendit alors l'original du télégramme, sourit de le voir calculer, en le relisant, que l'incinération avait eu lieu exactement quarante-huit heures après son propre départ de Rajpur. Cela laissait supposer que Vikram

Mallah était caché non loin de là – pourquoi pas dans le village, pourquoi pas dans la maison de son oncle, à l'endroit même où Jaïn l'avait interrogé ? « Tout comme la fille, siffla Mahendra, tout comme sa nièce – je n'ai du reste pas lu un mot sur cette nièce dans le rapport que vous m'avez remis à votre retour, vous ne l'avez pas interrogée, vous ne l'avez même pas vue, vous n'avez pas fouillé la maison de Barelal Mallah, vous n'étiez même pas au courant qu'il y avait une malade sous son toit, et voilà une jeune fille qui meurt du jour au lendemain, on descend son corps en grande pompe au bûcher d'incinération avec un chef de gang pour agiter des guirlandes au milieu des tambourinaires… »

Mahendra ne vitupérait pas, il lui assenait ses reproches sans se départir un seul instant de son débit lent et monocorde. Simplement, ici ou là, il appuyait une syllabe d'une intonation grinçante, ou tapotait le télégramme de ses longs doigts osseux. Mais quand sa secrétaire vint déposer sur son bureau la presse du soir, il eut beaucoup plus de mal à contenir son aigreur. La plupart des journaux annonçaient à la une la résurrection miraculeuse de Vikram Mallah en la présentant, comble d'ironie, comme une information exclusive, sous des gros titres à l'énoncé naïvement sensationnel qui rappelaient les plus mauvais romans policiers du siècle précédent : « POUR UNE FOIS, C'EST LA VICTIME QUI REVIENT SUR LES LIEUX DU CRIME… », « LA RÉINCARNATION DU ROI DES BANDITS ». Un plumitif s'était même aventuré à titrer sur un grossier « LE FANTÔME DE LA VALLÉE ». D'autres s'étaient donné la peine de choisir une forme plus cérébrale. Elle n'en était pas moins offensive : « LA POLICE IMPUISSANTE DEVANT LES PROVOCATIONS DES GANGSTERS » « LE GREDIN DE LA NATIONALE 2 NARGUE OUVERTEMENT LE GOUVERNEMENT D'UTTAR PRADESH »…

Ces outrances stylistiques achevèrent d'ulcérer

Mahendra ; et ce qui l'exaspéra par-dessus tout, c'est que la nouvelle était parvenue à la presse avant qu'il en fût lui-même informé. Il voyait trop bien comment : conscients de son caractère rocambolesque, les policiers de Rajpur avaient vendu l'information aux journalistes les plus offrants en garantissant à tous, selon une méthode classique, l'exclusivité de la nouvelle ; ce n'est qu'une fois les poches pleines qu'ils s'étaient avisés d'avertir l'inspection générale de ce ténébreux rebondissement.

Jaïn n'osait plus bouger de sa chaise ; il dut s'écouler un bon quart d'heure pendant lequel il en fut réduit à écouter Mahendra commenter alternativement le télégramme et les journaux, sur un ton de plus en plus glacial à mesure qu'il avançait dans le catalogue de ses récriminations. Dehors, comme en écho à l'orage couvant dans le bureau, le ciel recommençait à déverser des cataractes, une petite flaque s'agrandissait à travers la porte du jardin de l'inspection. Il faisait de plus en plus sombre, malgré la rampe de néon qui surplombait la pièce ; et de plus en plus chaud. Mahendra réclama à son planton des verres de thé. Et c'est précisément au moment où on les déposait sur la table que sa secrétaire l'avertit qu'elle venait d'obtenir sa communication avec Rajpur.

Le supplice de Jaïn ne s'acheva pas pour autant. Il dut subir une demi-heure d'une conversation téléphonique dont il n'entendit que les répliques, les froids monosyllabes de Mahendra qui ponctuaient, derrière la friture de la ligne, les phrases interminables de son correspondant. Ultime camouflet, ce fut donc de la bouche même de l'inspecteur général que Jaïn se vit infliger, dès que ce dernier eut raccroché, le récit des événements qui avaient suivi son départ.

Mahendra le fit à petites phrases brèves, sans couleur, en parfait haut fonctionnaire qui n'avait pas la moindre idée de ce à quoi pouvait ressembler Rajpur, non plus d'ailleurs que les autres villages de la Vallée. La nièce de Barelal Mallah, exposa-t-il, était morte le jour de l'arrivée de Jaïn. Le matin de l'incinération, soit quatre jours plus tard, Vikram Mallah avait été aperçu parmi les processionnaires, aux alentours des marches sacrées où l'on avait dressé le bûcher funèbre. Il s'était mêlé à un groupe d'enfants, puis à celui des musiciens. Ce qui avait attiré l'attention, c'était qu'il boitait. On s'était étonné aussi de son accoutrement – un uniforme de camionneur, avec une casquette qui lui descendait jusqu'aux yeux et une combinaison frappée d'un grand dessin jaune et rouge, un chérubin cracheur de feu.

– La marque de l'Indian Union Petroleum, risqua Jaïn. Plusieurs camions attaqués sur la Nationale appartenaient à cette firme et...

– Peu importe, coupa Mahendra.

Il se leva, fit quelques pas sous le ventilateur, s'arrêta sous la rampe de néon qui éclairait son bureau, contempla un moment l'averse derrière la porte vitrée. Il avait l'air soudain plus calme, comme si le récit l'avait soulagé ; et il reprit en effet sur un ton uni :

– Ce qui me frappe, c'est que la version des thakurs et celle des mallahs est pour une fois rigoureusement la même. Ils disent tous que Vikram Mallah est vivant. Et savez-vous pourquoi il s'est montré ?

– La mort de sa cousine... Le devoir familial, sa gratitude envers son oncle pour l'avoir soigné et hébergé...

Mahendra eut une petite moue :

– Une jeune fille qu'il a peut-être vue quinze jours dans sa vie... S'il a pris un risque pareil, c'est plutôt qu'il avait des choses à faire savoir.

Il se redressa théâtralement sous la rampe de néon et poursuivit avec des inflexions beaucoup plus graves, à la façon des acteurs shakespeariens :

– ... Si Vikram Mallah s'est montré à Rajpur, c'est qu'il est devenu fou à l'idée qu'on puisse le croire mort. Les journalistes ont raison, il est venu narguer les thakurs. Voilà pourquoi la version des thakurs et celle des mallahs concordent. Voilà aussi pourquoi tout le monde parle, pour une fois. Les mallahs sont fiers de ce qu'a fait Vikram Mallah. Les thakurs se sentent insultés par lui. Il y aura...

Il s'interrompit, il semblait étourdi par ce qu'il s'entendait proférer, grisé par ce qu'il prévoyait – tout entier au fol espoir que la guerre entre castes fût enfin portée au cœur des gangs et les menât à leur perte ; et il eut une ombre de sourire quand il reprit :

– Il y aura une suite.

Jaïn jugea que l'orage était définitivement dissipé, il crut qu'il pouvait enfin hasarder la question qui lui brûlait la langue depuis que Mahendra avait raccroché :

– Et la fille ?

Mesurant ses risques, il n'avait parlé qu'à mi-voix ; mais comme l'inspecteur demeurait muet, il pensa qu'il n'avait pas compris et répéta un peu plus fort :

– ... Vikram Mallah s'est montré avec la fille ?

– Laissez donc cette fille là où elle est ! suffoqua Mahendra en se repliant derrière son bureau, où il repoussa avec fièvre ses deux volumes usés de l'*Archeological Gazeeter's*. Puis il enchaîna, la gorge toujours aussi nouée : « Elle est venue, bien sûr ! Enfin, on n'en sait rien, certains l'ont vue, d'autres pas. Mais qu'est-ce que vous voulez que ça me fasse ! »

Il rejeta la nuque en arrière, plissa les yeux. Il se rétractait à la façon des cobras juste avant de cracher leur venin ; et, d'ailleurs, il se remit aussitôt à siffler comme au début de leur entrevue :

– Les petits flics de Rajpur ont fait le travail à votre place. Eux au moins, malgré leurs méthodes de rustres, ont réussi à localiser les frères Singh. Ils sont à Damanpur, à trente miles en amont du fleuve. Tâchez de vous racheter en imaginant ce qu'on peut tirer de ces deux fripouilles. Tenez-vous jour et nuit à ma disposition. J'attends vos idées.

Il s'interrompit, jeta un regard à la porte vitrée

derrière laquelle l'averse ruisselait de plus belle. Et il précisa d'une voix beaucoup plus sourde :

– Pas de rapport. Rien d'écrit.

63

Ce qu'avait redouté Mahendra à la lecture des journaux ne manqua pas de se produire : par la seule puissance des imaginations, Vikram Mallah devint en quelques jours le Roi de la Vallée. On le voyait partout, dans les bus, les trains, sur les grand-routes, les sentes à flanc de ravine, à bord des barques qui recommençaient à sillonner le fleuve, à l'avant des camions, à l'entrée des cinémas, dans la foule des octrois, des bazars, des marchés, à tous les carrefours, à l'orée des jungles et des premiers déserts, derrière les arcs-en-ciel qui perçaient de loin en loin les trombes de la mousson. Était-il ce processionnaire couvert de colliers de fleurs, ce vendeur de cerfs-volants ? Ce petit maquereau arrogant, bras croisés devant le gourbi où il vendait ses filles, ou ce timide marchand de galettes assis derrière son étal ? Ce dévot du Dieu-Singe, ce pèlerin en prière devant une statue de la Déesse, ce paysan en loques, ce mendiant boiteux, ce renonçant ? Ou, suprême ruse, ce policier ? Dans tous les replis des gorges, la nouvelle avait fait son chemin, fulgurante, exaltante, qui allégeait d'un seul coup les âmes des réprouvés, les enfiévrait, les enivrait : un homme était venu, révolté et violent, il avait nargué la justice ordinaire, celle qui brise les reins des pauvres et ne fait jamais qu'enfler la gloriole des riches. Il avait commencé à renverser le cours des choses, il avait eu le cran de défiler les thakurs et les chacals de la police. Il avait souffert, on l'avait blessé, on avait voulu le tuer. Et il était trépassé, mais aussitôt ressuscité, comme certains héros des vieux livres. Car il était allé jusqu'à la Cité des Morts, il avait approché Yama, son dieu à l'œil sévère, qui l'avait renvoyé aussitôt dans la Vallée pour parachever sa tâche dans le monde mortel. Et voilà à présent qu'il était partout, Vikram Mallah, hors d'atteinte, comme la Déesse, doué comme elle de pouvoirs sans limites, Vikram le Grand Fantôme, digne des longues chansons, Souverain des Humiliés, homme ou spectre, quelle importance, puisqu'il n'était là que pour le bien, justice rendue à ceux qui s'échinent sur la terre ingrate, et malheur à ceux qui leur volent leur pain !

L'inspecteur général Mahendra ne le savait que trop : il n'y avait pas que les hommes de basse naissance pour se laisser emporter par ce torrent de fables. En dépit des strictes consignes de silence qu'il avait imposées, dès la réception du télégramme, à tous les policiers de l'État, il n'avait pu empêcher les journalistes de Delhi de s'enflammer pour l'affaire. Comme le mois précédent avec Pan Singh Tomar, les quotidiens nationaux en avaient fait leurs choux gras. De la même façon, on en avait parlé au journal télévisé, avec des formules presque identiques : « Le Seigneur de la Vallée demeure insaisissable », « La police impuissante après l'étrange résurrection d'un nouveau Roi des Bandits ». Effaré par ce flot d'effets sensationnels, impuissant à l'endiguer, Mahendra n'en dormait plus. Où fouiller, ne cessait-il de pester à longueur d'insomnie, qui interroger dans cette Vallée aux milliers de villages, avec, pour chacun de ces villages, des centaines de maisons ? Et c'était sans compter les crevasses, les grottes, les repaires inconnus, les terriers, les trous de serpents où les bandits étaient si prompts, disait-on, à se glisser, mieux faits aux gorges que les bêtes qui les peuplaient, plus souples que le cobra, plus vils que le plus vil chacal…

Il ne voyait qu'une solution pour échapper à cet enfer, celle qu'il avait suggérée à Jaïn le jour de l'arrivée du télégramme, l'issue grossière et expéditive que cet abruti s'entêtait à vouloir ignorer. Car cela faisait maintenant trois jours que Jaïn l'évitait. Dès qu'il l'apercevait à l'autre bout d'un couloir, il courait se réfugier dans son bureau avec la même terreur qu'un rat au fond de son cloaque. Et lui, Mahendra, répugnait à sauter le pas, à prendre l'initiative d'un acte qui allait consacrer la faiblesse de la raison raisonnante face à l'aveugle barbarie du monde des gangsters. Mais, à mesure que passaient les nuits et que s'étiraient ses insomnies, il désespérait de trouver une autre issue. D'autant qu'il sentait se profiler un nouveau danger qui le rongeait bien davantage que la pseudo-résurrection de Vikram Mallah : c'était l'engouement de plus en plus général pour les histoires de bandits. Il avait beau se dire que la télévision ne touchait encore que les familles aisées des grandes villes, additionner les contingents d'illettrés qu'on dénombrait dans les districts de l'État, il ne pouvait se dissimuler que les transistors étaient devenus monnaie courante dans toute la Vallée, et qu'il se trouvait toujours un homme, dans le moindre village, pour relater aux autres les nouvelles des journaux.

Mahendra était pris alors de terreurs visionnaires. Il voyait se rejoindre devant lui deux gigantesques fleuves, gorgés des mêmes fables : celui, immémorial, sans source connue, des grandes légendes de la Vallée ; et l'autre, jeune encore, mais innervant l'Inde entière – celui-là même qui lui soulevait le cœur quand il lorgnait les affiches de cinéma : le flot irrépressible de l'imagination moderne. Plus brutal, tout en formules, gros titres, images choc. Et beaucoup plus pervers : car, à cause des journaux, des radios dont le message entrait maintenant dans n'importe quelle masure, il pouvait suffire d'un rien, d'une agression banale au bord d'une route, d'une échauffourée entre thakurs et mallahs dans un obscur hameau, pour réveiller d'un seul coup le maelström de violence qu'il avait réussi tant bien que mal à contenir depuis qu'il avait accédé à la dignité d'inspecteur général. Tout cela à cause de ce qu'il estimait être la pire plaie de l'Inde depuis qu'elle était l'Inde : l'imagination.

Trois jours durant, Mahendra résista vaillamment à la tentation de rappeler Jaïn. Mais, au bout de trois nuits d'insomnie presque complète, l'idée le traversa que son subalterne était vraisemblablement en train de ronfler en toute sérénité contre le flanc tendre et chaud de sa grassouillette épouse, quand lui, son supérieur, se trouvait réduit à arpenter sa bibliothèque en agitant les plus sombres pensées.

Cette considération lui fut plus insoutenable que le reste. Alors, tout grand Mahendra qu'il fût, dans la nuit du 6 au 7 août, il se laissa aller à un geste incontrôlé, qui le soulagea presque autant qu'il lui fit honte, eu égard à sa naissance et à son rang insigne : il décrocha son téléphone et appela Jaïn pour lui intimer l'ordre de le rejoindre à son domicile dans la demi-heure suivante.

64

Pour une fois, leur entretien fut bref. Tout se passa comme si c'était Jaïn qui avait sollicité ce rendez-vous nocturne. Dès son arrivée, Mahendra l'introduisit dans la bibliothèque, l'installa en face de son bureau et attendit qu'il s'exprimât. Au bout de quelques secondes d'un silence embarrassé, Jaïn se résigna à avancer quelques mots à propos des frères Singh. Mais il se perdit en circonlocutions et Mahendra l'interrompit :

– Vous savez bien où ils sont.

– À Damanpur, soupira Jaïn.

– C'est là que vous voulez vous rendre pour leur proposer votre marché...

Jaïn connaissait par cœur toutes les intonations de Mahendra, mais il lui fut impossible, cette fois-là, d'apprécier si sa phrase était une supposition ou une question ; et l'idée de ferrailler contre l'inspecteur général au beau milieu de la nuit le fatigua d'avance. Il choisit donc de ne pas répondre. La porte qui donnait sur la véranda était ouverte, il se mit à observer le jardin : la pluie avait cessé, une lune pâle s'enfuyait entre les nuages. Revenant à cette bibliothèque, à ses rayonnages bourrés de reliures anciennes, on aurait pu croire qu'il s'y préparait une de ces nobles conversations philosophiques comme on en voit dans les livres de Tagore ou de Bankim Chandra Chatterji. Cependant, Mahendra n'était pas d'humeur à jouer les héros de roman. Il poursuivit froidement son offensive :

– Je sais que vous ne commettriez jamais une sottise pareille. En fait, vous allez rencontrer les frères Singh ici même, à Kanpur.

– Ils ne sortiront jamais de leur trou ! éclata aussitôt Jaïn.

Mahendra le gratifia d'un sourire las :

– Vous avez dans les rapports le nom de leur marchand d'armes. Vous commencerez par aller le voir. Vous négocierez la rencontre avec lui. Ensuite…

Il se leva, sortit sous la véranda, fit quelques pas entre ses pots de rosiers et poursuivit :

– … Vous allez lui demander de rencontrer les jumeaux chez lui. Vous paierez ce qu'il faut, il acceptera. Et quand les frères seront là, vous leur proposerez votre marché.

Mahendra parlait maintenant à Jaïn à la manière des astrologues quand ils commentent les horoscopes, de la même voix détachée, lointaine, comme s'il ne faisait jamais que lui transmettre ce qui était écrit depuis toujours dans le dessin des étoiles. Moyennant quoi, ce sont des ordres qu'il lui donnait, et en quelques minutes, sans discussion possible, tout fut arrêté de ce qui allait suivre.

On ne s'occuperait pas de la fille, quantité négligeable, on ne s'intéresserait qu'à Vikram Mallah. Jaïn s'adresserait au Gourou ; c'est avec lui, non avec l'autre, qu'il se bornerait à traiter avec patience et courtoisie, pour éviter qu'il ne devienne violent. Le Gourou était loin d'être sot, il comprendrait immédiatement le marché qu'on lui proposait. Ce marché était simple au demeurant, il tenait en une phrase : la peau de Vikram Mallah contre la liberté pour les frères Singh d'agir à leur guise, sauf dans le district de Kanpur. Deux conditions, toutefois, devraient être impérativement respectées, faute de quoi leur impunité serait remise en cause : d'abord, Vikram Mallah devait être tué sans la moindre bavure, et son corps remis à la police en même temps que ses armes ; enfin, quoi qu'il arrivât, la complicité des deux parties serait toujours niée.

Mahendra avait parlé sans regarder Jaïn, en fixant, depuis la véranda, les quelques volumes épars sur son bureau. Un léger courant d'air venait de temps en temps en soulever le fragile papier bible. Quand il se tut enfin, obéissant à un mouvement qui lui était devenu machinal, il se pencha sur ses roses, en défroissa quelques pétales que la pluie avait battus, soupira longuement ; et il revint enfin dans la bibliothèque.

Il ne se rassit pas, mais eut un geste de la main pour signifier à Jaïn que l'entretien était clos. Jaïn ne bougea pas, il était sans forces, son regard errait de la véranda au bureau, des rayons écrasés de livres, en face de lui, jusqu'aux ultimes perspectives du jardin qu'éclairait la lumière capricieuse de la lune en fuite. Une bourrasque vint à nouveau soulever les feuillets des livres ouverts sur le bureau de Mahendra. Pour tenter de se donner contenance, Jaïn y plaqua la main, retourna un volume vers lui. C'était un recueil des tragédies de Shakespeare. Il crut bon alors de bredouiller une réplique qu'il avait entendue dans un vieux film anglais :

– Ce bon vieux William, toujours...

Et, retrouvant un semblant d'assurance, il se pencha sur le livre. Le hasard le fit alors tomber sur une de ces phrases sombres et solennelles dont sont remplies les œuvres du vieux maître, mais dont il jugea qu'elle résumait à la perfection ce qu'il tentait de dire à Mahendra depuis plus de trois jours; et, dans une subite bouffée d'insolence, il ne put s'empêcher de la pointer du doigt et de la lire à voix haute, en y mettant toute l'aigreur d'un homme dont la nuit vient d'être gâchée :

– *Le ciel est si lourd qu'il ne s'éclaircira pas sans orage...*

– Oui, c'est dans *Le Roi Jean*, rétorqua aussitôt Mahendra. Mais vous devriez travailler votre accent. Ça ne se prononce pas tout à fait comme ça.

Et il le reconduisit sur-le-champ à la grille de la villa.

65

C'est Vikram, cette fois, qui a voulu descendre au fleuve. Comme chaque matin, il a regardé le ciel au-dessus des toits de feuilles; et il a dit : « Il va faire beau. » Puis il s'est retourné vers Devi et a ajouté : « Bientôt la fin des pluies. »

C'était vrai, plus les jours passaient, plus il y avait d'éclaircies; et c'est d'ailleurs cela, depuis plus d'une semaine, qui lui avait donné envie de retourner au fleuve. Le village s'étirait au fond d'une anse très longue, au bout d'une immensité de terres plantées de canne à sucre. C'était un cordon de cahutes, en fait, plutôt qu'un vrai village, rien n'avait de relief à Unnao, les ruelles semblaient de simples sillons, les maisons, avec leurs toits de feuilles, se confondaient avec les champs; et on ne voyait que des mallahs dans ce hameau perdu.

Vikram s'était tout de suite senti en lieu sûr. Ses hommes les plus fidèles l'y avaient rejoint, Lukka, Kalla, Attu, le petit Kok; ils vivaient dans la même maison que

Devi et lui, où ils se relayaient pour la garde. Le reste des hommes s'était éparpillé dans les gorges, mais tous avaient juré de le retrouver à la fin de la mousson.

Enfin il y avait l'air d'Unnao : un vent venu du fleuve, léger, constant, qui jouait dans la lumière dès que se montrait le soleil. L'œil s'affolait, s'égarait entre le friselis des eaux et le lent frisson des feuilles vernissées par les pluies, et tout finissait par se noyer sous une averse d'étincelles.

Vikram disait qu'il n'aurait pu guérir ailleurs. De fait, ses blessures s'étaient refermées très vite, il ne boitait presque plus. Cependant, il dormait encore beaucoup, parfois la moitié du jour, en sus de la nuit ; et quand il arrivait au fleuve, après un quart d'heure de marche, à peine était-il assis qu'il se rendormait. Pourtant le chemin qui longeait l'anse, plat et sablonneux, n'était pas bien difficile. Mais, dès que Vikram atteignait la berge, il fallait toujours qu'il aille s'allonger sous un arbre ; et il s'assoupissait presque aussitôt. Lukka et les autres se postaient à quelques pas de là, le fusil pointé sur les champs de canne, prêts à tirer à la moindre alerte.

Devi s'asseyait à côté de Vikram. Depuis qu'elle vivait au village, elle avait quitté son jean et son bandeau, elle était en sari et sortait sans armes. Elle, au bord du fleuve, c'étaient les présages qu'elle guettait ; l'heure aussi, à sa montre sur laquelle Attu lui avait appris à la lire. Mais il lui arrivait encore de la déchiffrer au ciel. Dès qu'elle voyait le soleil faiblir, elle réveillait Vikram. Et ils rentraient.

Car il aurait dormi jusqu'à la nuit si elle n'y avait mis bon ordre. L'équipée à Rajpur l'avait épuisé – et plus encore la fureur qui l'avait précédée, le soir où le fils aîné de Barelal était venu porter à Unnao l'annonce des funérailles de Prianka. Au passage, il avait appris à Vikram que toute la Vallée le donnait pour mort ; il avait ajouté que mallahs ou thakurs, policiers ou bandits, tous juraient qu'il était tombé sous les balles des frères Singh.

Il y eut alors une minute effrayante ; Vikram s'est rétracté, ses muscles se sont durcis, il a plissé les yeux, Devi a cru voir passer dans leur longue fente noire tout le prisme de la colère. Il a dû s'en effrayer lui-même, car il s'est mis à caresser son talisman ; et quand il a réussi à se calmer, il a lâché : « Je vais retourner à Rajpur. Je me montrerai près du bûcher. »

Il avait parlé d'un ton si assuré que Devi n'a pas protesté. Du reste, Vikram a aussitôt enchaîné en se retournant vers elle : « Ne t'inquiète pas. Personne ne tire sur les fantômes. – Je ne suis pas un fantôme, mais je te suivrai », a répliqué Devi. Vikram n'a pas paru surpris ; et, au jour fixé pour la cérémonie, le surlendemain, au petit matin, tous deux ont pris le chemin d'Unnao.

Devi a du mal à se remémorer ce retour à Rajpur, elle se souvient seulement de la terreur qui l'a saisie quand elle a revu, du sommet de la colline, les hauts murs du quartier thakur. Mais la procession était déjà là sur les berges, à deux pas des marches sacrées où on allait brûler le corps. Alors ils ont couru la rejoindre à travers les ruelles, déjà saisis de l'ivresse de la mort, cette étrange allégresse qui unit les cortèges funèbres dans le battement des tambourins et les piaillements des enfants ; ensuite, tout est allé comme ailleurs, dans le désordre des vies qui reprennent leur cours : la procession s'est dispersée tandis que le corps de Prianka retrouvait la forme de ce qu'il était vraiment, cendres et fumée d'apparences d'où s'échappait une âme en route vers une autre existence.

Vikram et Devi ne se sont pas attardés. Après quelques mots glissés à Barelal, ils sont repartis vers Unnao. Ils n'ont pas échangé une parole avant d'arriver au bac. Ce n'est qu'au moment où ils ont vu apparaître l'anse d'Unnao, depuis la barque du passeur, que Vikram a enfin parlé – une phrase curieuse, d'ailleurs, un de ces mots énigmatiques comme en avait eu Prianka, les brèves semaines où ils l'avaient approchée : « Regarde l'eau, Devi. La mousson va finir. Le temps coule dans le fleuve. » Dès le lendemain, il a voulu aller se reposer dans l'anse.

Donc, en ce 13 août 1980, soit exactement dix jours après leur réapparition à Rajpur et leur retour à Unnao, Vikram et Devi sont descendus au fleuve. Comme la veille et l'avant-veille, à la même heure : vers midi, à l'éclaircie, quand il fait déjà chaud, quand le soleil recommence à s'abreuver à la terre, quand le village se laisse endormir au milieu des champs où tout pousse et germine, l'instant bref des noces de la lumière et de l'eau. Partout ce ne sont que feuilles, bourgeons neufs et luisants, les hommes redécouvrent, encore gourds, leurs gestes d'avant les pluies. Les vieillards s'en retournent mâchonner sous les arbres sacrés, les femmes retrouvent la joie de commérer autour des puits, les enfants de criailler dans les mares. Et les animaux font comme eux : les singes qui se remettent à persécuter les oiseaux dans les branches ; les paons qui plastronnent au milieu des chemins.

En route vers le fleuve, derrière Lukka et Kok, mitraillette pointée, et devant Kalla et Attu, qui ont eux aussi chargé et sorti leur fusil, Devi et Vikram longent un petit étang où s'ébrouent des gamines. Elles sont nues, elles se frottent d'un pain de savon rose et translucide, se le passent les unes aux autres comme s'il s'agissait d'un trésor. Certaines s'amusent, à l'aide d'une paille, à en tirer des bulles qui dérivent lentement au-dessus des lotus, avec des reflets d'arc-en-ciel, et crèvent à l'instant même où le regard est happé par leur perfection trouble.

Devi se souvient alors des eaux grandes où elle a joué ainsi, en contrebas de Sheikhpur Gura. Elle se rappelle aussi Kailash, la plage où ils faisaient l'amour, elle revoit même, l'espace d'un éclair, la mare de Mahespur, le village de son premier mari. Des fragments, en somme, de ce qu'elle appelle en elle-même, quand elle y repense, « la vie d'avant ». Et, au moment où elle s'en souvient,

Devi n'est pas malheureuse ; car Vikram est là, juste un pas devant elle, elle entend son souffle, elle peut renifler son odeur. Pour un peu, elle devinerait le rythme de son cœur. Et, comme la veille et l'avant-veille, elle se répète qu'il sera guéri avant la fin des pluies.

Elle relève la tête, raidit encore son dos, elle a envie de proclamer à la face du monde – par exemple à ces femmes en file le long des champs, écrasées comme toujours sous le poids de leurs pots d'eau – qu'elle, Devi, est la femme du Grand Vikram, celui qui n'a peur de rien, ni de la police, ni des thakurs. Celui dont tout le monde dit dans la Vallée – et même à la radio, et jusque dans les journaux – qu'il a eu assez de force pour aller jusqu'à la Cité des Morts et en revenir.

Rien que d'y penser, elle relève encore le nez. Les nuages s'écartent de plus en plus devant le soleil montant. À cet instant-là, elle se sent prête à tout, elle se moque de tout. Même de la pluie qui recommence à menacer, avec cette grosse nuée sombre à l'horizon où elle voit plonger un énorme arc-en-ciel.

Ils arrivent au bord du fleuve. Le sable est très blanc, des branches arrachées par les orages se sont échouées à deux pas de leur arbre préféré. À l'autre bout de l'anse, la file des femmes chargées d'eau s'arrête. Elles sont exténuées ; mais, comme toujours, résignées à leur fatigue, à leur condition d'éternels portefaix. Devi, elle, ne s'est jamais sentie plus légère. Car, lorsqu'elle est heureuse, rien ne pèse en elle. Ni le soleil qui tape, ni la pluie qui rôde. Ni son corps, ni le passé, ni ses espoirs. Leur arbre est là, à deux pas, Kalla y a déjà jeté la couverture qu'il portait sur son épaule. Vikram s'y installe. Est-ce l'envie de prouver à Devi qu'il va mieux aujourd'hui ? Il y met les formes : il reste assis un petit moment, se force à contempler le courant qui vient battre l'anse.

Le temps coule dans le fleuve, se répète Devi. D'ici une, deux semaines, Vikram recommencera à courir dans les gorges, ils prendront ensemble leur vie aventureuse.

Elle s'éloigne de l'arbre, va s'installer à même le sable, à l'autre bout de l'anse. Elle est en paix, les hommes se sont postés autour de Vikram, ils ont pointé leurs armes sur le chemin et les champs de canne. Un petit moment, elle garde les yeux ouverts sur le ciel où défilent les nuages – à présent de minces filaments qui s'enroulent et se déroulent, s'agglutinent, se défont, s'effilochent et se refont.

Le monde est tranquille, vide de signes. Elle ferme les yeux, mais la lumière est toujours en elle. Elle pourrait décrire tout ce qui se passe alentour : l'arbre qui frissonne, le fleuve qui, par petites poussées irrégulières, au gré des bouffées de vent, s'amuse à chatouiller ses rives ; et, au fond des eaux limpides, les bancs de poissons et leurs jeux sinueux au-dessus des vaguelettes de sable durci, identiques dans leur dessin aux flots de la rivière.

Elle a dû s'endormir. Car, lorsqu'elle a perçu les deux coups de feu – très rapprochés, secs, d'une précision extrême –, elle ne s'est pas levée tout de suite, elle était tout ankylosée. Elle a entendu la voix de Lukka hurler : « Viens par ici, sauve-toi ! », et il y a eu un moment où elle n'a plus su où elle était – un temps très court, pour des pensées très longues : elle s'est dit par exemple qu'en sari, elle ne pouvait pas courir. Puis elle a enfin levé les yeux du côté des champs, là d'où venaient les voix de Lukka et de Kalla, elle a vu les grosses tiges flexibles des cannes se refermer sur leurs jambes ; et, comme son regard revenait enfin vers l'arbre, une masse s'est abattue sur ses épaules, un chiffon l'a étouffée, une odeur lui est montée à la tête, acide et envoûtante, dans un bref moment d'extase le monde a perdu sa pellicule d'illusion, il est retourné à ce qu'il est peut-être pour les dieux, des images dansantes et vides : les cannes qui vibraient sous le vent appelaient de toutes leurs forces les eaux amoureuses du ciel, le soleil tourbillonnant et souriant – on ne lui avait jamais dit qu'il avait une bouche, ni ces yeux durs, ni ces bras vigoureux qui la ligotaient, la soulevaient de terre avant de la jeter dans le gouffre ouvert à la place du fleuve – maintenant plus un sourire, plus un bruit, plus de bras, plus d'eau ni de soleil – rien que le noir…

66

Ce qui commence alors, c'est quelque chose qui ne peut être dit. Quelque chose qui se trouve bien au-delà des larmes ; au-delà même de la douleur. Quelque chose de muet dont le destin est de rester secret.

Les vingt-trois jours qui ont suivi, il a bien fallu pourtant que Devi les raconte. Le jour où elle s'y est décidée, elle a en parlé platement, avec des phrases sans effets, pareilles à l'horreur même, banales, sans grandeur. Simplement, de temps en temps, elle laissait s'installer de longs silences, hochait la tête, comme si, avant de continuer, il lui fallait à nouveau jauger ce qui lui était arrivé. On aurait dit qu'elle se répétait : « C'est vrai, ils sont allés jusque-là, c'est incroyable, mais ils l'ont fait » ; et, avant de pouvoir poursuivre, elle reprenait une longue inspiration qui chassait un moment l'amertume de ses traits.

Elle se revoit d'abord sur la berge du fleuve. Le soleil va se coucher. Elle est allongée sur le ventre, les pieds et les mains ligotés, on l'a jetée sur le sable humide, c'est sa fraîcheur qui la réveille. Elle agite aussitôt la tête d'un côté, puis de l'autre, on dirait un bébé au fond de son berceau. On la retourne alors du pied comme un vieux sac, elle se retrouve face au ciel. Un visage se penche sur elle, l'examine. L'œil est jaune, mal dessiné, c'est celui de Boîte à Outils. Il n'a plus son air de brute, mais une expression perplexe, on dirait que des dizaines d'idées se pressent dans sa tête, entre lesquelles il n'arrive pas à choisir.

Elle laisse retomber sa tête de côté. Elle respire, sur ses vêtements, l'odeur qui l'a endormie. Elle n'en connaît pas le nom, mais elle lui rappelle l'hôpital de Gwalior et son opération au ventre. Elle se sent lourde et hagarde, le monde n'est encore pour elle qu'une image sans profondeur. Cependant, elle devine qu'elle n'est plus à Unnao ; devant le soleil qui se couche, elle finit en effet par distinguer de hautes falaises, des chaînes de pitons terreux. Son regard se précise ; elle reconnaît, à deux pas de là, le monumental distributeur de boissons rouge et noir offert par les frères Singh aux dévots de la Déesse.

Elle est donc à Behmai – ou, plus exactement, en contrebas de Behmai. Elle ne connaît pas ce village, elle sait seulement qu'il est très isolé, très petit, et que Vikram y est allé une fois, après les attaques sur la Nationale, pour y porter sa dot à la nièce des jumeaux. Peut-être est-il là-haut. Elle va le retrouver, poser son bras sur le sien. S'il est malade, s'il est blessé, elle recommencera à le soigner, elle épongera la fièvre de son front ; et si on veut le tuer, elle le suivra dans la mort.

Elle n'a pas encore compris ce qui s'est passé, elle continue de fixer le distributeur noir et rouge. Le monde reprend peu à peu épaisseur. Elle distingue maintenant les murs du temple, ses placages de faïence multicolore, les chromos suspendus autour de la Déesse. De nouvelles têtes se penchent, parmi lesquelles elle cherche encore, c'est plus fort qu'elle, le visage de Vikram. Elle ne le trouve pas. Elle se retourne du côté des falaises, puis vers le fleuve où se balancent des barques. Il y a alors comme des rires, les visages se rapprochent d'elle ; des têtes inconnues pour la plupart, une bonne dizaine. Au bout de quelques secondes, elle y remarque la face grêlée du Gourou. Il a l'air calme, sûr de son fait. À ses côtés se tient une très belle femme en sari rouge. Elle pose sur Devi un regard insistant, agrandi de curiosité. Elle se tient d'un pied solide sur le sable mêlé de boue, relève la tête un peu trop haut, tout exprime en elle la rancœur longtemps étouffée. Rien qu'à cela, bien qu'elle ne l'ait vue qu'une fois, il y a plus d'un an, Devi reconnaît Kusumana.

Elle tente alors d'ordonner ses pensées, de renouer le fil des événements qui l'ont conduite là, pieds et poings liés, sur le sable de Behmai. Boîte à Outils ne lui en laisse pas le temps. Il cesse subitement de plisser le front, se jette sur elle, lui délie les jambes. Puis il la force à se relever. Comme elle chancelle, deux hommes se précipitent et la prennent sous les épaules; ils l'entraînent dans le raidillon qui conduit à Behmai.

La femme s'est éclipsée. Il y a des hommes devant, des hommes derrière; une petite troupe compacte qui la pousse, l'emprisonne. Personne ne parle. De temps en temps, certains se retournent, lui jettent le même regard que Kusumana, avide, réjoui. Devi comprend qu'ils ne la lâcheront pas.

L'image de Vikram la traverse à nouveau. Elle la chasse aussitôt, elle se rappelle les leçons du Maître, essaie de ne plus penser qu'à son amulette qui tressaute entre ses seins à chaque cahot du chemin, et elle murmure quelque chose qui ressemble à une prière. Mais les versets du Serpent sont impuissants, pour une fois. Ce sont ses lèvres qui appellent en elle la force de la Déesse, pas son âme. Le visage de Vikram est toujours au bout de sa supplique, Devi est enchaînée à l'espoir.

Le soleil n'est pas encore couché. De chaque côté du sentier, il festonne d'un liseré safran la ligne des pitons. La marche est pénible, Devi vacille, manque sans cesse de s'écrouler; ces bras qui la soutiennent, la relèvent, elle les hait.

Au bout de trois quarts d'heure, le groupe déboule sur une place immense, tout en pente, avec un puits. Les hommes se mettent aussitôt à crier, leurs clameurs rameutent le village – tant de cris, tant de rires sur la place et le seuil des maisons, que Devi ne comprend rien à ce qui se dit. On la pousse vers le bas de ce grand espace nu, avec une telle violence, à présent, qu'elle trébuche et s'affale. On la relève, on l'injurie, on la pousse à nouveau ; quand la horde s'arrête enfin, Boîte à Outils la saisit à bras-le-corps et la précipite au fond d'une petite cahute où elle se retrouve enfermée. Elle entend un homme s'égosiller : « On a eu sa peau ! » Un autre à la voix plus molle renchérit : « En moins de deux, avec ça ! Ni vu ni connu, il roupillait sous un arbre. » Puis un troisième se vante d'avoir volé à l'hôpital de Kanpur le liquide qui a endormi Devi. Il en donne le nom. Il est compliqué, mais Devi se jure qu'elle le retiendra. L'homme est fier de lui, il veut raconter une seconde fois son histoire. On l'interrompt – c'est Boîte à Outils, elle en est sûre, elle reconnaît sa voix aigre et fluette : « Chien de mallah ! On l'a bien eu. On va bien s'amuser, maintenant, avec sa chienne ! »

Dans la cahute, face contre terre, Devi ne bouge pas de l'endroit où elle est tombée. Tout est noir autour d'elle. Des sanglots lui étranglent la gorge. Elle n'a pas le temps de s'y abandonner ; Boîte à Outils déverrouille la porte, fait irruption dans la cahute. Elle veut se lever pour lui faire face, mais il lui braque une lampe dans les yeux, avant de lui décocher un énorme coup de pied. Elle va rouler à l'autre bout de la pièce ; puis il appelle un jeune garçon qui tient la lampe au-dessus d'elle cependant qu'il lui détache les mains.

Elle se dit que, s'il veut la forcer, il peut tout aussi bien lui laisser les mains liées ; et, pour la tuer, pourquoi se donner ce mal ? Du reste, Boîte à Outils la repousse et ressort. Mais, au moment où il referme la porte, il hurle à l'adresse de la foule : « On y va ! »

À nouveau, il y a eu des vivats, puis une bousculade. Devi a cru que la porte allait céder ; elle s'est tapie tout à côté, pensant qu'elle pourrait tenter de s'esquiver. Cependant, la porte a tenu. Boîte à Outils a réussi à contenir ses hommes, il a vociféré : « On la joue aux dés ! » Tout le monde a approuvé, puis les cris se sont calmés, elle n'a bientôt plus entendu que de petits gloussements.

Pendant ce court répit, elle a exploré à tâtons les murs de la cahute. Ils étaient parfaitement lisses, sans la moindre fissure. À l'intérieur de la pièce, toujours à tâtons, elle a reconnu les formes d'un lit ; puis un seau en plastique, un pichet rempli d'eau. Elle a alors compris que la cahute avait été aménagée exprès pour ce qui allait suivre.

Les choses se sont d'ailleurs enchaînées sans heurt, avec une sorte d'évidence. Dehors, à nouveau, il y a eu des cris. Presque aussitôt, un homme est entré. Dans un éclat de lampe, sur le seuil de la pièce, Devi l'a vu s'avancer, il était très grand ; mais ce fut bref, elle n'a pas eu le temps de cerner son visage. De lui, en fait, elle ne se rappelle que l'odeur, celle du curry des thakurs, mélangée aux relents de sa sueur – il transpirait beaucoup. Au début, elle a voulu résister, elle a réussi à échapper à son étreinte, mais, malgré l'obscurité, il n'a pas mis longtemps à s'emparer d'elle, et cela a du reste paru l'amuser, il lâchait de petits ricanements tout en la cherchant dans le noir. Puis il l'a prise à même le sol. Il était silencieux et lourd. Elle s'est à nouveau débattue. Alors il s'est retiré d'elle, l'a giflée ; puis il lui a mordu le sein.

Elle s'est mise à hurler – elle n'a pas pu le retenir, ce cri, un déchirement de tout son être, suraigu, avec des stridences irrégulières qui descendaient, qui remontaient, il ne s'arrêtait plus. L'homme a recommencé à la gifler, elle en a perdu le souffle. Elle est retombée sur le sol, moins anéantie par les coups que par l'aveu de sa douleur ; l'homme a alors fait d'elle tout ce qu'il a voulu.

Quand il est ressorti de la cahute, on l'a acclamé. Puis il y a eu des questions, des jurons, des débuts de querelles. Comme la fois précédente, Boîte à Outils y a mis bon ordre. Lorsque le deuxième homme est entré, Devi était toujours à terre, la face tournée contre le mur. Elle n'a pas cherché à griffer, cette fois-là, ni à mordre. Elle a laissé faire. Il y a eu un troisième homme, puis un quatrième qui l'allongea sur le lit. Celui-là, dès qu'il a senti que ses assauts la laissaient inerte, est devenu comme fou, il s'est mis à lui marteler le visage de ses poings. Là encore, elle a laissé faire. Il a tout forcé d'elle, comme le suivant. Et, au sixième, qui l'a frappée lui aussi, elle a sombré dans quelque chose qui ressemblait au néant.

Il n'y a bientôt plus eu de nuit, plus de jour. Contrairement aux autres cahutes, le toit ne comportait pas de bouche d'aération, il y faisait constamment noir. Au bout de quelque temps, tout de même, Devi s'est faite à l'obscurité, elle a fini par discerner quelques interstices dans le chaume du toit, avec d'infimes rais de lumière. Il y eut aussi, pour annoncer le jour, les bruits du village, l'appel des conques, les femmes qui se hélaient avant d'aller au puits ; et ensuite leurs chants pour moudre le grain, les jeux des enfants sur la place – les bruits du monde en ordre et de la vie qui va. Était-il donc aussi dans l'ordre qu'elle fût enfermée là ?

Cette pensée-là, Devi la chassait dès qu'elle lui venait. Elle se força à dormir, à manger. Parfois il se passait des heures sans qu'aucun homme poussât la porte ; parfois, lorsqu'elle s'ouvrait, c'était pour lui déposer un peu d'eau fraîche, un bol de lentilles. Puis, d'un seul coup, quand tout était tranquille, il y avait à nouveau des rires derrière la porte, des mots salaces, le bruit de la clef dans la serrure. Un homme entrait, qui s'étendait sur elle, la frappait ou ne la frappait pas. Mais qui, chaque fois, la forçait.

Elle ne bougeait plus, elle ne protestait pas, elle n'était même plus sûre de souffrir, elle avait l'esprit vide ; ou plutôt habité d'une seule idée : compter les hommes qui entraient dans la pièce. Tout ce qui lui restait d'énergie se concentrait dans ces chiffres. Il y eut des jours où elle vomit dès qu'un homme passait le seuil de la cahute ; mais, chaque fois, elle le fit en silence, elle ne voulait pas qu'on l'apprît, c'était comme lorsqu'on la battait, elle faisait rentrer sa douleur au plus secret d'elle-même, l'y enroulait en une minuscule pelote, elle la transformait en murmure, en plainte vague. Et, indéfiniment, elle comptait.

Avec le temps, les choses se compliquèrent ; il y eut des hommes qui vinrent plusieurs fois, elle les reconnut à leur odeur, à la pression de leur corps sur le sien – ils n'étaient pas tous thakurs, du reste, il y en avait qui sentaient le curry des mallahs, et même un barbier, elle en était sûre, car il empestait le savon et l'huile capillaire. Mais, curieusement, cela l'aida que rien ne fût si simple. À défaut de force, elle y puisait assez de ressort pour subir et durer.

Et puis, un soir, le Gourou est entré dans la cahute, suivi de Boîte à Outils. Elle somnolait sur le lit – une hébétude qui ne la reposait pas, une sorte de torpeur où erraient, comme toujours, ses chiffres, l'odeur des hommes qui étaient venus dans la pièce, le souvenir de Vikram. Comme le premier soir, le Gourou lui a braqué une lampe en pleine face. Elle a tenté de faire front, elle s'est redressée : « Tuez-moi. » Boîte à Outils a répliqué dans un rire : « On n'est pas pressés, on a des nouvelles pour toi. » Il tenait les mains croisées derrière son dos, comme un enfant qui veut faire une surprise. Elle n'a pas bronché, mais, contre toute raison, l'espoir l'a reprise : c'était un orage, une marée au fond de sa poitrine, d'une violence qui lui ôta le souffle. Le Gourou s'en aperçut, il sourit, enchaîna : « C'est ton Vikram qui te trotte dans la tête ? Tu es curieuse, tu voudrais bien savoir... » – et il l'a saisie par les cheveux pour la forcer à se mettre à genoux. Boîte à Outils lui a alors exhibé l'objet qu'il tenait entre ses mains, une grande enveloppe sale qu'il a décachetée sous son nez, tandis que son frère y braquait le pinceau de la torche. C'était la copie d'un cliché de la police – une photo du cadavre de Vikram. Sur la droite, il y avait un montage, deux gros plans de la tête. Une partie de la mâchoire avait été arrachée.

– On te la laisse, a lâché Boîte à Outils.

Et il a pris Devi ce soir-là pour la première fois à la lumière de la torche, sous le regard de son jumeau, comme il avait toujours fait.

67

Elle a continué à compter. Elle s'est égarée dans le nombre des jours, jamais dans celui des hommes, y compris pour ceux qui sont revenus. La puanteur avait envahi la cahute. Elle s'y est faite ; et, de la même façon qu'elle avait appris à se repérer dans le noir, elle a fini par reconnaître, par-dessus ce remugle, chaque homme à son odeur.

Où étaient les dieux, où allait le temps ? Elle ne savait plus. Elle savait seulement qu'il fallait vivre avec cette ignorance. Elle s'est souvenue que celui qui est le plus fort n'est pas le plus courageux, mais celui qui a le moins peur. Elle était donc à l'affût de sa peur, pour la vaincre. Parfois des formes la tenaient éveillée – le soupçon d'un malheur plus écrasant encore, la brume errante du souvenir de Vikram. Elle revoyait son long visage calme, toujours visité par la beauté. Elle revoyait aussi sa bouche, ses mains qui étaient toujours allées à elle comme à une source.

C'est surtout dans ces moments-là qu'elle invoquait les paroles du Maître. Elle se répétait que le corps de Vikram était maintenant pareil à un vent apaisé, qu'il était parti à son heure ; et que, si elle souffrait, c'était seulement d'avoir été prise de court, parce qu'elle n'avait jamais imaginé de terme à leur histoire, parce qu'elle ne s'était jamais demandé comment elle finirait. Des heures, des jours peut-être, Devi s'est récité les prières du Serpent : « La mort ne tue personne, ce sont les hommes qui se tuent eux-mêmes, ton champ de bataille est en toi, tu t'y bats seule, ne te laisse pas alourdir par le sang des morts, laisse leurs âmes passer en paix la frontière du monde. » Mais il y avait en elle une pensée contre laquelle le Maître ne lui avait pas appris de conjuration : cet autre monde qui est derrière le monde, c'était l'amour de Vikram qui le lui avait ouvert.

Alors elle ne savait plus comment vivre la minute suivante, elle sentait à nouveau la puanteur de la pièce, recommençait à redouter le bruit de la clef dans la serrure, le poids de son corps blessé l'accablait comme jamais, elle appelait la mort. C'était l'instant où tout s'enfuit vers un seul point, un gouffre unique où la torture de l'âme rejoint celle du corps. Qu'un homme fût là, à s'échiner sur elle, qu'elle fût seule, prostrée à terre ou sur le lit, la douleur était identique – une forme d'écrasement.

Un jour, un homme entra dont, pour une fois, elle entendit le nom – un autre villageois l'avait interpellé sur le seuil. Il se nommait Surendra Singh. Il n'était jamais entré, elle le sut dès qu'il fut sur elle. Lui, son plaisir, ce fut d'abord de l'injurier. De temps en temps, il la forçait à ouvrir la bouche, lui crachait dedans, la forçait à avaler. Puis il reprenait ses injures. Il avait une voix grave, parlait lentement, comme s'il savourait ses invectives. Quand il en eut fini avec son corps, il alluma une lampe, voulut voir son visage ; et comme elle soutenait son regard, il la bourra de coups de poing jusqu'à ce qu'elle baissât les yeux. Ce qu'elle fit ; mais un mot lui échappa alors, venu du plus profond d'elle-même – ou plutôt de ce qu'elle avait appris dans la forêt, pendant ces heures mystérieuses où le Maître lui avait enseigné à faire sortir sa haine avec une lente et sourde férocité, à la manière du serpent qui attaque ; et d'ailleurs, la voix de Devi se mit à siffler quand elle lâcha :

– Tu auras ma vengeance, Surendra Singh.

L'homme se figea sur-le-champ. Dans le noir, rien qu'à cette paralysie, Devi pressentit sa stupeur ; et sa faiblesse aussi.

Cela ne dura qu'un instant. Presque aussitôt, Surendra Singh lui décocha un énorme coup de poing en pleine face, avant de se précipiter au-dehors en hurlant à l'adresse de ceux qui rôdaient sur la place :

– Il faut la punir encore ! Il faut la punir, la punir...

68

La maison de Shakuntala est la mieux placée du village : en haut de la place et tout près du puits. Quand on se tient sur sa terrasse, en se cachant derrière le muret, on peut tout voir sans être vu ; et si on n'a pas envie de voir, on peut se contenter d'entendre. Souvent, cela suffit.

Car pour vivre dans le village, il faut savoir ce qui se fait, écouter ce qui se dit. Rien que pour parler et se taire à bon escient. Surtout quand le village est petit, loin de tout, comme Behmai. Autrefois, d'après les anciens, le village a été beaucoup plus grand. Quand ils se mettent à raconter des histoires sous le figuier sacré, des vieux disent que c'était la forteresse d'où partaient les attaques des grands guerriers thakurs, du temps où ils devaient se battre contre les bouseux mallahs qui refusaient de leur lâcher les terres. Cette époque-là est révolue depuis longtemps. Cela fait des lustres que les remparts de Behmai ont été engloutis dans les ravines avec les boues des moussons. Les anciens ajoutent souvent que c'est dommage, car on ne sait jamais ce qui peut arriver, avec ces chiens de mallahs ; ils sont si bas, si grossiers.

Shakuntala est comme tout le monde à Behmai, elle hait les mallahs. Quelques-uns vivent ici, employés à gratter la terre des plus riches. Shakuntala interdit à ses enfants d'aller jouer avec les leurs. Elle ne s'approche pas non plus de leurs femmes lorsqu'elles vont au puits.

Quand on a fait comme elle un beau mariage, quand on a eu des fils, qu'on habite la maison la mieux placée du village, on n'a pas la moindre raison de frayer avec ces gens-là. Il faut respecter l'ordre – l'ordre qui ne change pas.

Pourtant, Shakuntala s'est demandé si tout était vraiment en ordre en ce jour de la fin août, sur le coup de midi, quand elle a vu depuis sa terrasse les frères Singh ouvrir la porte de la cahute où l'on avait enfermé la fille. Elle les a aperçus qui la prenaient à bras-le-corps, qui la jetaient à terre.

Jusque-là, Shakuntala n'a pas voulu savoir ce qui se passait là-bas ; jusque-là, elle a fait comme toutes les femmes de Behmai depuis l'arrivée de la fille : elle a évité de regarder de ce côté-là de la place. Cette histoire-là, c'est le secret des hommes, les choses dont on ne parle pas. Son mari n'est pas allé dans la cahute, elle est prête à en jurer, comme toutes les femmes du village – même si elle a remarqué que, depuis que la fille est enfermée là-dedans, aucune femme, en allant au puits ou en remontant du fleuve, ne parle plus de son mari, ni de son fils, ni de son père, ni même de son neveu ou de son cousin. On se contente de jacasser sur la mousson qui finit, sur les champs que les pluies ont dévastés, sur la terre qui, une fois encore, est allée se perdre au plus profond des gorges. Pourtant, elle n'a pas pu s'empêcher de noter que les femmes qui vivent en bas de la place font maintenant de grands détours pour éviter de passer devant la cahute. Il y a aussi les enfants à qui on ne répond pas quand ils demandent pourquoi les hommes sont tous à rôder de ce côté-là, depuis près de trois semaines, pourquoi ils s'attroupent si souvent là-bas, pourquoi ils se donnent des bourrades, pourquoi ils entrent et pourquoi ils ressortent en prenant bien soin de verrouiller la porte à double tour. On leur expliquerait bien, s'il y avait des mots. Mais ces mots-là n'existent pas. Il y a maintenant un grand secret à Behmai. Shakuntala se répète que c'est l'affaire des hommes. L'affaire des femmes, c'est le puits et le réchaud, elle est la première à le proclamer devant ses fils. Et pourtant elle a peur.

C'est qu'il y a les frères Singh, au village. Les gens sont assez paisibles, à Behmai, mais quand les jumeaux arrivent, tout change. Les sages sont comme fous, les forts deviennent faibles, lorsqu'ils sont là. Quant aux faibles, ils sont plus mous, plus veules que jamais. Tout le monde redoute le Gourou et Boîte à Outils, même leur père; jusqu'aux vieux qui n'ont plus rien à attendre de la vie. Il n'y a peut-être qu'un seul homme pour les craindre un peu moins que les autres, c'est Sohan, l'infirme, celui qui est tombé d'un toit il y a trois ans et qui, depuis lors, passe toutes ses journées sous son auvent, étendu sur son lit. Lui aussi, il sait tout ce qui se dit et se passe à Behmai. Le reste, il le devine. On dit que c'est parce qu'il a vu du pays, parce qu'il a fait la guerre au Pakistan, autrefois. Et puis, c'est bien connu, les infirmes ont un sixième sens.

Pourtant, ce jour-là, Sohan est resté stupéfait de la scène qu'il a vue se dérouler sur la place de Behmai. Il a bien été forcé de la voir, il n'a pu faire comme Shakuntala. À l'instant où elle a saisi ce qui arrivait, elle, la curieuse, la bavarde, pour la première fois de sa vie, elle n'a plus rien voulu voir, plus rien voulu entendre. Mais elle n'a pu s'empêcher d'imaginer. Et rien que d'avoir imaginé, elle en a perdu le sommeil. Elle a mis une semaine à s'en remettre; depuis, d'ailleurs, elle a du mal à parler. Sohan, lui, est resté allongé sur son lit d'infirme à l'abri de son auvent. Comme d'habitude, personne n'a fait attention à lui. Quand on veut l'entendre raconter ce qu'il sait, il ne se fait pas prier, il dit tout. Simplement, par moments, il s'embrouille dans ses phrases, il est forcé de s'arrêter.

Tout a commencé à midi, d'après lui, dans la lumière blanche et crue des fins de mousson. Depuis une bonne semaine, il ne pleuvait presque plus. À l'appel de

Surendra Singh qui venait de sortir de la cahute, Boîte à Outils, bondissant de chez lui, a dévalé la place. Le Gourou les a rejoints sur-le-champ, il y a eu presque aussitôt un attroupement autour de la porte. À son habitude, Boîte à Outils a fait le faraud. Il parlait très fort, son frère le regardait s'agiter d'un œil amusé.

Puis Boîte à Outils a cessé de gesticuler et il a déverrouillé la porte. Sohan a consulté sa montre, comme chaque fois qu'il voyait entrer un homme dans la cahute, depuis maintenant vingt-deux jours que la fille y était enfermée. Boîte à Outils était de ceux qui restaient le plus longtemps à l'intérieur, en général une bonne demi-heure. Mais il n'entrait jamais seul, il y avait toujours le Gourou avec lui ; se partager les filles, c'était depuis toujours le jeu préféré des jumeaux. On disait d'ailleurs que c'était la raison pour laquelle les marieurs n'avaient pas voulu leur chercher un parti.

Mais, ce jour-là, Boîte à Outils est entré seul. Il est ressorti immédiatement en poussant la fille devant lui. Son sari était en loques, elle avait un œil tuméfié ; l'autre, à moitié fermé, ne valait guère mieux. Dès qu'elle s'est retrouvée en plein soleil, elle a levé un bras pour se protéger de la lumière.

Les hommes accouraient maintenant de partout. Les enfants aussi. Les femmes ont timidement essayé de les rappeler, mais comme ils n'ont pas répondu, elles n'ont pas insisté. Elles ont toutes fait comme Shakuntala, elles ont rabattu un pan de leur sari sur leur visage. Celles qui étaient au puits ont lâché leur seau et ont couru se cacher au fond de leur maison.

Boîte à Outils et le Gourou se sont assis aux pieds de la fille qui continuait à se protéger les yeux de la lumière trop crue. Les autres hommes se sont assis à leur tour. Il s'est écoulé un très long moment pendant lequel la fille est restée debout au milieu du cercle d'hommes. Elle faisait son possible pour rester droite, mais Sohan a remarqué qu'elle avait les jambes qui chancelaient; et puis la lumière lui blessait toujours les yeux.

Assis à ses pieds, Boîte à Outils plissait le front, sa bouche était agitée de petits mouvements spasmodiques, son regard était fou, il allait de-ci, de-là, sans jamais s'arrêter sur la fille. Le Gourou, lui, continuait de sourire en observant son frère.

Puis l'œil de Boîte à Outils s'est brusquement fixé. Sous l'auvent de la maison la plus proche, il a avisé deux pots vides. Il a aussitôt fendu la foule, est allé les chercher, les a déposés aux pieds de Devi. Et il lui a jeté :

– Tu vas aller me chercher de l'eau au puits.

– Je ne suis pas ta servante, a aussitôt répliqué la fille, et elle lui a craché au visage.

La réplique de Boîte à Outils ne s'est pas fait attendre : il l'a renversée d'un coup de poing, l'a traînée dans la cahute. Presque aussitôt, la fille s'est mise à hurler, elle répétait « non, non », mais on n'entendait pas ce que disait Boîte à Outils. En tout cas, moins de trois minutes plus tard, la fille est ressortie. Elle a soulevé les deux pots et a commencé à monter vers le puits.

– Comme ça, c'est trop facile, a alors grincé Boîte à Outils.

Il s'est jeté sur elle, lui a arraché tous ses vêtements, elle n'a pas eu le temps ou la force de se débattre. « N'aie pas honte, a ajouté Boîte à Outils quand elle s'est retrouvée nue. On te les rendra, tes frusques. Après tout, tu n'as que la place à monter et à redescendre. »

Dans l'attroupement, il y a eu des débuts de rires, mais ils se sont vite étouffés. La fille a relevé la tête, elle a pris un pot sous chaque bras. À cause de ses yeux tuméfiés, il était difficile de juger de l'air qu'elle avait; elle était absente, jugea Sohan, ses lèvres bougeaient imperceptiblement, comme si elle murmurait une prière.

Il va se passer quelque chose, s'est dit alors l'infirme. Quelque chose qui n'est jamais arrivé nulle part et qui va laisser des traces. Presque aussitôt, en effet, la fille nue a commencé à traverser la place, ses pots sous les bras ; elle avait le corps couvert de bleus, et pourtant elle marchait vite. Boîte à Outils l'a alors rejointe et, de deux coups de poing, il a fait rouler les pots dans la poussière :

– Pas comme ça, a-t-il ricané. L'un sur l'autre, sur la tête. Comme les autres femmes !

La fille ne bougea pas. Il ajouta un ton plus fort :

– Tu veux retourner dans la cabane avec moi ?

Elle n'a pas répondu. Alors il l'a saisie à la nuque, l'a fait se pencher sur les pots et a dit : « Ramasse. »

Elle s'est exécutée, elle a posé les deux pots sur sa tête, elle a poursuivi sans un mot sa marche vers le puits. La troupe d'hommes et d'enfants lui a emboîté le pas. Les frères allaient en tête, lui lançant des injures. Les enfants continuaient à rire, les hommes déjà un peu moins, beaucoup maintenant se forçaient. Mais le Gourou les avait à l'œil, il se retournait constamment vers eux pour les rameuter.

Sohan s'est béni, pour une fois, de ne plus pouvoir marcher. Blottie derrière le muret de sa terrasse, ramassée dans ses voiles, Shakuntala a aperçu son mari et ses fils dans la troupe qui escortait la fille. Elle a aussitôt fermé les yeux.

Dans sa tête, à présent, c'est elle qui traverse la place, comme elle l'a fait des milliers de fois peut-être, avec ses deux pots sur la tête – le lot des femmes depuis que le monde est monde. Elle sent son dos se durcir, son cou se raidir, son pied se faire léger, sa hanche onduler pour que les deux pots tiennent en équilibre – elle sent aussi les plis du sari qui la protègent quand elle se penche, qui épousent le mouvement de chacun de ses muscles. Mais, d'un seul coup, Shakuntala se souvient que la fille est nue ; et elle n'arrive plus à rien imaginer.

Elle s'effondre sur sa terrasse, se replie sous ses voiles. Ce qui se passe ensuite, quand on est au puits, elle le connaît par cœur. La femme doit se pencher complètement par-dessus la margelle, lancer le seau en restant inclinée jusqu'à ce qu'il ait frappé la nappe d'eau ; puis se pencher encore pour secouer la corde, afin qu'il s'y enfonce. La poulie grince. Il faut maintenant tirer la corde de toutes ses forces ; et quand le seau arrive à hauteur de la margelle, le soulever, puis se baisser encore pour remplir les pots. Enfin, prendre une bonne inspiration pour les jucher l'un sur l'autre, relever la tête et marcher. On dit que c'est à cet exercice que les marieuses du village devinent les meilleures fiancées.

Shakuntala ne s'est pas encore bouché les oreilles qu'elle entend quelqu'un rugir. C'est le Gourou. Il crie : « Fais attention, ne renverse pas ! » Elle se recroqueville encore plus derrière le muret de la terrasse. C'est le moment le plus difficile, l'instant où il faut descendre cette maudite place, éviter les flaques, les restes de boue.

Un pot va tomber, c'est sûr. Sous son auvent, Sohan a l'impression que tout le village est frappé de la même paralysie que lui. Le silence s'est abattu sur la place, la lumière blanche et crue englue jusqu'aux enfants, nul n'ose plus bouger, et derrière la fille, la démarche des jumeaux s'alourdit aussi. La fille chancelle, un peu d'eau s'échappe d'un pot. Mais elle ne renverse rien, elle continue vaillamment d'avancer. La voici au seuil de la cahute. Elle dépose doucement sa charge, ramasse son corsage, son sari déchiré, pousse la porte de sa prison.

Mais Boîte à Outils ne la tient pas pour quitte. Il se précipite sur elle et vocifère :

– Tu as renversé de l'eau ! Tu vas recommencer !

Et il donne un grand coup de pied dans les deux récipients, la pousse à nouveau sur la place. À la seule vue de l'eau répandue, Devi s'évanouit.

– Enferme-la, lâche alors le Gourou.

D'un seul coup, il a la voix nouée. Boîte à Outils contemple longuement la fille étendue à ses pieds, il a son œil perplexe, qui ne présage rien de bon. Pourtant, il semble se ranger à l'avis de son frère :

– Tu as raison, marmonne-t-il. Il faut qu'elle se repose. Elle recommencera cette nuit.

L'après-midi qui a suivi, plus personne n'est allé voir la fille, en dehors des jumeaux ; et le soir venu, quand les frères ont voulu recommencer avec elle le petit jeu du puits, il n'y avait plus personne sur la place. Les frères ont alors lancé à la cantonade qu'ils descendaient au fleuve, qu'ils allaient passer la nuit en prières dans le temple qu'ils avaient construit à la Déesse, invoquer sa protection pour leurs futures expéditions. Et ils ont laissé la clef de la cabane au premier qui l'a réclamée.

Ce fut Surendra Singh. La nuit suivante, il fut le seul à entrer dans la cahute. Quand il sortit, il se fit apporter de l'alcool de canne, s'adossa au mur et se mit à boire. Au petit matin, il était ivre. Alors un vieillard s'est approché de lui et lui a demandé la clef. Surendra était tellement hébété qu'il n'a fait aucune difficulté pour la lui confier. Pourtant, l'homme n'était pas de Behmai, mais d'un gros bourg établi sur la route du Nord ; c'était un brahmane venu acheter du grain au seul thakur de Behmai dont la sécheresse précédente n'avait pas vidé le grenier. Il s'appelait Pandit, il était maigre et fluet, on ne le remarquait jamais, tout était terne et insipide en lui.

Cependant, depuis son auvent, malgré la lumière incertaine du petit matin, Sohan a tout aperçu de son manège. Pandit est ressorti de la cabane. Il tenait la fille par la main. Il l'a entraînée sur la route du Nord ; malgré son grand âge, quand elle trébuchait, il la soutenait.

Il y avait déjà des femmes sur la place. Sohan est sûr qu'elles ont tout vu, elles aussi. Shakuntala la première, qui n'avait pas les yeux dans sa poche. Mais les femmes ont toutes fait comme lui. Aucune n'a rien dit.

69

Pandit était brahmane, il connaissait les astres et les figures de la lune; et n'eût été l'immense figure du Mahatma Gandhi, pour qui l'indépendance de l'Inde ne se concevait pas sans l'abolition des castes, il aurait toujours tenu à distance les gens de basse naissance, il n'aurait jamais failli à son devoir. Aussi, à peine arrivé à Behmai, quand il a vu la fille devant le puits, quand de la bouche même d'un villageois il a appris ce qui se passait depuis plus de trois semaines dans la cahute en bas de la place, quelque chose s'est réveillé en lui, une obligation plus forte que le devoir ordinaire, et il a tout de suite su ce qu'il avait à faire.

Il était vieux et avait souffert, il avait perdu tous ses fils, puis sa femme, de maladie ou d'accident, il connaissait le poids des nuits sans sommeil, la longueur des jours tiraillés par les douleurs de l'âme. Mais quand, chez tant d'hommes, la souffrance se termine en repli – finalement, en complaisance vis-à-vis de soi-même –, elle avait au contraire porté Pandit vers le chagrin des autres. Il ne disait jamais rien à ceux dont il pressentait la détresse, il n'aimait pas les mots, et d'ailleurs ceux-ci le lui rendaient bien : quand il parlait, ils se refusaient à lui, s'étranglaient dans sa gorge, s'étouffaient sous sa langue, allaient se noyer entre sa glotte et ses dents. Avec les mots, il n'avait jamais eu de joies; sauf dans les formules de prières, parce qu'elles viennent du fond des temps et qu'il suffit de les répéter sans rien y changer. Pandit se contentait donc, pour ceux qu'il voyait souffrir, d'avoir au bon moment le geste qui apaise; et, à l'instant même où ce geste leur rendait espoir, il était consolé de ses propres malheurs.

Avec Devi, ce fut la première fois qu'il s'alarma du

sort de quelqu'un qui était né si bas. C'est sans doute pourquoi, malgré son peu de goût pour le vent des paroles, Pandit a bien voulu raconter son histoire ; et, quoi qu'il en pense, son récit donne une bonne idée de l'état où se trouvait Devi lorsqu'il l'a aidée à s'enfuir.

« Quand je l'ai sortie de là, dit-il, elle ressemblait à un sac de plumes et d'os. Au bout d'une heure de marche, elle s'est écroulée au beau milieu du chemin. J'avais pourtant pris bien soin de quitter Behmai par la route du Nord. »

Pour gagner Simra, le village de Pandit, c'est en effet le chemin le plus facile. Il serpente un moment entre les ravines, mais il est large, sans accidents, et débouche très rapidement sur la plaine et ses grands champs de canne ; et c'est là, du reste, devant les champs, que Devi s'est évanouie. Pandit a arrêté le premier char à bœufs qu'il a vu passer, il a demandé à son propriétaire de les emmener à Simra. L'homme n'a fait aucune difficulté. Il les a à peine regardés et les a déposés à l'entrée du village moins de deux heures plus tard.

Les premiers jours qu'elle a passés chez lui, Pandit a bien cru que Devi allait mourir – d'autant qu'on venait d'entrer dans la lunaison la plus dangereuse de l'année, celle que le Dieu de la Mort choisit de préférence aux autres pour resserrer ses mâchoires sur les êtres fragiles. Il a alors compulsé ses livres, comme si Devi était un enfant de sa propre maison, y a cherché les incantations les plus puissantes, celles qui guérissent les yeux des aveugles et la peau des lépreux ; et il a fini par y trouver une prière de miséricorde qu'il a marmonnée des centaines de fois, dans l'espoir que la Déesse consente à poser un œil généreux sur la pauvre fille qu'il logeait à l'arrière de chez lui et dont on avait si cruellement écorché l'âme. Car c'était l'âme de Devi, jugeait Pandit, qu'on avait blessée, bien davantage que son corps ; voilà pourquoi elle n'avait pas la force de parler ni même d'avaler une bouchée ; ni surtout de rester seule dans le noir.

Dès qu'on la quittait, elle se mettait à hurler. Il avait ordonné à ses deux servantes de se relayer à ses côtés – rien que des femmes : car à la seule vue de son domestique – un vieillard, pourtant, fatigué comme lui, et revenu de tout –, Devi était prise de tremblements qui ne s'arrêtaient plus.

Malgré tout, c'est à lui, Pandit, qu'est allé son premier mot quand elle s'est enfin levée, cinq jours exactement après son arrivée. Il l'a vue courir à lui, un matin, aussi propre que si elle remontait du fleuve, drapée dans une des cotonnades qu'on avait posées près de son lit à son arrivée. Ce jour-là, Pandit s'en souvient très bien, on venait de fêter le Serpent d'Éternité. Depuis sa chambre, Devi a dû entendre les chants sacrés des femmes, leurs furtives allées et venues, tout l'allègre et fiévreux brouhaha qui annonce toujours, dans les villages, les fêtes qui se préparent ; et sans doute s'est-elle rappelée qu'elle aussi, naguère, quand elle vivait chez ses parents, avait préparé des offrandes pour le Grand Reptile aux Mille Têtes. Elle a laissé la fête se faire, elle n'a pas bougé, tout le temps des prières et des processions ; mais Pandit n'était pas rentré du temple qu'elle a couru à lui. Elle avait dû le guetter ; dès qu'elle l'a vu s'installer sous l'auvent, comme tous les jours, assis sur sa vieille chaise, elle s'est précipitée vers lui ; et avant même de l'avoir salué, elle lui a lancé : « Maintenant que je suis sauvée, je vais préparer ma vengeance ! »

Pandit a été pris de court ; dans un geste absurde, il en a arraché ses lunettes – comme si c'était grâce à elles qu'il entendait et qu'elles vinssent de lui jouer un mauvais tour. Il a balbutié un début de question ; Devi l'a interrompu tout de suite : « Tu m'as sauvée, tu auras à jamais ma reconnaissance », puis elle a joint les mains et s'est inclinée devant lui. Elle est restée un long moment face contre terre, sans bouger d'un pouce. Mais quand elle s'est relevée, elle a repris d'une voix grave et forte – on aurait dit qu'elle voulait clamer la nouvelle à la terre entière : « Je vais me venger, maintenant, je vais me venger... »

Tournée du côté du village, elle se tenait très droite. Il n'y a eu que ses yeux pour la trahir, son regard agrandi par un appel éperdu, qui fit peur à Pandit. Il détourna la tête, se mit à frotter ses lunettes contre le coton de sa chemise, recommença à épier les mouvements du village. Ou plutôt il fit semblant car, sans ses verres, il n'y voyait pas grand-chose. Ce qui se passait, du reste, était simple à imaginer : les enfants fascinés par les lampes qu'on venait d'allumer devant les images des dieux, les femmes qui revenaient des oratoires avec leurs corbeilles de sucre et de fruits. Elles continuaient parfois de chanter ; dans leur voix, comme tous les jours de fête, il restait quelque chose de l'excitation du jeûne, les inflexions profondes, un peu sauvages, de ceux qui n'ont pas mangé ; et c'est avec la même voix que Devi venait de lui parler.

Pandit s'est mis alors à repasser en esprit toutes les prières qu'il connaissait, il a tâché de retrouver, sans aller consulter ses livres, la formule qui pourrait ramener sur elle l'esprit de paix. Mais plus il y pensait, moins il la trouvait. Il frottait de plus en plus vite ses verres à sa chemise tandis qu'elle restait raidie devant sa chaise, la tête trop haute, les mains crispées sur les plis de son sari, efflanquée comme jamais, un malheureux tas d'os tenant debout Dieu sait comme – une carcasse de volonté.

Alors Pandit, l'homme qui n'aimait pas les mots, a été pris d'une inspiration soudaine. Il a avisé sous l'auvent la corbeille de fruits et de sucre qu'il venait de rapporter du temple après l'avoir présentée, comme le voulait le rite, au Grand Serpent Dormant ; et il a tendu à Devi son panier de nourriture bénie avec une phrase qu'il n'avait lue dans aucun livre :

– Si tu tiens à te venger, ma fille, nourris ta force !

Devi n'a pas bougé, elle s'est contentée de le dévisager, et dans l'eau noire de son regard Pandit a vu qu'il n'y avait plus d'attente, mais la peur sans fond de ceux qui ont pris trop de coups. « Nourris ta force ! » s'est-il entendu répéter, grisé par l'autorité qu'il découvrait dans sa propre voix ; effrayé aussi de son geste, du tremblement qui commençait à parcourir son bras. Au moment même où il s'apprêtait à le reculer, Devi s'est avancée vers le panier et s'est emparée d'un fruit.

C'était une mangue. Elle l'a déchirée d'un coup de dent, s'en est goinfrée, son jus jaunâtre a ruisselé sur son menton, elle ne l'a pas essuyé, elle s'est penchée sur le panier, elle en a saisi une deuxième, une troisième dont elle s'est aussitôt empiffrée. Entre chaque bouchée, elle avait des petits hoquets, elle gloussait, Pandit ne savait pas de qui ni de quoi elle se moquait. De lui, peut-être, le vieux brahmane, désarmé d'un seul coup, affaissé, tout effaré, interdit devant elle, la va-nu-pieds qui pillait sans vergogne son panier de fruits et de sucre candi ; ou d'elle-même, de sa subite fringale.

D'un seul coup, elle s'est arrêtée. Elle a eu un long soupir, elle s'est essuyé la bouche, passé la main sur l'estomac, elle a levé vers Pandit des yeux beaucoup plus tendres, il a pensé qu'elle allait à nouveau s'incliner à ses pieds et il s'est demandé comment il allait faire, pour la suite, car il sentait que, cette fois, les mots ne viendraient pas.

C'est là qu'elle s'est mise à rire – d'un rire profond et rauque, très long, qui ne s'arrêtait plus, un rire à grands hoquets, pareils à des sanglots, comme une revanche, déjà, comme un festin, aussi, comme une ripaille, une ventrée de rire à faire peur, tant elle lui secouait les os. Pandit, une fois de plus, en est resté interdit. Devi l'entraînait dans un pays ignoré, il ne savait pas lui-même à quand remontait son dernier rire ; et le plus fort, c'est qu'il se laissait faire, qu'il se laissait aller, il se déridait, souriait, sentait à son tour ses côtes se soulever, il était pris de gloussements, rejetait la nuque en arrière, s'esclaffait, il aurait été incapable de dire ce qui le prenait – comme en elle, peut-être, trop de douleur enfouie, trop d'espoirs muselés, trop de malheurs, trop de peurs, trop de jours et de nuits égarés dans l'angoisse. Trop de désir, en somme, de soif de renaître – encore trop de vie.

70

Devi a mis trois bonnes semaines avant d'être sur pied. Elle a été définitivement remise à la fin de la Lune des Morts, juste après le grand festin donné en l'honneur de ceux dont l'âme est partie se soumettre au Grand Juge Funèbre. C'était d'ordinaire, pour Pandit, le moment le plus pénible de l'année. Il avait beau tenter de rêver au paradis qu'il espérait connaître après sa propre fin, il revenait toujours en ce bas monde, ressassait ses souvenirs, revoyait le temps où sa maison avait été une vraie maison, égayée par les gestes gracieux de sa femme, remplie de fils, de serviteurs. Cette année-là, pourtant, ces ombres-là s'effacèrent. Pandit s'acquitta de ses rites comme de coutume, avec recueillement et minutie, mais son scrupule fut vide. Quelque chose de morne s'y était insinué, qui affadissait son chagrin. Il finit par s'en avouer la raison : malgré la distance qu'il gardait avec elle, toutes ses pensées s'en allaient désormais vers Devi.

Les servantes n'en revenaient pas. Au premier pas qu'il lui voyait faire, le silencieux Pandit se changeait en moulin à paroles : « Elle a bien mangé aujourd'hui, avez-vous vu comme elle grossit, comme elle forcit, regardez, elle se remplume, elle commence à sortir, elle va se promener du côté des champs de canne, elle se tient maintenant bien droite sur ses deux jambes, regardez-moi comme elle s'étoffe, et voyez-vous les petites joues qu'elle est en train de se fabriquer... »

Malgré l'étroite sujétion de ses rituels et de ses prières,

Pandit était toujours à l'épier. Quand il ne la voyait pas revenir de ses promenades, l'angoisse lui mangeait le visage ; il s'alarmait encore plus lorsqu'une servante lui apprenait qu'elle s'était réveillée en sursaut pendant la nuit, la tête alourdie d'un cauchemar qu'elle n'arrivait pas à raconter ; ou quand on lui disait qu'une fois encore, au matin, elle n'avait rien voulu manger. Si la nuit avait été douce, si elle avançait à nouveau la main vers son assiette, une brève lumière s'allumait dans les yeux ternis de Pandit. Mais sa joie retombait aussi vite, car il voyait en même temps se rapprocher le jour où Devi s'en irait. Il savait où : dans les ravines. C'était fatal : si elle survivait, elle retournerait là-bas, dans les gorges. Il n'avait pas eu besoin, pour le deviner, de chercher le dessin tracé par les astres au jour de sa naissance, il l'avait su depuis le début, dès l'instant où le villageois de Behmai avait achevé de lui décrire son malheur. Mais Pandit avait beau ne pas ignorer qu'elle s'en irait, il voulait la voir en vie. Alors il l'engraissait.

Pour elle, il ordonna aux servantes de jeter davantage de beurre dans les marmites de lentilles, plus d'huile dans les légumes du curry, plus de sirop, plus de noix de cajou dans les desserts au lait. Il la regarda grossir comme certains paysans élèvent des bébés tigres ou de jeunes cobras, dans une terreur émerveillée, en se forçant à oublier qu'inévitablement ils leur seront arrachés – peut-être au prix de leur propre vie – par l'explosion de cette sauvagerie si amoureusement nourrie. Pour l'heure, Devi était tranquille, elle ne parlait plus de vengeance, elle se tenait à l'écart, ne lui disait rien, se contentait de dormir, de manger, d'aller rôder à la lisière des gorges ; et Pandit était alors suspendu à un unique espoir : qu'elle ne s'en allât pas sans l'avoir prévenu.

Mais il ne la connaissait pas encore, il n'en avait eu ni le temps ni l'occasion. S'il soupçonnait que son énergie était un puits sans fond, il en ignorait encore l'aliment et la source. Maintenant qu'elle tenait debout, Devi voulait mesurer toute l'étendue de sa honte, il fallait qu'elle se rassasie d'aigreur, qu'elle se gave de rancune et de ressentiment, puis qu'elle les rumine, les macère, avant de pouvoir aiguiser en elle les forces de vengeance. Rien que pour cela, elle avait encore besoin de lui.

71

Pandit l'apprit un soir à son retour du temple. À côté de l'auvent s'élevait un petit tas de sable rapporté du fleuve par un de ses neveux qui voulait construire un oratoire à la Déesse. Il n'avait pas trouvé assez d'argent pour acheter le ciment, le sable était resté là, offert aux averses, elles l'avaient tavelé, creusé de petits cirques, de vallées en miniature – une aubaine pour les enfants qui venaient souvent y jouer.

Ce soir-là, Pandit crut encore à un mauvais tour de ses lunettes quand il découvrit Devi, accroupie au beau milieu du tas, qui l'arasait méticuleusement, comme une gamine, avant d'y ébaucher, à l'aide d'un bâtonnet, de grandes figures géométriques. Elle fronçait les sourcils, concentrée ; et pourtant, quand elle vit s'allonger l'ombre de Pandit au-dessus de son esquisse, elle ne fut pas surprise, c'est à peine si elle se retourna. Il s'arrêta, resta un moment à la regarder faire. À son habitude, il ne disait rien.

Au début, il pensa qu'elle commençait un grand motif sacré, un de ces dessins magiques qui, selon les femmes de la Vallée, attirent sur les maisons les bénédictions célestes. Mais, à mesure qu'elle avançait dans son ébauche, les signes qu'elle traçait lui paraissaient plus indéchiffrables. Il n'y reconnaissait aucune des rosaces, aucun des festons qui réveillent le sourire des dieux ; et comme Devi, contrairement à son attente, le voyait incapable d'articuler la moindre question, elle parla la première, lui lâchant des mots plus étranges encore que les quelques lignes qu'elle venait d'esquisser : « Regarde-moi bien, Pandit. Je vais tout retrouver. Je n'oublierai rien. Je veux me souvenir de tout. »

Pandit ôta ses lunettes, plissa les paupières, se pencha vers le dessin. Mais plus il s'y usait les yeux, plus le sens lui en échappait, plus les mots aussi s'étouffaient sous sa langue. Alors Devi se leva, jeta derrière elle son morceau de bois, se dressa devant lui comme le premier matin où elle était sortie de son lit ; puis elle lui déclara avec le même mélange d'arrogance et de douleur : « Je n'oublierai rien, je vais tout te raconter. Et ce que je ne sais pas, toi, tu me le diras. »

C'est là que Pandit comprit qu'elle parlait de Behmai, et tout s'éclaira brutalement dans les lignes qu'elle venait de tracer sur le sable : ce long rectangle, au cœur de son dessin, c'était la place du village ; dans l'angle d'en haut, le gros cercle représentait le puits ; le petit carré du bas, la cahute. Les deux lignes opposées qui en partaient correspondaient au chemin du Nord et à celui du Sud. Enfin, la longue rainure sinueuse qu'elle creusait dans le sable au moment où il l'avait surprise devait tout simplement figurer le fleuve.

– Dis-moi ce que tu sais, reprit Devi.

Il détourna la tête, remit ses lunettes, voulut rentrer chez lui. Mais elle l'avait devancé, elle lui barrait le passage. Il jugea qu'il devait user de patience ; mais, avec une fille comme elle, peut-on jouer de patience, peut-on seulement jouer au plus fin ? Il n'osait la regarder en face ; et comme elle ne bougeait toujours pas, il grommela les premiers mots qui lui vinrent à l'esprit :

– Ce que je sais, tout le monde le sait.

– Bien sûr, tout le monde le sait... Je te fais confiance !

Elle avait failli crier – un gémissement, un ricanement, Pandit n'aurait pu dire. La douleur, la honte avaient à nouveau fondu sur elle, sa voix avait brutalement vacillé, il crut qu'elle allait se mettre à sangloter. Mais ce ne fut qu'un bref frisson, Devi se reprit, trouva la force de poursuivre :

– Qu'est-ce qu'on dit de moi ?

– On te plaint.

Une seconde fois, Pandit avait parlé sans réfléchir, les mots lui étaient sortis de la bouche par petits éclats secs, presque cassants ; Devi elle-même en resta bouche bée. Il y eut alors un moment curieux : on aurait dit qu'elle était soudain sans volonté, un corps sans âme – une simple enveloppe de chair flottant devant sa maison.

C'était l'instant ou jamais de la laisser à son destin. Mais, à la seconde même où le regard de Pandit commençait à se détacher d'elle, il la vit se raidir, d'un coup reprendre forme et force, et extraire de dessous son sari une pochette d'où elle sortit puis déplia une grande photo brillante.

Il la reconnut aussitôt, il l'avait vue deux mois plus tôt en première page du journal qui avait annoncé la victoire de la police sur le gangster Vikram Mallah. C'est d'ailleurs dans l'article qui l'accompagnait qu'il avait lu pour la première fois le nom de l'aventurière que le chef de bande avait pour maîtresse. Le journal avait assuré qu'après la mort de son amant, abattu par les policiers à l'issue d'une périlleuse bataille rangée, elle s'était noyée dans le fleuve.

Pandit ne se souvenait pas des pensées qu'il avait eues quand il avait lu cet article. Il ne gardait que la mémoire floue d'une histoire romanesque sans réalité ni profondeur, sans lien possible avec sa propre vie ; et, depuis qu'il avait recueilli Devi, même s'il l'avait fait en connaissance de cause, sachant très exactement qui elle était, d'où elle venait, il s'était toujours refusé à rapprocher la pasionaria du journal et la gamine écorchée vive qu'il voulait, contre toute raison, arracher à son sort.

Mais, avec cette photo, rien n'était plus pareil.

Était-ce le format du cliché, beaucoup plus grand que dans le journal, ou sa netteté, ses reflets, les longues stries mates et blanches qu'y avaient laissées les pliures – de nouvelles blessures, eût-on dit, sur le cadavre de Vikram Mallah –, tout devenait soudain brûlant, intense, tout prenait goût de vérité. En cette seconde de trop, sur le pas de sa porte, où il fixa la photo d'un mort, Pandit en eut brusquement assez de s'en remettre à son destin. Assez du train ordinaire de sa vie, toujours ballottée entre souvenir et souffrance ; et même assez de sa compassion pour les autres. Il voulait bien basculer maintenant dans l'aventure, il avait tout à coup besoin de quelque chose de plus fort, il lui fallait, c'était irrésistible, aider cette fille à porter sa vengeance ; prendre sur lui une partie de sa haine.

Alors il se vit revenir sur ses pas, comme en rêve, s'asseoir sur sa vieille chaise et souffler à Devi, l'œil vague, égaré par le soleil qui sombrait derrière les vastes champs :

– Raconte-moi.

72

Elle raconta, il écouta. Avec appétit, convoitise, comme jamais il n'avait écouté personne ; et tout le temps que Devi se tut, quand la nuit et les repas les séparèrent, il vécut dans le désir de ses récits. Il en eut parfois mal à force de les attendre ; et aussi à l'idée qu'elle pût, par fantaisie ou fatigue, lui en refuser la suite.

Mais Devi reprit toujours le fil de son histoire, sa haine était trop lourde, elle avait besoin de mots. Elle lui raconta tout, Mayadin, Kailash, Babu, le policier Mansouk, Lukka, les frères Singh, et Vikram, bien sûr, surtout Vikram. Par moments, d'ailleurs, Pandit eut l'impression que c'était à son amant qu'elle parlait, non à lui ; elle se mettait brusquement à fixer le ciel et s'écriait : « Regarde, regarde ce qu'ils m'ont fait, c'est tout ce qu'ils m'ont laissé », et elle désignait à son poignet la montre d'homme que Vikram lui avait offerte après les attaques sur la Nationale. Son verre était brisé, ses aiguilles bloquées à treize heures trente, l'heure de l'enlèvement et du meurtre sur la plage d'Unnao. « Mais comment me venger ? ajoutait-elle. Où sont passés les hommes de la bande ? Et Moustakim ? Je ne sais même pas où est passé Moustakim… »

C'était un nom qui revenait souvent dans ses histoires, elle avait l'air de le détester, mais elle disait aussi qu'il était le seul à pouvoir l'aider, pour sa vengeance : « Si seulement je savais où il est passé… » Puis elle demeurait un long moment silencieuse, comme si elle conversait avec un monde connu d'elle seule, dont elle hésitait à dévoiler les énigmes ; et, d'un seul coup, alors que Pandit commençait à désespérer, elle l'apostrophait en grondant : « Toi aussi, Pandit, il faut que tu me racontes. Parle-moi des gens de Behmai. Je veux tout savoir. Je veux me souvenir de tout ! »

Pandit hochait la tête, se pétrissait les mains, ôtait ses lunettes, lui répétait qu'il ne connaissait pas les gens de Behmai, que c'étaient des thakurs à qui il était venu acheter du grain, qu'il s'était retrouvé là par hasard, parce qu'ils étaient les seuls dans le pays à qui il en restât un peu. Devi scrutait un moment son regard troublé par ses verres épais ; puis, comme découragée, elle abandonnait ses questions et en revenait à son histoire.

Car c'était là maintenant qu'était toute sa force, dans la parole. Jour après jour, à mesure qu'elle parlait, ses yeux, ses cheveux retrouvaient leur brillant, elle s'arrondissait, reprenait des joues, des seins. Seules ses nuits restaient difficiles. Elle avait à nouveau des cauchemars, se réveillait en hurlant, hoquetait entre deux sanglots : « Je n'ai pas de toit, je n'ai pas de toit ! » Ou bien elle jetait un cri que Pandit redoutait plus que tout autre, parce qu'il épouvantait ses servantes : « Je suis la fille qui apporte le malheur ! » Elle se rendormait aussitôt. Lui, Pandit, veillait jusqu'à l'aube, assailli de terreurs contraires. Il craignait qu'elle s'enfuie, que ses femmes la chassent. Ou qu'elle perdît l'appétit, la mémoire – pis encore, l'envie de parler. Mais, au matin, Devi avait oublié ses mauvais rêves et reprenait son histoire là où elle l'avait laissée.

Elle n'était jamais lasse de raconter son injustice, et lui encore moins fatigué de l'entendre. C'est ainsi que la passion, jour après jour – mot après mot, pour ainsi dire –, envahit la vie de Pandit. Subrepticement, sans bruit, comme le sable dans la nourriture, juste avant la mousson, lorsque se lèvent les vents de chaleur. Sur le moment, on n'y prend pas garde, on croit à un caprice de l'air, à un simple tourbillon, on s'abandonne à ses volutes brûlantes ; mais, une fois la bourrasque passée, on retrouve du sable partout ; et, très longtemps, les choses gardent goût de poussière.

Pourtant, Pandit avait toujours l'esprit aux aguets, il sentait une menace au bout de ce que racontait Devi ; ses paroles, ses récits s'en allaient quelque part où il voyait bien qu'il n'aurait pas sa place, même si, pour un temps, il fallait qu'elle lui parle, fût-ce pour grincer une fois de plus : « Je veux tout savoir, Pandit, je veux me souvenir de tout. » Elle n'admettait pas d'avoir été vaincue sans avoir pu se battre, elle ne supportait pas d'ignorer ce qui s'était passé sur le fleuve, entre Unnao et le pays thakur, quand elle avait été chloroformée ; et encore moins l'étrange dérive qui avait suivi, dans la cahute, ces semaines confuses qu'elle nommait toujours, quand elle parvenait à en parler, les jours perdus. « Je veux voir clair, martelait-elle pour la centième fois. Pandit, dis-moi ce que tu sais. Je veux voir clair dans le temps. Je veux me souvenir de tout. »

Il bafouillait, comme toujours, qu'il ne connaissait pas les gens de Behmai, il fuyait son regard épaissi de colère.

À bout de patience, elle se remettait à parler ; et lui, jamais lassé, à écouter. Sans jamais voir au juste où elle allait.

Puis arriva un jour qui ne fut pas comme les autres. De toute façon, ce n'était pas un jour ordinaire, on préparait à nouveau une fête, celle de la Grande Déesse. Dans toutes les cours, les hommes étaient occupés à fourbir leurs armes avant d'aller, comme chaque année, les lui présenter au temple pour lui demander d'y faire passer un peu de sa force sauvage. Vieux sabres, canifs, coutelas, poignards, machettes, fusils, tout y passait de ce qui pouvait faire couler le sang, humain ou animal ; et rien qu'à voir les canons fraîchement briqués, les lames étincelantes dans le grand soleil, on avait l'impression qu'y flamboyaient déjà les pouvoirs sans limites de la Grande Invincible.

Devi venait d'arriver sous l'auvent. Elle laissait toujours passer un petit moment avant de se décider à parler. La plupart du temps, elle s'accroupissait devant un plateau de graines à trier. Elle observait un moment les champs de canne, et, derrière eux, au bout de l'horizon, les premières hauteurs des ravines. Puis elle se mettait à fouiller dans son plat de graines en attendant la phrase par laquelle Pandit, dans une sorte de rituel qui s'était établi jour après jour, l'engageait à commencer : « Alors, Devi, as-tu bien dormi ? »

Mais, ce matin-là, il n'osa pas le lui demander : à l'instant même où Devi était sortie, son regard avait été arrêté par un homme assis dans la cour la plus proche, au milieu d'un tas de chiffons. D'une poignée de sable, il frottait la lame d'un poignard. Aussitôt, l'eau de ses yeux se troubla ; et elle jeta à Pandit :

– J'avais un fusil, moi aussi !

Elle repoussa son plateau de graines, se mit à tâter avec fièvre, sous les épaisseurs de son sari, l'endroit où elle cachait la photo de Vikram.

– Laisse cette photo, Devi, lâcha alors Pandit. Ta force ne se nourrira pas de papier.

Elle secoua la tête, s'obstina à tâter la photo sous son sari. Elle lorgnait maintenant du côté des champs de canne – si tendue qu'on aurait cru une panthère prête à s'enfuir.

– Cesse de ruminer, reprit Pandit. Tu es en bonne santé...

– En bonne santé ! Avec ma honte ! Et mes mains vides !

Elle ricanait – un rire cassé, secoué de hoquets, qu'il était vain de vouloir calmer. Il s'y essaya pourtant, répétant doucement son nom, « Devi, Devi ».

– Tais-toi, coupa-t-elle. Mes ennemis courent en liberté et tu voudrais que je marche la tête haute !

Mais elle n'y put rien. Ce matin-là, Pandit fit front, les mots lui vinrent sans effort, puissants et justes, comme si c'était le destin qui commandait sa langue ; et d'ailleurs, ces mots-là, Devi les attendait peut-être depuis le début, car elle lui adressa un sourire radieux dès qu'elle l'entendit lui lancer :

– La honte est pour ceux qui ont voulu te couvrir de honte. Pas pour toi.

– Prouve-le-moi.

– Tu verras bien.

Il se tourna à son tour du côté des champs, observa longuement le ciel au-dessus des cannes qu'irisait la jeune lumière ; quand son regard revint sur elle, Devi n'avait pas bougé. Ses yeux étaient restés les mêmes, durs et fixes, démesurément dilatés par l'attente.

– Donne-moi seulement deux semaines, ajouta-t-il.

Puis il rentra chez lui. Ils ne se parlèrent pas de la journée. Le lendemain matin, lorsque Pandit la rejoignit sous l'auvent, ce fut pour lui annoncer qu'il partait en voyage ; et, en effet, il avait sorti son grand parapluie noir à manche d'ivoire, le plus précieux de ses objets, car il le tenait de son père qui l'avait lui-même reçu de feu le rajah de Godh, sur la route de Gwalior, dont il avait été l'astrologue et le chiromancien. Pandit le prenait toujours quand il partait dans la campagne, pour protéger son crâne chauve des rayons du soleil.

Devi n'a pas marqué le moindre étonnement. Elle s'est contentée de lever vers lui les mêmes yeux calcinés d'espoir. Au moment de s'éloigner, sur le seuil de sa maison, il lui a fait jurer qu'elle ne bougerait pas avant son retour. Elle s'est exécutée de bonne grâce, sans poser une seule question. « Je pars en pèlerinage, a-t-il lancé ensuite à l'adresse de ses servantes. Veillez bien sur Devi ! » Elles n'ont pas eu le temps de lui poser une seule question, il avait déjà tourné les talons. De son pas raidi par l'âge, aussi vite qu'il le pouvait, il courait vers les champs sous son grand parapluie.

Il prit le sentier de l'Ouest, celui qui menait à la grand-route, là où passaient les autobus. Le chemin des pèlerinages et des grands temples se trouvait à l'exact opposé. Aussi se douta-t-on bien, dans tout le village, que Pandit était parti pour la ville. Laquelle, Gwalior ou Kanpur, on ne parvint pas à trancher ; et on n'arriva pas davantage à imaginer ce qu'il pouvait bien être allé y chercher. On pencha pour une lubie de vieillard, une de ces folies qui s'emparent parfois de ceux qui s'apprêtent à quitter ce bas monde, leur rendent d'un coup le pas léger alors même qu'on croyait leur corps à jamais engourdi. Cela dit, on jugeait Pandit avec sévérité : il n'était pas convenable de partir ainsi à l'improviste, même si c'était pour tenter de savoir à quoi ressemble le visage de l'éternité.

Mais, sur cette question, Devi avait aussi sa petite idée. Elle se garda bien de s'en ouvrir à qui que ce fût – surtout pas aux servantes qui lui jetaient maintenant un œil mauvais. Elle leur rendit d'ailleurs la pareille, leur battit froid. Elle passa ses journées dans les cannes, à guetter le chemin de l'Ouest. Elle fut ainsi la première à voir Pandit revenir, au soir du dixième jour, fourbu mais radieux, porteur d'un baluchon oblong dont elle devina aussitôt ce qu'il dissimulait.

Elle courut à lui, se prosterna à ses pieds. Car

exactement comme si elle l'avait guidé à distance, route après route, ruelle après ruelle, Pandit s'était aventuré jusqu'au fond du bazar de Gwalior où il avait fini par dénicher, au bout de sa venelle, le marchand d'armes de Vikram, à qui il avait acheté au prix fort un vieux Mauser 303. Puis, dans une échoppe voisine, il avait découvert des chaussures de tennis de marque Blue Star, déjà portées, mais approximativement à la pointure de Devi. Enfin un jean, dans lequel il avait aussitôt emballé le fusil et les chaussures ; et il avait noué le tout d'une longue écharpe rouge.

Devi en pleura de joie, si bien que ce fut Pandit qui déballa le Mauser. Il semblait en parfait état de marche, il était en tous points semblable à celui qu'on lui avait volé. Il n'y avait qu'une seule restriction à son usage, lui avoua-t-il quand elle voulut le manipuler : faute d'argent, il n'avait pu lui rapporter de cartouches. Un peu plus tard, en surprenant un bavardage des servantes, Devi apprit qu'il ne lui restait plus une seule roupie. Pas même de quoi acheter du grain si la prochaine mousson venait à tarder. Pandit venait d'engloutir toutes ses économies. En dehors de son champ et de sa maison de terre, il n'avait pour tout bien que son grand parapluie.

73

À peine trois jours plus tard, elle est partie. Pandit l'a laissée faire. De toute façon, il l'avait vue venir avec ses silences subits et ses airs de petite menteuse. Il faut dire aussi qu'elle s'est trahie : dès l'instant où elle a vu le Mauser, elle n'a plus cessé de triturer son amulette.

Pandit l'avait remarquée depuis longtemps, cette pierre qu'elle portait à son cou : depuis les premiers jours, quand il ne savait plus quelle prière réciter pour la guérir. Il s'était même demandé si ce n'était pas ce caillou qui la rendait malade. Mais il n'avait jamais risqué une question, jamais demandé non plus à ses servantes de la lui enlever. Plus tard, alors qu'elle n'arrêtait pas de parler de la montre de Vikram, Devi ne souffla mot du talisman. Elle ne lui expliqua pas d'où il venait, ni pourquoi les frères Singh le lui avaient laissé. C'est ce dernier détail, plus que la pierre elle-même, qui lui mit la puce à l'oreille. Car Pandit savait bien où on les trouvait, ces graviers-là, noirs et veinés, avec des inclusions de cristal bleu ou rose : au fond de la forêt, pas ailleurs. Pour les dénicher, il n'y avait que les hommes des tribus, gardiens de secrets encore plus noirs qu'eux-mêmes. Et, contre leurs pouvoirs, personne n'avait jamais rien pu.

Pandit était pareil à tous les hommes des ravines et des plaines, il craignait les gens qui vivent là-bas, si loin des villages ; et il les respectait tout autant. Nul n'avait pu les vaincre, ces envoûteurs-là, pas même, au fond des siècles, les grands mages au teint pâle dont il descendait, ces prêtres épris de pureté, d'écritures sans fin, de hiérarchies compliquées. Devant eux, pour la première fois depuis leur invasion triomphale, ils avaient dû s'incliner. Tous leurs livres, toute leur passion des chiffres et des savants calculs, leur science même des planètes et du feu ne leur avaient servi de rien, ils avaient dû s'arrêter à la lisière de la forêt – l'Autre Monde, comme ils l'avaient appelé. Ils avaient plié devant ces magiciens qui se jouaient des secrets du temps, capables des plus terribles merveilles – arracher des larmes aux pierres, des sourires aux étoiles, forcer les fleuves à remonter à leur source, le soleil à courir à l'envers, la lune à accoucher de son double. C'était là aussi, dans l'obscure lumière de leurs fourrés d'épines, qu'était née la Grande Déesse, l'Éternelle Inaccessible, aussi noire et sanglante qu'eux-mêmes. Mais elle, la Broyeuse, la Puissante, n'avait pas eu peur, en revanche, de sortir de son royaume, elle s'était répandue dans les villages, avait envahi les plaines, les collines, les montagnes conquises par les hommes à peau claire, elle s'était mélangée à leurs dieux, rieuse et cruelle comme toujours. Bien mieux : depuis ce temps, lorsqu'un de ces hommes de la plaine était humilié ou souffrant, vieux ou fou, las de la vie ou en quête de vérité, quand il voulait de la force, tout simplement – la grande force, s'entend, celle qui fait mépriser les pires épreuves –, c'était à elle, la Déesse, qu'il s'en allait. À sa forêt. À ses lianes et à ses futaies, à ses bêtes sauvages, à ses herbes gorgées de poison ou de sève apaisante. À son rouge terreau, à son humus aux relents de matrice. À ses sorciers étranges vivant parfois dans les arbres. À ses poètes et à ses sages. À ses Maîtres des Pierres.

Alors, rien qu'à la façon dont il voyait Devi tournailler dans la cour en triturant son talisman, Pandit a tout deviné ; et, au bout de trois jours, il a préféré la délivrer de tous les mensonges qu'elle ruminait pour tenter de partir de chez lui sans se sentir en faute. Il s'est mis un soir en travers de son chemin et ne s'est pas embarrassé de préambules :

– Va-t'en, Devi, a-t-il jeté. Assez, va-t'en ! Va donc là-bas. Je te garde ton fusil.

Il a fait comme les gens de la plaine, il a dit *là-bas* pour parler de la forêt ; et, rien qu'à ce mot qui n'était pas dit, Devi a su qu'il l'avait découverte. Elle n'a pas répondu. Elle s'est sauvée comme une voleuse dans la petite pièce qu'on lui avait laissée à l'autre bout de la cour ; et elle n'en est sortie qu'à l'aube. Pour le quitter.

Elle n'emporta ni son fusil ni son jean. Non plus que ses chaussures. Elle était en sari, pieds nus, les mains vides, comme tous ceux qui s'en vont retremper leur âme aux sources de l'Autre Monde, prête à mendier, à se nourrir de fruits sauvages ; et les pupilles dilatées à l'extrême, comme déjà offertes aux prodiges.

Quand il l'a vue sortir, Pandit revenait du ruisseau où il se lavait chaque matin. Il n'a pas dit un mot. Il était prêt à tout, même à la voir partir sans un adieu. C'est alors qu'elle a fait demi-tour. L'air de sortir d'un rêve, elle avait des gestes gourds; et elle venue s'affaisser devant lui pour le saluer.

Tout cela s'est passé par une aurore fraîche, le premier froid de la saison. Quand elle s'est relevée, elle grelottait. Pandit s'en est aperçu. Elle a arboré alors son air bravache, elle a levé la tête vers le ciel d'un bleu limpide traversé comme toujours en automne de grands vols de hérons; et elle a murmuré, histoire peut-être de ne pas le quitter sur un silence :

– Les jours passent...

– Qui te rapprochent de ton heure, a enchaîné Pandit – et il est aussitôt rentré chez lui pour ne pas la voir partir.

74

De ce matin-là, Pandit s'est mis à griller sur place. Il n'a plus cessé d'aller et de venir. Il y a eu des jours où on ne l'a pas vu de la journée, on ne savait même pas où il était passé, « à courir sur les chemins, sûrement, comme d'habitude », ronchonnaient ses servantes. « Savoir seulement ce qu'il manigance, il a tourné maboul depuis que la fille est partie d'ici ! »

C'était vrai, on ne reconnaissait plus Pandit depuis que Devi avait pris le chemin des jungles. Et c'était vrai aussi qu'il passait ses journées à courir les sentiers, abrité du soleil sous son grand parapluie. À la recherche de quoi, nul ne savait. Mais il cherchait certainement quelque chose pour s'agiter ainsi; quelqu'un, peut-être, car il était nerveux, fébrile; il marchait si vite, parfois, qu'il en avait le souffle coupé. Et puis, à d'autres moments, il avait l'air de dormir debout, il avançait mécaniquement, le dos raide, avec l'œil fixe des somnambules, le bras crispé sur son manche de parapluie qu'il tenait droit, trop droit; il n'avait jamais un regard pour ceux qui le croisaient.

Dans le village de Simra, des potiers aux forgerons, du vendeur de lait au barbier, tout le monde disait comme ses servantes : c'était le départ de la fille qui lui avait troublé la tête. Mais il ne se trouvait personne pour jeter la pierre à Devi – pas même les quelques thakurs qui vivaient près de la fontaine. Elle restait pour les villageois la pauvre loqueteuse qu'ils avaient vue débarquer un beau matin au bras de ce vieux fou de Pandit, efflanquée comme une chèvre du désert. Au bout de quelques jours, sans que le brahmane ait eu besoin de l'expliquer, on avait compris qu'il s'agissait de la malheureuse tombée aux griffes des gens de Behmai. Et tout le monde avait eu pitié.

Car ils étaient tous d'accord là-dessus, ceux de Simra : Pandit avait bien fait de la ramener chez eux, même s'il avait mis en danger la sûreté du village. On cherchait encore comment il avait pu s'y prendre pour l'empêcher de mourir, après une honte pareille; il n'y avait pas de mots, d'ailleurs, pour parler de ce qu'elle avait subi, c'était bien au-delà de la honte ou de la flétrissure, mieux valait parler de supplice, disaient certains, c'était à coup sûr une torture comme on n'en souffre que chez le Dieu des Morts, et encore, les démons ne sont peut-être pas capables d'inventer des tourments pareils. À se demander ce qui avait bien pu passer par la tête des gens de Behmai; on savait que c'étaient des durs, ceux-là, des caïds, l'âme en hiver et le cœur sec, mais de là à imaginer ces choses qu'on n'ose pas raconter, les vêtements arrachés sur la place, et les pots d'eau, sans compter le reste, toutes ces horreurs, vraiment, pour lesquelles il n'y avait pas de mots...

Certains ajoutaient, sans préciser d'où ils le tenaient, que les femmes de Behmai n'avaient pu avaler une bouchée, le lendemain du jour où la fille avait été déshabillée pour aller au puits ; et que celles qui avaient un enfant au sein étaient devenues sèches dans la nuit. Qu'il y avait aussi des hommes qui n'arrivaient plus à approcher leur femme ; et que c'était sans compter avec les épidémies à venir, le bétail, les accouchées qui allaient mourir, les nouveau-nés qui ne connaîtraient jamais la lumière. Sûr, les dieux n'allaient pas pouvoir laisser les choses en l'état. Car, à part les dieux, qui la vengerait, cette pauvre déguenillée qui venait de s'enfuir dans la forêt, pieds nus et les mains vides, comme les fous et les renonçants ? On ne lui connaissait pas de famille ; son amant – ou son mari, on ne savait – était tombé sous les balles des frères Singh, qui avaient eu sa peau en lui tirant dans le dos, tout ça pour livrer son cadavre en pâture aux flics, avec sa cartouchière et sa mitraillette par-dessus le marché. « Des chiens, les deux frères, des chacals qui salissent tout ce qu'ils touchent, qui rendent fous les gens de leur village, grondaient ceux de Simra. Et la fille, pour la sortir de là, il n'y a eu qu'un pauvre vieux de chez nous, et encore, il était là par hasard, et c'est seulement parce que ceux de Behmai avaient pris d'elle tout ce qu'il y avait à prendre, et que les deux frères étaient allés faire la bringue ailleurs... Et maintenant que la fille a tourné folle et qu'elle s'est sauvée, le voilà, le pauvre vieux, le saint homme, le voilà qui devient sinoque, lui aussi... »

La rumeur allait bon train, à Simra comme ailleurs – mais chuchotée, tout en sous-entendus, en silences qui en disaient plus long que la vérité crue. Et plus on parlait bas, plus vite le bruit de l'horreur dévalait les ravines, passait le fleuve, courait les défilés, les marchés, les places, les bazars, les lavoirs, les ruelles, les plus humbles des cours. On ne savait pas au juste qui était la fille, sinon la compagne de ce très grand bandit qu'avait été Vikram Mallah, à preuve le communiqué victorieux publié par la police, le jour de ce qu'il fallait bien appeler son assassinat, et la photo non moins triomphale de son corps mutilé que les flics avaient laissé pourrir à la lisière des ravines, sous bonne garde, malgré l'odeur infecte – ils ne s'étaient écartés que devant les chacals, les milans et les vautours, de lui les bêtes n'avaient laissé que les os. Et ces os, en une nuit, s'étaient volatilisés. Sans doute Vikram Mallah s'était-il fait fantôme et reviendrait-il d'ici peu tourmenter ses assassins. Mais il y avait des paysans pour jurer que les policiers avaient remis les ossements aux frères Singh en échange de sa mitraillette. Ensuite, disaient-ils, les jumeaux s'étaient amusés à les broyer dans un moulin à grain ; puis ils avaient jeté la poudre dans une bonbonne d'alcool et se l'étaient partagée au cours d'une nuit d'orgie.

On hésitait entre les deux versions, on eut parfois des mots, dans la Vallée, pour trancher quelle était la bonne. Mais on restait d'accord sur un point : rien de tout cela ne serait arrivé sans les frères Singh. Thakurs ou pas, les jumeaux étaient allés cette fois beaucoup trop loin. Mais qui pouvait venger le malheureux Vikram, sinon d'autres bandits ? Comble de malheur, sa famille ne s'était pas fait connaître, son gang s'était évanoui dans les gorges, la police patrouillait partout. On ne voyait maintenant qu'un seul homme capable de lui rendre justice : son ami le plus fidèle, le plus pur des bandits, le Grand Moustakim dont le nom ressemblait à une ombre, car on ne le prononçait jamais qu'à voix très basse, et on restait longtemps figé par le respect rien que de l'avoir chuchoté. Sa tête était mise à prix pour soixante-dix mille roupies, la plus forte rançon qu'on eût connue dans la Vallée ; riche à millions rien qu'avec son fusil, sans avoir jamais violé une femme ni tué d'homme qui ne l'eût offensé.

Mais Moustakim restait insaisissable. Depuis le début de la mousson, il avait complètement disparu. Il n'était pas loin, sûr, il n'allait pas tarder à reprendre les attaques ; mais les policiers eux-mêmes désespéraient d'acheter les paysans qui le ravitaillaient : il aurait fallu des fortunes pour qu'ils consentissent à parler.

Alors les gens de Simra et d'ailleurs concluaient leurs murmures par de grands soupirs et disaient, en regardant le ciel, qu'il ne restait plus qu'à s'en remettre aux dieux. À laisser faire le temps, les saisons et les jours, les fêtes qui reviennent chaque année à leur heure, les offrandes, les prières – l'arsenal de l'espoir.

Le seul homme dans ce coin de Vallée qui n'était pas résolu à prier et attendre était précisément celui qui y avait passé jusque-là le plus clair de son temps, Pandit, le petit prêtre chauve, oublieux de ses vieux livres et de ses oraisons, qui s'en allait maintenant par les chemins et par les routes, à l'abri de son parapluie noir, pour expliquer ce mystère : où pouvait bien se cacher le Grand Moustakim.

75

Il ne recula devant rien, tout lui fut bon. Pour son retour, il voulait offrir à Devi des hommes prêts à laver son offense. Lui qui n'avait jamais écouté la radio, il emprunta de l'argent à un usurier de Kalpi, s'offrit un transistor qu'il emporta sur les chemins pour y suivre, comme les bandits, tous les bulletins d'informations; désormais, il était aussi le premier à lire le journal, le *Kanpur Express* que le chef du village achetait sur la caisse commune. Chaque matin, Pandit allait au croisement de la Nationale guetter le jeune étudiant qui l'apportait à Simra. Il le parcourait avec fièvre, y débusquait le moindre entrefilet consacré aux gangs; et, suivant ce qu'il avait lu, il prenait tel ou tel sentier.

Car, avec la fin de la mousson, malgré la pression de la police, attaques et kidnappings avaient repris – toujours les mêmes histoires de terres volées, de puits souillés, les mêmes insultes pour un oui, pour un non, l'inépuisable soif de violence et de sang. Dès qu'il apprenait qu'un village avait subi un raid, il y courait, feignait de s'apitoyer, marmonnait des prières, des phrases d'espoir et de bénédiction ; et, mine de rien, il sondait les paysans. À leur habitude, les bandits avaient signé leur exploit d'une lettre ou d'une annonce au mégaphone ; sans pouvoir le prouver, les villageois savaient toujours quels étaient les ennemis qui les avaient ravitaillés. Pandit attendait patiemment qu'ils en eussent fini avec leurs litanies d'imprécations et de soupçons, puis il se rendait sur les terres des traîtres. Là, il usait toujours de la même ruse, elle était sans faille, imparable : il s'asseyait au centre du village, près du puits ou de la mare, se tassait sous son parapluie, avec un air de fatigue et de mélancolie qu'il n'avait pas beaucoup de mal à contrefaire. Les enfants, les femmes accouraient. Il attrapait au vol la première main venue et se mettait à y lire le passé, selon les leçons qu'il avait reçues de son père au temps de sa jeunesse. Il disait d'abord le vrai qu'il déchiffrait ; puis le vrai qu'il avait appris dans le village rival – il parlait de grain qu'on venait de vendre à des gens de passage, de chèvres égorgées pour nourrir des homme forts, très forts, des bandits peut-être, oui, c'était ça, des bandits avec leur grand chef, qui n'étaient pas loin, cachés, bien tranquilles, sous la protection de la Déesse, dans ce temple, ce hameau dont le nom lui démangeait la langue, mais pourquoi donc ne le retrouvait-il pas, c'était l'âge, sans doute, la mémoire qui n'allait plus, les yeux aussi, surtout les yeux…

Pandit n'avait pas commencé à frotter ses lunettes qu'on lui avait lâché le nom qu'il attendait. Il prédisait alors un peu l'avenir, puis passait à une autre paume. Il n'était pas long à repérer les villageois qui n'avaient pas la conscience en paix, il les aimait plus que tous les autres, ceux-là, car c'étaient ceux qui en disaient le plus long. Il touchait toutes les mains, celles des mallahs comme celles des thakurs, il ne demandait jamais d'argent, il ne craignait pas de se souiller, sûr d'obéir à un devoir plus fort que tout, qui l'autorisait à endurer n'importe quelle impureté. Et il s'en allait le cœur tranquille, car il n'avait trompé personne, et les villageois le regardaient partir avec le visage lisse et rêveur de qui a vu passer l'ombre de la destinée.

Ainsi donc, au bout d'un mois et demi d'allées et venues entre les villages de la Vallée, Pandit finit par réussir là où avaient échoué, depuis les grandes attaques d'avant la mousson, toutes les polices de l'Uttar Pradesh, du Madhya Pradesh et du Rajasthan réunies : il localisa le repaire du Grand Moustakim. Pandit parvint même à se faire recevoir de lui dans les grottes de Baha où le bruit lui était parvenu, on ne sait trop comment, qu'un vieux devin courait à présent les gorges, qui déchiffrait comme personne l'écriture des étoiles.

76

Pandit fit avec Moustakim comme avec tout le monde, il commença par remonter les lignes de sa paume, lui raconta toute sa vie passée. Puis il sonda la résistance de ses tendons et de ses muscles et voulut passer à l'avenir. C'est là que tout se gâta. Il y avait quelque chose d'opaque dans cette main-là, quelque chose qui se refusait, se dissimulait – comme un barrage à fleur de peau. Jamais Pandit n'avait tenu une main si indéchiffrable ; si prévenue, aussi, contre le plaisir et les femmes. La racine de son pouce était plate, avec une peau écailleuse, la base de son index n'avait pas plus de relief. Cet homme-là, c'était indiscutable, avait desséché ses sens et amaigri son cœur, il redoutait la joie, les fantaisies de l'âme. À cause d'une femme, sans doute – loin, très loin dans le passé. Mais comment le lui dire sans le mettre en colère ? Et, surtout, comment en arriver à lui parler de Devi ?

La petite grotte où Moustakim avait établi son repaire était mal éclairée. Les lampes à kérosène posées sur le tapis où Pandit lui faisait face étaient à bout de course ; les gangsters eux-mêmes, en cercle autour d'eux, étaient forcés, pour les observer, d'écarquiller les yeux. Pandit prit la liberté de soulever une de ces lampes. Il remarqua alors, à l'extrémité des doigts de Moustakim, un détail qui lui avait échappé : des callosités qui, sans aucun doute possible, étaient celles d'un musicien ; et il distingua presque aussitôt derrière Moustakim un harmonium, tout à côté de la pipe à eau qu'il avait abandonnée à l'instant où il l'avait vu pénétrer dans la grotte.

Comme chaque fois que l'avenir était flou, Pandit choisit d'improviser. Il se laissait porter par la chanson des mots, les enfilait comme les perles sur un collier. Peu à peu, la main se laissait endormir, et la vérité, de syllabe en syllabe, venait à la lumière. « Toi qui ne fuis aucun danger, se mit donc à psalmodier Pandit, tu as tourné le dos à quelque chose, Grand Moustakim, j'ignore à quoi, mais je sais que la musique a été ton refuge. Elle t'a consolé, elle demeure ton secret, ta tendresse, elle est à la fois ta mère et ton père, ta femme et ton fils, ta force quand tu te venges, car tu es de ces hommes qui ne tuent pas par plaisir, mais par respect de l'ordre. Tu ne veux de fausse note ni dans ton chant ni dans ton existence, voilà pourquoi tu aimes la justice, tu veux toujours que la vie sonne aussi clair que le plus parfait des accords... »

À mesure qu'il l'enrobait de paroles, la main de Moustakim s'amollissait dans la sienne ; et quand Pandit la sentit enfin flotter – on aurait dit le beurre que l'on fait fondre avant de l'offrir aux dieux –, il laissa tomber la phrase qu'il remâchait depuis qu'il était entré dans son repaire :

– Tu vas te battre pour une femme, Grand Moustakim.

L'autre lui retira aussitôt sa main :

– Il n'y a pas de femme dans ma vie, cingla-t-il.
– Je le sais, s'obstina Pandit. Je sais aussi que ton âme est bien au-dessus des passions ordinaires. Pourtant, tu vas te battre pour l'honneur d'une femme.
– L'honneur des femmes est à la maison, pas dans les ravines.
– Son honneur est aussi le tien…
– Qu'est-ce que tu vas chercher ! Je n'ai ni femme, ni sœur, ni fille !
Moustakim s'était esclaffé – mais quelque chose sonnait faux au fond de son rire. Puis il se mit à observer Pandit par en dessous avec un regard aiguisé par la ruse ; curieusement, c'est à ce moment-là que Pandit, pour la première fois, remarqua son nez qui lui parut s'effiler lui aussi de roublardise :
– Je vous connais, vous, les brahmanes, grinçait-il. Des charlatans, tous les mêmes…
Pandit ne se troubla pas. Il se mit à fixer le fond de la grotte et poursuivit de sa voix la plus humble :
– Tu as déjà ta vengeance en tête. Tu as réuni tes hommes en conseil et tu as parlé de cette femme.
– De son homme, oui ! Mais pas de la femme ! Qu'est-ce que c'était que cette fille !
Pandit réprima un sourire : tout Grand Moustakim qu'il fût, il venait donc de se laisser prendre, comme tout le monde, au piège de la lecture du destin. Il ne cilla pas et enchaîna, le regard toujours attaché à la paroi de la grotte :
– … Une fille qui portait un fusil, une fille qui a connu le fond de l'injustice, et son homme, on l'a tué comme un chien, et toi tu étais ici, caché dans ton antre…
C'en fut trop pour Moustakim. Il repoussa les lampes, se leva d'un bond :
– Suffit, lâcha-t-il d'une voix cassée.
Pandit n'insista pas. Il se leva à son tour, lui tourna le dos et s'en fut vers la sortie de la grotte de son pas de vieillard fourbu.

Quand il fut dehors, un brouillard lui tomba sur les yeux. Il chancela, ne parvint pas à rouvrir son parapluie ; si bien qu'il ne vit pas Moustakim accourir pour l'aider.

– Qui t'a dit tout ça ? lui souffla-t-il en le prenant sous l'épaule.

– Je l'ai lu dans ta main.

Ses paupières le picotaient de plus en plus. Moustakim déploya le parapluie. Pandit avait retrouvé l'équilibre, il voulut l'attirer à lui pour se protéger de la lumière. Mais Moustakim le retint par le manche et se reprit à chuchoter :

– La fille… Elle est vivante ?

– Puisque je te dis que tu vas la défendre !

– Alors, son nom !

– Tu le connais aussi bien que moi.

– Son nom !

Moustakim s'était agrippé au parapluie, le tirant maintenant si fort que Pandit crut qu'il allait le casser. Il le lui abandonna et laissa tomber :

– Devi.

– Toutes les femmes s'appellent Devi !

Moustakim eut une grimace, mais lui rendit le parapluie. Le soleil tapait vraiment très fort, ses rayons traversaient la toile usée. Par transparence, les moustaches de Moustakim en paraissaient plus énormes, et son nez encore plus allongé ; mais, malgré l'écran du tissu, la lumière demeurait trop crue pour les yeux de Pandit. Il recommença à larmoyer, dut ôter ses lunettes ; et, tandis qu'il les essuyait, il en profita pour répliquer, de cette voix souffreteuse qui lui permettait d'assener n'importe quelle vérité :

– Tu as raison, Grand Moustakim, il y a beaucoup de femmes, dans la Vallée, qui se nomment Devi. Mais il n'y en a qu'une qui ait suivi en égale la trace d'un grand bandit.

– Tu devines, ou tu sais ? siffla à nouveau Moustakim.

De nouvelles larmes s'échappèrent des paupières de

Pandit. Il ne prit pas la peine de les essuyer, cette fois, et se contenta de soupirer :

– C'est tout comme.

– L'homme, alors ? poursuivit Moustakim. Parle-moi de l'homme.

– Rends-moi ta paume.

Moustakim la lui tendit sans difficulté. Pandit referma le parapluie, le déposa sur le sol. La main du gangster ne tremblait pas, mais son nez était parcouru de minuscules frémissements.

– L'homme réclame vengeance. Vengeance pour lui et pour sa femme. Le jour de sa mort, cela faisait exactement un an que la femme était dans sa bande. Elle a subi la pire des injustices.

– Elle porte malheur, grommela Moustakim.

– Tu es l'ami de la justice, Grand Moustakim. Tu ne fuiras pas ton destin. Cette fille viendra te voir sous peu et tu la défendras.

– Personne ne sait où je me cache.

– Elle le saura. Elle ne tardera pas.

– J'étais l'ami de Vikram Mallah. Pas le sien.

– Tu ne peux pas venger l'un sans défendre l'autre, Grand Moustakim.

Moustakim ne bougeait plus, sa paume recommençait à flotter dans celle de Pandit ; et son regard remontait maintenant avec le sien les lignes gravées au creux de sa main ; et, comme le premier venu, il finit par murmurer la question qui le tourmentait depuis qu'il avait entendu parler des talents de Pandit :

– Dis-moi si la fille me portera malheur. Dis-moi comment je mourrai.

Pandit choisit alors de faire une chose qu'il n'avait jamais faite : il mentit. Il mentit lentement, posément, de sa voix qui berçait, menue et enrouée ; et, quand il s'en alla, quelques minutes plus tard, laissant Moustakim l'œil écarquillé, toujours penché sur sa paume grande ouverte, mais apaisé, serein, il se dit qu'il avait bien fait.

De toute façon, cette main était la plus obstinée qu'il eût jamais rencontrée. Tout le temps qu'il avait passé à la déchiffrer, il avait eu la tête lourde. Et, avec ses yeux qui n'avaient pas cessé de pleurer, il n'osait vraiment pas jurer que le dessin qu'il avait entrevu entre l'index et le médius du Grand Moustakim était bel et bien le trident dont les dieux aiment à marquer ceux qu'ils vouent à la mort sauvage.

77

Et, de nouveau, il attendit Devi. Mais à présent sans fièvre, sans le désordre du fol espoir. Derrière chez lui, dans la pièce où il l'avait abritée, le Mauser était toujours là sous un tas de jarres, à côté du jean, du bandeau rouge, des chaussures de tennis Blue Star. Pandit n'était pas loin de leur attribuer la force d'un aimant. La roue du temps, se disait-il, fera son œuvre inexorable. L'ordre des choses me la ramènera.

Il avait raison. Un matin qu'il était à se laver et prier au bord du fleuve, il vit une barque se diriger droit sur lui. Un adolescent la guidait qui semblait suivre les indications d'une silhouette dont il n'arrivait pas à préciser les contours ; la lumière était déjà trop dure, ses yeux pleuraient de plus en plus. Il fallut attendre que la barque eût accosté, à deux pas de là, pour qu'il reconnût enfin Devi dans la fille souple qui sauta sur le sable. S'il la reconnut, du reste, ce fut d'abord à ses façons de fauve. Elle s'était affûtée, acérée. Rien qu'à cela, il sut qu'elle était redevenue elle-même.

Ils se sont dit peu de chose. Il l'a laissée le saluer, mais n'a pas voulu la faire languir. Dès qu'elle s'est relevée, il a désigné le chemin du village, au bout des sables, et murmuré : « Tes affaires sont toujours là-bas. » Elle a hoché la tête, a eu une grimace qui ressemblait à un sourire. Alors il a ajouté, en tentant de redresser son dos cassé par l'âge : « Je sais où se cache Moustakim. »

Cette fois, elle a franchement souri ; mais elle n'a pas lâché la question que Pandit attendait. Il s'est dit qu'elle avait vraiment recouvré toute sa force et il a enchaîné : « Ne perds pas de temps. » Elle n'a pas répondu. Ils ont pris en silence le chemin du village ; et c'est seulement devant sa maison qu'elle s'est décidée à lui demander : « Alors, Moustakim ? – Au fond de la grande ravine de Baha. Une grotte, juste derrière le temple du Dieu-Éléphant. Il faut remonter le fleuve. » Une seconde fois, Devi a hoché la tête. Il y a eu un court silence, puis elle a repris : « Tu viens avec moi ? » Il a ôté ses lunettes : « Non. C'est toi qu'ils attendent. » Elle s'est étonnée : « Ils m'attendent ? » Pandit est parti d'un petit rire, ce qui l'a agacée ; elle a lâché : « D'abord, comment tu le sais ? – Je le sais. » Et Pandit a ajouté en montrant du menton un oratoire de la Déesse, près de la maison du voisin : « J'ai bien le droit, moi aussi, d'avoir mes petits arrangements... »

Devi a eu un air perplexe, puis elle est allée chercher son Mauser. Elle s'est déridée dès qu'elle l'a retrouvé. Une demi-heure plus tard, elle redescendait au fleuve. Pandit l'a accompagnée, c'est même lui qui a marchandé son voyage avec le passeur, c'est lui qui l'a payé sur l'argent qui lui restait du prêt de l'usurier. Elle était toujours en sari, elle portait le Mauser dans un sac en plastique, emballé dans le jean avec les tennis et le bandeau rouge, exactement comme Pandit le lui avait remis. Au moment du départ, il s'est cru obligé de lui souffler : « Fais attention, la police est partout, ne te change qu'au dernier moment. » Cette fois, c'est elle qui a éclaté de rire, un gloussement bien joyeux, bien insolent, l'air de lui dire que s'il avait ses petits accords avec les dieux, elle en avait passé d'autres, et de très grands ; et elle a aussitôt sauté dans la barque.

Pandit ne se souvient que de son clapotis. L'instant d'après – la lumière bleue du grand matin sur le fleuve, la barque déchirant les eaux lisses, louvoyant entre buffles et bancs de sable –, il l'a imaginé plus qu'il ne l'a vu. C'était déjà trop loin pour ses yeux, un grand brouillard tombait sur ses paupières, prélude aux ténèbres où il vit depuis ce temps-là ; une nuit d'où jaillissent, chaque fois qu'il parle de Devi, les mots les plus lumineux qu'on ait jamais proférés sur elle, une parole ardente, attisée au monde ignoré qu'elle a ouvert en lui – ce noir où il voit.

78

On sait comment se déroulèrent les retrouvailles entre Devi et Moustakim grâce au jeune Attu – ou plus précisément grâce au journal qu'il tenait depuis qu'il était devenu bandit.

Attu avait les yeux verts et la peau très claire, il s'était persuadé que son grand-père était un officier anglais. Avait-il pêché cette idée dans un film – dès qu'il sortait des ravines, il courait au cinéma – ou dans une des innombrables bandes dessinées qu'il trimbalait toujours au fond de son paquetage ? En tout cas, il avait fait des études, écrivait un anglais impeccable ; et c'est dans cette langue qu'il a tenu une grande partie de son journal. Dans la bande, il était le seul à la parler. Il est vraisemblable que l'anglais lui assurait, au moins à l'intérieur du gang, le secret de ses notes. Car les hommes de la bande n'étaient pas tous illettrés. Ce qu'il consigne en hindi, ce sont les faits connus de tous : achats de munitions, de nourriture, de médicaments, surnoms de ses fournisseurs, parfois leur vrai patronyme, voire leur domicile, avec l'identité des informateurs qui les ont conduits à eux. Mais chaque fois qu'Attu veut assortir ces indications d'un commentaire, celui-ci, quelle qu'en soit la teneur, est rédigé en anglais. Comme le récit au jour le jour des aventures du gang.

Dans ses expressions, sa mise en forme des événements, mélodramatique et naïve à souhait, on reconnaît l'empreinte des scénaristes à la petite semaine qui avaient nourri son imagination depuis son plus jeune âge. Toutefois, son goût maniaque du détail ne se laisse jamais déborder par la mise en scène. Le journal d'Attu a quelque chose de la bande enregistreuse ; et quand il désespère d'être le scribe méticuleux, le greffier idéal des faits et gestes du gang, lorsqu'il en est empêché par la préparation d'une attaque, par une trop longue marche forcée, ou tout simplement parce qu'il est las de cet étrange exercice, il s'amuse à dessiner au milieu de sa page la figure du Dieu-Éléphant, patron, comme on sait, des brigands, des trafiquants, des éditeurs, des voyageurs et des écrivains – toutes catégories auxquelles, à l'exception de la troisième, Attu pouvait légitimement se rattacher. Au bout de la trompe de la grassouillette divinité, il place un stylo-bille ; puis, à l'extrémité d'une de ses quatre mains (les autres, selon la tradition, tiennent un grand pot de miel, une défense cassée et une bourse), il figure un carnet à spirale exactement identique au sien, et calligraphie sur sa couverture cette candide prière : « Ô Dieu-Éléphant, toi qui as de l'encre dans tes veines à la place du sang, protège mon encre et protège mon sang, protège ma vie et protège mes écritures, car ma vie est écriture et mon écriture est mon sang. »

C'est au-dessous d'un de ces dessins, témoignage irréfutable d'un moment de doute et d'ennui, qu'Attu célèbre (il n'y a pas d'autre mot, tant ses accents sont enthousiastes) ce qu'il intitule « la stupéfiante arrivée de Devi dans le repaire du Grand Moustakim ».

Il faut en convenir, il y avait de quoi être surpris. Attu n'avait pas revu Devi depuis l'attaque d'Unnao, et il était comme tout le monde dans la bande, malgré la visite du devin : il la croyait morte. L'image qu'il en avait gardée était celle d'un corps renversé qu'on ligotait. Encore n'avait-il fait que l'entrevoir à travers les feuillages des cannes. Car il s'était presque aussitôt enfui à travers champs, avec Lukka et Kalla. Ils avaient réussi à reprendre leur paquetage au village juste avant l'arrivée de la police et s'étaient sauvés dans les ravines. Au bout de trois semaines, sans quasiment bourse délier, Lukka avait retrouvé la trace de Moustakim, démontrant ainsi une fois de plus ses talents de limier. Les hommes de Vikram – du moins ceux qui n'avaient pas été arrêtés au début de la mousson, Badru, Balo, Baladin, le petit Kok – avaient déjà rejoint Moustakim dans sa grotte. Celui-ci admit les derniers venus sans la moindre difficulté. Avec eux, son gang comptait maintenant une quarantaine d'hommes, ce qui était beaucoup, mais la bande avait été immédiatement soudée par la mémoire de Vikram. Le jour de la grande fête de la Déesse, après la bénédiction des armes dans un sanctuaire creusé au fond de la grotte, s'était tenu un grand conseil au cours duquel la vengeance avait été arrêtée. Devant la photo du cadavre de Vikram découpée dans les journaux, les hommes avaient juré de s'unir pour abattre les frères Singh. Le même jour, on en avait fixé la date approximative : à la fin de l'hiver, juste avant le carnaval. C'était Moustakim qui avait tout décidé. « Il faut laisser rancir le sang, avait-il déclaré avec sa solennité et sa lenteur coutumières. C'est dans le sang ranci que fermente la vengeance. » Les gangsters donnèrent à ces poétiques paroles la traduction qu'elles méritaient : Moustakim préférait attendre que la police se calme.

Il est vrai que, malgré la mort de Vikram, les officiers des postes les plus reculés s'obstinaient à multiplier les patrouilles. Ils étaient galvanisés en permanence, disait-on, par un grand manitou de Kanpur qui les bombardait de messages télégraphiques, un certain Mahendra dont on parlait parfois à la radio. Les routes étaient toujours sévèrement contrôlées, des paysans connus pour ravitailler les bandes avaient été arrêtés, on avait torturé ceux qui n'avaient pas voulu avouer ; si bien qu'à la fin des pluies, les hommes n'avaient même pas pu se rendre à Gwalior, comme tous les ans à la même époque, pour acheter de nouvelles munitions.

La rumeur de ce qui était arrivé à Devi chez les gens de Behmai avait atteint la grotte de Moustakim comme les moindres recoins de la Vallée. À la grande stupeur d'Attu, qui s'en indigne dans son journal, ce bruit ne suscita guère d'émotion parmi la bande. Quand les hommes apprirent l'affaire par Badru et Balo, au retour d'une expédition de ravitaillement, quelques bandits commencèrent à murmurer qu'on ferait bien d'aller tuer tout de suite les frères Singh. Mais, avant même que Moustakim eût pu lâcher sa pipe à eau, Lukka, d'une voix plus dure que jamais, proclama que les paysans de la Vallée racontaient n'importe quoi et que cette histoire était sortie de leur imagination. D'après lui, les deux frères n'avaient eu aucune raison d'épargner Devi. Peut-être avaient-ils abusé d'elle avant de la tuer, peut-être l'avaient-ils suppliciée, c'était bien d'eux. Mais certainement pas à la face de leur village, ils n'étaient pas fous à ce point. Et même si c'était vrai, conclut-il, Devi n'aurait pu survivre à un affront pareil.

Après cette sèche démonstration, on ne prononça plus le nom de Devi au fond de la grotte du Grand Moustakim ; et dans son journal, Attu parle désormais d'elle comme d'une morte. Il note ce soir-là qu'elle avait à peu près vingt ans, le même âge que lui. À la même page, il relate aussi quelques souvenirs. Il raconte par exemple comment elle s'arrêtait devant lui, bouche bée, quand elle le voyait écrire ; comment elle s'amusait, le soir, devant le feu, à le faire parler anglais, comment elle suivait le mouvement de ses lèvres jusqu'au moment où elle parvenait enfin à répéter les mots qu'il essayait de lui apprendre, *kiss me, thank you, I love you, tea for two*, et bien entendu quelques *son of a bitch ou motherfucker* qu'elle allait ensuite ressortir à tous les hommes, avec des fous rires de gamine, et au suprême agacement de Vikram.

Une dizaine de pages plus loin, Attu relate la visite de Pandit, qu'il nomme dans son journal «le Devin», comme tous les hommes de la bande. Il est clair que ses déclarations ranimèrent brusquement tous ses espoirs; mais il semble avoir été le seul à rêver de revoir Devi. Car il note que, sitôt le Devin parti, le Grand Moustakim s'enferma dans une sombre perplexité. Il ne joua plus de son harmonium, passa ses journées à tirer sur sa pipe et ne dit plus un mot, hormis pour faire doubler la garde au sommet du piton d'où l'on surveillait la Vallée. Quant à Lukka, dès que le Devin eut tourné le dos, il clama bien haut que c'était un charlatan, car aucune femme, répéta-t-il, si forte fût-elle, n'aurait pu survivre au traitement que les frères Singh lui avaient infligé à Behmai; et si les jumeaux, par extraordinaire, l'avaient laissée en vie, ils auraient été assez malins pour ne pas la laisser s'enfuir. Dans son journal, Attu commente avec résignation la sortie de Lukka : «Il a certainement raison. Il sait de quoi il retourne quand il parle de force, il porte un talisman venu de la forêt et on m'a dit qu'il est passé par toutes les épreuves des Grands Maîtres. Mais ça n'empêche peut-être pas que le Devin ait raison. Devi pourrait bien demander vengeance sous la forme d'un fantôme.»

Et il se mit à imaginer Devi en revenante. Dans ses songeries, évidemment, il avait toujours le beau rôle. Devi arrivait dans la grotte en pleine nuit, elle allait droit à sa bâche, le réveillait. Elle était livide, à peine vêtue – et parfois, disons les choses comme elles sont, pas vêtue du tout. Elle lui baisait les pieds, les arrosait de ses larmes. Il la prenait par la main, lui caressait les cheveux, lui promettait vengeance, lui demandait de ne point parler fort, il allait s'en occuper tout seul, il ne fallait mettre personne d'autre dans le coup. Elle hochait la tête, retournait bien sagement chez le Dieu des Morts. Lui, Attu, fondait sur Behmai d'un coup d'aile – il ne savait pourquoi, les choses se passaient toujours de la même façon, il se transformait invariablement en volatile, peut-être parce que c'était ainsi que se déplaçaient les héros et les dieux dans ses bandes dessinées, lorsqu'ils allaient défendre une déesse ou une princesse. Là, il tombait sur les deux frères qui le suppliaient de les laisser en vie. Pas de quartier, rugissait alors Attu, et en deux coups de sa vieille pétoire, un pour chaque frère, il les abattait sur-le-champ. Et rapportait derechef aux pieds de Devi leurs dépouilles ensanglantées.

Là s'arrêtait toujours la rêverie d'Attu. Car, pour qu'il y eût une suite, il aurait fallu décider si Devi était vivante ou morte, et il n'y parvenait pas. La réalité venait alors l'écraser : la grotte où il croupissait maintenant depuis plus de trois mois, le Grand Moustakim plus sinistre de jour en jour, et son nez non moins lugubre qui reniflait tout, Lukka qui voyait la vie en noir et n'arrêtait pas de ressasser la mort de Vikram, les autres bandits avec leurs querelles, leurs jeux stupides, leur appétit féroce, la police enfin qui rôdait sur le fleuve. Et lui, Attu, qui n'était pas grand-chose dans ce petit jeu-là, sinon un jeune éclaireur qui ne possédait en tout et pour tout qu'un vieux fusil de chasse, et quelques talents de marchandage et de comptabilité. Plus l'anglais, ce dont tout le monde se fichait.

Il fut pourtant le premier à voir arriver Devi par un après-midi d'octobre. Le destin, dans son ironie, ne pouvait mieux faire : ce jour-là, Lukka avait été désigné avec lui pour la garde. Mais des deux hommes, malgré ses trente ans de ravines, c'est Lukka qui n'en crut pas ses yeux.

79

La ravine de Baha est l'un des endroits les mieux défendus de la Vallée. Du haut de ses gigantesques falaises, on peut surveiller à loisir une bonne partie de la région. Dans les mois qui suivent la mousson, on y trouve autant d'eau qu'on veut : plusieurs sources jaillissent des parois et forment, au fond de la gorge, un petit torrent d'eau rousse qui va se perdre dans les sables du fleuve.

À cette époque où la décrue est largement amorcée, la navigation dans les parages devient très périlleuse. Courants et tourbillons encerclent les bancs de sable qui ne cessent de se déplacer. En cette saison, hormis les pèlerins du Dieu-Éléphant dont le temple est bâti à deux pas de la plage, les paysans ne s'aventurent guère du côté de Baha. Ne s'y risquent que des bateliers chevronnés – ce sont eux, le plus souvent, qui apportaient leur ravitaillement aux bandits, avec les nouvelles de la Vallée, comme celle du passage du Devin. Pour ne pas chavirer au moment de toucher terre, leurs barques doivent se faufiler dans un étroit goulet marqué par deux poteaux de bois pourri. On prétend qu'ils datent des Anglais, qui avaient établi un poste en haut des falaises du temps où ils rêvaient encore d'éliminer les hors-la-loi. Ils l'abandonnèrent assez vite, achevés par la chaleur et, dit-on, la mystérieuse désertion d'une dizaine d'hommes qui s'enfuirent dans les jungles, d'où ils ne revinrent pas.

C'est de ce poste de guet, encore marqué par un cercle de pierres, qu'Attu et Lukka surveillaient le fleuve. Quand ils virent une barque s'engager dans la passe, puis une paysanne en sari délavé sauter sur la plage, ils ne s'alarmèrent pas, ils crurent à une renonçante comme on en voyait arriver de loin en loin dans la gorge, assez hallucinée pour vouloir, envers et contre tout, rendre ses dévotions au Dieu Briseur d'Obstacles. Mais elle dépassa le temple sans s'y arrêter et disparut dans un fourré.

Il y eut alors un long moment où tout demeura vide et calme. C'était midi ; comme toujours à cette heure dans la ravine de Baha, on n'entendait plus que le caquetage des perruches ; et, plus haut, les piaillements des singes courant à flanc de falaise. Lukka et Attu plissaient les yeux, scrutaient un à un les buissons, les replis de la gorge, ils avaient la même idée en tête mais ne parlaient pas, ne bougeaient pas, tant il leur fallait d'énergie pour la repousser, cette pensée, au plus secret d'eux-mêmes.

C'est précisément au bout de ce très long intervalle, quand ils crurent l'avoir bien balayée, bien étouffée, qu'ils virent se déplier lentement, de dessous un fourré d'épineux, à deux cents mètres en contrebas, une mince silhouette aux manières méfiantes et souples de félin en chasse.

En fait, d'après Attu, ce qui leur a d'abord tiré l'œil, ce fut le canon de la mitraillette ; et plus encore le bandeau rouge. « On aurait dit une tache de sang, écrit-il, une tache de sang qui s'avançait vers nous comme un reproche. Lukka a pointé sa mitraillette, il a visé, il était prêt à tirer. C'est là que Devi a crié. Mais pas un cri normal, un bruit bizarre, comme ceux qu'on entend dans la forêt, là où se trouvent les animaux qu'on ne voit jamais. Elle ne devait pas se souvenir de moi, c'était Lukka qu'elle appelait. Alors je ne sais pas ce qui s'est passé, Lukka s'est arrêté net. Il n'a pas pu tirer. »

80

Quand il a appris l'arrivée de Devi, Moustakim est devenu très nerveux. Il a voulu se mettre sur son trente et un et ne l'a laissée entrer qu'une fois sa moustache lissée et parfaitement lustrée. Il a alors recouvré, au moins en façade, sa sérénité coutumière. Il s'est installé sur sa natte ; et, comme d'habitude, il s'est mis à tirer sur sa pipe à eau.

Il a commencé par dire à Devi toute sa douleur pour la mort de Vikram. « Il était plus qu'un ami, a-t-il déclaré, c'était un fils. Un fils qui m'a désobéi. Je lui avais dit de ne pas aider les frères Singh. Je me doutais qu'ils étaient en cheville avec les flics. Il les a aidés, il est mort. »

Devi n'a pas répondu. Elle était assise exactement face à lui, le dos bien droit, le Mauser à l'épaule, les jambes croisées en tailleur, comme n'importe quel bandit. Moustakim a été étonné de son silence, il a repris :

– Qu'est-ce que tu viens chercher ici ?

Ses manières sans détour n'ont pas désarmé Devi, elle a répliqué par une autre question :

– Tu connais mon histoire ?

Moustakim s'est longuement passé l'index sur la moustache, ce qui était chez lui signe d'une grande hésitation ; puis il a choisi de jouer de sa science des mots :

– Ton histoire est très longue et très mouvementée. Compliquée et sauvage, comme celle de tous les bandits...

– Ne fais pas l'imbécile, a aussitôt coupé Devi. Tù sais très bien ce qui m'est arrivé.

– Raconte-le-moi à ta façon, que je compare.

D'un seul coup, l'ironie lui avait effilé l'œil, Attu pensa que Devi allait perdre son calme. « Mais elle s'était durcie, commente-t-il, durcie de l'intérieur, on aurait dit une lame passée au feu. Elle a regardé Moustakim droit dans les yeux, elle lui a dit : “Tu y tiens ?” Il n'a pas su quoi répondre. Alors, comme les conteurs des routes, elle s'est bien recalée sur ses fesses, elle a croisé les mains au-dessus de ses genoux, a rajusté son fusil sur son épaule et s'est mise à raconter tout ce qui lui était arrivé chez les gens de Behmai. Elle n'a pas donné de détails, elle n'a rien caché non plus. Il n'y avait pas un mot de trop dans ce qu'elle a dit. Et pourtant, c'était affreux. Le plus impressionnant, c'était sa voix. Tranquille, toujours la même, on avait l'impression qu'elle allait calmement nous débiter des horreurs jusqu'à la fin des temps. Quand elle s'est arrêtée, personne n'a osé ouvrir la bouche. On n'avait même pas la force de bouger. Moustakim n'en menait pas large non plus. Il n'y en a qu'un qui a gardé la tête froide, c'est Lukka. Quand il a vu qu'on avait tous perdu notre langue, il s'est mis à crier : Vive Vikram ! Alors on s'est levés, on a tous hurlé après lui : Vive Vikram ! Elle, Devi, n'a pas bronché, elle a attendu qu'on se calme. On s'est rassis, on a attendu la suite. Ça n'a pas tardé. Elle a regardé Moustakim bien en face et elle lui a froidement balancé : Tu vas m'aider à me venger. »

C'est là, d'après Attu, que Moustakim a commencé à s'énerver. Il a été brusquement pris de tics, des grimaces si bizarres que sa moustache s'est mise elle aussi à s'agiter, elle ressemblait à une antenne d'insecte – comme son nez, d'ailleurs, qui suivait le mouvement; et Moustakim a fini par lâcher la phrase qui le démangeait depuis que Devi était entrée dans la grotte :

– Tu portes malheur, Phoolan Devi. Vikram est mort à cause de toi.

– Tu te trompes, Grand Moustakim. J'ai eu moi-même trop de malheurs pour pouvoir porter malheur.

Elle avait les mêmes inflexions froides et tranchantes, sans colère – sans sérénité non plus. Moustakim a eu l'air troublé, il a voulu biaiser :

– Je sais, je sais. Les frères Singh sont des chiens et tu dois te venger.

– Et comment, tu as une idée ?

– C'est ton affaire.

– Toi aussi, tu dois te venger.

– C'est mon affaire.

Il a déposé sur la natte le tuyau de sa pipe, a joint les mains, comme chaque fois qu'il voulait signifier que la palabre était terminée. Mais Devi ne l'a pas entendu de cette oreille. Avant même qu'il n'ait esquissé le geste de se lever, elle a enchaîné :

– Tu vas me prendre dans ton gang.

– Pas de femme ici !

– Je me vengerai donc seule, Grand Moustakim.

– J'ai dit que je vengerai Vikram et je le vengerai !

Il y avait tant de colère dans sa voix que tous les hommes, instinctivement, ont refermé leur main sur la crosse de leur arme. Il n'y a eu que Devi pour rester immobile ; mais, à l'expression qui est alors passée dans son regard – l'œil fataliste du condamné, prêt à encaisser les pires coups –, Attu a compris qu'elle avait une cartouchière vide.

Il n'a pas été le seul. À cet instant précis, une voix très profonde s'est élevée au fond de la grotte, qui a lancé à l'adresse de Devi :

– Toute seule, tu n'arriveras à rien.

Puis l'homme a apostrophé Moustakim :

– Il lui faut une bande. Une bande à elle.

Il s'est levé, s'est avancé vers la natte. Dans le peloton de gangsters, derrière lui, il y a eu une vague rumeur. Devi n'a pas bougé d'un pouce, Moustakim non plus. Le murmure est aussitôt retombé ; et l'homme a enchaîné dans le plus grand silence :

– Laisse-lui des hommes, Grand Moustakim. Et toi, Devi, laisse à Moustakim une part de ta vengeance.

Il est venu s'asseoir dans le cercle des lampes. Il était très grand, très maigre, c'est d'ailleurs à cette maigreur qu'Attu l'a reconnu : c'était Man Singh, le meilleur tireur du gang après Moustakim, et l'homme le plus silencieux de la bande. À ce jour, Attu ne lui avait pas entendu proférer trois mots. Il n'en est pas revenu ; les autres bandits non plus. Seul Moustakim n'a pas paru surpris. Il a simplement eu une moue perplexe et s'est mis à triturer le bout de ses moustaches. Devi, au contraire, n'avait jamais été plus présente. L'œil sec, elle détaillait l'inconnu de pied en cap. Il n'avait pas l'air gêné, il se laissait toiser en souriant. Sans raillerie, sans détachement non plus; une simple bouche heureuse où se rassemblait toute la bonté du monde, un sourire qui désarmait tout, jusqu'à l'agacement de Lukka, derrière Attu, jusqu'à la tension des hommes dans la pénombre; et même la méfiance de Devi, car elle resta à son tour sans voix quand l'homme lui eut désigné la sortie de la grotte en disant :

– Viens donc un peu par ici, qu'on parle, tous les deux…

81

Elle le suivit et tout alla très vite. Sur leur chemin, nul ne souffla mot, il semblait entendu que le destin était déjà passé par là, que toutes les volontés étaient déjà brisées, toutes les fiertés; que rien ne serait dit ni fait qui n'eût été arrêté de longue date – peut-être de toute éternité. Du reste, Man Singh lui-même semblait pressé d'en finir; il n'attendit pas d'être sorti de la grotte pour chuchoter à Devi, à l'instant même où il passait devant Attu :

– Tu ne peux pas rester seule. Rien que pour les munitions.

– J'ai ce qu'il faut!

– Tu parles…

Il continuait à sourire. Elle a voulu fanfaronner, lui a agité sous le nez le canon de son Mauser :

– Viens voir un peu…

Man Singh a aussitôt abattu la main sur le canon :

– Pas avec moi.

Cette fois, il ne souriait plus. Il la poussa dehors. Elle ne résista pas. L'après-midi s'avançait. Les perruches, dans les arbustes, s'égosillaient de plus belle. Man Singh a poursuivi :

– Je viendrai avec toi. Je te donnerai tout ce qui te manque.

Elle n'a pas répondu, elle s'est mise à gratter le sol du bout de sa chaussure. Puis elle a brusquement éclaté :

– Je ne veux plus de corps d'homme sur le mien, jamais ! Le premier qui veut me toucher...

– Je ne te demande rien.

À nouveau Man Singh souriait. Elle n'a pu soutenir son regard, elle s'est remise à gratter la terre, soulevant des bouffées de poussière qui rougissaient peu à peu le cuir de ses tennis.

– D'abord, qui es-tu ? a-t-elle fini par grommeler.

– Le second de Moustakim. Un ennemi des thakurs, comme toi et les tiens. Un fils de laitier.

– Ton nom !

– Man Singh.

Elle a paru songeuse. Il a repris :

– Tu ne me connais pas, mais moi je sais qui tu es.

– Alors, vas-y...

Il ne s'est pas laissé démonter par sa voix qui grinçait, il a tranquillement répondu :

– Tu es une forte femme, plus forte que bien des hommes. Tu sais manier les armes. Il n'y en a pas beaucoup comme toi dans la Vallée. Je t'estime. Toi et moi serons égaux.

– Tais-toi, a-t-elle coupé en martelant la terre du talon. Ne dis pas ces mots-là. Je les connais par cœur.

– Je ne veux pas te consoler. Seulement t'aider. Tu es seule et...

– Ne dis pas ces mots-là.

La voix de Devi avait changé, elle semblait à deux doigts de fondre en larmes, elle n'arrêtait plus, pour s'en empêcher, de frapper la terre ; on aurait dit à cet instant une gazelle prête à prendre sa course, mais encore indécise, nerveuse et immensément fragile. C'était peut-être en elle la tendresse qui se frayait un chemin, car elle finit par relever la tête et demanda :

– Tu le penses, ce que tu dis ? Tu le jures ?

Elle avait la voix douce, le regard humide, c'était une question qui ressemblait à une plainte. Man Singh a juré dans la seconde. Alors Devi a hoché plusieurs fois la tête, puis, d'un geste hésitant, elle s'est tournée du côté de la grotte où Moustakim, comme si de rien n'était, s'était remis à tirer sur sa pipe à eau.

– Vas-y, a dit Man Singh. N'aie pas peur, dis-lui qu'on part ensemble. Le Grand Moustakim est fort, il n'a pas besoin de moi. Et le marché est juste, il le sait.

Il est rentré dans la grotte. Une seconde fois, Devi l'a suivi. Quand ils sont arrivés au milieu des hommes, Man Singh s'est effacé. Elle s'est avancée seule jusqu'à la natte ; elle ne s'était pas accroupie que Moustakim lui a lancé :

– Prends avec toi les hommes de Vikram.

L'orgueil, enfin, s'était enfui de ses yeux ; il n'y avait plus, entre Devi et lui, que la quiétude du pacte. Ils ont joint tous les deux leurs mains devant leur bouche, puis Moustakim a sorti d'une de ses poches un paquet de poudre carminée. Il en a saisi une pincée, a fait signe à Devi d'approcher. Elle lui a tendu son front comme une enfant docile ; et elle n'a pas eu un geste de recul quand, du gras du pouce, Moustakim a fermement écrasé la poudre entre ses sourcils, en dessinant le cercle rouge qui les unissait à jamais dans l'esprit de vengeance et lui commandait de s'en aller en paix.

82

D'après Attu, la police se calma vers la mi-novembre. Il y eut plusieurs enlèvements en aval du fleuve, là où les terres étaient très fertiles. C'était l'œuvre de la bande de Malkhan, connue depuis longtemps pour son excellence dans les kidnappings. Des marchandages compliqués commencèrent entre les ravisseurs et les familles des otages. Sous prétexte de ne pas compromettre ces palabres, les policiers, épuisés par cinq mois de patrouilles, se replièrent aussitôt dans leurs postes. Leurs supérieurs fermèrent les yeux. Nul ne fut dupe de cette discrétion subite, ni les bandits ni les autorités. Gibier et chasseur, chacun voulait souffler; et les dieux avaient peut-être besoin d'une trêve, eux aussi, pour démêler l'écheveau tout neuf des fatalités.

De tous les bandits de la Vallée, Devi et Man Singh furent sûrement ceux qui profitèrent le plus de ce répit inespéré. Leur départ de Baha, le jour même de l'accord, n'avait pas manqué de panache, car ils risquaient gros, ils le savaient, en abandonnant la grotte. Le plan de Man Singh consistait à s'enfoncer dans les ravines. Aucun homme n'avait d'argent, les munitions étaient maigres. Pour survivre pendant les quelques mois qui les séparaient du moment fixé pour la vengeance, Man Singh prévoyait d'attaquer des villages isolés. Lukka, qui les avait suivis (uniquement, clamait-il à tous vents, par fidélité à la mémoire de Vikram), assurait que la bande serait décimée au premier raid. Il pestait sans arrêt : « Vous n'avez même pas de médicaments, à peine de quoi payer un toubib si un homme a un pépin. Vous n'irez pas loin… »

À plusieurs reprises, Attu pensa que Devi allait le chasser de la bande. Mais les imprécations de Lukka, grommelées à longueur de journée, n'eurent aucune prise sur elle. Elle marchait d'un pas hardi, sûre de son fait – hors d'atteinte, comme la Déesse; et ce qui la faisait redoubler d'aplomb, c'était que les présages les plus inouïs se multipliaient sur son passage. Par exemple, une nuit où la bande dormait à la belle étoile, Devi s'aperçut, au moment où le froid était le plus vif, qu'une très jeune panthère s'était glissée sous sa bâche. Elle s'était installée sur ses pieds, comme pour les réchauffer; et il lui fallut des gestes d'une précaution extrême pour la lâcher, encore somnolente, dans le labyrinthe des broussailles. Un autre matin, c'est un petit serpent jaune, extrêmement venimeux, qu'elle découvrit à son réveil, lové au creux de son épaule. Encore une fois, elle garda son calme, parvint à s'en débarrasser en douceur. C'est d'ailleurs de ce jour-là, souligne Attu – « le jour du serpent », pour reprendre l'expression qu'il emploie dans ses notes –, que Lukka cessa de harceler Devi de ses récriminations.

Et, comme pour donner raison aux signes, la première attaque se déroula avec une facilité prodigieuse. Le village fut pillé en une heure, aucun habitant n'opposa de résistance. Bien mieux, dès le lendemain, les paysans envoyèrent des émissaires jusqu'à la gorge où campaient les bandits pour leur proposer leurs services d'informateurs contre restitution d'une partie des bijoux volés lors du raid. L'accord fut conclu ; et ce furent ces mêmes villageois qui apprirent à la bande que la police s'était mise en sommeil, le temps que fussent libérés les otages enlevés par Malkhan.

On pouvait donc à nouveau se risquer sur les berges du fleuve. Man Singh et Devi décidèrent aussitôt de lever le camp. Au bout de quinze jours de marche, et après quelques discussions, ils choisirent de s'établir pour un temps dans une petite gorge à la lisière du pays thakur, exactement à mi-chemin d'Unnao et de Rajpur, les deux bourgades où Devi et Vikram avaient vécu leurs derniers jours ensemble.

Avec sa spontanéité habituelle, Attu décrit la gorge de Shama comme un paradis terrestre. Il semble que la plupart des hommes aient partagé cette impression, car il note aussi : « Tout le monde est heureux ici. Man Singh dit que s'il gagne beaucoup d'argent, il reviendra à Shama pour faire construire un temple. » Il faut reconnaître que, hormis la grotte de Moustakim, on ne peut imaginer plus beau repaire. Entouré d'un cirque de très hauts pitons, fermé par un goulet d'où l'on domine une bonne partie de la Vallée, le défilé est traversé en cette saison par un vigoureux torrent. Des arbustes d'un vert vif y laissent traîner leurs branches. À l'extrémité de la gorge, là où commencent les sentiers qui mènent aux hauteurs, se déploie un immense figuier où logent des dizaines de perruches. Malgré leurs caquets qui débutent aux premières lueurs du jour, c'est là que Devi et Man Singh choisirent de s'installer et combinèrent toutes les attaques des semaines suivantes.

Ils décidèrent d'abord un raid sur trois villages thakurs. L'attaque réussit au-delà de toute espérance. La police, comme partout, demeurait invisible. Devi et Man Singh prolongèrent le pillage pendant plusieurs heures, le butin fut superbe. Man Singh confia alors à deux jeunes mallahs du village de Shama le soin de porter un message chez son marchand d'armes, à Kanpur, et parvint à négocier par leur entremise l'achat de munitions et de pièces de rechange. Jamais à court de critiques, Lukka lui fit alors remarquer qu'il fallait aussi renouveler au plus vite les uniformes de ses hommes, et surtout leurs chaussures que la dernière mousson avait transformées pour la plupart en infâmes savates. Comme l'argent recommençait à manquer, Devi proposa des attaques sur les deux routes les plus proches. Elles étaient loin d'être aussi fréquentées que la Nationale 2, mais elles offraient chaque nuit leur contingent de camions et de petites fourgonnettes – parfois aussi, selon les gens de Shama, quelques voitures particulières conduites par de téméraires représentants de commerce ou des fonctionnaires naïfs fraîchement nommés dans la région. D'après les villageois, on pouvait opérer avec d'autant plus de tranquillité que les policiers eux-mêmes, pour boucler leurs fins de mois, n'hésitaient pas à dévaliser les voitures qu'ils contrôlaient, faisant passer ensuite ces agressions au compte des gangsters.

Les informations des paysans étaient justes, car les

attaques sur la Route n° 25 et la Route n° 3, si elles ne furent pas aussi lucratives que les raids sur la Nationale 2, se déroulèrent dans la plus totale impunité et se révélèrent d'un excellent rapport. Au bout de quatre nuits, rien qu'en billets de banque, la bande avait de quoi racheter des uniformes et des chaussures pour ses dix-sept hommes. Quant au butin de bijoux et de montres, s'il n'était pas aussi glorieux, il permettait tout de même, estima Attu, d'assurer le ravitaillement pendant plusieurs semaines. Avec l'accord de Devi et de Man Singh, il les fit écouler par deux jeunes mallahs de Shama qui les négocièrent cette fois dans les bazars de Gwalior. L'affaire fut plus laborieuse que l'achat des armes. Néanmoins, début décembre, tout était réglé.

Ainsi la bande pouvait attendre en toute sérénité l'heure arrêtée pour la vengeance. Même si les nuits étaient de plus en plus fraîches, les jours restaient superbes, sous les feuilles douces et lustrées de l'arbre aux perruches, et les bandits ne s'en éloignaient pas. Il y avait, quand le vent se levait, l'attrait de son étrange bruissement ; et la nuit, sa beauté non moins surnaturelle lorsque chaque feuille se mettait à renvoyer, telle une lampe minuscule, l'éclat sourd de la lune. Ce figuier-là avait beau être sauvage, les dieux se reposaient dans son ombre, c'était l'évidence même, il était de ces arbres où séjournent les grandes vérités. À l'abri de son feuillage, on pouvait tout faire en paix, dormir, manger, jouer aux cartes, tenir conseil ; et, dès que la bande y fut installée, Devi versa chaque jour à son pied un plein pichet d'eau et de lait pour s'assurer la bénédiction des puissances qui logeaient dans ses branches et apaiser, disait-elle aussi, l'âme de Vikram en attendant la vengeance. Puis elle dessina sur son tronc les grands signes sacrés avec des poudres saintes achetées aux gens de Shama.

Du jour où les paysans l'apprirent, ils furent nombreux à se présenter au goulet qui fermait la gorge pour venir déposer sous le figuier toutes sortes d'offrandes ; et plus les jours passèrent, plus il fut clair que c'était Devi qu'ils voulaient honorer autant que l'arbre. Dans leur vénération, il y avait l'aura de tragédie qui la suivait désormais partout, l'ombre de la mort de Vikram, et le reste, l'innommable – ce que personne, à Shama comme ailleurs, n'évoquait jamais qu'à mots couverts. Mais Devi eut aussi l'habileté de se faire oublier, elle fut fine politique et parla aux paysans d'eux-mêmes : « Je vole aux riches pour distribuer aux pauvres, leur déclara-t-elle un soir. C'est pour vous que j'attaque les thakurs » – et, joignant le geste à la parole, elle saisit dans son paquetage une énorme liasse de roupies sur laquelle elle referma les mains du plus âgé des visiteurs.

Man Singh, à son habitude, n'émit aucun commentaire. Il resta souriant et lointain, se contentant, comme toujours, de lisser lentement ses longs cheveux raides ; et, le lendemain matin, il se présenta devant la bande le front ceint d'un large bandeau rouge, exactement comme Devi. « Maintenant, ils ont l'air frère et sœur », écrit ce jour-là Attu ; et, un peu plus loin dans son carnet, il ajoute qu'avec son regard grave, sa maigreur, ses cheveux longs et son bandeau, Man Singh ressemblait à présent au Dieu des Hommes de l'Ouest, ce Christ dont il avait un jour visité un temple, derrière le grand cinéma de Kanpur.

C'est une remarque précieuse, car dans son journal Attu parle rarement de Man Singh, on dirait qu'il se censure, comme s'il craignait qu'un jour l'autre pût déchiffrer ses notes. En dehors de ses talents de tireur, il signale seulement les raisons qui l'avaient poussé, dix ans plus tôt, à prendre les ravines : l'assassinat par la police d'un de ses frères, soupçonné d'un vol qu'il n'avait pas commis. « Par moments, écrit Attu, Man Singh fait la tête, il a l'air ailleurs, je suis sûr qu'il pense à son frère, il déteste l'injustice. Mais, le reste du temps, il sourit. Il n'est jamais fâché, il n'est même pas jaloux quand les gens de Shama viennent sous l'arbre baiser les pieds de Devi, ni quand ils crient : “Vive Devi ! Vive Vikram !” Il ne parle pas à grand monde, seulement à Devi ; et encore, c’est toujours pour discuter des attaques. Ou bien il lui répond quand elle le lance sur la vengeance. Mais il n’aime pas beaucoup ce sujet-là, il s’énerve souvent, et ça finit presque toujours en dispute. »

Vers la mi-décembre, fait très inhabituel, Attu cesse quelques jours de tenir son journal. Il abandonne même sa chère comptabilité. Quand il reprend ses notes, à la date du 14 décembre, il n’écrit qu’une seule et laconique phrase : « Ils dorment maintenant sous la même bâche. » Il barbouille ensuite sa page d’un gigantesque Dieu-Éléphant – son sourire, pour une fois, n’est pas si jovial. Le lendemain et le surlendemain, Attu ne prend à nouveau aucune note. Il revient à son carnet trois jours plus tard. Cette fois, il noircit quatre bons feuillets où il relate par le menu les événements des jours précédents : « Devi est de plus en plus énervée, elle ne parle plus que de la vengeance. Pourtant, Man Singh n’arrête pas de lui dire qu’il faut attendre le carnaval et l’accord de Moustakim. Elle ne l’écoute pas. Des gens de Simra lui ont dit où se trouve l’homme qui se vante d’avoir volé le chloroforme qui a servi à l’enlever. Ils l’ont repéré dans un petit hameau, du côté d’Unnao. Elle veut aller le tuer. Man Singh a essayé de la calmer, il l’a emmenée à l’autre bout de la ravine pour discuter tranquillement. Au début, elle ne voulait pas, mais elle a fini par se laisser faire. Je les ai suivis, j’ai tout entendu. Man Singh lui a dit la même chose que Vikram, dans le temps ; il lui a répété qu’il fallait que les hommes gagnent d’abord beaucoup d’argent si elle voulait qu’ils la suivent dans sa vengeance. Et que, pour l’instant, mieux valait ne pas trop se faire remarquer. Elle a répondu qu’elle en avait assez d’attendre ; et l’âme de Vikram aussi. La preuve, c’est qu’elle venait la visiter toutes les nuits en rêve. Man Singh lui a demandé : Même quand tu dors contre moi ? Il avait l’air très triste. Elle a fait sa tête d’âne, elle n’a pas répondu.

Il a alors regardé du côté des hauteurs et a dit : Je le vengerai, ton Vikram. Mais, bon sang, tes hommes ont des femmes et des enfants, pense donc un peu à eux si tu veux qu'ils continuent à te baiser les pieds comme à une reine ! Elle a eu l'air de réfléchir et a fini par lui demander : Tu as des nouvelles de Moustakim ? Man Singh a répondu que les paysans l'avaient aperçu dans le coin, en bas du fleuve, et qu'à son avis il n'allait pas tarder à lui faire signe. Devi a encore réfléchi un petit moment, elle regardait par terre, elle faisait toujours sa tête d'âne ; et quand elle s'est décidée à relever le nez, ça a été pour lui balancer : D'accord pour l'argent des hommes. Dès qu'on a des nouvelles de Moustakim, on monte un gros coup avec lui. Mais, en attendant, moi, je m'occupe de mes petites affaires. Je n'ai pas besoin de toi. »

« Évidemment, reprend Attu deux jours plus tard, Man Singh a voulu s'en occuper avec elle, de ses petites affaires, et, dans la foulée, toute la bande s'est retrouvée sur le coup. On est tous allés au village où les gens de Shama avaient repéré l'homme au chloroforme. Ils avaient raison, il était là. On n'a pas eu de mal à le prendre ; dans le hameau, il n'y avait que lui et sa femme, les autres étaient aux champs. Devi a commencé par frapper la femme, elle l'a bourrée de coups de pied, de coups de crosse, lui disant qu'elle allait tuer son mari devant elle. L'homme l'a suppliée de la laisser, il n'arrêtait pas de crier : “Elle n'a rien fait, c'est moi qui ai volé le chloroforme chez les flics !” La femme elle, se laissait frapper, elle devait se dire que plus elle prendrait de coups, plus elle laissait de chances à son type. Mais elle s'est fichue dedans ; quand Devi en a eu assez de la taper, elle l'a relevée et elle lui a dit : “Regarde !”, et elle a froidement tiré dans la tête du type. Ça n'était pas beau à voir. D'ailleurs, la femme a tourné de l'œil, et moi je n'étais pas très frais non plus. Mais, à ce moment-là, j'ai entendu Devi m'appeler. J'en suis resté comme deux ronds de flan, elle ne m'adresse presque jamais la parole, à croire qu'elle ne me voit pas. Elle m'a dit qu'il fallait que j'écrive sur un papier pour dire que c'était elle qui avait descendu le type, et pourquoi. J'ai toujours mon carnet sur moi, j'ai arraché une page, j'ai écrit ce qu'elle a dit. Après, on a épinglé le papier sur le cadavre et on est rentrés aussi sec. On n'a rien volé, Devi a dit qu'il ne fallait pas, qu'elle voulait que sa vengeance soit pure. On a fait comme elle a dit. »

Il faut croire qu'elle ne tenait plus en place, car deux jours plus tard – du moins à ce que prétend Attu –, elle a recommencé à harceler Man Singh à propos de la vengeance. Elle lui a brusquement lancé sous l'arbre aux perruches :

– Moustakim n'arrive pas, on perd notre temps. Il faut qu'on avance !

– Qu'on avance pour quoi ? a ingénument demandé Man Singh.

Elle est partie d'un grand rire :

– Mais dans la vengeance, de quoi veux-tu que je te parle !

Au seul mot de vengeance, Man Singh s'est tendu, il a senti le danger ; comme la fois précédente, il a voulu éloigner Devi au bout de la gorge. Mais elle avait compris sa tactique, elle ne s'est pas laissé faire. Elle s'est aussitôt tournée vers les hommes et leur a dit – ou plutôt leur a crié, parce qu'elle donnait de la voix, maintenant, chaque fois qu'elle parlait de la vengeance :

– Il faut qu'on avance, allez, on continue ! On va punir les gens de Rajpur.

– Qu'est-ce qu'ils t'ont fait, ceux-là ? a grommelé Man Singh.

– Tu le sais très bien.

Tous les hommes étaient à leur tour sur le qui-vive, ils avaient abandonné leurs osselets, leurs jeux de cartes, ils n'avaient d'yeux que pour Devi. Man Singh s'est mis à transpirer, une large auréole humide s'est arrondie au centre de son bandeau rouge. Il a pourtant fait front :

– Répète un peu, qu'on voie si ça vaut le coup.

– Ils ont voulu tuer Vikram.

– Ils l'ont raté !

– Mais ils ont voulu le tuer ! S'ils avaient pu…

– Tu es en colère, a coupé Man Singh. Et la colère sans la raison ne mène à rien, même pour une vengeance.

– Qu'est-ce que tu y connais, à la vengeance ? Dis-le, dis-le donc, ce que tu y connais…

Man Singh a levé un bras vers l'arbre, il a arraché une de ses feuilles et a simplement dit :

– Tu sais que si on ment quand on arrache la feuille de cet arbre, on a la cœur et la tête arrachés comme elle…

– Et alors ?

Il a fait comme s'il n'avait rien entendu ; il a enchaîné :

– Tu as tué l'homme au chloroforme et tu ne t'en trouves pas plus heureuse !

– Quand on se venge, la mort a goût de sel. C'est Vikram qui me l'a dit.

– Je connais le goût du sel, j'ai déjà goûté plusieurs fois au festin de la vengeance. Tu te trompes, Phoolan Devi. Et tu le sais très bien.

– Dis tout de suite que Vikram…

Man Singh ne l'a pas laissée finir. Il a broyé dans sa main la feuille de l'arbre aux perruches et a repris :

– Attends le carnaval, oublie toutes ces histoires. Rends tes hommes heureux.

– Vikram était leur chef. Ils seront heureux de tuer les chiens qui ont tué leur chef.

Elle s'est levée, elle a arraché à son tour une feuille de l'arbre et est venue l'écraser sous son nez. Man Singh a tenté de sourire, mais il n'y est pas arrivé. Pour cacher sa grimace, il a baissé la tête. Alors elle a éclaté de rire. Dans les branches de l'arbre, les perruches ont cessé de jacasser, on n'a plus entendu que ce rire qui est allé frapper les grandes falaises rouges en haut du défilé. Entre deux hoquets, Devi répétait : « Il faut punir Rajpur ! »

Une fois de plus, elle avait trouvé les mots qu'il

fallait, les simples mots dans toute leur force nue; en plus, il y avait son rire, ce grand éclat joyeux qui se moquait de tout. Pas un homme n'a protesté, pas même Lukka, l'esprit de vengeance les avait tous gagnés, tous affichaient soudain des faces résolues, méchantes. Avec Man Singh, Attu fut sans doute le seul à s'en inquiéter, car dans son journal, ce soir-là, il écrivit ces lignes perplexes : «Tout le monde fait ce que veut Devi. Je ne sais pas comment elle se débrouille. C'est vrai qu'elle fait un peu peur, avec ses grands yeux noirs, quand elle regarde les gens en face. Et puis aussi quand elle se marre. Elle est terrible, dans ces moments-là. On dit ça des déesses, qu'elles prennent l'âme des hommes dans un éclat de rire. En tout cas, c'est décidé, on va attaquer Rajpur. C'est un gros coup, il y a de la police sur place, et ces thakurs-là sont encore plus durs que les autres. Devi, je ne sais pas ce qui lui prend. Ici, elle a tout le monde à ses pieds : Man Singh, moi, Baladin, Kalla, tous les hommes de Vikram, même les vieux de la vieille, ces deux brutes de Badru et Balo, tout le monde vraiment, même Lukka. Celui-là aussi est médusé, il n'ouvre pas la bouche, c'est à ne pas croire. Devi, tout de même, je ne sais pas ce qui lui arrive. Elle vit pourtant comme une reine sous l'arbre aux perruches.»

83

Le 2 décembre 1980 est une date marquante dans la vie de l'inspecteur général Mahendra. Ce soir-là, il prit une initiative insolite : il demanda à son factotum de lui dresser un lit de camp dans son bureau de l'inspection générale. Puis il téléphona à sa femme pour lui annoncer que suite à un surcroît de travail, il ne rentrerait pas de la nuit.

À l'autre bout du fil, les intonations particulièrement acides de Mrs. Mahendra lui firent immédiatement comprendre que ce choix ne lui serait pas pardonné de sitôt ; et qu'on ne croyait guère au prétexte avancé puisque, nasilla la voix irritée, « tu as été le premier, ces derniers temps, à dire que les bandits se calmaient, heureusement d'ailleurs, parce que ça commençait à bien faire... ». Mahendra marmonna une phrase embrouillée, qu'on ne lui laissa pas finir. « Il y a anguille sous roche, ça fait un moment que je te vois venir. De toute façon, je connais ton petit manège, la nuit, quand tu ne dors pas, tu vas trifouiller dans mes magazines. Le cinéma, pourtant, ça ne t'a jamais intéressé... »

Après le message qu'il venait de recevoir du poste de Rajpur, c'en fut trop pour Mahendra. Il eut alors un geste dont il présuma aussitôt qu'il serait lourd de conséquences, mais qu'il ne parvint pas à réprimer pour autant : il raccrocha au nez de sa femme. En vingt-cinq ans de mariage, et bien que Mrs. Mahendra lui en eût souvent offert l'occasion, il ne s'était jamais laissé aller à pareil débordement. Aussi, après ce geste qu'il jugea d'emblée excessif, quoique parfaitement justifié, il inspira à plusieurs reprises, du plus profond qu'il put, comme le lui avait enseigné un maître de yoga qu'il avait fréquenté lorsqu'il était étudiant. Le calme escompté se faisant attendre, il fut pris du fol espoir que Mrs. Mahendra eût cru à une coupure de la ligne, ce qui arrivait parfois, et rêva qu'elle allait rappeler – sans trop savoir, cependant, ce qu'il pourrait bien lui dire pour la rasséréner, notamment sur la dégradante question de ses consultations nocturnes de magazines de cinéma. Au bout de dix minutes, il renonça à se creuser la tête : le téléphone restait muet. Il demanda alors à son factotum de lui préparer du thé et s'allongea pour réfléchir sur le lit qu'on venait de lui dresser.

C'était bien la première fois qu'il ne travaillait pas devant son bureau. Mais il connaissait déjà son affaire par cœur, cela faisait deux bonnes heures qu'il avait lu, relu, analysé, décortiqué par le menu le long télégramme du superintendant Gupta, chef du poste de Rajpur. Malgré sa concision, ce texte ne comportait aucune contradiction avec les propos que Gupta lui avait tenus au téléphone quelques heures auparavant. Ce qui conduisait Mahendra à penser que le superintendant n'avait rien inventé.

Sur le moment, l'inspecteur général n'en avait pas douté. Rien qu'à sa voix, et en dépit de l'inévitable friture de la ligne, il l'avait senti extrêmement anxieux. Du reste, Gupta avait refusé de parler à tout autre que lui. Pour arriver à ses fins, il avait forcé le barrage du standard, puis de deux secrétaires. On l'avait d'abord dirigé sur Jaïn, tétanisé de curiosité au seul nom de Rajpur. Gupta avait réussi l'exploit d'éluder ses questions et avait exigé de parler à Mahendra ; et, dès ses premières phrases, l'inspecteur général avait compris qu'il lui lançait un appel au secours. Il avait d'ailleurs conclu sa conversation sur ces mots : « Faites quelque chose, très vite. Je ne pense pas qu'elle revienne ici, mais c'est une folle, une folle dangereuse. Il peut se passer n'importe quoi. »

L'inspecteur général fut si chiffonné par cette dernière phrase qu'il faillit en oublier le reste. N'était-ce pas là un excès de langage particulièrement suspect ? Ne laissait-il pas supposer chez son subordonné une contagion de l'esprit romanesque qui, sous l'effet sans doute de la pernicieuse influence de la presse, n'était déjà que trop répandu dans les services dont il avait la charge ? Car c'était un fait indiscutable, irréfutable, la folle dont venait de lui parler Gupta était morte depuis le 13 août, il y avait maintenant cinq mois et demi (pour en être bien sûr, Mahendra en refit le compte sur ses doigts), par noyade, dans les remous du fleuve, juste en face d'Unnao, et, si besoin était, il pouvait sortir de son armoire trois rapports concordants qui l'attestaient de façon formelle. Bien entendu, on n'avait pas eu de cadavre. Mais, à cette époque de l'année, le fleuve était gorgé de terre et d'eau, on n'avait jamais vu qu'il rendît ses proies ; et Mahendra, déjà comblé par celui de Vikram Mallah, dont il avait affiché la photo sur l'armoire aux rapports, avait eu pour une fois l'indulgence de ne pas le réclamer à ses services, non plus qu'aux brutes de bas étage qu'on avait chargées de la besogne, les frères Singh, si sa mémoire était bonne, souvent désignés dans les rapports par leurs sordides noms de guerre, le Gourou et Boîte à Outils.

En cet après-midi du 20 décembre, Mahendra avait donc estimé qu'avant de se laisser troubler il devait impérativement déterminer si Gupta était ou non l'un de ces détestables esprits imaginatifs qui gangrenaient la hiérarchie policière. Il en eût été étonné, car c'était lui-même qui l'avait fait nommer à Rajpur, trois mois plus tôt. Il se rappelait que le gouvernement lui avait recommandé de placer un homme très solide à ce poste que la proximité des mallahs et des thakurs rendait de plus en plus périlleux. À peine nommé, Gupta lui avait du reste adressé un alarmant rapport sur le comportement des thakurs. D'après lui, ils multipliaient les vexations à l'égard des mallahs, ce qui risquait d'annoncer en effet ce qu'il était convenu d'appeler pieusement, en langage bureaucratique, des « émeutes communalistes » – autrement dit le massacre pur et simple d'une caste par une autre.

À ce point de sa réflexion, Mahendra se souvint que Gupta était originaire de Mirzapur ; et, par réflexe conditionné, un adage populaire lui traversa l'esprit : « Les gens de Mirzapur sont aussi couards qu'ils sont vantards. » En vingt-cinq ans de vie commune, Mrs. Mahendra le lui avait assené des centaines de fois, avec quantité d'autres proverbes, le nez relevé et les narines pincées, comme chaque fois qu'elle voulait lui prouver qu'avec toutes ses études, il n'en saurait jamais aussi long qu'elle, qui n'était pourtant qu'une femme et avait tout appris par elle-même. Mahendra avait toujours professé le mépris le plus ouvert pour ce type de considérations, mais il n'était jamais parvenu à clouer le bec à son épouse. Le cas Gupta lui en offrait peut-être l'occasion. C'est pourquoi, toutes affaires cessantes, au lieu de s'alarmer de la gravité des événements, Mahendra s'octroya le plaisir légèrement pervers de demander à Jaïn, dont il imaginait la curiosité aiguisée à cet instant jusqu'à l'insoutenable, de lui apporter au plus vite le dossier Gupta.

En ce sombre 20 décembre 1980, la solennelle entrée de Jaïn dans son bureau, porteur dudit dossier, fut l'une des dernières grandes satisfactions de l'inspecteur général. Jaïn n'avait jamais été aussi prompt dans la recherche d'un document. Malgré la fraîcheur de la température, il transpirait d'avoir fait diligence ; et, pour une fois, il ne paraissait pas pressé de quitter Mahendra. Bien qu'il n'en ait pas été prié, il s'était assis devant lui, le visage rayonnant ; et tandis que son supérieur ouvrait posément la chemise, il ne le quittait plus des yeux, sans se départir un instant de son sourire papelard.

Mahendra ne s'y laissa pas prendre, il congédia Jaïn de la façon la plus sèche qui soit : il se plongea dans ses feuilles, et, sans lui adresser un mot ni même un regard, il lui désigna la porte d'un revers de main.

Ainsi donc, l'inspecteur général put s'abandonner en toute quiétude à la jouissance de manipuler un dossier impeccablement trié, tamponné des encres appropriées, bariolé en bonne et due forme de cascades de signatures et contre-signatures, assorti là où il le fallait des certificats et attestations réglementaires. Comme tous les autres, le dossier Gupta était parfaitement en ordre, et Mahendra, une fois de plus, s'honora d'avoir réussi à instituer dans son district une bureaucratie irréprochable. Si bien qu'au bout de quelques minutes de lecture, la cause fut entendue : le superintendant Gupta était tout sauf un esprit romanesque. Non plus d'ailleurs qu'un couard : il avait été décoré à vingt-deux ans pour ses services héroïques lors de la guerre contre le Pakistan.

Mahendra, qui ne se connaissait jusque-là, du moins dans l'exercice de ses fonctions officielles, que des réflexions d'une limpide détermination, se vit alors refermer la chemise du dossier Gupta dans l'état d'esprit le plus partagé qu'il eût jamais éprouvé. D'un côté il était grisé par le contentement de pouvoir enfin opposer à Mrs. Mahendra un magnifique contre-exemple, la prochaine fois qu'elle lui resservirait ses fadaises sur les gens de Mirzapur. De l'autre, il était profondément accablé, car il lui fallait prendre au sérieux les allégations de Gupta. Ce qui signifiait en clair que sa bête noire, *la fille*, était bel et bien vivante ; et plus féroce que jamais.

Il rappela aussitôt le poste de Rajpur. Sans doute par grâce divine, il l'obtint rapidement, au bout d'une demiheure seulement. Dès qu'il eut Gupta en ligne, il lui intima l'ordre de confirmer son récit par télégramme en s'en tenant strictement aux faits qu'il jugeait les plus marquants. Puis il ajouta avec sa froideur coutumière qu'il ne pourrait prendre en compte son message avant réception d'un rapport rédigé dans les formes. Il voulait le voir sur son bureau dans les quarante-huit heures. L'autre lui répéta : « Écoutez, faites vite, je ne parle ni pour moi ni pour mes hommes, elle ne reviendra certainement pas tenter un autre coup ici. Mais je sais ce que j'ai vu et entendu, elle va recommencer ailleurs, j'en suis sûr… – Le télégramme d'abord, coupa Mahendra. Nous verrons ensuite. Et n'oubliez pas le rapport. Avant deux jours, sur mon bureau. » Et il raccrocha.

Le télégramme arriva quelques heures plus tard, à la tombée de la nuit. Son contenu n'étonna pas l'inspecteur général, il pressentait déjà que les événements de Rajpur étaient d'une exceptionnelle gravité. Par acquit de conscience, par habitude aussi, il le soumit néanmoins à une série de lectures et de contre-lectures. Rien à faire : l'énoncé des faits, d'une remarquable concision, confirmait point par point le récit détaillé que Gupta lui en avait donné. Avec ce télégramme et les notes qu'il avait prises au cours de sa conversation téléphonique, Mahendra pouvait déjà imaginer ce que serait, dans sa cruelle sécheresse, le rapport qu'il recevrait le surlendemain en provenance de Rajpur.

En ce matin du 20 décembre, juste à l'aube, une bande de dix-sept hommes, menée par une jeune femme en jean et un homme très grand et très maigre, tous deux coiffés d'un bandeau rouge, avait circonvenu le haut quartier thakur. Quatre-vingt-dix maisons avaient été pillées, puis incendiées. Attisé par l'explosion de plusieurs réchauds à kérosène, le feu avait failli gagner le reste du bourg. Les mallahs de Rajpur n'étaient pas restés inertes dans l'affaire : dès l'arrivée du gang, ils avaient encerclé le quartier et empêché, tout le temps qu'avait duré le raid, le moindre contact avec la basse ville où se trouvait le poste de police. La brutalité des bandits avait été extrême : les gangsters avaient molesté des femmes, des vieillards, et même de jeunes enfants. À plusieurs reprises, la femme au bandeau rouge avait menacé de les tuer sous les yeux de leurs parents si ceux-ci ne se dépêchaient pas de lui remettre leurs bijoux et leurs billets de banque. À l'issue de ce raid éclair (il n'avait pas duré trois quarts d'heure), la femme qui menait le gang avait brandi un mégaphone et avait crié son nom – Phoolan Devi – puis elle avait hurlé à plusieurs reprises, bientôt imitée de tous ses hommes : « Vive Vikram Mallah, à mort les chiens de Behmai, à mort les frères Singh ! » Enfin, tandis que le feu prenait aux premières maisons, elle avait recommencé à vociférer dans son mégaphone : « Je suis Devi, justice, vengeance, je prends aux riches pour distribuer aux pauvres, tremblez, chiens thakurs, mort aux chacals de Behmai, on vous aura jusqu'au dernier, œil pour œil, dent pour dent, je suis Devi, celle qui rend la justice ! »

Il n'y avait aucun doute, c'était *la fille*. Tout y était :

le bandeau rouge, le mégaphone, le jean, la mention des frères Singh, celle de Vikram Mallah, jusqu'à l'arme qu'elle portait, un Mauser 303, avait noté une des victimes qui avait été de la guerre contre les Chinois.

Mahendra dut s'y résoudre : c'était sa seconde résurrection d'assassin en moins de six mois. Et, comme l'avait pressenti Gupta, celle-ci promettait d'être beaucoup plus dangereuse que la précédente. D'abord parce que cela faisait bien cinq ans qu'on n'avait vu dans la Vallée de pillage suivi d'incendie. Le nombre de maisons attaquées était considérable – tout un quartier. Les mallahs, pour tout arranger, avaient été complices.

Il y avait enfin ce qui avait été dit. Et dit par une femme. C'était là le pire.

Jusqu'à une heure avancée de la nuit, dans ce bureau qu'une veilleuse apportée par le factotum noyait d'une étrange lueur violette, Mahendra, allongé sur son lit de camp, récapitula plusieurs fois en détail la série d'événements qui, par un détour qu'il préférait ne pas s'expliquer, l'avait amené à découcher pour la première fois de sa vie conjugale. Il refusait de trancher, pour l'instant, s'il s'agissait là d'un prétexte ou d'une raison légitime. Depuis un an, Mrs. Mahendra l'exaspérait beaucoup – depuis, il fallait bien l'avouer, l'apparition de *la fille*. Avec sa résurrection, les semaines à venir promettaient d'être éprouvantes, tout moment de solitude serait particulièrement bienvenu. Dormir au bureau de temps en temps, quels qu'en fussent les ténébreux motifs, devait être considéré par ses proches comme un acte conservatoire, commandé par la seule conscience professionnelle : maintenir à tout prix, en une période délicate, la parfaite intégrité de ses capacités d'analyse.

En ce soir du 20 décembre, Mahendra choisit de les concentrer sur tous les points obscurs du récit de Gupta. Le premier d'entre eux était l'homme au bandeau rouge. Malgré la faculté de réincarnation dont semblaient soudain jouir les chefs de bande, il était évident qu'il ne s'agissait pas de Vikram Mallah : le cliché original de son cadavre, violacé par les reflets de la veilleuse, s'étalait en face de lui, tel un trophée de chasse, sur le battant droit de l'armoire aux rapports. L'inconnu au bandeau rouge ne pouvait être qu'un nouveau venu. Un comparse, sans doute. Un nouvel amant. Tombé à la merci de la fille, il la copiait, la suivait aveuglément. Pour connaître son identité, il suffirait d'une petite enquête, de quelques interrogatoires bien menés. Menaces et coups à l'appui, si besoin était.

Par une curieuse association d'idées, Mahendra repensa alors aux frères Singh. Depuis qu'ils avaient remis le cadavre et les armes de Vikram Mallah aux policiers en charge du district d'Unnao, nul n'avait plus entendu parler d'eux. L'inspecteur général avait d'ailleurs été fort étonné de cette discrétion, il avait redouté un moment qu'ils ne se livrassent à un petit chantage. Il en avait même élaboré la parade : il avait confié à Jaïn la rédaction d'une série de contre-rapports prouvant que c'étaient les jumeaux qui avaient assassiné Vikram Mallah. On les sortirait à la première tentative de pression. Rien d'immoral à cela : c'était la stricte vérité. Mais, à sa grande surprise, les jumeaux, après leur basse besogne, s'étaient volatilisés. Ils avaient dû se replier dans leur village. Là encore, une petite enquête suffirait à dissiper ce mystère.

Mais, pour expliquer la réapparition de la fille, ce serait une autre paire de manches. Car il fallait s'y résoudre, elle ne s'était pas noyée. Il était pourtant inconcevable que les frères Singh l'eussent épargnée. D'autant que, de son vivant – ou plutôt du vivant de Vikram Mallah ; vraiment, Mahendra avait du mal à s'y faire ! –, cette petite garce ne s'était pas privée de les abreuver de menaces. Les jumeaux, comme lui-même, n'ignoraient pas qu'elle pouvait devenir féroce. Mais à supposer qu'elle ne se fût pas noyée, comment diable avait-elle pu leur échapper ? Dans la Vallée, c'était un fait connu de tous, il n'y avait pas de gredins plus cruels, plus retors que les deux frères. Lors des négociations sur l'exécution de Vikram Mallah, ils avaient d'ailleurs clairement annoncé la couleur à Jaïn : ils voulaient aussi la peau de la fille ; et s'il avait été convenu avec les jumeaux d'exécuter leurs rivaux au bord du fleuve, c'était précisément parce que ses remous, à cette époque de l'année, n'admettaient aucune retraite, fût-ce aux meilleurs nageurs. C'était du reste une tactique éprouvée par la police que d'y acculer les bandits pour les forcer à choisir entre la noyade et leurs balles. Il n'y avait donc qu'une alternative : ou les policiers en charge du secteur d'Unnao avaient menti, la fille s'était sauvée ; ou, par un mystère décidément impénétrable, les frères Singh s'étaient refusés à la liquider.

Tout à la satisfaction de ce puissant raisonnement, Mahendra se leva et se mit à son bureau pour arrêter la liste des décisions qu'il devrait mettre en œuvre dès le lendemain matin. Il commencerait par établir si oui ou non les policiers du secteur d'Unnao avaient dit la vérité. Il convoquerait Jaïn à la première heure, exigerait des rapports et des explications, se montrerait plus sec que jamais. Il en aurait vite le cœur net – comme pour les frères Singh, autre corvée qu'il déléguerait à Jaïn.

Il s'avisa alors qu'il ne se souvenait pas de l'endroit exact où se trouvait leur village. D'après Gupta, ce nom bizarre, Behmai, était revenu à plusieurs reprises dans la bouche de la fille. Il lui fallait à tout prix le situer dès maintenant s'il voulait impressionner Jaïn. Mahendra sortit d'un tiroir une carte de la région, la déplia sur son bureau. Il eut beau chercher, plisser les yeux, rapprocher la lampe, il n'y trouva pas le nom de Behmai. Un hameau, sans doute. Un agglomérat informe de huttes et de maisons, comme partout en Inde, un de ces lieux-dits sans histoires où les thakurs vivaient comme ils avaient toujours vécu, arrogants et tranquilles, fiers de leur caste, de leurs terres, de ce qu'ils prenaient pour leur richesse. Un trou perdu où il ne se passait jamais rien. C'était certainement là qu'on retrouverait les deux frères, tranquillement assis sous un auvent à fumer du chanvre, vivant sur le petit magot qu'ils avaient amassé lors des attaques sur la Nationale.

Malgré cette certitude et l'assurance qu'il avait de les localiser au plus vite, Mahendra nota en bas de sa liste qu'il devait réclamer à Jaïn la dernière carte du pays – elle pourrait servir ensuite à son usage personnel, pour peu qu'il découvrît dans l'*Archeological Gazeeter's* quelque indice de la présence dans la région d'une antique cité. Sur cette perspective revigorante, il alla se rallonger, enchanté du cheminement lent mais méthodique qui l'avait conduit à d'aussi sages résolutions.

Il eut pourtant du mal à s'endormir. À deux heures du matin, il continuait à se tourner et à se retourner sur son lit, ne sachant s'il devait incriminer le thé qu'il n'avait cessé de siroter pendant qu'il réfléchissait, ou l'éloignement (peut-être dommageable, en définitive) de Mrs. Mahendra. D'étonnante façon, il ne grillait plus, cette nuit-là, de savoir à quoi ressemblait *la fille*, il avait sévèrement verrouillé en lui tout ce qui pouvait réveiller son imagination – l'amère révélation de son épouse, à propos des magazines de cinéma, n'y était peut-être pas étrangère. Non, ce n'était pas la fille qui le tourmentait à présent, c'était ce qu'elle avait dit. Car, pour la première fois, elle avait parlé. Et pas pour ne rien dire. Elle avait crié vengeance, elle avait crié justice. Elle avait parlé des pauvres et des riches, elle avait clamé œil pour œil, dent pour dent, elle avait hurlé à la mort. Au fond de cette mauvaise nuit, Mahendra crut l'entendre plusieurs fois, cette voix vengeresse, derrière le timbre anxieux et grésillant du superintendant Gupta qui n'arrêtait pas non plus de lui grincer à l'oreille. Et ce n'était pas dans ses souvenirs de Shakespeare, pour une fois, que l'inspecteur général allait chercher de quoi nourrir ses terreurs. Les yeux grands ouverts sur son plafond au plâtre moisi, il se répétait indéfiniment les mêmes versets du

Mahabharata – ceux-là mêmes, sans doute, qu'avaient proférés les dieux quand ils virent tomber les vieux souverains Naga et sombrer dans la jungle leurs palais et leurs temples : « Si la destruction arrive, ce n'est pas d'abord parce qu'on a brandi les armes. C'est parce qu'on a appelé bonnes des choses qui sont mauvaises, et mauvaises des choses qui sont bonnes. »

84

En dépit de cette nuit difficile, Mahendra mena son affaire tambour battant. Dès le lendemain, comme aux plus beaux temps des attaques sur la Nationale, les bureaux de l'inspection générale recommencèrent à bourdonner d'appels téléphoniques venus des plus petits postes de campagne. Conformément aux ordres de son supérieur, Jaïn leur avait demandé des rapports complets sur les moindres vols, violences, exactions ou maraudes qui pouvaient de près ou de loin s'apparenter à des actes de banditisme. Les policiers les plus obscurs sentirent qu'il y avait là du galon à prendre. Les bureaux de Kanpur furent inondés d'appels et de télégrammes, chacun y alla de son petit rapport. Le risque était bien sûr qu'on vît la fille partout. Fidèle à sa méthode, Mahendra constitua donc une équipe chargée de couper et recouper les informations les plus minces. Une carte fut affichée où, comme à la guerre, ces petits forfaits furent signalés par des drapeaux de couleur différente selon le type d'agression. Sur le terrain, le résultat demeura assez dérisoire : les bandits avaient compris que la chasse avait recommencé et ne sortaient plus de leur trou.

Toutefois, au bout d'une semaine, Jaïn reprit courage : un superintendant en poste du côté de la rivière Betwa lui prouva, photo à l'appui, que l'homme au bandeau rouge ne pouvait être que Man Singh, un dangereux gangster, vendeur de lait de son état et tireur remarquable, ce qui lui avait valu l'estime du Grand Moustakim dont il était le second. Le correspondant de Jaïn avait réussi à le capturer quatre ans plus tôt. L'homme s'était malheureusement évadé avant son transfert à la prison centrale.

Jaïn transmit immédiatement sa photo à Rajpur. Les victimes de l'attaque du 20 décembre se montrèrent catégoriques : c'était bien l'homme au bandeau rouge.

Il s'empressa alors d'aller annoncer ce brillant progrès à Mahendra. À son habitude, l'inspecteur général choisit de lui dissimuler sa satisfaction. Il prit sa mine la plus austère avant de lâcher :

– Et la fille, on sait à quoi elle ressemble ?

Jaïn exhala un très long soupir :

– Toujours rien. Rien de plus.

– Qu'est-ce qu'on dit d'elle ?

Mahendra baissa les yeux, comme pris d'une pudeur subite, agita mollement la main du côté du jardin, ce qui signifiait qu'il voulait parler des ravines.

– Rien, soupira de nouveau Jaïn.

– Même pas les thakurs ?

– Rien non plus.

L'inspecteur général se mit à feuilleter son répertoire téléphonique, comme chaque fois qu'il poursuivait une autre idée ; et Jaïn avait beau posséder une grande pratique de ses tortueuses circonvolutions cérébrales, il ne parvenait pas, cette fois non plus, à deviner où il voulait en venir. Mahendra continuait à marmonner, la bouche lasse et dédaigneuse : « On parlait pourtant beaucoup d'elle dans les campagnes, avant... On en faisait même des chansons. Voilà qu'elle ressuscite, et rien. Rien nulle part... C'est à croire... c'est à croire que l'imagination se perd... »

Jaïn l'approuva secrètement, il était lui-même à court d'invention, il ne trouvait rien à répondre à Mahendra ;

et l'autre, sentant son avantage, se redressa contre le dossier de son fauteuil et reprit de toute sa superbe :

– Et les frères Singh ? Vous avez des nouvelles des frères Singh ?

– Aucune nouvelle. Tout ce qu'on sait, c'est que la fille les cherche aussi. Elle a brutalisé des paysans pour savoir où ils étaient.

Mahendra se crispa immédiatement :

– Où se sont passées ces attaques ?

– Rien de grave, sourit aussitôt Jaïn. Du menu maraudage. Ça s'est passé entre Kalpi et Etawah. Elle a menacé, crié, pris des bijoux, des transistors, trois fois rien. Mais on sait que c'est elle. Elle a donné chaque fois son nom, elle a crié vengeance, comme à Rajpur ; et elle a aussi demandé où étaient les jumeaux. D'après les gens de là-bas...

Il hésita à son tour à nommer les ravines, tenta de copier le geste de Mahendra, son élégant et négligent mouvement des doigts du côté du jardin. Mais il avait la main courte et boudinée, il sentit tout de suite qu'il n'aboutirait qu'à une sorte de trémoussement de montreur de marionnettes. Il poursuivit alors en baissant les yeux :

– Il semblerait qu'elle ne s'attaque qu'à des villages où on les lui a signalés et...

Mahendra se raidit contre le dossier de son siège :

– Vous dites vous-même que tout le monde ignore où sont les deux frères. Il y a bien des gens qui le savent, dans la Vallée, puisque la fille les suit à la trace. Il y a bien des gens qui parlent. Et s'il y a des gens qui savent et qui parlent, vous aussi, vous devriez savoir !

De phrase en phrase, Mahendra avait haussé le ton, et il dut s'en vouloir, car Jaïn le vit prendre une inspiration profonde avant d'enchaîner sur un ton plus uni :

– Dans cette histoire, il y a beaucoup trop de silence pour des gens qui ont l'habitude de faire beaucoup trop de bruit.

Et il se remit à feuilleter son répertoire.

Jaïn eut un long moment d'embarras. Comme d'habitude, il ne savait pas s'il devait sortir ou rester. En désespoir de cause, il crut bon de déplier sur le coin du bureau la dernière carte de la région, qu'il venait enfin de recevoir de Delhi, et commença à y chercher le nom de Behmai. Mahendra leva aussitôt le nez de son répertoire, abattit sur la carte sa longue main soignée, la replia d'autorité. Et, tandis qu'il l'enfouissait, la mine plus fermée que jamais, dans un tiroir de son bureau, il laissa tomber :

– Je veux savoir avant une semaine où sont les frères Singh.

– En tout cas, pas dans leur village, repartit posément Jaïn. J'ai sur mon bureau deux rapports, contresignés par le chef de district, qui assurent que cela fait bien trois mois que les deux frères n'ont pas remis les pieds chez eux.

Si Mahendra avait été désarçonné par l'aplomb soudain de son subordonné, il ne le laissa pas paraître, car il maintint :

– Je vous donne une semaine pour les retrouver.

Puis il ajouta, la bouche rétrécie par ce qui pouvait passer pour la plus aigre des rancœurs :

– Ils nous ont trahis.

– La liquidation de la fille ne faisait pas partie du marché. C'étaient les frères qui voulaient sa peau, pas nous.

Pour opposer cette dure vérité à l'inspecteur général, Jaïn, à son habitude, s'était entièrement rétracté sur lui-même ; et maintenant, l'œil aux aguets, il attendait la foudre.

Qui ne vint pas. Il était écrit que le sinueux cheminement des pensées de l'inspecteur général lui resterait à jamais impénétrable, car Mahendra se replongea sur-le-champ dans son répertoire et se remit à le feuilleter. Il n'avait jamais paru à Jaïn aussi détaché.

Mais, brusquement, sa main s'arrêta sur une liste

dactylographiée. Il remonta lentement l'index le long d'une série de noms (laissant poindre à cet instant une amorce de sourire rien qu'à pressentir que Jaïn, en face de lui, tentait de déchiffrer les noms à l'envers). Puis il hésita entre plusieurs lignes – vraisemblablement une ultime feinte, de pure forme – et son doigt se figea enfin sur un nom encadré de rouge que Jaïn, à ce seul signe, reconnut immédiatement : c'était la ligne directe du Premier ministre de l'État.

Mahendra vit qu'il avait compris. Il se souleva alors légèrement de son fauteuil et se pencha par-dessus son bureau pour lui glisser, juste avant de soulever le combiné :

– À partir de maintenant, on n'est plus tout seuls. Je vais demander les Unités spéciales. Il va falloir qu'on marche avec Delhi.

Et il pointa l'index vers le plafond, comme s'il parlait des dieux.

C'était à ne pas croire, se souvient Jaïn : l'orgueilleux, le fier Mahendra, s'essayant à des airs patelins, mollassons, lui, le plus grand maniaque du pouvoir et du secret qu'on eût connu dans toute l'histoire de l'inspection générale –, le Grand Mahendra, en somme. Et voilà qu'il se mettait d'un seul coup à jouer les petits fonctionnaires, il décidait de jeter l'éponge, de s'en remettre à d'autres, de tout abandonner de son souverain pouvoir... Voilà qu'il appelait le gouvernement fédéral à la rescousse, et tout ça pour quoi ? Pour une fille dont personne ne connaissait le visage, une folle qui s'habillait en jean, s'accouplait à la première crapule qui croisait son chemin, passait son temps à hurler dans un mégaphone et à gesticuler avec un fusil mitrailleur dont elle ignorait peut-être tout du maniement...

Cependant, Jaïn avait appris de longue date à se méfier de l'inspecteur général. Sa déclaration le laissa abasourdi. Mais l'effet ne s'en fit pas attendre : le soir même, lui aussi couchait au bureau.

85

L'appel à Delhi n'était pas une menace en l'air aux seules fins d'impressionner Jaïn. Début janvier 1981, via le Premier ministre d'Uttar Pradesh, l'inspecteur général sollicita effectivement l'aide du gouvernement fédéral, qu'il obtint sous deux formes. D'abord par l'envoi rapide des « Unités spéciales », commandos entraînés, selon le langage technocratique déjà en vigueur dans les ministères, « à faire régner l'ordre en cas de turbulences en zone rurale ». D'autre part, il soutira aux bureaucrates de Delhi la promesse de crédits supplémentaires pour ses propres hommes au cas où la situation viendrait à empirer.

Dès réception de cette délectable nouvelle et en attendant l'arrivée des susdites Unités, Mahendra établit dans ses moindres détails le plan de campagne qu'il soumettrait à leur chef – car, ainsi qu'il était prévisible, il entendait s'imposer comme l'inspirateur exclusif de ce qu'il intitula, avec une ingénuité qu'on n'attendait pas de lui, l'« opération Anti-Bandits ».

Il faut peut-être imputer cette appellation puérile à un début de fatigue. Il est vrai que ses longues journées de travail l'exténuaient de plus en plus ; mais, davantage encore, le mauvais sommeil qui s'ensuivait.

Sa vie conjugale s'était pourtant apaisée, Mrs. Mahendra ne le poursuivait plus de ses aigres réquisitoires. L'inspecteur général avait réussi à instituer avec elle ce qu'il considérait comme un fort convenable *gentleman's agreement* : il rentrait chez lui un soir sur trois. Mais sa femme avait aussitôt ourdi contre lui un très efficace moyen de rétorsion (« de vengeance », pensait en fait Mahendra, de plus en plus hanté par les propos de *la fille*) : la plupart de ces soirs-là, elle allait au cinéma.

Voilà pourquoi les nuits de l'inspecteur général étaient si agitées. Certes, il n'était pas couché qu'il s'endormait. Mais il rêvait. Et il rêvait mal. Ou, plus exactement, ses rêves – presque toujours les mêmes – l'épuisaient encore plus que ses journées de labeur. Cela commençait toujours de la même façon : il voyait Mrs. Mahendra faire la queue pour acheter son billet de cinéma. Puis elle s'installait sur son siège. La lumière s'éteignait, le film commençait. Sur l'écran grimaçait en gros plan le visage d'une femme – le sien. Mais il avait tôt fait de se métamorphoser. S'ensuivait une sarabande de silhouettes féminines plus ou moins floues, vues sous divers angles, en plans plus ou moins rapprochés – certains, parlons net, étaient carrément inavouables, surtout quand l'inspecteur général, au petit matin, toute lucidité recouvrée, récapitulait l'inventaire des personnes du sexe qui étaient venues troubler la sérénité de son sommeil. Y défilaient presque chaque nuit : la jeune actrice en sari mouillé qui l'avait tant perturbé quand il avait treize ans ; les statues aux seins nus qui ornaient son jardin ; feu sa mère ; ses deux nurses successives (la première, il s'en souvenait encore, avait été renvoyée quand il avait six ans pour copulation intempestive avec un cureur d'égouts) ; Mrs. Mahendra à dix-huit ans, le soir de leurs noces ; une prostituée musulmane chez qui il avait eu une longue habitude à Narendranagar, son premier poste dans le Nord ; la Déesse ; une jeune et jolie Intouchable de treize ans qui balayait la pelouse devant son bureau tous les matins ; Indira Gandhi ; la bru de la précédente, l'Italienne qui avait épousé Rajiv, son fils aîné ; enfin deux autres étrangères, Jayne Mansfield et Sophia Loren, dont la présence lui parut plus incongrue que toutes les autres : il ne les avait jamais vues à l'écran, mais seulement en photo dans les deux magazines les plus sérieux de l'Inde, l'*Indian Express* et le

Times of India. Enfin, bien entendu, il y avait *la fille*.

Au bout de quelques jours, Mahendra dut convenir que ce rêve – mieux eût valu, il en était conscient, le baptiser « film endormi », mais l'inspecteur général y répugnait de tout son être – lui présentait une série de créatures immanquablement pourvues, Mrs. Mahendra comprise, surtout dans sa prime jeunesse, d'attributs mammaires non négligeables ; et, en dépit du dégoût qu'il s'inspirait à lui-même à l'issue de ces troubles nuits, il finit par juger que s'il fallait prêter aux rêves, comme tant de bons esprits en Inde et ailleurs, des facultés divinatoires, il avait peut-être, sans le vouloir, fait progresser son enquête : si cela se trouvait, la fille avait de gros seins.

Au bout de trois nuits, il en fut intimement persuadé. Et d'autant plus effaré. Un dégoût d'un genre nouveau l'envahit alors, qui commença à tourner à l'obsession : il trouva qu'il y avait beaucoup trop de femmes autour de lui. Au bureau, trop de dactylos, trop de secrétaires, trop de domestiques femelles. Dans son jardin, trop de statues féminines. Trop de déesses dans les temples. Trop de femmes dans ce pays, en définitive, à commencer par celle qui le gouvernait. Trop de saris dans les rues, dans les trains, les autobus, trop de voix suaves à la radio, trop de seins sous trop de corsages, trop de standardistes femmes, trop de balayeuses, trop – ô combien trop ! – d'actrices de cinéma, trop de bijoux, de maquillage, trop de cliquetis de bracelets. Que l'inspecteur général se trouvât chez lui ou au bureau, que sa femme fût ou non allée au cinéma, il lui fallait désormais une bonne demi-heure de concentration et un thé très fort chaque matin avant de parvenir à chasser de sa tête ces étranges pensées. Il avait beau s'accuser de préjugés rétrogrades, il n'arrivait pas à s'en débarrasser. Et il ne parvenait pas davantage à déterminer si le travail pourrait ou non l'en délivrer.

Car, bien sûr, sous couvert de l'« opération Anti-Bandits », et même s'il tâchait de parler d'elle le moins possible, il n'avait que *la fille* en tête. Jamais, pourtant, les ravines n'avaient été si calmes. Alertés par l'arrivée des Unités spéciales, les gangsters se terraient plus que jamais. Leur réseaux d'informateurs et de ravitailleurs devenaient si incertains que plusieurs chefs, prétendit un rapport, avaient repris les coutumes de la vieille Inde moghole et n'avalaient plus un seul curry sans qu'il eût d'abord été touché par deux ou trois goûteurs.

Enfin, dernier sujet de satisfaction pour l'inspecteur général, et non des moindres, les journalistes aussi se tenaient cois. Avec une maîtrise rare dont Mahendra jugeait qu'à elle seule, elle pourrait lui valoir du galon, le superintendant Gupta était parvenu à étouffer l'affaire de Rajpur. La presse n'y avait consacré que quelques articles assez neutres où le nom de *la fille* était simplement signalé, sans le moindre artifice romanesque. Quant à l'arrivée des Unités spéciales, les journalistes l'avaient traitée sans plus de sensationnel. Il est vrai qu'on avait su l'entourer d'une savante ambiguïté, en la leur présentant comme une simple opération d'entraînement. En somme, l'imagination semblait s'être mise partout en sommeil – sauf, par un bien malencontreux retournement des choses, dans l'inconscient nocturne de l'inspecteur Mahendra.

Vers la fin du mois de janvier, toutefois, ses nuits se firent meilleures. Ses rêves devinrent plus opaques ; ne s'y agitèrent plus que de vagues mamelons assortis de visages imprécis, qui finirent par se dissoudre dans les eaux nébuleuses d'autres songes. En conséquence, les réveils de l'inspecteur général furent plus sereins, il parvint même, par certaines aubes fraîches et bleues, à mesurer tout le chemin qu'il avait parcouru en un an. Par exemple, il se fit la réflexion que c'était à peu près à la même époque, l'année précédente, qu'avait eu lieu l'attaque de Guffiakhar. Il se rendit compte qu'il n'avait pas mis six mois à liquider l'auteur de ce forfait, le dangereux Vikram Mallah, et ce aux moindres frais, en neutralisant par la même occasion les redoutables frères Singh. Les journalistes ne rêvaient plus des bandits ; dès la première alerte, les Unités spéciales pouvaient lancer leurs commandos dans les ravines. En définitive, contrairement aux terreurs qui l'avaient sottement agité, les destinées du monde n'étaient pas près d'échapper à la virile raison des hommes d'ordre.

L'inspecteur général se remit alors à promener sur ses services son œil froid et tranquille, à nouveau il se délecta d'y voir les signes de la pensée méthodique. Ses subalternes, comme lui, commençaient à se fatiguer, mais leur résolution, leur discipline n'étaient en rien entamées. Chaque matin, les télégrammes et les rapports étaient minutieusement disséqués, puis recoupés, la carte de la délinquance méticuleusement tenue à jour, même s'il n'y avait guère de petits drapeaux à y déplacer, les informations consignées dans des dossiers impeccablement classés et hiérarchisés – une organisation de fourmilière, capable de défier, malgré sa lenteur, les meilleurs ordinateurs des pays occidentaux. Jaïn lui-même n'ouvrait plus le bec, il se sentait maintenant obligé de dormir au bureau cinq jours sur sept – il est vrai que sa femme n'avait pas la pugnacité de Mrs. Mahendra et qu'il en profitait, deux fois la semaine, pour se rendre dans un bordel situé juste en face de l'inspection générale et où l'on proposait, selon la rumeur, de très mignonnes adolescentes.

Un petit monde bien viril, se félicita Mahendra. Quel autre district, quel autre État pouvait se vanter de services policiers aussi subtilement régis ? Du reste, depuis que Mahendra avait obtenu la présence sur son territoire des Unités spéciales, ses homologues du Rajasthan et du Madhya Pradesh crevaient de terreur à l'idée que les attaques ne reprissent dans leurs ravines, et ils venaient – trop tard ! – de réclamer à cor et à cri l'octroi de nouveaux crédits. Pour l'heure, Delhi faisait la sourde oreille. Il y avait donc gros à parier que si la fille devait chercher à se faire remarquer, ce serait là-bas, chez eux où la police, faute de moyens et par incurie chronique, demeurait particulièrement somnolente. Mais, chez lui, Mahendra, elle était sur les dents, surtout dans les campagnes, les postes les plus reculés, les plus isolés. Un filet aux mailles étroites était désormais tendu sur les ravines. Même s'il ne couvrait pas les sentes, les crevasses, les défilés, les chemins secrets des bandits, on surveillait étroitement tous leurs points de passage obligés, les gués, les ponts, les marchés de villages, les gares, les grands temples de la Déesse et des dieux briseurs d'obstacles. Mahendra en donnait sa tête à couper : tout anguille qu'elle fût, souple et traîtresse comme le cobra, *la fille* n'y échapperait pas.

Et c'est par un de ces matins limpides et bleus de la fin janvier, si propices à la méditation et à la paix de l'âme, que la standardiste de l'inspection, par étourderie, passa à Jaïn – au lieu de Mahendra – un message de la plus haute importance, en provenance de Sultanpur, énorme bourg situé en plein cœur de la Vallée. À la première phrase qu'il entendit à l'autre bout du fil, la main de Jaïn, prête à prendre des notes, se mit à vaciller. L'autre croyait qu'il parlait à Mahendra, il lui resservait sans cesse des « Monsieur l'Inspecteur général » sirupeux et effarés. Jaïn ne parvint pas à l'interrompre et se contenta de noter ses propos d'une main de plus en plus tremblante, si bien qu'il eut le plus grand mal à se relire quand son interlocuteur eut enfin raccroché.

Ce n'était pas seulement son écriture qui était à incriminer. Il n'arrivait pas à croire à ce qu'il avait entendu. Et il se demandait quel était le forfait qu'il avait bien pu commettre dans une vie antérieure pour que ce fût à lui, et non pas à Mahendra, que la standardiste eût passé pareil appel. Il se demanda aussi comment il allait lui apprendre la nouvelle. Au bout de quelques instants de réflexion, il choisit la manière même de l'inspecteur général – la méthode froide. Il ne voyait pas d'autre issue, tout était si accablant dans ce qu'il venait d'entendre !

Chassés des campagnes, les bandits avaient eu le front de s'attaquer à une ville. Une heure et demie plus tôt, le bazar de Sultanpur avait été dévalisé de fond en comble par une quarantaine d'hommes costumés en policiers. Ils étaient entrés dans la ville en marchant en colonne, au pas et deux par deux, couverts de poussière, comme un peloton s'en revenant d'une patrouille. L'attaque avait été fulgurante. À l'entrée du bazar, la colonne s'était brutalement disloquée, les hommes qui ouvraient la marche avaient pris en otages cinq thakurs qui se rendaient à leur travail, tandis que le reste de la bande assiégeait le poste de police et tenait en respect tous les hommes qui s'y trouvaient. Le meneur se nomma aussitôt au mégaphone : c'était le Grand Moustakim. Puis il se lança dans une brève harangue où il se vanta de prendre aux riches pour distribuer aux pauvres et annonça que tous les hommes de basse caste, Intouchables compris, n'avaient rien à redouter, bien au contraire, puisqu'ils auraient leur part du butin quand l'attaque serait terminée.

Et la razzia commença. Des auvents furent enfoncés, des étals renversés, piétinés, des marchands assommés. Le bazar se vida en quelques instants. Toutes les bijouteries sans exception furent mises à sac, mais aussi quelques épiceries – on comprit ensuite pourquoi : les bandits tinrent leur promesse, ils distribuèrent ce qu'ils y avaient dérobé à tous les hommes de basse caste qui avaient assisté au pillage dans la plus parfaite apathie. De pleins sacs de riz, des caisses de gin, de whisky, de rhum et autres liqueurs leur furent ainsi abandonnés. Fort heureusement, il n'y avait eu ni mort ni blessé grave, en dehors d'un bijoutier sévèrement molesté par deux jeunes bandits. L'un d'eux, grand et maigre, semblait correspondre au signalement de Man Singh. Dans la confusion, un autre bandit avait laissé derrière lui un étrange document : une sorte de journal. À première lecture, il semblait que son auteur appartînt à l'ex-bande de Vikram Mallah et que le gang comptât à présent une femme ; et de fait, au moment où les bandits avaient quitté Sultanpur, une petite Intouchable de dix ans s'était vu offrir une chaîne en or par une jeune fille aux cheveux courts, elle aussi costumée en policier. Pour le reste, en dehors de l'inventaire des marchandises dérobées, qui allait sans doute prendre plusieurs jours, il ne fallait guère compter sur d'autres informations.

Dès qu'il eut fini de relire ses notes, et avant même d'en référer à Mahendra, Jaïn rappela le chef du poste de Sultanpur pour lui réclamer le supposé journal découvert dans les ruelles du bazar. Le fonctionnaire, encore sous le coup de l'émotion, se trompa d'adresse et l'expédia à l'inspection générale de Lucknow, dont il dépendait avant sa dernière affectation. Les fonctionnaires de Lucknow firent suivre le paquet à Kanpur sans l'avoir ouvert. Si bien que le document ne tomba aux mains de Mahendra que le 14 février 1981, alors même que se déroulaient à Behmai des événements infiniment plus graves que le sac de Sultanpur – ceux-là mêmes que la presse convint ensuite d'appeler, dans une référence unanime au carnage perpétré cinquante-deux ans plus tôt par Al Capone dans les bas-fonds de Chicago, « le massacre de la Saint-Valentin ».

86

Ce matin-là, Attu n'a pas cessé de consulter sa montre. C'était devenu chez lui un tic, mais il faut dire qu'elle était superbe, cette montre volée à Sultanpur, une vraie montre d'homme riche, en acier cerclé d'or, énorme, avec une aiguille pour les secondes et deux brillants sur les côtés. Il faut dire aussi que, ce jour-là, tout devait se faire à la minute près. C'est Devi qui l'avait dit quand elle avait arrêté le plan avec Man Singh et Moustakim ; et, pour Attu, il n'était pas question de faire autrement que Devi avait dit. Sauf peut-être pour lui en donner plus, l'étonner, l'éblouir. Elle avait commandé de suivre le plan à la minute près ; lui, Attu, aurait voulu lui obéir à la seconde. Du reste, le soir où on avait fixé la date de la vengeance, il avait été le premier à hurler : « Vive Vikram ! Vive Devi ! » C'est lui aussi qui avait crié le plus fort – si fort que certains hommes s'étaient moqués de lui, comme tout à l'heure, dans la barque, à cause de sa montre qu'il n'arrêtait pas de consulter. Attu avait ri avec eux, il se fichait bien de ce que les autres pouvaient penser, ils ne pouvaient pas comprendre, il y avait désormais tant de choses entre Devi et lui depuis le sac de Sultanpur. Ce jour-là, il avait décidé qu'il serait son esclave. Il ne lui en avait rien dit, pour sûr, mais il était persuadé qu'elle l'avait deviné. C'était bien simple : pour le raid de la vengeance, le plus risqué de tous, elle avait décidé qu'il serait le seul et unique éclaireur. Elle avait argué de l'étroitesse du chemin, de sa rapidité à escalader les pentes. Le chemin, Attu le savait sans même l'avoir vu, n'était pas plus étroit qu'un autre. Quant à son agilité, il y avait dans la bande d'autres hommes qui couraient aussi vite que lui. La vérité, il en aurait mis sa tête à couper, c'était que Devi l'avait remarqué ; et si Attu avait eu son journal sur lui, il y aurait écrit tout net le fond de sa pensée : il avait un ticket avec elle. Ni plus ni moins.

Voilà pourquoi, en ce jour de la vengeance, alors qu'on venait d'amarrer les barques en contrebas de Behmai, Attu n'arrêtait pas de regarder sa montre. Pour Devi, il entendait déployer toutes les ressources de sa docilité. Il rêvait que le moindre de ses gestes, par sa précision, fût l'éclatante démonstration de son allégeance. Il était certain qu'elle s'en apercevrait, qu'elle lui en saurait gré.

Et qu'ils seraient unis dans le triomphe. La suite, il n'osait trop l'imaginer. Mais, il en était sûr, il y aurait une suite. Une belle suite. Car Attu en était également convaincu, aucun homme ne pourrait jamais l'adorer autant que lui.

Certes, Man Singh continuait de la suivre comme son ombre, mais parfois il la critiquait; et, depuis le soir où la date de la vengeance avait été arrêtée, il lui reprochait de le négliger. Man Singh non plus ne pouvait pas comprendre, pensait Attu. Il avait dix ans de plus que Devi, il s'était rassoté à force de courir les ravines. Et puis, à Sultanpur, à la fin du sac, quand s'étaient passées les choses importantes, au fond du bazar, il n'était pas là. Il était à l'autre bout de la rue, à diriger le siège du poste de police. Tout ce qu'il savait de l'affaire, il le tenait de Devi. Mais il l'avait à peine écoutée quand elle avait parlé, ça l'avait agacé d'avoir été absent à un moment pareil. Alors, forcément, il ne pouvait pas comprendre.

Lui, Attu, Sultanpur avait été son heure de gloire. Pourtant il n'était pas très fier quand la bande avait fait irruption dans la ville au pas de course, dans la poussière rosâtre du matin levant. C'est au moment de l'attaque du poste de police qu'il avait compris que les choses allaient bien tourner, lorsqu'il avait vu les passants se figer sur place à la seule vue des mitraillettes. Ensuite, tout s'était enchaîné sans heurts, exactement selon le plan élaboré par Moustakim, Devi et Man Singh. Les hommes s'aventuraient dans une ville pour la première fois, mais pas le moindre incident, pas la moindre anicroche. Tout, d'emblée, leur avait été acquis. Jusqu'au phénoménal coup de chance de la fin – ce sourire du destin, dans l'échoppe d'un joaillier.

C'était arrivé tout au fond du bazar, juste avant que Moustakim n'ordonnât la retraite. Devi était occupée à piller la boutique d'en face, un magasin bourré de transistors et de batteries de cuisine. Lui, Attu, avait choisi le bijoutier. Les présentoirs étaient vides, il crut que la boutique avait déjà été dévalisée. Mais, au moment de sortir, son regard fut attiré par un registre ouvert au beau milieu du comptoir. Machinalement, il y jette un coup d'œil. Il se fige sur-le-champ : au beau milieu de la page s'étale le nom des frères Singh. Il est suivi d'une adresse, d'une attestation de paiement, d'un tampon, d'une commande, d'une signature. C'est à n'y pas croire : les jumeaux sont venus ici il y a moins d'une semaine pour acheter des bracelets de mariage et commander des boucles d'oreilles.

Attu est stupéfait, il veut vérifier qu'il a bien lu, se penche sur le livre de comptes. Il relit les noms de Sri Ram et Lalaram Singh. Aucun doute, ce sont bien eux : un duo pareil, il n'y en a qu'un dans la Vallée. Et il n'y a qu'eux pour se croire tout permis, laisser ainsi leur nom à un marchand du bazar. Il faut qu'ils y tiennent, à leurs boucles d'oreilles, songe-t-il alors. Il faut qu'ils ne se sentent plus.

Attu s'approche à nouveau de la sortie, il se demande fugacement lequel des deux frères a bien pu se décider à se marier, et avec qui ; c'est à ce moment-là qu'il perçoit un léger bruit venant de dessous le comptoir.

Il se baisse, hasarde sous le meuble le canon de son vieux fusil. Le métal rencontre une masse molle. Il hurle aussitôt comme au cinéma : « Dégage de là ! » Presque immédiatement, il voit se déplier devant lui la silhouette d'un nabot filiforme, aux traits chafouins. L'homme ne tremble pas, ne semble pas même surpris. Il a seulement l'air méfiant ; et Attu devine que, malgré sa maigreur et sa taille ridicule, il pourrait, d'un instant à l'autre, se faire très méchant.

Il appuie sur sa tempe le canon de son fusil. C'est facile, l'homme lui arrive à peine à la taille. Il le pousse jusqu'à la porte et crie à Devi, à travers la rue qui coupe le bazar : « Je sais où sont les jumeaux ! » Elle est toujours occupée à entasser des transistors dans un sac. Elle s'arrête dans l'instant, mais elle n'y croit pas encore, elle a l'œil qui dit : « C'est trop beau. » Attu insiste : « Viens donc,

Devi, amène-toi ! » Elle pense sans doute que les deux frères se trouvent dans l'échoppe, car elle met son Mauser en joue. Attu pousse le bijoutier sur le côté, se remet à vociférer : « Ils sont venus la semaine dernière ! Je tiens le marchand ! Il faut qu'on le cuisine… »

Puis il se redresse, brandit le livre de comptes : « Je sais lire, moi, tu comprends, je sais lire ! » Mais Devi n'a pas un regard pour lui. D'un bond, elle traverse la rue, saute sur le bijoutier, le renverse sur le sol de l'échoppe, lui décoche un coup de crosse dans le ventre. L'autre ne se fait pas prier. Dès qu'il a retrouvé son souffle, il répond à toutes leurs questions.

Oui, les frères Singh sont bien venus la semaine passée, oui, il savait que c'étaient de grands bandits, mais ils l'ont payé cash, pour les bracelets, en grosses coupures, et ils lui ont passé commande d'une paire de boucles d'oreilles, ils lui ont même versé des arrhes. Attu l'interrompt : « Tu te fous de moi ! Tout ça, c'est écrit dans ton registre. La suite ! Lequel des deux va se marier ? » Et il se met à le bourrer de coups de pied.

À ce moment-là, une petite mare malodorante commence à s'étaler sur le sol de l'échoppe. Devi pose son bras sur celui d'Attu : « Arrête, il va tourner de l'œil. » Attu lève le bras, reprend plus calmement : « Alors, c'est lequel des deux qui se marie ? Le petit maigre à l'air vicieux, ou l'autre, le baraqué ? – Ni l'un ni l'autre, bafouille le bijoutier tandis que la mare jaunâtre continue de s'arrondir. C'est leur neveu, il vit chez eux, à Konch. – À Konch, à Konch, qu'est-ce que tu vas chercher là ? » grommelle Attu en forçant sur les graves. Le bijoutier avance l'index vers le livre de comptes : « Si tu sais lire, tu vois bien que c'est marqué… »

Attu se penche à nouveau sur le livre, constate qu'en effet, telle est bien l'adresse fournie par les jumeaux. D'un seul coup, il se sent très fier. Il se rengorge, chuchote à Devi : « Tu vois, je te l'avais bien dit. » Et il se dirige vers la sortie. Mais elle n'est pas pressée, elle se penche vers le nabot, lui demande de sa voix la plus suave : « Et le mariage, c'est pour quand ? » Le bijoutier prend le temps de déglutir avant de répondre : « Dans trois semaines. – Quand au juste ? » reprend Devi, et elle lui arrache d'un coup sec la grosse chaîne en or qu'il porte au cou. Le bijoutier lâche aussitôt : « Je crois... je crois que c'est le jour de la fête de Grand Shiva Flamboyant. »

Attu revient alors sur ses pas, tente de reprendre l'avantage. Il avise au mur un grand calendrier orné de photos d'actrices, le décroche, le lui tend, lui ordonne : « Montre ici. » L'homme soulève le feuillet de janvier, saisit celui du mois de février. Enfin son doigt s'arrête à mi-parcours, à la date du 14. « Tu es sûr ? » questionne Attu. L'autre acquiesce, dodeline de la tête. « Et la fiancée, elle est d'où ? insiste Devi. – De Moth », souffle le nabot. Devi se retourne vers Attu : « Tu t'en souviendras ? – Tu parles ! » s'exclame-t-il en partant d'un grand rire.

Cet instant-là, c'est son plus beau souvenir du sac de Sultanpur. Devi et lui se touchaient, la peau découverte de son bras frôlait le sien, il a senti une immense chaleur l'irradier, il aurait voulu que ce moment ne se termine jamais. Mais Devi, comme toujours, a gardé la tête froide. Elle a brusquement froncé les sourcils et lui a jeté en désignant le nain : « Il va parler, ce porc-là, quand les jumeaux vont venir chercher leurs boucles ! »

La suite est restée confuse dans l'esprit d'Attu. Sur l'établi du joaillier, à droite du comptoir, il a vu un grand tranchoir, il s'est d'ailleurs demandé ce qu'il faisait là, car il ressemblait à un instrument de boucherie. Comme en rêve, il s'est entendu répliquer à Devi : « Tu vas voir s'il va parler ! » Il a saisi la main droite du nabot, l'a plaquée sur le comptoir et, d'un seul coup, lui a tranché l'index.

L'avorton n'a pas eu un cri, il s'est affaissé à leurs pieds, tandis que le sang pissait partout. Attu a piaillé : « Si tu parles, tu y passes tout entier ! » et il a aussitôt bondi dehors, les jambes flageolantes. Il n'a pas eu le cœur de dévaliser la boutique ; c'est Devi qui, sautant derrière lui, lui a lancé une montre – il a eu l'impression que c'était celle du nain. Puis elle a crié : « Idiot, prends toujours ça ! » La montre s'est écrasée dans le ruisselet de boue qui traversait le bazar. Attu s'est baissé pour la ramasser ; et c'est là qu'il a perdu son journal.

C'est du moins ce qu'il a pensé plus tard, bien plus tard, quand il s'en est rendu compte, alors que la bande s'enfonçait dans les premières ravines. Était-ce l'odeur de la terre, de nouveau le goût de poussière, âcre et mordant, au fond de la gorge, Attu s'est senti brutalement écrasé, sa fierté et son ivresse se sont dissipées, il a eu envie d'écrire, il s'est demandé comment il allait raconter l'attaque du bazar, il a machinalement tâté sa poche de chemise, là où il gardait son carnet avec son paquet de noix de cajou et ses cigarettes à l'eucalyptus. Quand il a senti qu'elle était vide – plus de noix non plus, pas davantage de cigarettes –, il a eu une impression curieuse, il s'est senti flotter, exactement comme après avoir tranché le doigt du nabot. Il a pensé s'arrêter, chercher au fond de son sac pour vérifier si, avant l'attaque, dans l'excitation du départ, il n'y avait pas enfoui ses précieuses écritures. Mais il s'est dit qu'il ne fallait pas attirer l'attention, qu'il devait éviter que personne fût au courant – surtout Devi qui marchait juste derrière lui dans la colonne et dont il croyait sentir en permanence le regard noir attaché à sa nuque. Il ne s'est donc pas arrêté, il n'a rien changé à son pas, il n'a pas cherché son journal, se contentant de murmurer ses prières au Dieu-Éléphant. Et c'est seulement le soir, au moment où les deux bandes se sont installées sous l'arbre aux perruches, devant un grand feu, qu'il a consenti à se rendre à l'évidence : il avait bel et bien perdu son carnet.

Du coup, tout fut gâché de la liesse qui suivit, même quand il s'égosilla : « Vive Devi ! Vive Vikram ! » au moment du partage du butin. Rien ne put soulager son tracas : ni sa part du pillage – elle était pourtant énorme : rien qu'en billets de banque, les bandits les moins gradés reçurent de quoi s'acheter une arme neuve et plusieurs paires de chaussures –, ni même les compliments de Devi lorsqu'elle conçut avec Moustakim le plan de la vengeance. Et pourtant elle n'en fut pas avare, elle raconta l'histoire du joaillier exactement comme elle s'était passée, expliquant que c'était grâce à lui, Attu, qu'elle avait su où étaient les frères Singh. Elle demanda même qu'on lui offrît dix mille roupies de plus, pour la peine, et elle ajouta : « Tu t'achèteras une mitraillette avec, une neuve, une belle ! » Puis elle parut rêveuse, tout à coup elle eut l'air d'être là seulement en visite, sur le point de repartir d'un instant à l'autre pour un autre monde – celui des flammes, peut-être, qui zébraient ses traits fatigués.

Mais elle revint brusquement à elle, elle se reprit et lui lança : « Un jour, Attu, tu m'apprendras à lire. » Il baissa le nez dans son nouveau carnet, y griffonna pour la forme quelques séries de chiffres qui ne correspondaient à rien. Nul n'y prêta attention : le Grand Moustakim venait de repousser sa pipe à eau comme chaque fois qu'il allait parler.

Il fut solennel comme jamais ; il avait écouté avec la plus grande attention le récit de Devi, il avait déjà son plan. Car il connaissait bien la région de Behmai, il savait que le pays, entre villages et champs, était raviné de gorges très étroites, et qu'un seul chemin reliait Konch, là où vivait le neveu des jumeaux, et Moth, le village de la future mariée. Ce chemin traversait Behmai.

Moustakim se mit à raisonner tout haut : la procession de mariage passerait nécessairement par le village des frères Singh. Il y avait gros à parier qu'en ce jour de fête, les frères retourneraient chez eux pour parader devant leur maison avec leur cadeau de noces, en attendant de se joindre au cortège. On n'aurait qu'à les cueillir. On arrive en barque, on monte à Behmai par le raidillon du fleuve. Dès qu'on a investi le village, on place ce chemin sous bonne garde pour couper toute retraite. Pendant l'attaque, des hommes munis de talkies-walkies restent en bas à surveiller le fleuve. Là-haut, les hommes pillent le village avec, par exception, droit de viol sur les femmes, eu égard à ce qui avait été fait à Devi. On lui réserve, comme c'est légitime, le sang des deux frères ; et on dévalise la procession dès qu'elle arrive sur la place. Rien qu'à penser aux bijoux achetés par les frères à Sultanpur, on pouvait tabler sur un beau butin. Tout au long de l'attaque, ce serait Devi qui donnerait les ordres, puisqu'elle était l'offensée. On répéterait l'opération plusieurs fois avant de passer aux actes. Quand tout serait fini, après le partage du butin, ici même, à Shama, les deux bandes se sépareraient. Chacun ferait ce qu'il voudrait. Pour lui, Moustakim, il donnerait le soir même quartier libre à ses hommes jusqu'à la fin du carnaval.

Man Singh émit alors une objection : si on connaissait le jour du mariage, on ignorait tout de l'heure où passerait la procession. Moustakim sourit, répondit qu'il y avait pensé. Les gens de Konch, croyait-il se souvenir, vendaient beaucoup de blé. Il suffisait, quinze jours avant le mariage, d'y envoyer deux hommes déguisés en thakurs. Ils feindraient de vouloir acheter du grain, ils feraient les difficiles, discuteraient les prix, reviendraient plusieurs fois, s'arrangeraient pour que les choses traînent jusqu'au matin des noces. Mine de rien, à chaque fois, ils prendraient leurs renseignements. On déciderait de l'heure de l'attaque au dernier moment.

Man Singh ne parut pas convaincu. « Allons, allons, bougonna alors Moustakim avant de se tourner vers son harmonium. J'ai des hommes qui feront l'affaire. » Et il se mit à chanter. Il rayonnait. Devi aussi en face de lui ; et Baladin, Badru, Balo, Kalla, tous les bandits – même Lukka. Man Singh se laissa aller à son tour. Avec le sac de Sultanpur, la vie avait pris couleur de facilité, de joie.

Il n'y avait que lui, Attu, à n'être pas à la fête, parce qu'il avait perdu son journal.

Il aurait voulu s'en aller au fond de la gorge pour ne rien voir, ne rien entendre. Mais il fallut bien rester, chanter avec Moustakim des complaintes de révolte et de mort, prier la Déesse avec tous les autres, réciter les oraisons au Dieu-Singe et au Dieu-Éléphant qui avaient si bien balayé les obstacles sur leur chemin. On fit fumer de l'encens devant leurs effigies, on but un peu d'alcool. Devi et Moustakim prirent dans une boîte des pincées de poudre sainte et se tracèrent l'un à l'autre, au milieu du front, le cercle rouge des longues amitiés. Les perruches se réveillèrent, caquetèrent un moment comme pour dire aux bandits que les dieux logés dans l'arbre voulaient partager leur joie. Puis elles se turent; un à un, les gangsters s'étendirent sous leurs bâches. À son habitude, Devi s'endormit dans les bras de Man Singh. Derrière les feuilles du figuier, la nuit était claire et alourdie d'étoiles comme chaque fois que les forces d'En Haut choisissent de bénir les rêveries humaines.

Cette nuit-là, Attu fut le seul à ne pas fermer l'œil. À un moment, comme il n'y tenait plus, il prit sa lampe de poche, son carnet neuf, essaya d'y tracer quelques lignes. Sous le décompte de ce qu'il avait gagné à Sultanpur, il écrivit qu'il allait s'acheter une mitraillette, puis amorça un croquis du Dieu-Éléphant. Mais il n'avait pas esquissé les contours de la tête qu'il s'arrêta. C'était plus fort que lui, il n'arrêtait pas de chercher ce qu'il avait pu consigner dans son carnet perdu à Sultanpur. Bizarrement, il ne parvenait à se souvenir que des achats de nourriture et de médicaments. C'était du reste le compte de Devi qui lui revenait toujours en premier; et, au premier chef, les tablettes de glucose et de vitamine C qu'elle lui demandait, en sus de ses boîtes de cachou, de lui acheter à chaque ravitaillement.

Les nuits suivantes ne se passèrent guère mieux. Attu finit par décider de tout avouer à Man Singh. Il n'avait pas refermé la bouche que l'autre lui rétorqua : « Tu n'as qu'à tenir tes comptes sur un nouveau carnet. » Et il retourna à sa partie de cartes.

Attu comprit alors qu'aucun bandit n'avait jamais prêté la moindre attention à ses écritures. Il eut un long moment d'abattement, alla errer au fond de la gorge, songea à s'enfuir. Mais, à l'instant de s'engager dans les ravines, il fut traversé d'une illumination : si personne dans la bande n'avait attaché d'importance à son journal, il en allait certainement de même pour les policiers de Sultanpur, à supposer que son carnet fût tombé entre leurs mains. Ces flics-là devaient être comme presque tous les autres dans la Vallée, des ploucs qui ne comprenaient pas un traître mot d'anglais et qui n'avaient jamais fait travailler leurs méninges. D'ailleurs, le carnet était certainement tombé dans la rigole, devant l'échoppe du joaillier. Il avait dû finir à l'égout.

Il décida de rester dans la bande. De ce jour, il ne pensa plus qu'à sa nouvelle arme. Il demanda aux deux paysans de Shama qui avaient retrouvé le marchand de Vikram, à Gwalior, de retourner chez lui pour lui acheter, avec les dix mille roupies de prime offertes par Devi, la meilleure mitraillette qu'il pût lui proposer. Et, dès qu'il l'eut en main, dès qu'il y eut fixé, selon le rite, une plaque d'argent à l'effigie de la Déesse, il se mit à rêver, comme les autres, au jour de la vengeance.

Plus on se rapprochait du 14 février, plus il retrouva d'assurance. À la radio, dès le lendemain du raid, on avait parlé de Moustakim, de Man Singh, de Devi. Mais à aucun moment on n'avait évoqué son carnet, pas plus que le joaillier à l'index coupé. Les journaux que lui prêtèrent les gens de Shama furent tout aussi muets sur ces deux sujets. Attu remarqua seulement que les journalistes parlaient de Devi dans tous les titres – au point, souvent, d'en oublier Moustakim. Ils lui avaient même trouvé deux surnoms : « La Belle Voleuse » et « Belle des Bandits ». Lui-même préférait le second. À son vif regret, néanmoins, on ne suggérait nulle part qu'elle pût être une tueuse.

Deux jours avant la date de l'attaque, les espions envoyés à Konch furent de retour à Shama et confirmèrent la date des noces. Une demi-journée plus tard, un autre éclaireur revint leur annoncer qu'à Moth, village de la fiancée, les tentes du mariage venaient d'être dressées. La procession devait traverser Behmai sur le coup de midi. Il semblait aussi que les frères fussent rentrés dans leur village. À cette nouvelle, Devi ne tint plus en place. À la moindre occasion, elle apostrophait Moustakim : « Allez, on répète le plan. » On le répétait inlassablement. Et quand on en avait terminé, elle concluait toujours sur la même phrase : « Tout doit se passer à la minute près. »

Attu se rendait bien compte que c'était une phrase toute faite, elle avait dû l'entendre dans la bouche de Vikram, ou peut-être au cinéma – avait-elle jamais compris, Devi, ce qu'était une minute, une seconde, même si elle avait appris à lire l'heure ? Elle était comme presque tous les bandits, instinctive, animale, engloutie depuis des mois et des mois dans le temps des ravines seulement marqué par les saisons, l'instant du danger, l'appel de la faim, de la soif, du jour et de la nuit, du soleil, du sommeil ; et, de loin en loin, par quelque anniversaire, les fêtes des dieux, les hommages dus à la Déesse. Mais cela lui plut, à Attu, qu'elle se voulût précise et se mît à jouer les grands chefs ; c'est ce qui a fait qu'il s'est attaché à sa montre.

Au début, il l'avait détestée, il s'était persuadé qu'il avait perdu son carnet en la ramassant. Mais, à force d'entendre Devi rabâcher sa phrase, il s'est dit qu'avec cette montre il tenait enfin l'occasion de briller. Trois jours avant l'attaque, il lui a confié qu'elle marquait les secondes. Elle a dû s'en souvenir car, la veille du raid, en face de Behmai, au moment de répartir les tâches, dans l'anse où l'on venait de dissimuler les barques achetées à des mallahs de Kalpi, c'est lui, Attu, qu'elle a désigné comme éclaireur pour prendre les présages et escalader le premier le raidillon menant au village : « Grimpe vite, lui a-t-elle commandé. Ne perds pas une seconde. Tu as une belle montre, je compte sur toi. » Derrière Attu, des hommes se sont mis à rire ; le lendemain, au moment du départ, ils ont aussi gloussé quand ils l'ont vu à la proue de la première barque, l'œil rivé à son cadran.

Il les a ignorés. Comme prévu dans le plan, il était exactement la demie de onze heures. Les barques glissèrent hardiment entre les bancs de sable, évitèrent le courant, troublèrent les eaux lisses d'un clapotis imperceptible, s'insinuèrent dans le goulet conduisant à l'anse de Behmai ; et déjà les falaises étaient là, rouges et rudes, avec la longue saignée du raidillon.

Midi moins vingt à peine, le moment de sauter de la barque, de relever la tête, de monter, courir, peiner seul contre la terre. Le ciel est entièrement vide, le chemin libre, désert, le monde tranquille et sans présages. Derrière Attu, les hommes sautent à leur tour des barques et vont se tapir à l'abri des falaises. Il consulte à nouveau sa montre. Cette fois, plus un rire dans son dos. Dans les cœurs, il n'y a plus que l'esprit de vengeance ; les bandits se recueillent, appellent sur eux le souffle noir de la Déesse. Attu bondit de roche en roche parmi les éboulis. Il nargue le vide, se sent gazelle, oiseau, libellule, cabri, tout ce qui dans l'univers est alerte et agile. La vie lui est facile en cet instant, légère comme le ciel de printemps où les jours et les nuits s'enchaînent dans la paix.

La pente est de plus en plus raide, Attu s'essouffle, mais voici enfin, derrière un effondrement de pierres qui ressemble à un vieux rempart, les premiers toits de chaume, les premiers murs de terre.

Le ciel est toujours vide. Attu consulte à nouveau sa montre : midi moins dix. Il faut donner le signal. Moustakim l'a dit : pour plus de sûreté, pas un mot, pas un bruit, pas de talkie-walkie. Il se contentera de lever le bras.

Un dernier regard sur les hauteurs des falaises. L'air se met à trembler, comme souvent vers midi. Quelque chose frémit derrière un piton – on dirait une étoffe. Puis, d'un seul coup, à gauche, Attu remarque un arbre sec. À son sommet, un corbeau. À peine l'a-t-il repéré que l'oiseau lâche trois grands cris qui ressemblent à un rire.

Il n'a pas encore levé le bras. Il pourrait le baisser. Il choisit de consulter sa montre. Dès qu'il a l'œil sur le cadran, Attu oublie le mauvais présage. Dix minutes pile depuis qu'il est parti. À la seconde près.

Il sourit. Exulte. Lève le bras. Il est dans les temps.

87

À son bras, Devi n'a pas l'heure. Ou plutôt, elle porte toujours la montre de Vikram, celle dont le cadran est fracassé, les aiguilles à jamais fixées sur la minute de sa mort. Combien de temps, déjà, depuis que Vikram est tombé sous les balles des frères Singh ? Quelqu'un en a parlé, hier, quand on a répété le plan pour la dernière fois – Lukka, à moins que ce ne soit Attu, lequel a toujours la tête farcie de chiffres. Il a dit : « Sept mois aujourd'hui, sept mois tout ronds. » Devi a été surprise. Pour elle, Unnao, Behmai, c'est hier. Ou bien au fond des temps. De toute façon, elle ne sait plus ; le Maître, dans la forêt, l'a forcée à oublier. « En toi, a-t-il dit, que le temps soit mort. Qu'il n'y ait plus que l'Esprit de Vengeance, l'Éternité de la Déesse. Tant que le sang de tes ennemis n'aura pas coulé, qu'il n'y ait plus de fête, plus de joie, plus de mois ni d'années, plus d'avant ni d'après. Même si ton ventre est sec et sans enfants, tu es féconde, Devi, tu vas accoucher de la justice, trouve ta force dans le ressentiment qui ronge ; et quand viendra le jour, entonne le chant de la revanche, le grand cri des enfers. »

Et il lui a appris à faire monter en elle l'Esprit de Mort et de Vengeance, à le dérouler depuis le bas du dos, où il loge, anneau après anneau, grand serpent qu'il est ; et, quand il a gagné la nuque, à le renvoyer partout dans son corps, à le faire voyager jusqu'à la dernière fibre de ses muscles, à l'extrémité du plus ténu de ses nerfs. Mille fois, dix mille fois, le Maître et Devi ont répété l'exercice ; maintenant, le moment est venu. La voilà seule face au village de ses ennemis.

Le fleuve est désert, la falaise nue. Le monde est vide et sans présages, rien ne compte que la force qui doit monter en elle. Peu importent ces tortues d'eau qui s'enfuient à l'instant où accostent les barques, peu importe le chacal qui aboie au loin, sur la gauche. Devi voit et entend, mais c'est loin, très loin. En elle, comme le Maître l'a dit, il n'y a qu'une source noire, opiniâtre, qui cherche et fraie sa route à l'aveugle.

Elle saute sur la plage juste après Attu, elle est la première à courir s'abriter au fond de l'anse en attendant qu'il parvienne en haut et agite le bras pour donner le signal du départ. Elle passe sans un mot devant le temple bâti par les frères Singh. Les hommes la suivent en silence. « Pas une prière là-bas, a-t-elle ordonné avant de partir. Si vous avez besoin d'appeler la Déesse, faites-le dans vos cœurs. » De toute façon, le temple est sale, les guirlandes fanées, les bâtons d'encens depuis longtemps consumés devant la statue de la Mère des Mondes. La caisse du gros distributeur rouge et noir est rouillée, ses manettes sont bloquées à mi-course. Il ne doit plus marcher.

Autour de Devi, contre la terre de la falaise, les hommes s'agglutinent. Il fait chaud, c'est bientôt le zénith. L'heure approche. Les choses se font d'elles-mêmes, c'est le destin en marche, l'éternité qui cherche sa route – comme Attu, là-haut, à flanc de falaise, sautillant sur le sentier avec la dégaine saccadée d'une marionnette. Devi sourit. Le monde n'a jamais été aussi lisse, les eaux plus limpides. Le fleuve qui lui a apporté le malheur lui apportera aujourd'hui de quoi l'oublier. Cela aussi, le Maître le lui a prédit : « Ton enchantement, Devi, est né au bord du fleuve. C'est là qu'il est mort, c'est là qu'il renaîtra. »

Fugacement, Devi revoit le visage de Prianka qui lui avait aussi parlé du fleuve. Mais elle n'arrive pas à se souvenir de ce qu'elle a dit ; non plus que des mots de Pandit à propos de la vengeance. Ce qui parle en elle, c'est le Maître, seulement lui ; et, à mesure qu'il parle, l'Esprit s'approche, effleure sa joue, sa bouche, veut se mêler à son souffle : « Oublie tes cartouches, Devi, oublie ta mitraillette. Ne pense plus qu'aux munitions de l'âme. Fais-toi démon sans morale ni pitié, va dépecer tes ennemis, souviens-toi de tout ce qu'ils t'ont arraché, va sucer leur moelle, croquer les miettes de leurs os... »

À ce moment de sa prière, Devi tâte la photo de Vikram coincée sous sa ceinture, entre sa chemisette et son pantalon. Elle ne l'a pas regardée depuis des semaines. Il est vrai qu'on n'y voit plus grand-chose, elle est maintenant si abîmée. Mais elle aime toujours la porter sur elle, sentir contre sa peau le froid glaçage du papier. Man Singh lui-même n'y trouve rien à redire. Contre ce mort-là, il le sait, il ne peut rien. Il doit même savoir que, lorsque Devi lui ouvre son corps, c'est vers Vikram qu'elle va. D'ailleurs, en cet instant, au plus fort de sa prière, Vikram est encore avec elle. Elle le revoit entre le soleil et le fleuve, avec son long visage acéré par les épreuves, les cernes qui bleuissent ses paupières. Il sourit. Il est beau. Il a confiance. Il n'a pas peur.

Devi non plus. Pourtant, le moment du départ ne va plus tarder, Attu vient de disparaître derrière un éboulis, juste en haut de la falaise. D'impatience, elle frappe le sol du talon – elle a des chaussures neuves, de magnifiques bottes à fermeture éclair volées à Sultanpur. Puis elle visse sur sa tête sa casquette de superintendant de police. Elle a dû abandonner son jean et son bandeau rouge, Moustakim a dit que son foulard était trop voyant, qu'il ne fallait pas jouer avec la chance ; et comme Devi avait répliqué que c'était justement ce bandeau qui lui portait chance, Man Singh lui a rappelé ce que serine la radio depuis le raid de Sultanpur : l'arrivée dans les gorges de policiers venus de Delhi, munis d'armes redoutables, des lance-flammes, des Kalachnikov. Devi s'est soumise. Elle a enfoui son jean et son bandeau au fond de son paquetage, elle a fait comme les autres, s'est habillée en policier, avec cette ridicule casquette à visière. Mais, à présent qu'elle voit réapparaître Attu derrière l'éboulis, à présent que la puissance de la Déesse déplie en elle ses derniers anneaux, elle n'y pense plus, elle se répète les versets qui consument la faiblesse, ceux que le Maître lui a soufflés au moment où ils se sont quittés : « Au jour de ta vengeance, Devi, tu seras au-delà de la chance et de la malchance. Tu seras dans la vengeance. Tu seras toi-même vengeance... »

Minuscule point bistre agrippé tout en haut de la falaise, Attu vient de lever le bras. Elle saute aussitôt dans le chemin. Les hommes lui emboîtent le pas. La chaleur monte d'un coup, la sente est raide, encombrée d'épineux. Devi peine ; à chaque pas, son mégaphone, accroché à sa ceinture, lui heurte les hanches. Elle est en nage, c'est la suée noire de la Déesse. Voici d'ailleurs, à mi-pente, un oratoire qui lui est dédié.

Elle ne se souvient pas de l'avoir vu, le jour où les gens de Behmai l'ont forcée à gravir ce chemin. Mais que pouvait-elle voir, ils la pressaient de partout, la terre s'éboulait, il avait plu, elle glissait ; et elle avait la tête si lourde, à cause du chloroforme. Mais, aujourd'hui, c'est la mousson de la mort, Devi va boire le sang de ses ennemis. Elle se sent aussi forte que la Déesse dans la niche de l'oratoire, avec ses crocs venimeux et sa langue qui pend.

Elle joint les mains devant ses yeux, puis boit à sa gourde une rasade d'alcool. Le feu lui déchire les gencives, la gorge, la poitrine, elle court à nouveau, bondit. Le soleil devient noir, comme sur la plage d'Unnao, mais il est joyeux, ce matin, il ne cherche pas à l'enlever, au contraire, il la suit. Il lui obéit, il est son homme, son serviteur, son esclave, son pantin, son chien – comme Attu, d'un seul coup, à deux pas d'elle, tellement elle a fait vite, ce grand flandrin d'Attu qui continue de regarder bêtement sa montre, qui prend toute la place au milieu du chemin, Attu qu'il faut bousculer, allez, un grand coup de coude dans les côtes, tiens, voilà qu'il s'affale, le nez dans la poussière, décidément, celui-là, il ne comprendra jamais rien à rien.

Encore un bond, un mot pour appeler la Déesse. À la naissance de sa nuque, lentement, souplement, le dernier anneau se déplie. Une ruelle, trois courettes, voici la place. La place maudite, la place au puits, la place en pente, la place où va souffler dans un instant le Grand Esprit de Mort.

88

La première chose qu'elle a vue, lorsqu'elle a bondi sur la margelle du puits, ce sont les femmes qui couraient s'enfermer chez elles. Comme si elles l'attendaient depuis toujours. Les hommes, eux, n'y ont pas cru. Ils se sont tous figés là où ils étaient. Et n'ont plus bougé.

Au pied du puits, deux pots de cuivre renversés – les mêmes que ceux que les frères lui avaient fait porter. La poussière aspirait l'eau. Devi a levé la tête, son œil a parcouru la place jusqu'en bas, vers le chemin du Nord. Plus de cahute ; sur le mur voisin, simplement de longues traînées sombres – des traces d'incendie.

La lumière était blême, le soleil tapait fort. Elle a plissé les yeux. Mais elle ne s'était pas trompée, ce n'était pas un mirage du grand midi : la cahute avait été brûlée. Pour le reste, c'était bien la place, avec ses maisons de terre, son puits, sa margelle de grès, ses deux piliers.

Cela dure quoi, cet instant-là ? Impossible à dire, c'est un de ces moments où tout s'arrête, où il se passe trois fois rien : une rigole d'eau dont se gorge la poussière, des froissements d'étoffes, enfin ces hommes gelés par la terreur sous la lumière du zénith.

Elle brandit sa mitraillette, le mégaphone. Crie. La voilà telle qu'elle s'est promis d'être : Devi, celle qui se venge.

La bande déferle. Sur la place, d'un coup, plus âme qui vive. N'y reste qu'un infirme, allongé sur son lit à l'abri d'un auvent.

Viennent alors les cris, les ordres, les menaces, le tohu-bohu habituel des attaques. L'infirme qu'on secoue, qu'on frappe, qui gémit, le papier qu'on lui épingle dans le dos, où tout est expliqué de la vengeance. C'est Attu qui l'a préparé hier soir, et c'est encore lui qui se charge de l'affaire. Il est partout, celui-là, rien ne l'arrête. Il va finir par faire des bêtises. Elle pourrait l'écarter, lui dire de se tenir tranquille. Mais le pillage commence, et le Maître l'a dit : « Ne te perds pas en vaines paroles, Devi, ne pense qu'à tes ennemis. » Elle s'entend alors hurler :

– Trouvez-moi les deux frères !

Elle se redresse encore sur la margelle du puits, contemple la place où l'on amène les uns après les autres les hommes de Behmai. C'est la lumière, sans doute, qui fait que les choses ne paraissent pas les mêmes. Car c'est bien la place où elle a vécu mille morts. Dans la pente, elle pourrait désigner l'endroit exact où sa jambe a hésité, où son pied a trébuché ; l'endroit aussi où on l'a mise nue.

Le canon de sa mitraillette va d'un point à un autre,

s'amuse à s'arrêter sur un vieillard, sur un jeune homme. Mais la lumière est blanche aujourd'hui, blême et pâteuse, tous les gestes s'y engluent.

Sa force va s'y perdre, tout est long, beaucoup trop long. Où sont les frères, à la fin? où, la procession? Derrière les murs de terre, des enfants piaillent, des serrures sautent. On renverse des coffres, on déchire des étoffes. Des pleurs, des plaintes, de pauvres cris de femmes. Devi se détourne, elle ne veut pas les entendre, se répète une fois de plus les paroles du Maître : « Oppose au noir plus noir encore, fais-toi pierre, souris quand pleuvra autour de toi l'écume baveuse du malheur. »

Elle a beau murmurer l'incantation sacrée, elle ne parvient pas à sourire. Il lui faut les frères, vite, très vite. La force est là, partout en elle, dans ses pieds prêts à bondir, dans ses dents qui mordent ses lèvres, dans son œil qui inspecte les toits, dans son doigt pressé sur la détente. Au noir opposer plus noir. À la souffrance encore plus de souffrance. Que la terre brûle comme la nuit de fin du monde. Qu'elle se couvre d'une boue sanglante. Que s'abattent des orages de douleur. Devi a cent ventres à cet instant, cent têtes, cent langues rouges et noires aux papilles assoiffées, des milliers de bras armés, elle peut se faire petite comme elle peut se faire grande, elle est l'Inattaquable, l'Inaccessible, la Violente des Violentes, il lui faut cette saveur unique, ce sel de la vengeance qui n'est que dans le sang.

Le pillage s'achève, la procession n'est pas là, les deux frères ne se montrent pas, quelque chose s'est détraqué, la lumière sur la place est de plus en plus blafarde, mais plus violente aussi la force qui attend le sang. Devi s'entend clamer dans le mégaphone des mots qui lui échappent. Au milieu de la place, sous le canon de sa mitraillette, les hommes de Behmai sont enfermés dans un cercle de mort.

– Où sont les jumeaux? hurle-t-elle. Amenez ces chiens!

Nul ne bouge. Sur la plaque rivée à l'arme de Devi, la figure argentée de la Déesse grimace. Elle attend la vengeance, elle aussi.

Le mégaphone réclame des ordres. La place en pente exige sa rivière de sang. Le monde entier hurle à la mort. Il lui faut les frères.

Elle donne des instructions sèches, précises. Elle ne sait pas ce qui parle en elle – ce n'est plus le Maître ni la Déesse, simplement la force pure, la vindicte, la haine sans mélange. Les hommes lui obéissent dans l'instant. Car elle est froide, à présent, pareille à l'acier des armes ; et elle voit tout – jusqu'à cette minuscule cicatrice sur le menton de l'infirme, à deux pas du puits ; et ce lézard effrayé, paralysé au milieu d'un mur.

Un à un, elle scrute les visages des hommes qu'on débusque des maisons et qu'on pousse à l'intérieur du cercle. Pas de trace des jumeaux. Man Singh s'inquiète, s'approche d'elle, lui murmure quelques mots. Elle approuve. Oui, qu'on les torture. D'ailleurs elle va s'en charger elle-même. Elle saute à bas du puits. Frappe, crache, injurie. Les falaises lui renvoient l'écho de ses insultes. Au fond de sa tête, un fleuve rouge tourbillonne, devient mer, brûle, la dessèche. Les frères, vite, les chiens de frères. Les ordures, les chacals.

Elle frappe, crie, crache, mais rien ne la soulage. Elle pourrait tout faire, à cet instant, taillader les ventres, plonger les mains dans les entrailles, s'en entourer le cou comme de guirlandes, et danser. Car les voilà enfin à sa merci, les hommes de Behmai, ceux qui l'ont souillée – combien d'hommes, déjà, dans la cahute, et combien de fois ? Elle les a comptés, elle croit bien, mais le Maître, une fois encore, a vidé sa mémoire –, « brouille le chiffre, a-t-il dit, oublie, Devi, ne pense qu'au sang ». Aveugle, elle obéit.

À ses tempes bat maintenant un océan rouge. Où sont les frères ? Elle répète leur nom, frappe, hurle. Ses hommes eux-mêmes en sont effrayés, ils n'osent plus bouger. Que faire ? Au milieu du cercle, le serpent de mort a commencé sa danse. Rien ne pourra plus l'arrêter.

Devi lève sa mitraillette, elle va tirer. En l'air, peut-être, ou à terre, elle ne sait pas elle-même. D'abord elle veut contempler chez ses ennemis la face de la peur. Elle va de l'un à l'autre. Ne reconnaît personne. Comme ils sont faibles, ces hommes de Behmai, de pauvres sacs de viande. Et ce sont eux qui l'ont mise nue ? Eux qui l'ont humiliée, jetée plus bas que terre ? Ceux-là, qui la supplient, qui l'appellent madame ? ... Elle a envie de rire. Répète-le donc, ton *madame* ! Allez, encore une fois ! Encore ! Rien que pour mieux te frapper, te cracher dessus, chien thakur !

L'océan rouge recommence à tournoyer ; et elle, Devi, à frapper. Coups de pied, coups de crosse, elle ne sait plus, les hommes supplient, s'écroulent, elle n'a pas encore tiré, mais il va bien falloir y venir. Tiens, ce petit jeune, là, qui ressemble au cousin Mayadin. C'est lui qui va prendre.

Il ne faut pas, il est trop jeune, il n'a pas dû venir dans la cahute, mais comment savoir, allez, tant pis, il n'a qu'à ne pas ressembler à Mayadin, un grand coup de crosse dans la poitrine, le voilà par terre, qui tourne de l'œil.

Elle a envie de tirer. Au dernier moment, elle y renonce. « Seul le sang des frères lavera ta honte, a dit le Maître. Seul ce sang-là lavera le sang de Vikram. Tu ne tueras que tes ennemis. »

Mais ils ne sont toujours pas là, les deux frères. Elle a eu beau frapper, menacer, tous les villageois lui serinent la même antienne : « Ils ne sont pas là, madame, d'ailleurs nous non plus on n'y comprend rien, ils devaient venir, ils devraient être là, on ne sait pas, madame, croyez-nous, on n'y comprend rien, ils devraient être là avec la procession, on vous dirait si on savait, il a dû leur arriver quelque chose en route, à moins que ce ne soit là-bas, chez le marié, à Konch, on vous jure, madame, on ne sait pas, il y a quelque chose qui ne va pas dans cette affaire-là… »

Devi baisse la tête. Ils doivent dire vrai. Tout à l'heure, Man Singh a appelé par talkie-walkie les hommes en faction sur les trois chemins qui mènent à Behmai. Rien à l'horizon, ont-ils répondu. Ni procession, ni frères Singh, ni policiers. Personne.

Pourtant, c'est bien le jour du mariage, les femmes étaient en sari de fête quand Devi a bondi sur la place, les voici d'ailleurs, les étoffes brillantes, elles débordent des sacs du butin avec les bijoux des grands jours. Et les hommes de Behmai sont tout propres eux aussi, bien coiffés, rasés de frais.

Devi s'avance à nouveau au centre du cercle. Au fond de sa mémoire en éclats surgit une brève réminiscence. Cet œil sournois, cette carrure, ces épaules lourdes, cette masse de muscles. Cette voix qui grommelle une injure. Cette voix qui pue. Le nom de l'homme lui revient dans l'instant. Surendra, Surendra Singh, l'homme qui lui avait mordu les seins et craché dans la bouche. L'homme qui avait pris tant de joie à sa douleur.

Cette fois, Devi tire. Enfin du sang. Il la supplie. Il faut que cela dure. Elle tire encore. Devi exulte, flotte sur l'océan rouge, les vagues déferlent, se rapprochent, plus elles sont fortes et plus elle est joyeuse, elle s'abandonne, heureuse. Un nouveau souvenir surnage de la marée rougeâtre – quelques images d'un film : où était-ce, déjà, à Gwalior, avec Vikram, après son opération ? Non, c'est une chanson, un air qu'elle a entendu mille fois sur son transistor : *Est-ce que je te tue, est-ce que je te laisse en vie…*

Mais tout va trop vite, l'homme n'a plus devant lui que quelques respirations. Devi tire une dernière fois. C'en est fait. Où sont les frères ? Cette mort-là n'a pas de sel.

Elle se détourne. La lumière est devenue jaune, un voile pisseux noie la face du soleil. Le talkie-walkie de Man Singh grésille. Toujours pas de procession sur la route de Konch. Le fleuve est vide, la route du Nord ne bouge pas. Lukka a soudain l'air faible et Moustakim tire bêtement sur sa moustache. Tous les hommes paraissent vidés de leurs forces sur la place, ceux qui tiennent les armes comme ceux qui sont en joue. Il n'y a qu'elle à garder la tête haute; avec Attu, bien sûr, qui continue à sautiller de-ci de-là pour faire le malin, comme à son habitude, Attu qui ne comprend jamais rien.

Il faut donner un ordre, vite. Trouver quelque chose. N'importe quoi.

– Réunissez le butin. Descendez les prisonniers au fleuve.

C'est la première phrase qui lui est passée par la tête, c'est sûrement la voix de la Déesse. La suite, c'est aussi la Déesse qui la lui soufflera quand il faudra. « Fais-lui confiance, a dit mille fois le Maître, abandonne-toi, Devi, à son souffle sanglant. »

Devi s'abandonne. Les hommes sont trop contents d'avoir enfin un ordre. Ils dégringolent le chemin du fleuve en poussant les prisonniers devant eux.

Attu ouvre la marche. Devi s'en va la dernière. Elle regarde encore la place, soupire. Dans le sentier, elle suffoque, s'arrête. À mi-chemin, devant l'oratoire de la Déesse, elle se demande si elle a laissé des hommes en haut. Si elle n'y a pas pensé, Man Singh, lui, s'en est occupé, car les talkies-walkies, devant elle, continuent à nasiller. Au nord comme à l'est, comme ici, dans le raidillon, personne en vue. Elle soupire encore. Où diable est passée la procession ? Où sont les deux frères ? Il faut qu'elle parle à Moustakim.

Parler, discuter, calculer, raisonner. L'océan rouge commence à refluer – est-ce d'ailleurs encore un océan ? Un ruisselet plutôt, un mince filet sans couleur.

Tout le monde est arrivé sur la plage. Les prisonniers sont rangés le long d'un buisson d'épineux au milieu des sables.

Devi est la dernière à sauter du chemin. Sous sa

nuque, le serpent replie lentement ses anneaux. Au fond de sa tête, il n'y a plus de ruisseau rouge. Elle pense au mort, Surendra. Tout ennemi qu'il fût, sa mort n'avait pas de goût. Elle est lasse, tout à coup. S'adosse à un pan de falaise. Ferme les yeux.

On tire. C'est près ? C'est loin ? À quoi bon se poser la question ?

Mais ça claque, ça pète, ça reclaque. C'est près. Tout près. C'est qui ?

Devi rouvre les yeux. C'est Attu. Mais qu'est-ce qui lui prend ? Il essaie sa mitraillette neuve. Mais pourquoi sur les prisonniers ?

Qui a donné l'ordre ? Moustakim, Man Singh ? Mais non, ils sont là, bouche bée, à le regarder faire. Ce n'est pas Lukka, tout de même ? Mais non, lui aussi est là, comme les autres, à regarder comme un ballot les hommes de Behmai s'écrouler les uns sur les autres.

Devi s'approche, mitraillette à la hanche. Lukka, Moustakim, Man Singh et quelques autres se sentent obligés d'imiter Attu. Ils tirent trois-quatre coups. De nouveaux prisonniers s'affalent. Puis Lukka baisse son arme ; de même Moustakim, Man Singh et les autres. Eux aussi détournent la tête. Ils n'ont qu'une envie : partir.

Attu, lui, ne voit rien, il continue à tirer, les prisonniers s'effondrent. La mitraille hésite parfois, s'arrête, hoquette, reprend, s'accélère, cesse d'un coup, reprend. La musique de la Déesse a perdu sa mesure, sa danse aussi, ses bras sont désarticulés, le monde est fou, c'est le chaos de la Grande Fin.

Devi a froid. Plus rien ne coule en elle, le fleuve rouge s'est tari, le serpent de la force s'est enfui. Il faut pourtant continuer à faire face, car voici qu'Attu s'avance vers elle, qu'il se plante devant elle, bien droit, l'œil brûlant, jambes écartées, comme un héros de cinéma, et lui lance de sa voix qui force toujours sur les graves :

– Devi, voilà ta vengeance !

Elle fixe Attu, puis le tas de cadavres. Dans sa bouche,

c'est comme tout à l'heure, là-haut, tout est fade, rien n'a goût de sel. Devi lève sa mitraillette, tire. En plein dans la tête d'Attu, qui explose. Il n'a rien vu venir.

Un mort de plus. Pas davantage de goût dans la bouche. Ou plutôt si. Quelque chose de saumâtre qui lui donne un haut-le-cœur. Elle s'entend crier à ses hommes, juste avant de vomir :

– Jetez-le avec les autres !

89

Quand il apprit le massacre de Behmai, le premier sentiment qu'éprouva l'inspecteur général fut celui d'une intense frustration. Une demi-heure plus tôt, il avait reçu un document qu'il avait jugé d'emblée de la plus haute importance, un carnet à spirale à la couverture crasseuse tachée çà et là d'éclaboussures de boue. Malgré tout le dégoût qu'il ressentit à le feuilleter, Mahendra l'identifia avant même d'avoir lu la note qui l'accompagnait : c'était le livre de comptes de la bande de Phoolan Devi, la femme la plus recherchée de l'État d'Uttar Pradesh depuis le 1er février, date à laquelle il avait mis sa tête à prix pour une somme de cinquante mille roupies.

Contrairement à son habitude, l'inspecteur général avait pris cette décision sans réflexion préalable, à l'issue d'un accrochage particulièrement vif avec son épouse qui lui reprochait l'annulation de leur réception mensuelle du dernier samedi du mois. Il avait été inébranlable. Il avait opposé à Mrs. Mahendra que ces aimables réunions, fussent-elles d'une hypocrisie achevée, n'étaient plus de mise en raison de la tension croissante dans les ravines, et surtout des critiques de plus en plus aigres des milieux politiques à l'encontre des hauts fonctionnaires chargés de l'ordre public. Mais Mrs. Mahendra ne l'avait pas pris de cette oreille. Elle voulait sa réception, et elle l'aurait, avait-elle proclamé en claquant la porte de la bibliothèque ; et il ferait beau voir que son mari fît la loi dans une maison où il ne mettait plus les pieds qu'une nuit sur trois.

L'inspecteur général avait choisi de ne point répondre et s'était redressé dans son fauteuil avec tous les dehors d'une sérénité himalayenne. Mais, l'instant d'après, comme sa véranda résonnait encore de cette belliqueuse déclaration, il avait arrêté la résolution la moins réfléchie de sa carrière : la mise à prix de la tête de la fille, pour cinquante mille roupies.

Depuis l'épopée de Putli Bai, il ne l'ignorait pas, c'était la première fois que pareille mesure était prise à l'encontre d'une femme. Le chiffre qu'il avait fixé était d'ailleurs le premier qui lui eût traversé l'esprit. Il ne se souvenait pas à quel montant on avait apprécié la vie de la première Princesse des Ravines ; en tout état de cause, il aurait fallu tenir compte de l'évolution du pouvoir d'achat et de trente années d'inflation, et peut-être même triturer des dizaines de formules mathématiques avant de pouvoir déterminer précisément à combien pouvait s'estimer la neutralisation d'une Reine des Bandits. Mahendra s'en tint donc à ce chiffre hasardeux. Mais, quelques minutes plus tard, lorsqu'il souleva son téléphone pour transmettre ses ordres à Jaïn, il jugea que son évaluation était extrêmement raisonnable, eu égard aux exactions imputées à cette maudite fille, et plus encore à la confusion qu'elle avait semée dans sa propre routine conjugale – sans compter la fièvre bizarre qui troublait ses nuits depuis maintenant plus d'un an.

C'est donc avec sa superbe habituelle que l'inspecteur général dicta ses ordres à l'inspecteur délégué. Sa voix flancha toutefois quand il déclara : « Morte ou vive » – il était évident qu'il voulait la fille vivante. Jaïn en profita pour poser la question la plus insupportable aux oreilles de Mahendra : quel était le signalement dont il devait assortir l'affiche de mise à prix ? « Débrouillez-vous », s'entendit-il froidement répondre ; et l'inspecteur général raccrocha dans l'instant.

Jaïn se sortit de cet embarras avec souplesse et brio, d'une façon qui lui évitait de devoir jamais essuyer le plus mince reproche : « Jeune femme d'une vingtaine d'années, de taille moyenne, aux cheveux courts, souvent vêtue de blue-jeans et coiffée d'un bandeau rouge. Porte ordinairement des chaussures de tennis. Sort armée d'un Mauser 303. » Il était douteux que la Reine des Bandits se risquât jamais en cet accoutrement dans les lieux où l'annonce de mise à prix devait être affichée : postes de police, octrois, banques, aéroports, halls de gare ; à moins qu'elle n'eût décidé de les attaquer, auquel cas il était fort peu probable qu'elle laissât aux personnes présentes la latitude de l'examiner sous toutes les coutures. Néanmoins, Mahendra donna son approbation au texte de Jaïn ; et ce fut au moment précis où il contresignait la première épreuve de l'affiche qu'échoua sur son bureau le poisseux petit carnet qui contenait, avec le détail de ses comptes, la relation des plus menus faits et gestes de la Reine des Bandits.

Malgré son goût des chiffres, l'attention de l'inspecteur général fut aussitôt attirée par les très longs textes en anglais qui en entrecoupaient les inventaires et les additions. Ils étaient souvent d'une graphie incertaine, parfois griffonnés en caractères arachnéens. Mais son œil exercé y reconnut rapidement des noms, des surnoms, des toponymes, des marques d'armes ou de fournitures qui lui étaient familiers pour les avoir maintes fois rencontrés dans les rapports qu'il disséquait à longueur de journée.

Mahendra se voûta, plissa les yeux, comme chaque fois qu'il était pris de passion pour ce qu'il lisait. Dans son exaltation et sa hâte, il faillit même arracher deux ou trois feuillets, à demi détachés déjà de la spirale métallique. En quelques minutes, sa religion fut faite : sur approximativement cent vingt pages, c'était là, datée, située, chiffrée, la chronique matérielle et sentimentale de la vie d'un gang.

Il n'avait jamais tenu entre les mains une pièce aussi exceptionnelle. Car, à la simple lecture cursive de quelques pages, un autre fait lui sauta aux yeux : nombre des digressions dont l'inconnu entrecoupait ses comptes touchaient, par le plus inouï des hasards ou la chance la plus extravagante, à la personne même de la Reine des Bandits.

Le nom de l'auteur n'était mentionné nulle part, pas même sur la couverture du carnet. Ce curieux scribe avait dû faire des études, car il écrivait un anglais correct, quoique simplet dans ses formules et sa syntaxe – défaut ordinaire, jugea Mahendra, de qui n'a pas eu le loisir, ou le goût, de fréquenter les bons auteurs. Mais, en dépit de ces naïvetés et d'une propension excessive au sentimentalisme (là encore, estima l'inspecteur général, travers commun de la nation indienne, point encore rompue, comme l'Occident, à museler l'expression de ses passions), l'homme était doué d'un sens de la précision qui le réjouit. « Il aurait fait un excellent policier », se surprit-il à marmonner à l'issue de ce bref survol ; et il appela derechef sa secrétaire par l'interphone pour lui ordonner de ne le déranger qu'en cas d'extrême urgence.

Puis il consulta sa montre. Il était trois heures de l'après-midi. C'était aujourd'hui vendredi, les bureaux n'allaient pas tarder à se vider. Il pourrait donc travailler à loisir sur cette mine de renseignements ; il aurait tout le week-end pour méditer ses découvertes et prendre les mesures qui en découlaient.

Il se remit à feuilleter le carnet. De nombreux fragments avaient été manifestement rédigés dans des conditions très inconfortables, sur le dos d'un paquetage, peut-être, ou dans une semi-obscurité : l'écriture de l'auteur, d'ordinaire régulière et appliquée, devenait brusquement erratique, parfois illisible ; et certaines pages étaient maculées de ce qui ressemblait à des taches de thé, ou, comme sur la couverture, à des traces de boue.

Mahendra décida de réserver la nuit suivante au décryptage de ces passages délicats. L'opération promettait d'être complexe. Elle exigeait en tout cas recueillement et solitude. Or, selon le rigoureux traité qui réglait sa vie avec Mrs. Mahendra depuis maintenant plus de cinq mois, l'inspecteur général, ce soir-là, devait impérativement rentrer chez lui. Ce serait donc une violation caractérisée de leur sacro-saint accord ; et comme elle venait s'ajouter à l'annulation de leur réception mensuelle, il était vraisemblable qu'elle ne lui serait pas pardonnée.

Mahendra choisit pourtant de passer outre ; et, dans un mouvement qu'on jugera, selon le degré de sympathie qu'on lui porte, comme la prudence la plus élémentaire ou de la pure lâcheté, il se déchargea de cette corvée sur sa secrétaire.

– Justement, lui rétorqua étrangement celle-ci dès qu'il le lui eut demandé par l'interphone.

Mahendra se raidit aussitôt derrière son bureau : d'habitude, comme c'était son devoir, Miss Sharma se contentait d'accueillir ses ordres du ton le plus détaché, sans jamais les assortir du moindre commentaire. Et voilà que, sans raison apparente, sa voix se mettait à faire vibrer l'interphone d'inflexions ardentes qu'il ne lui avait jamais connues.

– Justement quoi ? reprit l'inspecteur général après quelques secondes de perplexité, la gorge déjà nouée à l'idée que son épouse fût en ligne – ou, pis encore, dans l'antichambre, à entamer le siège de son bureau.

Mais les vibrations de l'interphone redoublèrent d'enthousiasme :

– Eh bien... justement !

Et, avant même que Mahendra eût commencé à chercher ce qui pouvait bien éveiller chez une personne aussi placide que Miss Sharma une surexcitation d'aussi mauvais augure, il l'entendit reprendre dans le haut-parleur, en le faisant haleter des mêmes intonations ferventes :

– Justement, il y a une urgence. Un massacre : vingt-trois morts. C'est elle...

Sur les derniers mots, son débit se ralentit, elle devint presque tendre ; et, suprême entorse à son obligation de réserve, qui en disait long, à elle seule, sur la gravité de la situation, Miss Sharma poursuivit avec les accents de la plus sincère compassion :

– Je préviens tout de suite Mrs. Mahendra. Je suis sûre qu'elle comprendra.

90

Dans les minutes qui suivirent, un curieux mouvement brownien s'empara de l'inspection générale. L'effervescence fut partout ; éveillée par des signes à peine perceptibles – le grésillements subit de certains téléphones, des chuchotements inhabituels autour des bureaux de Mahendra –, la rumeur d'un événement exceptionnel se mit à courir escaliers et couloirs. Factotums, standardistes, secrétaires, greffiers, porteurs de tasses de thé, responsables des tampons encreurs, jeunes éplucheurs de rapports ou fonctionnaires, comme Jaïn, blanchis sous le harnois, tous comprirent que des choses extrêmement graves venaient de se passer ; et, du haut en bas de cette vénérable institution policière, on ne savait plus de quoi on devait se trouver le plus surpris, de la sauvagerie de la Reine des Bandits – minute après minute, de nouveaux télégrammes et messages radio apportaient confirmation du massacre, avec chaque fois des détails inédits qui ajoutaient à son horreur – ou de l'effarement de l'inspecteur général qui, pour la première fois de son brillant parcours, se retrouvait confronté à un désastre.

L'annonce de la nouvelle l'avait foudroyé. Il était sorti de son bureau, s'était dirigé vers sa secrétaire comme pour s'assurer qu'elle était bien là et qu'il n'avait pas rêvé. Il s'était figé devant elle, la lèvre inférieure légèrement pendante, ce qui lui avait ôté d'un coup toute sa majesté. Miss Sharma en cessa elle-même de manipuler le cadran de son téléphone ; et c'est sans doute à cet engourdissement subit de ses gracieux mouvements que l'inspecteur général dut de recouvrer en partie ses esprits – mais en partie seulement, car il eut alors un geste étrange : il sortit ses clefs de sa poche et s'enferma dans son bureau.

Pendant un bon quart d'heure, aucun bruit ne filtra de la pièce ; et plus le silence s'alourdissait derrière sa porte, plus le bourdonnement de la rumeur enflait dans les couloirs et dans les escaliers, avec des flux et des reflux, des va-et-vient bizarres, des remous irréguliers, un peu semblables, dans leur rythme incertain et grouillant, à l'agitation de mouches qui bombinent. Mais quand ce sourd brouhaha filtra aux oreilles de Mahendra, l'extraordinaire déperdition d'énergie dont il était le signe lui rendit brusquement toute sa tête. Il déverrouilla sa porte, passa sans un mot devant Miss Sharma et, second événement exceptionnel de ce 14 février, marcha droit jusqu'au bout du couloir, où se trouvait le réduit qui tenait lieu de bureau à Jaïn ; et lorsqu'il se retrouva face à l'océan de paperasses au milieu duquel surnageait vaillamment le téléphone de son subordonné, il lui lança sur un ton qu'il voulait fracassant : « Savez-vous maintenant où se trouve Behmai ? »

Personne à ce jour n'avait jamais entendu Mahendra donner de la voix. C'était d'ailleurs un registre qui ne lui allait pas, il s'y mêlait des stridences presque féminines qui frisaient le ridicule. Néanmoins, elle porta assez pour que tous les scribes, sous-scribes, tabellions, copistes et autres scribouilleurs qui s'étaient mis à marmonner dans les moindres corridors regagnassent instantanément leur bureau et leur chaise.

Jaïn ne fut pas de reste dans la frayeur. À l'instant où Mahendra avait poussé sa porte, il était en conversation téléphonique avec un fonctionnaire du poste de Sikandara : d'après Miss Sharma, qui avait tiré toute la vedette possible du quart d'heure de répit laissé bien involontairement par l'inspecteur général, c'était de cette lointaine bourgade qu'était parvenue l'alerte.

Après un mouvement incontrôlé par lequel il tenta d'étouffer, de sa main repliée sur l'écouteur, les nasillements de son correspondant, Jaïn choisit d'affronter la situation et tendit modestement l'appareil à Mahendra. Ce geste d'allégeance parut le calmer. Dans un surcroît d'humilité, il se sentit alors tenu de lui offrir son fauteuil. Mais, cette fois, l'autre déclina l'offre. Il avait déjà retrouvé les manières du Grand Mahendra, il parlait au fonctionnaire de Sikandara avec hauteur, l'écoutait en prenant des notes ; et, de temps en temps, il levait l'œil pour promener un regard glacé sur la marée de dossiers en désordre qui encombraient le bureau de Jaïn. Seule marque de tension, il crispait sa paume devant la feuille où il consignait ses notes, comme pour empêcher l'autre de les déchiffrer.

Quelques minutes plus tard, lorsque Mahendra raccrocha et lui demanda de le suivre dans son bureau, Jaïn eut la conviction que sa perte était consommée. Car, pour la première fois depuis des années, une tierce personne était conviée à ce qui s'annonçait comme un conseil de guerre : le jeune et bouillonnant K. N. Verma, sous-inspecteur en chef, qui n'avait jamais fait mystère de son animosité envers Jaïn, ni de l'ambition qu'il avait de lui succéder dans les grâces de l'inspecteur général.

91

Avec la faveur subite du sous-inspecteur Verma, Mahendra pensa avoir trouvé le moyen de faire oublier à ses subalternes le déplorable moment de faiblesse qu'il venait de traverser ; et, de fait, à la mine qu'afficha Jaïn à l'entrée de son rival, il se sentit déchargé d'une bonne part de son accablement. Il crut alors pouvoir organiser à sa façon la réplique qu'il convenait de donner au massacre de Behmai.

Il commença par déplier sur son bureau la carte de la région et entreprit de la commenter à partir des informations qu'il venait d'obtenir du poste de Sikandara. Quatre cents habitants, avait dit le fonctionnaire, une soixantaine de maisons de terre rigoureusement invisibles du fleuve, reliées aux autres villages par des chemins à peine carrossables. Aucun téléphone avant Moth, à trois kilomètres à l'ouest, exactement à mi-chemin de Sikandara.

D'un cercle crayonné au milieu d'une courbe de niveau, Mahendra situa approximativement l'endroit du massacre. Les bandits étaient venus en barque, poursuivit-il, ils avaient escaladé en plein midi le raidillon de la falaise. Ils connaissaient bien le terrain, avaient coupé les deux autres routes, celle de l'Est comme celle de l'Ouest. Ils y avaient placé des hommes équipés de talkies-walkies. D'après les premiers renseignements, la bande attendait l'arrivée d'une procession de mariage en provenance de Konch, par le chemin de l'Est.

Mahendra traça sur la carte un second cercle figurant ce dernier village, puis reprit posément son exposé. L'alerte avait été donnée par un certain Balmunkand, vacher de son état. Il était sur les hauteurs des ravines au moment de l'attaque, il avait vu la bande escalader la falaise. *La fille* conduisait la colonne. Ni vu ni connu, il s'était glissé à l'arrière du village, s'était emparé d'une bicyclette et avait pédalé aussi vite que possible jusqu'au village de Moth. Le téléphone était en panne. Il avait donc poursuivi jusqu'à Sikandara où il était allé droit au poste de police.

Mahendra continuait de reporter sur sa carte d'état-major le tracé supposé des chemins. Jaïn crut avoir trouvé l'occasion de se racheter :

– Il y a quelque chose d'étrange, observa-t-il en avançant un index timide en direction de la carte. L'attaque a eu lieu à midi et la police n'a été avertie qu'à trois heures de l'après-midi. Ce cycliste aurait donc mis trois heures pour faire six kilomètres...

– Comme vous raisonnez fin, Jaïn ! lui fut-il immédiatement rétorqué.

Les lèvres déjà amincies par son implacable ironie, l'inspecteur général devait commencer à mûrir une de ses formules venimeuses propres à anéantir Jaïn pendant dix bonnes minutes. Mais, pour la seconde fois de la journée, les choses se déroulèrent autrement qu'il ne l'escomptait. Le téléphone se mit à sonner ; et, pendant une demi-heure, cela n'arrêta plus, en dépit de la ferme consigne de filtrage imposée à Miss Sharma. Chaque fois que Mahendra raccrochait et tentait de revenir à sa carte, la sonnerie reprenait. Il fallait bien répondre : la nouvelle était déjà partout ; et, pour une fois, c'était lui, l'inspecteur général, qui devait rendre des comptes. À ses seules explications, pour laconiques qu'elles fussent, Jaïn devinait le nom de son correspondant : le magistrat en charge du dossier du banditisme dans la Ceinture du Crime, le ministre de l'Intérieur, plusieurs hauts fonctionnaires du gouvernement fédéral, et même déjà des journalistes, qu'il eut le plus grand mal à éconduire. Mahendra répondait d'une bouche crispée, prenait parfois des notes ; ou bien il tapotait la couverture d'un vieux calepin dont la saleté détonnait sur l'acajou verni de son bureau. Ni Jaïn, ni Verma n'osaient bouger sans son ordre ; et Mahendra était si absorbé par ces appels qui s'enchaînaient sans répit qu'il ne pensait même pas à les congédier, fût-ce, à sa manière habituelle, d'un simple revers de main.

Puis les sonneries se calmèrent, il leva enfin les yeux. Sa physionomie était la même qu'à l'ordinaire, altière et calme, mais, à l'évidence, il n'avait plus le cœur au persiflage, ni même à ses spéculations sur la carte d'état-major. Il les renvoya dans leur bureau avec ordre de réquisitionner pour le week-end tout le personnel possible. Puis il chargea Jaïn de la synthèse des informations émanant des postes de la rive nord – celle de Behmai ; quant à Verma, seconde marque de faveur, il lui confia celle de la rive sud : Kalpi, où il avait fait établir deux mois plus tôt le quartier général des commandos venus de Delhi.

Verma sortit du bureau en singeant les airs supérieurs de l'inspecteur général. L'homme était râblé et court sur pattes, il ne parvint à se donner que l'expression de la plus parfaite arrogance. Jaïn soutint son regard. Il y remarqua alors quelque chose de moins caricatural : l'ironie aiguë, sûre d'elle-même, que donne parfois la ruse.

Il se demanda comment il allait affronter les prochains jours et regagna son réduit d'un pas accablé. Des images morbides traversèrent son esprit ; il se vit – assez banalement, il faut en convenir – sous la forme d'un éléphant solitaire, écrasé sous le poids de sa vieille carcasse et s'enfonçant dans la jungle pour s'y laisser mourir. Il était six heures passées, l'obscurité et le froid gagnaient les couloirs. Commença alors pour Jaïn la soirée la plus désagréable qu'il eût jamais passée dans les inconfortables locaux de l'inspection générale. Et, comme il arrive souvent en pareil cas, il n'imagina pas un seul instant que cette nuit pût être encore plus pénible pour celui qui, depuis tant d'années, s'ingéniait à le tourmenter.

92

Au début de la soirée, pourtant, Mahendra garda assez de ressource pour conserver un semblant de sérénité. Le silence et la nuit le réjouissaient : il pouvait contempler à loisir l'étendue de la catastrophe ; et il se complut à l'idée que, l'ayant mesurée dans toute son amplitude, tels certains rois du répertoire shakespearien, il trouverait le moyen, depuis ce bureau, de la maîtriser dans ses plus infimes aboutissements.

Il choisit donc d'aller au-devant des nouvelles. Il appela à plusieurs reprises le poste de Sikandara. Les hommes n'étaient pas encore revenus de Behmai, mais ils avaient transmis par radio un premier décompte officiel des victimes : vingt morts, plus cinq blessés graves qu'on avait chargés à bord de camionnettes avant de les diriger sur l'hôpital de Kanpur. À première vue, deux de ces survivants semblaient en état de parler.

On les questionnerait donc dès le lendemain, arrêta l'inspecteur général, et il chargea Verma de préparer l'interrogatoire. L'objectif premier était bien entendu d'apprendre à quoi ressemblait *la fille*.

Puis Mahendra appela le superintendant Yadav qui commandait le poste de Kalpi. Il lui demanda d'envoyer sur-le-champ des hommes dans le village de *la fille*, à Sheikhpur Gura, aux fins de photographier sa famille au grand complet. Par ailleurs, tous les habitants du village seraient interrogés. De recoupement en recoupement, on finirait bien par savoir de quoi elle avait l'air.

On ferait comme d'habitude, se répétait Mahendra, on éplucherait tout, on reconstruirait patiemment le puzzle, on prendrait les choses dans l'ordre. Sa méthode était infaillible, c'est ainsi qu'il avait eu la peau de Vikram Mallah, et c'est ainsi qu'il aurait celle de *la fille*.

Avec ce massacre, le plus grave dans la Vallée depuis plus de vingt ans, elle venait de signer son arrêt de mort, elle allait périr de sa propre démesure. Car, à sa connaissance, c'était la première fois dans toute l'histoire de l'Inde qu'un membre des basses castes se risquait à tuer autant d'hommes de haute naissance. La première fois aussi qu'une femme se rendait coupable d'une telle abomination. En conséquence, sa perte était assurée. Et proche.

Vers dix heures et demie, un petit épisode inattendu vint conforter ce regain d'assurance : un appel de Mrs. Mahendra, qui avait réussi, par il ne sut quel miracle, à forcer le barrage du standard. Elle avait la voix aussi suave que si elle sortait du cinéma. Elle se proposait de lui faire parvenir du gâteau de riz aux cardamomes, son dessert préféré, par l'intermédiaire d'un de ses domestiques, afin de l'aider, dit-elle, « à traverser ces moments fatigants mais aussi terriblement palpitants » – elle appuya sur *palpitants*.

Quelle que fût la réprobation intérieure de l'inspecteur général lorsqu'il entendit ce mot, la démarche de son épouse lui parut touchante ; et, après avoir décliné l'offre du gâteau de riz, craignant – non sans raison – que Mrs. Mahendra n'en profitât pour venir suivre en direct à son bureau les progrès de cette *palpitante* enquête, il conclut cette brève conversation sur un « bonsoir, ma chérie » dont il fut le premier surpris.

Et il déplia à nouveau sa carte devant lui. En fait, il ne put se le dissimuler très longtemps, il aurait préféré se plonger dans le carnet où se trouvaient consignés, il en était de plus en plus convaincu, tous les secrets de la fille. Au bout de quelques minutes, d'ailleurs, la tentation fut trop forte. Il se persuada qu'il ne pourrait continuer à travailler sans s'être octroyé ce petit plaisir et résolut d'en lire quelques pages au hasard.

Il l'ouvrit, tomba à la date du 15 janvier 1981 : « Elle n'arrête pas de manger des noix de cajou, se plaignait l'inconnu au-dessous d'un inventaire d'épicerie et d'une très longue addition. Aujourd'hui, je n'en ai pas trouvé quand je suis allé au ravitaillement, et elle s'est mise en colère. J'avais pourtant fait de mon mieux, je lui avais acheté du bétel frais et deux bouteilles d'Indian Cola, sur mon argent à moi. Elle aurait pu être aimable. Mais plus on approche du jour de la vengeance, plus elle est énervée. Elle est toujours à m'attraper. Je ne sais comment faire pour qu'elle soit plus gentille. Et quand elle ne m'attrape pas, elle ne me voit pas. »

Mahendra s'arrêta d'un seul coup. De phrase en phrase, sa lecture devenait plus insoutenable : ainsi donc, les bandits avaient d'autre passions que le vol et le sang ? des rêves, des sentiments ? Car l'auteur de ces notes, c'était criant, était amoureux de la fille. Mais ils l'étaient tous, grands dieux ! À quoi fallait-il qu'elle ressemble, à quoi donc… ?

L'inspecteur général eut un brusque mouvement de dégoût et enfouit le carnet dans un tiroir de son bureau. Ce qu'il fallait, c'était respecter la méthode, prendre les choses dans l'ordre, ne pas s'égarer dans ces répugnantes considérations.

Il s'empara d'une feuille, y rédigea une note qu'il destinait à Verma : « Trouver le nom du comptable de la bande. Établir son signalement. Rédiger un projet d'affiche de mise à prix : sait lire et écrire ; parle anglais ; immature. Une fois capturé, à interroger en priorité. Doit parler facilement. » Puis il reprit sa carte d'état-major et se mit à lentement repasser au stylo-bille les lignes qu'il y avait dessinées quelques heures plus tôt.

Et c'est là que, brusquement, un autre fait lui sauta aux yeux : le cercle qui figurait Behmai était situé presque en face de Sheikhpur Gura, le village de *la fille*. Comment ne l'avait-il pas vu plus tôt : ce qui venait de recommencer, avec tous ces morts, ce n'était rien d'autre que la vieille histoire du fleuve, la lutte immémoriale des Fils du Serpent contre les Enfants du Soleil, le combat des gens de la forêt, détenteurs des secrets de la terre, contre les envahisseurs du Nord, amis du feu et descendants des étoiles. La guerre venue du fond des temps, qui s'était conclue par le naufrage de sa chère Atlantide…

Pendant quelques instants, Mahendra se demanda de quel côté il devait se ranger. Mais il jugula assez vite ce nouveau trouble. Il recommença à examiner sa carte, remonta cette fois du bout du doigt le chemin reliant Behmai à Sikandara. Six kilomètres à peine : comme l'avait justement remarqué Jaïn, le délai qui avait séparé l'alerte donnée par le paysan Balmunkand et l'arrivée de la police sur les lieux du massacre était inexplicable.

Il voulut en avoir le cœur net, rappela aussitôt le poste de Sikandara. Il était onze heures du soir, la patrouille envoyée à Behmai venait enfin de rentrer. À l'autre bout du fil, le chef de poste, le superintendant Ramayan, paraissait exténué. Il n'arrêtait pas d'entrecouper ses phrases de très longs soupirs – des halètements plutôt, trop appuyés pour être parfaitement spontanés. Du reste, l'homme tint d'entrée de jeu à prévenir Mahendra que la situation à Behmai ne présageait rien de bon. Avant l'arrivée de la patrouille, lui expliqua-t-il, les frères Singh étaient arrivés au village, ils avaient proclamé qu'ils allaient se venger et faire couler dans la Vallée des rivières de sang. Puis ils s'étaient évanouis dans les ravines. Les policiers étaient entrés à Behmai un quart d'heure plus tard. À la seule vue de leurs uniformes, les villageois avaient cru au retour de *la fille*. Ils s'étaient mis à hurler, avaient couru se barricader dans un grenier. Le superintendant avait brandi son mégaphone pour leur jurer que personne ne leur voulait de mal. Les cris avaient redoublé ; une femme qui n'avait pas eu le temps de se mettre à l'abri s'était mise à tournoyer, comme folle, au milieu de la place, avant d'aller se pencher au-dessus du puits. On l'avait empêchée de justesse de s'y précipiter. Il avait fallu parlementer une bonne demi-heure avec les habitants avant de les convaincre qu'ils avaient bel et bien affaire à la police.

Entre deux nouveaux soupirs, Ramayan assura Mahendra qu'il avait laissé une trentaine d'hommes sur place et qu'il restait en contact avec eux par radio. D'après leurs derniers messages, ils avaient tenté de questionner les villageois sur le massacre ; mais nul n'avait pu lâcher trois phrases qui se tenaient, tant et si bien que le médecin qui accompagnait l'escadron venait d'ordonner une distribution générale de Valium.

Voilà qui retarde d'autant les interrogatoires, songea aussitôt Mahendra. Il choisit toutefois de garder pour lui cette cynique réflexion et poursuivit de sa voix la plus neutre :

– À quelle heure avez-vous reçu l'alerte, cet après-midi ? À quelle heure *précise* ?

Au bout du fil, il n'entendit plus rien, sinon la friture habituelle. Il renouvela sa question, attendit pour le moins un nouveau souffle du superintendant Ramayan. Mais ce fut le grésillement qui reprit ; puis une voix lointaine et contrefaite se mit à répéter :

– La ligne est coupée, la ligne est coupée…

Et il y eut un blanc. Quelques secondes plus tard, Mahendra entendit la voix du standardiste de l'inspection : « On a raccroché, Monsieur l'Inspecteur général. »

Il raccrocha à son tour. Au bout d'une demi-minute, il rallongea la main vers le téléphone, puis se ravisa. Il se leva, fit quelques pas autour de son bureau, rouvrit son tiroir, reprit le carnet en main, le feuilleta, le referma, puis se rassit ; et, après quelques secondes de réflexion, souleva à nouveau l'appareil.

Ce n'était pas Sikandara qu'il rappelait, mais Jaïn. Il lui demanda de venir dans son bureau.

– Appelez le chauffeur de service, lui ordonna-t-il dès qu'il fut devant lui. On y va.

Il parlait d'un ton sépulcral. Jaïn risqua son va-tout :

– Behmai ?

– Behmai, répéta l'inspecteur général avec un long soupir, et, pour une fois, il ne parut pas lui en vouloir d'avoir deviné.

93

« Cette nuit-là, Mahendra n'avait pas son regard habituel, raconte Jaïn. Je ne sais pas si c'était la fatigue ou l'inquiétude, mais il s'était voilé ; et j'ai remarqué aussi que ses mains tremblaient. Ça m'a fait un drôle d'effet, je me suis demandé si je n'étais pas dans le même état. Moi, évidemment, c'était Verma qui me trottait dans la tête : qu'est-ce qu'il allait bien pouvoir mijoter, celui-là, pendant qu'on serait à crapahuter dans la brousse ? Il y avait une petite glace à côté de l'armoire aux rapports. Ça a été plus fort que moi : dès que Mahendra a eu tourné le dos, je suis allé m'y jeter un coup d'œil… »

Pour comble, quelques minutes plus tard, lorsque arriva le chauffeur de service, ce fut pour annoncer à Mahendra que sa voiture de fonction venait de tomber en panne. Quant à la seconde Ambassador dont disposait l'inspection, elle était hors d'état d'affronter les routes cahoteuses qui menaient à Sikandara. Mahendra, à titre privé, possédait bien une jeep, celle-là même qui lui servait à ses expéditions dans les jungles, mais il se refusait à l'utiliser, jugeant que l'absence de véhicule officiel, en pareille circonstance, pouvait être interprétée de façon désastreuse. Il fallut donc attendre que la première voiture fût réparée, ce qui prit un bon moment ; et, vers une heure du matin, comme si les dieux s'amusaient, depuis leur céleste royaume, à enfiler les calamités les unes aux autres comme les perles d'un collier, le superintendant Yadav, en poste à Kalpi, appela l'inspecteur général pour lui apprendre qu'il avait croisé *la fille* dans les ravines de la rive sud, et qu'elle s'était sauvée.

Après six heures de patrouille dans l'obscurité, Yadav avait abandonné les recherches. Et pourtant, il avait été à deux doigts de la prendre. La rencontre s'était passée au coucher du soleil. Au moment où ses hommes l'avaient repérée, elle venait d'engager sa bande au fond d'une cluse très étroite. Les policiers, eux, progressaient en haut d'une crête, à l'abri d'une ligne de pitons. Il leur suffisait d'aller la cueillir à la sortie du défilé. Mais, à l'instant précis où l'escadron amorçait sa descente, l'arme d'un des policiers s'était déclenchée toute seule. Les bandits avaient ouvert le feu, puis disparu. La nuit tombait ; comme les hommes commençaient à balayer les falaises de leurs torches, la voix de la fille s'était élevée dans la pénombre. Elle chantait, comme à Behmai, un air de film musical, assaisonné à sa manière, la plus leste qui fût : *Si tu n'as pas de fusil/ viens par ici, allez, je te prête mon sari/ si tu n'as rien dans les burettes/ viens par ici, allez, je te prête mes gourmettes…*

À l'autre bout du fil, le superintendant Yadav n'était manifestement pas remis de l'avoir laissée échapper, il n'arrêtait pas de pester : « Je ne sais pas où elle a pu se planquer, c'est le démon, cette fille… Elle était à quoi, vingt-cinq, trente mètres… On a tiré dans tous les sens. Ça n'a rien fait, Monsieur l'Inspecteur général, elle a continué à chanter. Et ça rimait, Monsieur l'Inspecteur général, ça rimait…

– Suffit ! » finit par trancher Mahendra.

Il écourta la conversation, raccrocha, puis alla jeter un regard dans la cour où le chauffeur poursuivait ses contorsions sous les roues de l'Ambassador. « Mahendra avait le regard opaque de quelqu'un qui vient d'apprendre la mort d'un proche, commente encore Jaïn ; chaque heure, chaque minute lui apportait la confirmation de la catastrophe, mais, de toute sa volonté, il la refusait. »

Enfin la voiture fut réparée. Ils quittèrent Kanpur vers trois heures du matin après être passés chez eux. Leurs épouses furent parfaites ; elles leur remirent des biscuits et des Thermos de thé, en les saluant avec l'émotion contenue qu'on réserve aux soldats qui partent au feu. Il n'y eut qu'une seule anicroche : au lieu du Shakespeare que son mari lui avait demandé de glisser dans son sac, Mrs. Mahendra y avait fourré les œuvres complètes de Lewis Carroll.

Mahendra s'en aperçut trop tard, à la sortie de la ville. Dans son agacement, il retourna tout son sac. Mais il fallut bien s'y résoudre : sa femme s'était trompée. Jaïn crut pouvoir l'apaiser en observant :

– De toute façon, quand on lit en voiture, on a mal au cœur.

– Je n'ai jamais mal au cœur, riposta l'inspecteur général ; et, comme pour mieux le lui démontrer, il alluma le plafonnier et se plongea dans son livre.

Ils se trouvaient sur la Nationale 2, celle-là même où, huit mois plus tôt, avaient eu lieu les attaques de Vikram Mallah. Il ne se passait pas cinq minutes sans qu'un camion, tous avertisseurs hurlant, déboulât pleins phares sur l'Ambassador. Le chauffeur freinait, se rabattait sur le bas-côté, risquant chaque fois le tonneau ou la collision. L'instant d'éblouissement passé, surgissaient devant la voiture de nouveaux dangers, un scooter, une bicyclette ; ou, plus fantomatiques encore, des silhouettes dépenaillées, entourées de vaches, de buffles, de chiens errants, de chacals parfois : la sempiternelle déambulation de l'Inde, ininterrompue depuis le fond des âges.

Mais rien n'arrachait Mahendra à son livre ; et lorsque l'Ambassador eut une seconde panne et que le chauffeur dut la ranger à l'entrée d'un village pour tenter une nouvelle réparation, c'est à peine s'il leva le nez.

« On aurait dit qu'il avait décidé de ne rien voir, commente Jaïn. Il n'a lâché son bouquin qu'au moment où le chauffeur a réussi à remettre le moteur en marche. Il a alors laissé retomber sa tête sur le dossier de son siège, et il m'a sorti la dernière chose à laquelle je m'attendais :

“C’est un texte vraiment bizarre qu’*Alice au pays des merveilles*. Vous vous souvenez du chapitre du Chapelier fou ? Un pauvre type est accusé d’un crime qu’il n’a pas commis. La Reine l’accuse d’avoir tué le Temps...” On aurait dit qu’il parlait tout seul, il avait la voix un peu sourde, comme s’il avait pris froid. D’ailleurs il a toussé ; puis il a repris : “Dans le fond, Lewis Carroll raconte à peu près la même chose que le *Mahabharata* : le monde est gouverné par des fous.” Et il n’a plus rien dit. Quelques minutes plus tard, on a quitté la Nationale, on a pris la petite route qui mène à Sikandara. Elle était bourrée de nids-de-poule, on avançait à cinq à l’heure. Mahendra ne pouvait plus lire, il n’y avait rien d’autre à faire que se laisser secouer et fermer les yeux. C’est ce qu’il a fait. Mais, au bout de cinq minutes, il s’est redressé et s’est écrié : “J’ai oublié le carnet !” J’ai demandé : “Quel carnet ?” Il n’a pas répondu. Je n’ai pas insisté : à ce moment-là, il y a eu une secousse plus forte que les autres, j’ai été pris au dépourvu, j’ai été précipité contre le dossier du siège avant. J’ai passé le reste du voyage à me frotter le nez et à me protéger des cahots. Je n’avais plus qu’une chose en tête : arriver le plus vite possible à Sikandara pour m’envoyer une bonne bière. »

94

Il n’y avait pas de bière au poste de Sikandara. D’ailleurs, s’en fût-il trouvé, nul n’aurait songé à en offrir à Jaïn : l’entrée de l’Ambassador dans la cour du poste y suscita l’affolement le plus complet. Dès lors, il n’y en eut plus que pour Mahendra. Quoique encore ensommeillé, le superintendant Ramayan se perdit devant lui en courbettes, avant de lui donner les dernières nouvelles. Rien de bien neuf, en vérité : la présence de ses hommes à Behmai avait découragé toute attaque ; pour le reste, la distribution de Valium avait fait son œuvre, et les villageois n'avaient pas bougé.

Le jour venait de se lever. Mahendra n'eut pas besoin d'annoncer qu'il souhaitait monter sur-le-champ à Behmai : le superintendant n'avait pas achevé son rapport que deux jeeps poussives vinrent s'arrêter dans la cour de son bureau.

– Nous n'avons rien d'autre à vous offrir, s'excusa Ramayan qui connaissait la passion de Mahendra pour les expéditions dans la jungle.

L'inspecteur général répondit par le même rictus contraint que s'il s'était trouvé dans l'obligation de goûter au curry d'un Intouchable, et fit signe à Jaïn de le suivre à l'arrière de la seconde voiture : en expert, il l'avait aussitôt reconnue comme étant la moins branlante. Le départ eut lieu séance tenante. Les deux jeeps s'engagèrent sur une piste de plus en plus étroite où s'enfuyaient, à l'approche des voitures, de grands troupeaux de paons. Bientôt le chemin ne cessa plus de monter et de descendre. Vaille que vaille, Mahendra tâchait de conserver sa raideur, mais la suspension de la jeep était si défaillante qu'il était constamment précipité sur Jaïn, quand il n'était pas noyé lui-même sous les chairs abondantes et molles de son subordonné. Il repoussait avec tout le sang-froid possible cette invasion adipeuse. Un quart d'heure plus tard, toutefois, lorsqu'on atteignit Moth, il ne put se retenir de glisser à Ramayan, installé près du chauffeur :

– Nous ferions mieux de continuer à pied.

– C'est dangereux, lui opposa le superintendant. Et ça ne ferait pas sérieux.

Mahendra l'approuva de sa lippe hautaine. Puis il consulta sa montre et jeta :

– Pensez-vous que nous allons plus vite en jeep qu'à bicyclette ?

Ramayan plissa les yeux, se mit à fixer les hauteurs

des ravines – un liseré bleuâtre sur le ciel rose du matin, à peine voilé par la fumée que crachait la première jeep ; et il finit par maugréer :

– Vous allez voir, là-haut, ils sont tous en état de choc. Ils racontent n'importe quoi.

– C'est en effet ce que nous allons voir, siffla Mahendra, et Jaïn pensa qu'il avait enfin recouvré son allant.

Ce n'était qu'une illusion : une demi-heure plus tard, lorsque les jeeps firent leur entrée dans Behmai, Mahendra parut à nouveau vidé de ses forces, au point qu'il mit plusieurs minutes avant de se résoudre à se lever.

Cela dit, à ce moment-là, tout le monde resta paralysé, même le chauffeur et Ramayan, qui avaient pourtant passé à Behmai toute une partie de la nuit. Il y avait la lumière, d'abord, le jour rasant et gris qui tombait sur la place, cette pente entièrement nue enserrée par son pourtour de maisons terreuses. Le regard était constamment contraint par leurs murs rêches et rudes ; il ne pouvait s'enfuir, voir plus loin que cette pente de poussière, plus loin que son puits, tout en haut – un puits qui avait lui-même quelque chose de sinistre, avec ses deux colonnes massives. Et lorsqu'il trouvait enfin une échappée, lorsqu'il parvenait à capter, entre deux ruelles, le ruban brillant du fleuve, en contrebas, ses anneaux engourdis dans la paix du matin, c'était plus fort que tout, l'œil revenait à la place, à sa tenaille de façades aveugles ; comme si c'était là, et non ailleurs, qu'il fallait chercher, pour peu qu'il y en eût, les raisons de l'horreur.

Et puis il y eut surtout le silence, ce matin-là, les maisons et les cours muettes qui faisaient que ce village n'était plus un village. Plus de braillements de transistors, plus d'appels de courette en courette, plus d'enfants piaillants, plus de pots entrechoqués, plus de poulie qui grince quand le seau descend et remonte du puits, plus de chants de femmes au-dessus des moulins ou des tamis à grains. Rien que le bruissement des feuillages à l'arrière des cours, quand le vent se levait ; ou l'ironie, dans les branchages, d'un caquet de perruche. Car les autres animaux avaient déserté la place ; buffles, vaches, chèvres, poules, chiens, ils avaient tous fui l'odeur de la mort. Ils s'étaient égaillés du côté des champs de canne, en bas du village, avec les paons et les singes ; et ils bougeaient à peine, eux aussi, comme brisés, autant que les hommes, par le vent du malheur.

Une troisième jeep fit irruption sur la place. C'était Yadav, accompagné de Kamath, l'officier de Delhi nommé trois mois plus tôt à la tête de l'opération Anti-Bandits. Ils avaient été prévenus par radio de l'arrivée de Mahendra, ils avaient aussitôt quitté Kalpi. Les pétarades de leur moteur arrachèrent les villageois à la torpeur du Valium ; ils commencèrent à sortir des maisons. La plupart d'entre eux s'étaient déjà rasé le crâne et tous portaient le tissu blanc du deuil.

Mahendra se décida enfin à se lever et sauta à bas de la jeep. Les autres l'imitèrent, formant derrière lui une petite troupe timide. L'inspecteur général, en revanche, n'avait jamais paru aussi majestueux ; il s'avançait à pas lents, le dos raidi de solennité, tel un roi de théâtre ; si bien que les gens de Behmai, dès qu'il fut sur la place, coururent à lui pour lui baiser les pieds.

Mahendra les releva un à un, effleura des mains, des bras, marmonna des formules toutes faites, esquissa quelques questions. La plupart du temps, il n'obtint que des plaintes ou des phrases sans queue ni tête. Il y eut même une femme – elle s'appelait Shakuntala, se souvient Jaïn, et elle était très belle – qui resta une bonne minute en sanglots à ses genoux, lui demandant vengeance pour son mari et son fils tombés ensemble, disait-elle, sous les balles de la fille ; et Jaïn remarqua que, entre deux imprécations, elle montrait du doigt une maison, en bas de la place, dont les murs portaient de longues traînées noires, comme des traces d'incendie.

– Ne faites pas attention, intervint Ramayan en repoussant la femme. Hier soir, il y a eu des cas de délire.

Une femme plus hagarde que les autres tournait encore autour de Mahendra, mais, devant la rebuffade infligée à la précédente, elle n'osa s'approcher et partit s'asseoir au bord du puits, ses deux jeunes enfants blottis entre ses jambes. « La veuve de Surendra Singh, murmura complaisamment le superintendant à l'oreille de l'inspecteur général. C'est l'homme que la fille a abattu en premier. Il paraît qu'elle lui en voulait plus qu'aux autres. »

Mahendra soupira. Il regarda un moment les gens de Behmai continuer leur déambulation de spectres, puis retourner lentement à l'abri de leurs murs. Le silence, à nouveau, englua la place ; et, comme s'il fallait à toutes fins le briser, il se pencha vers Ramayan et demanda :

– Où sont les morts ?

– Par ici, chuchota le superintendant, et il lui désigna un auvent au bout d'une venelle.

Mahendra s'engagea dans la ruelle, suivi par Jaïn, Ramayan et les deux policiers arrivés de Kalpi. Ils s'arrêtèrent à mi-chemin dès qu'ils aperçurent les cadavres. Les gens de Behmai s'étaient contentés de les couvrir de grandes branches de figuier, ils n'avaient pas de quoi fabriquer des linceuls. Des essaims de mouches y grouillaient ; et, bien qu'on les eût alignés avec soin, les corps mal dissimulés sous le frêle écran de feuillage ne semblaient plus qu'une seule et gigantesque plaie.

– Des bêtes, souffla Mahendra. Seules des bêtes ont pu…

Il ne parvint pas à finir sa phrase. Un courant d'air s'engouffra dans la venelle, y rabattant une odeur insoutenable. Derrière lui, le chef de l'opération Anti-Bandits se mit à vomir.

– Partons, grommela-t-il, et il tourna les talons.

L'instant d'après, il était revenu sur la place. Lorsqu'il

le vit sortir de la venelle, un policier courut à lui et lui tendit un papier chiffonné :

– C'est un des gangsters qui l'a épinglé dans son dos, dit-il en désignant un infirme allongé sous un auvent.

Mahendra jeta un coup d'œil à l'homme puis s'empara de la feuille. Il y reconnut aussitôt l'écriture de l'auteur du carnet. Le texte rattachait explicitement l'attaque au meurtre de Vikram Mallah par les frères Singh. Il était assorti de menaces très directes à l'encontre de la police. Sa signature, « Devi, la Beauté des Bandits », était estampillée d'un sceau de cire à l'effigie d'un Roi-Cobra.

Mahendra lut et relut la feuille, puis la tendit à Jaïn.

– Au moins, tout est clair, commenta Jaïn dès qu'il eut pris connaissance du message. On est sûr que c'est elle, et on a une preuve. Il ne nous reste plus qu'à la prendre.

Mahendra ne répondit pas. Il consulta à nouveau sa montre, parut réfléchir, puis se tourna vers Ramayan :

– Où se trouve le paysan qui a donné l'alerte ?

– Il n'a pas voulu rester dormir ici, balbutia le superintendant.

– Et il a dormi où ?

– À Sikandara.

– Sous votre garde ?

Ramayan bafouilla un début de phrase. Mahendra lui tourna le dos, monta dans la jeep. Jaïn l'imita, puis Ramayan, qui s'installa à l'avant, comme à l'aller ; mais, juste avant que le chauffeur n'eût démarré, Mahendra se pencha vers lui et lui posa une nouvelle question :

– À votre avis, à cette minute précise, qui fait le siège du poste que vous commandez ?

Et, comme l'autre restait sans voix, il poursuivit :

– Les journalistes, Ramayan. Les journalistes qui vont apprendre avant moi pourquoi, alors que l'alerte a été donnée à douze heures trente, vous n'êtes arrivés sur cette place que trois heures plus tard.

95

L'interrogatoire du paysan Balmunkand confirma les doutes de Mahendra. Arraché à l'auvent du temple où il avait passé la nuit, il fut aussitôt interrogé par l'inspecteur général qui le confronta ensuite au superintendant Ramayan ; et la vérité éclata.

Elle était, comme le présumait Mahendra, tragiquement stupide. Le paysan Balmunkand avait bel et bien donné l'alerte à midi et demi – le temps de dévaler à bicyclette le chemin de Behmai – et les policiers de Sikandara n'avaient pas voulu l'écouter : ils venaient de commencer une partie de volley-ball. Malgré ses cris et ses supplications, ils avaient refusé d'interrompre leur jeu. « Va te faire voir ! lui avait jeté le capitaine de la première équipe. Des attaques, il y en a tous les jours ! » Et un autre policier avait renchéri : « Tes petits copains Boîte à Outils et le Gourou sont dans le coin, tu ne vas tout de même pas nous faire croire que ce sont eux qui viennent te piquer ton grain. À moins qu'ils ne viennent pour ta femme ? » Balmunkand avait insisté, on l'avait menacé Comme il s'obstinait à les supplier, un des policiers avait quitté le terrain et lui avait décoché un coup de poing. Le paysan avait couru se terrer dans un temple d'où il n'était sorti que vers trois heures, en entendant les gémissements des femmes et enfants qui arrivaient de Behmai. Depuis plus d'une heure et demie, le drame était consommé.

Il l'était doublement, songea Mahendra à l'issue de cet interrogatoire : au lieu de neutraliser immédiatement ce témoin compromettant, Ramayan l'avait laissé passer la nuit à Sikandara ; et les journalistes, arrivés dans la place, comme il l'avait prévu, juste après lui, n'avaient pas été longs à le dénicher. Balmunkand venait de leur raconter son histoire ; et les plumitifs, à présent, s'apprêtaient à tenter l'aventure des ravines, qui à moto, qui en jeep, qui à bicyclette, selon leurs moyens, voire en char à bœufs.

Mahendra s'enferma dans le bureau de Ramayan, appela sur-le-champ Tripathi, ministre de l'Intérieur, pour lui donner sa version du massacre. Il comptait y glisser incidemment le témoignage de Balmunkand. Il le lui présenterait comme celui d'un demeuré mental que le massacre avait achevé d'égarer.

Il lui fallut une demi-heure avant de joindre le ministère ; et lorsqu'il y parvint, ce fut pour s'entendre répondre que Tripathi était absent. Il ne pourrait lui parler avant le soir. Mahendra demanda alors au médecin du village, qui venait d'arriver de Behmai, de prescrire à Balmunkand un sédatif puissant. Puis il lança un appel radio pour réunir tous les chefs de poste à dix miles à la ronde.

Ils firent diligence et furent au complet avant midi. Ils venaient tous de recevoir une lettre de *la fille*, postée deux jours avant l'attaque. Le texte en était identique, recopié à la main, et rédigé dans le même anglais naïf où Mahendra reconnut aussitôt la plume de l'auteur du carnet : « Ne me recherchez pas, sinon vous devrez faire face aux conséquences », concluait ingénument la missive. La signature était la même que sur la feuille épinglée au dos de l'infirme, à Behmai, et scellée d'un cachet parfaitement semblable, à l'effigie d'un Roi-Cobra.

Sans même attendre les commentaires des chefs de poste, Mahendra envoya immédiatement un message radio décrétant l'état d'alerte maximum dans tous les districts des ravines. Il serait renforcé autour de Kalpi où les hommes patrouilleraient dans les gorges de jour comme de nuit. « On ne lui laissera pas de répit, déclara-t-il de la même voix sourde que pendant la nuit. C'est la guerre totale. » Et il exposa son dispositif d'attaque. Dès la fin de la réunion, tous les hélicoptères envoyés par Delhi seraient lancés au-dessus des ravins, avec mission de les ratisser les uns après les autres. Deux vedettes à moteur descendraient et remonteraient la Vallée trois fois par jour. Tous les villages, dans un rayon de quinze miles, seraient étroitement contrôlés, la garde aux octrois renforcée, les marchés surveillés. La prime sur la tête de la fille serait doublée, les affiches de mise à prix placardées sous quarante-huit heures. Et, comme le superintendant Yadav, le seul à s'être attardé devant les morts de Behmai, lui avait appris avant la réunion qu'il y avait remarqué un corps revêtu d'un uniforme de police, Mahendra ordonna une autopsie de tous les cadavres. Il donnait une demi-journée à Ramayan pour les transférer à Kanpur.

Mahendra conclut cette impressionnante série de mesures en intimant l'ordre à tous les responsables présents de rester en communication constante avec lui. Ils passeraient au rapport matin et soir. Puis il appela son chauffeur. Jaïn et lui repartirent pour Kanpur.

Douze heures plus tard, ils n'avaient toujours pas rejoint l'inspection : dès leur arrivée sur la Nationale, ils furent pris dans un gigantesque embouteillage. Mahendra envoya le chauffeur aux nouvelles. Celui-ci revint au bout d'une heure, la mine résignée : une manifestation barrait la route à quelques kilomètres de là. C'étaient des étudiants, leur annonça-t-il. Ils protestaient non contre le massacre, mais contre l'inertie de la police de Sikandara.

L'affaire s'était donc déjà répandue partout. Mahendra et Jaïn abandonnèrent l'Ambassador au chauffeur, avec pour consigne de ne révéler leur identité sous aucun prétexte, et partirent à pied jusqu'au premier poste de police, à dix kilomètres de là. Pendant quatre heures d'affilée, Mahendra tenta de joindre le ministère de l'Intérieur ; en vain. Il en alla de même pour l'inspection. Il parvenait bien à obtenir la ligne, mais les correspondants qu'il réclamait étaient toujours absents. En désespoir de cause, vers minuit, il appela le journal le plus important de Kanpur, à qui il dicta un communiqué. Il y donnait une très habile version des faits qui parvenait à passer sous silence la fatale négligence des policiers de Sikandara. Mais la conclusion enflammée de ce message surprit beaucoup Jaïn : « Aucune pierre, aucun buisson des ravines n'échappera à nos patrouilles. D'ici quelques jours, la Beauté des Bandits sera à genoux, et son empire de terreur un royaume de cendres. »

Puis ils retournèrent à l'Ambassador. Mahendra eut le temps de lire la moitié de son Lewis Carroll : le barrage ne fut levé qu'à huit heures du matin ; et la nasse de bus, de camions, de taxis, de dromadaires, de chars à bœufs où ils avaient été pris était si enchevêtrée qu'ils ne furent pas à l'inspection avant midi.

Mahendra se précipita dans son bureau. Il était si tendu qu'il ne remarqua même pas, dans l'antichambre, l'absence de Miss Sharma. Une pile de notes l'attendait près du téléphone. Il s'y plongea aussitôt. La première, datée de la veille et rédigée de la main de Verma, indiquait qu'un des blessés, un certain Prayag, avait parlé. Il s'était écroulé dès la première salve de mitraillette, il avait été seulement touché à la jambe. Il avait fait le mort et prétendait tout savoir du déroulement du carnage. Il assurait notamment que ce n'était pas la fille qui avait tiré sur les prisonniers, mais un de ses hommes. D'après Prayag, à la fin du massacre, l'homme s'était retourné vers elle et lui avait crié : « Voilà ta vengeance ! », ou quelque chose d'approchant.

Sa déposition était agrafée à la note. Sous ce document, un autre rapport de la main de Verma signalait que l'alarme avait été donnée à midi et demi au poste de Sikandara, mais que les policiers avaient refusé d'intervenir sous prétexte qu'ils étaient constamment dérangés par de fausses alertes. « En fait, il semble bien que les fonctionnaires en poste à Sikandara avaient alors engagé une partie de volley-ball », commentait ironiquement Verma.

L'origine de l'information n'était pas précisée, non plus que l'heure à laquelle elle avait été reçue. Pour autant, Mahendra ne se troubla pas. Il s'empara d'une feuille de papier, y rédigea le brouillon d'une brève réponse – la version même qu'il cherchait à donner depuis la veille au ministre de l'Intérieur : « Pour autant que je sache, les joueurs de volley-ball étaient un contingent de garde. Les autres hommes étaient en patrouille. » Et il souleva son téléphone pour appeler le ministre.

Et c'est au moment même où il entendait la voix du standardiste qu'il avisa, bien en évidence à droite de l'appareil, une enveloppe officielle à son nom. Il s'en empara, l'ouvrit tout en poursuivant sa communication. Comme à l'habitude, on lui demanda de patienter. Il se mit alors à lire la lettre.

Dès les premières lignes, il raccrocha. Dans le style contourné et fleuri qui avait toujours été en vigueur dans l'administration indienne depuis l'empire moghol, on lui annonçait qu'il venait d'être nommé directeur général de la police. C'était le poste le plus élevé de la hiérarchie. Le plus honorifique, aussi. Jusqu'à sa retraite, Mahendra n'aurait strictement plus une seule responsabilité, hormis celle de présider des réceptions, des cocktails, des tournois de cricket, de tennis, des conférences au Rotary. Il ferait des discours, remettrait des médailles et des coupes. Autrement dit, il était démissionné.

Il se leva, tourna plusieurs fois autour de son bureau d'acajou, manipula machinalement le bouton qui commandait son ventilateur poussif, s'arrêta devant l'armoire aux rapports où continuait de grimacer le visage fracassé de Vikram Mallah, à deux pas de la porte-fenêtre par laquelle la pluie, à chaque mousson, venait inonder son carrelage. De l'autre côté du jardin s'élevait l'immeuble où il aurait désormais son bureau, l'un des plus beaux de Kanpur, un salon-bibliothèque qui datait des Anglais, avec un plancher marqueté, une superbe cheminée faux Tudor, un service à thé en porcelaine de Wedgwood et un carillon victorien qui sonnait toutes les heures.

Il alla se rasseoir. « Mrs. Mahendra va être ravie », songea-t-il en imaginant les innombrables réceptions où elle allait pouvoir faire cliqueter ses bracelets et briller ses soieries ; et il enfouit sa nomination au fond d'une de ses poches. Puis il se mit à ranger les papiers éparpillés autour du téléphone.

Sa main s'arrêta sur le petit carnet. Il n'avait pas changé de place. Depuis son expédition à Behmai – exactement depuis la nuit qu'il avait passée sur la Nationale 2, dans l'embouteillage, à tenter d'étouffer l'incurie des policiers en poste à Sikandara –, il lui était complètement sorti de l'esprit.

L'inspecteur général commit alors le premier acte franchement répréhensible de toute sa carrière de fonctionnaire : il s'empara du carnet et l'enfouit dans son sac, à côté des œuvres de Lewis Carroll. Puis, jugeant qu'il serait stupide de s'arrêter en si bon chemin, il s'empara aussi de la déposition du blessé Prayag. Et partit s'enfermer dans le premier cinéma.

96

Malgré sa jeunesse, ce fut K. N. Verma qui succéda à Mahendra au poste d'inspecteur général. Pour faire oublier le profit qu'il avait tiré de l'absence de son supérieur et les habiles intrigues qu'il avait menées auprès du ministère afin de l'évincer, il réclama et obtint le maintien de Jaïn dans ses fonctions d'inspecteur général délégué ; et sa première décision fut d'appliquer point par point le dispositif d'attaque conçu par Mahendra.

Ainsi donc, trois jours plus tard, le visage de *la fille*,

comme il l'appelait lui aussi, fut placardé dans tous les lieux publics du territoire de l'État. Verma réussit le tour de force de l'assortir d'une photo. Celle-ci fut réalisée à partir d'un cliché de Ramkali, la plus jeune sœur de Devi. D'après les gens de Sheikhpur Gura, elle ressemblait trait pour trait à son aînée. Pour le reste, Verma se fonda sur les témoignages des gens de Behmai. D'une voix unanime, ceux-ci s'accordèrent à trouver à la présumée meurtrière une parenté frappante avec la belle Reka, actrice de cinéma dont le pouvoir d'attraction sur les mâles indiens était alors à son zénith.

La légende de Devi précéda-t-elle la diffusion de ce portrait-robot, ou est-ce au contraire l'affiche qui répandit le mythe d'une criminelle aux charmes ravageurs, assoiffée de sexe aussi bien que de sang ? Ce qui est certain, c'est que les patrouilles spéciales, les commandos, les vedettes, les hélicoptères n'étaient pas lancés à ses trousses que toute la presse, du nord au sud de l'Inde, reprit dans ses manchettes le surnom qu'elle s'était donné : Belle des Bandits. On souligna partout qu'elle avait le teint pâle et le visage d'un ovale parfait ; et, pour parachever sa ressemblance avec Reka, on décrivit ses attaques comme un tableau de comédie musicale : après chacun de ses meurtres, écrivait-on, Devi bondissait, mitraillette au côté, sur le toit des maisons qu'elle avait dévastées, puis chantait et dansait.

On évoqua aussi le souvenir de Putli Bai. Mais ce fut une référence de pure forme : sa romance paraissait désormais bien pâle au regard des orgies qu'on prêtait à Devi. Avant même que leurs reporters ne soient revenus des ravines, les journaux lui attribuèrent un appétit sexuel hors du commun. Dans les cercles de Delhi ou de Calcutta où se faisait l'opinion, on répétait déjà comme une vérité révélée la phrase qui avait couru la Vallée un an plus tôt, quand Devi n'était encore qu'une petite délinquante locale : « Une fille qui a zigouillé des mecs est nécessairement une sacrée affaire. »

Cette idée enflamma tellement le public qu'un des magazines les plus sérieux du sous-continent, l'*Indian Express*, obtint d'un écrivain célèbre, alors plus connu que Salman Rushdie, qu'il quittât sa douillette résidence de Delhi et se risquât, à près de soixante-dix ans, dans les fondrières grouillantes de serpents qui entourent Sheikhpur Gura. Il n'eut aucune peine à apprendre des villageois comment Devi en était arrivée à vivre en hors la-loi. Dans chaque épisode de son passé – son mariage forcé, sa défloration précoce, ses fugues, ses baignades au bord du fleuve, sa liaison avec Kailash, son enlèvement et son viol par Babu, sa folle passion pour Vikram, son rapt par les frères Singh –, il trouva matière à se persuader qu'elle était d'une lubricité inouïe.

Le récit qu'il publia une fois rentré fit aussitôt autorité. Tous les journalistes le reprirent, même ceux qui voulurent approfondir l'enquête et se rendirent à leur tour à Sheikhpur Gura. Car les villageois, de leur côté, se voyant assaillis de visites, de flashes, de questions, parfois même de cadeaux – un paquet de biscuits, de bonbons, une pile de transistor pour quelques détails de plus –, eurent l'impression, pour la première fois de leur vie, de compter pour quelque chose, et répondirent aveuglément à l'attente de leurs visiteurs : oui, Devi était belle, belle à couper le souffle ; oui, elle aimait l'amour, et même la luxure ; en dehors du sang, d'ailleurs, elle n'avait jamais aimé que ça. C'était une fille qui n'avait peur de rien, ni des mâles, ni de la mort, le meilleur coup de la Vallée, le plus dangereux aussi. Oui, elle était magnifique et terrible, elle avait tout vu, tout vécu. Avec Devi, c'était sûr, tout pouvait arriver…

De l'autre côté du fleuve, à Tyoga, on retrouva Kailash, à présent père de quatre enfants. Il ne craignit pas de donner une relation précise, parfois égrillarde, de ses ébats avec la Reine des Bandits. D'autres témoins renchérirent : un jeune homme kidnappé par sa bande trois mois plus tôt et relâché au bout d'une semaine raconta qu'elle avait l'habitude de se mettre nue chaque soir devant ses prisonniers, puis d'en choisir un pour la nuit. Elle le tuait au lever du soleil. L'homme n'expliqua pas par quel miracle il avait échappé à ce funeste traitement. Néanmoins, on le crut, d'autant plus qu'il entremêla ses descriptions de détails recoupés par d'autres témoignages, comme le goût de Devi pour les noix de cajou, son habileté au tir, son ascendant sur Man Singh, sa coupe au carré, son bandeau rouge.

Dès la publication de ce sulfureux scénario, les pisse-copie qui écumaient les villages des ravines furent assaillis des anecdotes les plus fantaisistes. Ainsi, un homme qui avait perdu la moitié d'une jambe pendant la guerre du Pakistan et sillonnait cependant à moto les chemins des gorges prétendit qu'une nuit où il circulait sur la Route n° 22, la Reine des Bandits l'avait arrêté. À la vue de son moignon, elle l'avait aussitôt libéré en le gratifiant d'une part de son butin. L'homme assurait qu'elle était d'une beauté si envoûtante qu'il en avait oublié son infirmité. Un autre villageois confia à un chroniqueur une histoire encore plus rocambolesque : il assurait qu'une semaine auparavant, il avait croisé Devi en plein midi, devant l'échoppe d'un trafiquant d'armes : « Je l'ai vue d'abord de dos. Quand elle s'est retournée, tout mon sang a afflué à ma tête. Elle était mince, musclée, elle faisait au moins 1,80 m et ses cheveux étaient couleur de sang séché. Dans la seconde, je suis devenu fou de désir. » Cette déclaration fut reçue elle aussi comme parole d'évangile ; et dès le retour de leurs envoyés spéciaux, les journaux rivalisèrent de manchettes à sensation. Tout leur fut bon pourvu qu'on respirât un parfum de western : LA VENGEANCE D'UNE AMOUREUSE – LA REVANCHE DE LA FEMME BANDIT – CHASSE À LA FEMME DANS LA CEINTURE DU CRIME. Les surnoms de Devi se multiplièrent : LA BATELIÈRE DU FLEUVE DE LA VENGEANCE, titra-t-on sans sourciller, LA MAÎTRESSE DU

MEURTRE, LA DAME DES RAVINES, LA CALAMITY JANE DE L'UTTAR PRADESH. Certaines unes, à l'inverse, étaient barrées d'une très sobre formule : LA TUEUSE – comme si ce féminin, à lui seul, résumait tout l'empire pris par Devi sur les imaginaires.

Ainsi nourrie aux rêves des gens des villes, la légende reflua dans la Vallée. D'un bout à l'autre des gorges, de nouvelles fables se mirent à courir qui se mêlèrent aux souvenirs des uns, aux illusions des autres, aux peurs de ses ennemis, aux espoirs de ceux qui l'aimaient. De bulletin radio en livraison de journaux, tout s'emmêla, se brouilla, le juste et l'injuste, le vrai et le faux. À mesure que l'imagination, jour après jour, déposait sur les mémoires son sédiment trompeur, les raisons les plus solides défaillirent. Même s'il se trouva ici ou là un sociologue, un historien pour tenter de rappeler les fatalités qui vouaient la Vallée au cycle infernal des vengeances, il était trop tard : les esprits s'étaient embrasés. Pareils aux fauves qui jaillissent des flammes quand la jungle prend feu, les songes de la vieille Inde envahirent les consciences les uns après les autres. Là encore, tout s'enchevêtra : la révolte des Cipayes, l'histoire de la rani de Jhansi, la mémoire confuse des sacrifices humains, celle des égorgeurs qui semaient autrefois la terreur sur les routes. Devi était-elle la réincarnation de la divine Durga, victorieuse des démons aux tout débuts du monde ? Celle de Draupadi, la princesse des anciens livres, qui jura, après la honte que lui infligèrent les rois Kaurava, de ne plus se laver les cheveux que dans leur sang ? Ou l'ultime avatar de Kali la Noire, la danseuse au collier de crânes ? Sans doute tout cela à la fois ; et peut-être même une nouvelle divinité, car, dans la Vallée, les gens de basse caste pétrissaient déjà des statuettes de glaise à son image supposée, ils joignaient les mains devant elle, lui offraient des fleurs, du sucre, des bâtons d'encens.

Leur dévotion était plus qu'une prière, s'y glissaient

toutes les questions que les hommes des villes se refusaient à soulever : pourquoi ne parlait-on plus des frères Singh, disparus eux aussi dans les gorges ? Pourquoi Devi s'acharnait-elle ainsi à vouloir leur mort ? Que s'était-il passé au juste sur la place de Behmai ? Aucun journal ne s'en inquiétait, on ne parlait que de Devi, de son goût de l'amour et du sang. Pourtant, dans les villes, sous les vérandas où l'on parlait anglais, on se doutait bien qu'une femme, si passionnée soit-elle, ne va pas laver dans le sang de vingt-trois hommes – dernier bilan du massacre – la seule mort de son amant. Il y avait autre chose, qui ne pouvait être dit. Pourrait-on le cacher longtemps ?

L'Inde, en ce mois de mars 1981, ressemble à ses paysannes quand elles se retrouvent en face d'un inconnu : elle baissent les yeux, tirent leur voile devant leur bouche, se détournent et se taisent. Qu'elles espèrent ou qu'elles aient peur, nul ne le saura. Pas un article ne fit état de ce qui s'était passé à Behmai avant le massacre. Il était cependant impossible que l'affaire, connue de tous dans la Vallée, n'eût pas été portée à la connaissance des journalistes, fût-ce à mots couverts. Mais, sur ce point, la presse demeura unanimement muette.

Commencèrent alors, comme si déjà on attendait les pluies, des semaines fébriles et ardentes où se confondirent tous les fantasmes. L'impatience de prendre Devi, de l'humilier, de l'adorer, l'envie de la punir, de la battre, de la pendre haut et court, de la proclamer déesse, de lui faire l'amour, de la réduire en cendres : tous les désirs et leur contraire, pourvu qu'on tînt enfin cette chair de cinéma, qu'on l'arrache au noir et blanc des affiches – *DEVI, WANTED, DEAD OR ALIVE, 100 000 Rs* –, ce visage sans épaisseur qui dérivait aussi au plus obscur des âmes, sur les eaux premières de la matrice à rêves.

97

Un mois plus tard, dans un moment de fureur comme il en avait rarement connu malgré son bouillant caractère, l'inspecteur général Verma proposa au ministre de l'Intérieur un texte réglementaire particulièrement rigoureux, l'ordonnance Anti-Bandits. Cette appellation un peu cocasse, reprise à Mahendra, résumait à elle seule l'impuissance de la police. Mais Verma n'était pas, loin s'en faut, un homme à fariboles : sur le terrain, ce décret conférait à ses hommes des pouvoirs illimités.

Ainsi, tout paysan, sur le simple soupçon qu'il abritait ou renseignait des gangsters, pouvait être immédiatement arrêté et emprisonné. Ses biens seraient aussitôt confisqués, aucune libération sous caution ne serait autorisée. Dès que la preuve du délit serait apportée – et l'on savait que les policiers ne manquaient pas de bâtons ou d'électrodes prompts à leur fournir les aveux qu'ils souhaitaient –, le procès s'ouvrirait. Une seule peine était prévue : dix ans de prison. Enfin les bandits pouvaient être abattus sans sommation.

Le ministre de l'Intérieur, puis le Premier ministre approuvèrent l'ordonnance. Pour lui donner l'effet escompté, ils expédièrent dans les gorges deux mille policiers supplémentaires, tous équipés de jumelles, puis firent distribuer dans les postes des ravines six cents fusils SLR et cent cinquante mitraillettes légères – les mêmes armes que celles des gangsters. Ils obtinrent aussi du gouvernement fédéral l'envoi de vingt mortiers. Verma les regroupa à Kalpi : maniaque des films à grand spectacle, il s'était persuadé que sa guerre contre la Reine des Bandits se conclurait sur les bords du fleuve, par une théâtrale bataille rangée entre gangsters et policiers.

Ces dispositions firent grand bruit dans la presse, d'autant plus qu'au même moment, on apprit que les frères Singh, surpris par une patrouille au moment où ils attaquaient une ferme isolée, venaient d'abattre trois officiers de police. Pendant plusieurs jours, le ministère de l'Intérieur tenta d'étouffer l'affaire : les jumeaux, selon leur habitude, avaient assorti ce triple meurtre d'atrocités assez scabreuses. Non contents de dépouiller les cadavres de leurs armes et de leurs uniformes, le Gourou et Boîte à Outils les avaient dépecés. Les membres et les troncs avaient été enfouis dans des sacs poubelles, mais ils avaient réservé un sort particulier aux testicules des trois policiers, grillés avec cérémonie devant les paysans qu'ils venaient de piller.

Par une distorsion surprenante où éclate toute l'étrangeté des sentiments que l'opinion portait à Devi, cette publicité faite aux crimes de ses ennemis ne lui profita pas, au contraire, elle ne fit qu'accroître le désir de la prendre. Les hommes des villes, troublés par ces gestes sauvages qui renvoyaient aux souvenirs d'une Inde archaïque, impossible à renier, fascinante même, mais si éloignée de l'image qu'ils se faisaient du progrès, se réfugièrent dans une idée toute simple : après tout, c'était Devi qui avait commencé. Par conséquent, si on voulait ramener l'ordre dans la Vallée, c'était elle qu'en tout premier on devait prendre.

Et la presse se remit à ressasser l'histoire du massacre. Le prétexte était tout trouvé : de quelque importance, de quelque parti qu'ils fussent, les hommes politiques se succédaient à Behmai. Pour ménager leurs vertèbres délicates, on avait élargi et aplani le chemin de l'Ouest, on envisageait même de le goudronner. Les commentaires accompagnant les clichés de leurs condoléances rappelaient invariablement que le village n'était plus peuplé que de veuves, d'orphelins, de vieillards au crâne rasé, et qu'il faudrait des années avant que la vie y reprenne son cours.

Aux lendemains de la publication de l'ordonnance Anti-Bandits, l'un des journaux les plus respectés du sous-continent et l'un des moins portés aux excès de langage, *The Statesman*, se fait l'écho fidèle de ce que fut alors la pensée des gens des villes. « Si Devi est liquidée, écrit froidement l'auteur de la tribune, ce sera le plus beau trophée de la police d'Uttar Pradesh. La Reine des Bandits ne peut prétendre à aucune circonstance atténuante. Le crime ne paie pas, cela doit se savoir ; et si la décision de la police – quoique prise avec hésitation : on y pratique encore la galanterie – aboutit à un résultat satisfaisant, Devi ne sera plus qu'un nom voué à l'oubli. Elle est condamnée à une mort inéluctable, elle n'échappera pas à la vengeance divine. Si elle ne s'abat sur elle aujourd'hui, elle la rattrapera demain. »

Pour atténuer la véhémence de cet appel à la vendetta et ne point paraître se commettre avec les bouseux des ravines, l'élégant journaliste du *Statesman* avait employé, pour désigner la vengeance divine, le mot savant de *némésis*. Procédé particulièrement habile : il ne contenait aucune référence à l'hindouisme, mais renvoyait, d'une façon apparemment très neutre, à la justice divine de la tragédie grecque. Pour autant, il laissait entendre à qui savait lire qu'en s'attaquant à des hommes de haute caste, Devi avait souillé l'ordre sacré. La justice immanente des dieux, par le bras séculier de la police et peut-être celui des thakurs – pourquoi pas les frères Singh ? –, allait se charger de lui infliger la punition qu'elle méritait, la plus radicale qui fût : tout à la fois la mort et l'oubli.

Cet éditorial fit école. Des articles de la même eau fleurirent dans les gazettes préférées des classes aisées et cultivées. Au pays de la réincarnation et des dieux par millions, Devi se retrouva interdite par avance de résurrection et de légende. Plus elle échappait aux recherches, plus se gangrenait l'envie qu'on avait d'elle. Ce n'était plus maintenant qu'un pur désir de mort.

La traque sauvage commença alors dans la Vallée avec, il faut bien le reconnaître, la bénédiction des esprits les plus avancés, hommes de culture, responsables politiques, gens d'affaires, tous les Indiens soucieux de bâtir une Inde indépendante et moderne, fiers de ses centrales nucléaires, de ses satellites, de ses mathématiciens, de ses champs qui depuis trente ans donnaient à manger à tout le sous-continent et nourrissaient bien souvent les pays voisins – en somme, les hommes qui poursuivaient, ne fût-ce qu'en esprit, et quelle que fût leur appartenance politique, le grand rêve de Nehru.

Et c'est forts de cet appui implicite que, au début d'avril, le ministre de l'Intérieur d'Uttar Pradesh et l'inspecteur général Verma lâchèrent leurs hommes dans les ravines. Les policiers investirent les villages, menacèrent, frappèrent, firent des prisonniers, bastonnèrent, fouettèrent, tirèrent, blessèrent, tuèrent à tout va. Tout homme pauvre fut considéré comme un voleur en puissance. On tortura, on mit de nouvelles têtes à prix, on monta de nuit comme de jour de gigantesques chasses à l'homme, on tendit des embuscades, on débusqua des gangs, on attaqua parfois leurs repaires à la grenade. Chaque fois qu'un bandit était abattu, la photo de son cadavre était publiée dans la presse, assortie de déclarations dont la boursouflure allait croissant : « L'empire des bandits n'est qu'un colosse aux pieds d'argile, déclara ainsi Verma lors d'une conférence de presse, il n'en restera bientôt que des ossements blanchis sur lesquels le peuple pourra aller cracher. »

On n'en était pas encore là. Mais, au bout de deux mois, la police put se targuer d'avoir liquidé plus de sept cents gangsters ou présumés tels. Car, pour quelques grosses prises faciles à identifier, pour des figures de bandits connues depuis des lustres, des dizaines de cadavres anonymes furent présentés aux photographes ; et ce furent souvent, personne ne s'y trompa, ceux de simples miséreux parfaitement innocents. Nul ne l'ignorait dans la Vallée : depuis la promulgation de l'ordonnance, l'avancement des policiers se faisait officieusement au nombre de cadavres produits. Afin de susciter l'affrontement sanglant qui leur fournirait des morts aux moindres frais, ils ne craignaient pas de provoquer les paysans, molestaient leurs femmes, écrasaient leurs cultures sous les roues de leurs jeeps. Le malheur était encore pire quand la fantaisie les prenait de faire des prisonniers : ceux-ci mouraient souvent sous la torture. Pour éviter qu'on pût y reconnaître la trace de supplices, les corps n'étaient jamais rendus aux familles, qui vivaient désormais dans la terreur de les retrouver sous la forme de spectres réclamant nuit après nuit la libération de leur âme et la grâce du bûcher.

C'étaient donc d'authentiques escadrons de la mort qui quadrillaient désormais les ravines sans qu'il fût possible de les arrêter. Chaque chef de district, chaque chef de poste, le moindre sous-fifre était habité d'un seul rêve : prendre Devi. Mais on ne la trouvait pas. Et plus les jours passaient, plus les chances de la découvrir s'amenuisaient. La mousson n'allait pas tarder, qui engloutirait les gorges sous ses flots de boue ; et c'en serait fini.

Alors, de dépit, de désespoir aussi, parce que les chaleurs montaient, parce qu'ils n'étaient pas retournés depuis des semaines dans leurs familles, parce que leurs soldes étaient ridicules, que les hélicoptères tombaient souvent en panne, que les jeeps commençaient elles aussi à se fatiguer, parce qu'ils vivaient constamment dans le danger, parce qu'ils mangeaient mal, dormaient peu – en somme, parce qu'ils n'étaient pas des bandits et que les ravines, malgré les jours qui passaient, leur restaient farouchement hostiles –, les policiers tuaient.

Et la Reine des Bandits demeurait introuvable. Au premier signe de faiblesse, les chefs de poste serinaient à leurs hommes la devise par laquelle Verma avait cru bon de résumer, à la chinoise, sa philosophie des opérations, *les trois C*, comme il l'avait baptisée : « Coordination, Coopération, Courage ». Dès la fin mai, ses hommes ne purent entendre son slogan sans se mettre à ricaner. C'étaient surtout les deux premiers mots qui excitaient leurs sarcasmes : à défaut de prendre eux-mêmes la Reine des Bandits, ils étaient tous décidés à en empêcher leur prochain – surtout s'il était d'une autre caste que la leur. Les renseignements sur les mouvements des bandes étaient étouffés ou transmis sous forme tronquée, voire falsifiée. Enfin, les policiers connaissaient la traduction que les gens des villes, de plus en plus impatients de voir tomber Devi, donnaient à présent des *trois C* : « Corruption, Cruauté, Chaos ».

Ce n'était un mystère pour personne : au bout de deux mois de traque et d'exactions, le désordre le plus complet régnait dans la Vallée. La confusion avait gagné jusqu'aux ravines des États voisins, le Rajasthan et le Madhya Pradesh, et même l'Ouest du Bihar où l'on signala des violences particulièrement atroces : des sous-officiers de police, comme aux temps les plus sombres de l'empire moghol, arrachèrent les yeux de paysans qui se refusaient à parler. Au premier incident, les rumeurs les plus effarantes couraient les gorges. Dès qu'un uniforme se profilait à l'orée d'un défilé, la panique s'emparait des villageois : policiers ou bandits, ils ne cherchaient plus à faire le détail, les vêtements étaient les mêmes, la cruauté identique. Ils s'évanouissaient instantanément dans leur cache ; et il se passait souvent un ou deux jours avant qu'ils ne se décidassent à en sortir.

Le seul geste de révolte que les gens de la Vallée opposèrent aux autorités fut aussi le plus inattendu : ils chassèrent à coups de pierres les fonctionnaires chargés de collecter les impôts. C'est d'ailleurs ce fait, au demeurant assez ténu, qui marqua le début des désordres. Leur contagion fut foudroyante : en quelques jours, tout devint matière à troubles. Ainsi, comme Verma, sitôt en poste, avait annulé la décision d'autopsier les cadavres de Behmai, les thakurs commencèrent à murmurer, puis à proclamer à tous vents que c'était la police qui avait organisé le massacre, et que les meurtriers étaient des hommes de basse caste enrôlés dans ses rangs. Comme toujours en pareil cas, il y eut aussitôt des émeutes entre communautés rivales, des blessés, quelques morts. Des manifestations d'étudiants barrèrent à nouveau les routes. Leurs protestations contre les brutalités policières gagnèrent Kanpur et Lucknow, assorties d'échauffourées, si bien que l'affaire fut portée devant le Parlement.

On demanda des comptes au Premier ministre sur son incapacité à juguler le banditisme. Implicitement, bien entendu, on lui reprochait de n'avoir pas su s'emparer de Devi. Sa réponse fut guerrière et ampoulée à souhait. Il la conclut en exposant sans sourire les solutions radicales qu'il envisageait de prendre pour mettre fin au règne des gangs. Son choix n'était pas arrêté, avoua-t-il, il ne savait encore quel parti adopter, des trois idées qu'il avait étudiées : lâcher dans les ravines des léopards dressés à attaquer les gangsters, noyer les gorges sous un immense bassin d'irrigation ou soumettre les hors-la-loi, comme dans les guerres modernes, à une extermination aérienne du type « tapis de bombes ».

Nul ne contesta ces fantaisies stratégiques et le Parlement renouvela sa confiance au Premier ministre. « Quand prendra-t-on la Reine des Bandits, quand liquidera-t-on les meurtriers ? » renchérirent seulement les journalistes en reproduisant une fois de plus à la une le portrait-robot de la présumée criminelle. « Brisons la logique de la vendetta ! » ripostèrent en chœur d'autres chroniqueurs. « Nous ne sommes pas en Corse, et Devi n'est pas Colomba ! » En dehors des admirateurs de Napoléon, personne ou presque ne savait où situer la Corse, encore moins qui était Colomba. Néanmoins, tous ces titres firent mouche du moment qu'ils appelaient à l'anéantissement pur et simple de la Reine des Bandits.

On continua à publier ici et là de nouvelles versions du massacre, assorties de rumeurs inédites qu'on présentait comme autant de vérités. Mahendra ourdit-il, depuis son nouveau bureau, une ultime manipulation ?

Quoi qu'il en soit, on apprit l'existence du mystérieux journal perdu par un des hommes de Devi pendant le sac de Sultanpur, et la rumeur se mit à courir qu'il contenait le nom des ministres et hauts fonctionnaires qui la protégeaient dans sa fuite. Une nouvelle tourmente parlementaire s'ensuivit, faite d'alliances, de contre-alliances, de vociférations dans la presse, de gesticulations diverses, d'intrigues d'antichambres, de murmures de couloirs. L'opposition exigea la démission du Premier ministre pour « échec à protéger les vies et les biens du peuple, impuissance à défendre la loi et à maintenir l'ordre ». Grâce au vote des thakurs et plus largement au soutien des hautes castes, il résista vaillamment à cette nouvelle offensive. Mais sa majorité commençait à s'effriter ; et il eut beau abrutir la presse de déclarations va-t-en-guerre, le pouvoir fédéral, en la personne de sa plus haute instance, Indira Gandhi, le pressa discrètement d'en finir.

Car la Reine des Bandits commençait à faire parler d'elle à l'étranger. En Australie, en Afrique du Sud, terres d'émigration indienne, des journaux avaient déjà relaté son aventure. La presse britannique puis celle d'Europe continentale les relayèrent les jours suivants. Il ne s'agissait encore que d'entrefilets, mais s'il fallait en juger d'après l'épidémie médiatique qui ravageait le sous-continent, le pire restait peut-être à venir. Avec cette épopée amoureuse et sanglante, toutes les vieilles lunes auxquelles se complaisait l'Occident dès qu'on parlait de l'Inde pouvaient brusquement resurgir : les fantômes de la pauvreté, les rêveries graveleuses d'un *Kama Sutra* d'opérette, les scènes fantasmagoriques de cultes sanglants, toute l'imagerie héritée des Anglais et du cinéma d'Hollywood qui sont souvent, avec la misère et les maharadjahs, le seul moyen pour les Occidentaux de conjurer leur inquiétude devant une civilisation si placidement opaque. Pour être brèves, les quelques lignes que consacraient à Devi les journaux étrangers étaient déjà grosses d'embarrassants fantasmes. « Elle se délecte à tuer quiconque passe sur son chemin, écrivait un commentateur australien, elle change constamment de territoire et d'amants. » Un autre magazine ajoutait : « Elle regarde ses hommes violer les femmes avec jubilation, elle frappe leur mari de la crosse de son fusil. Elle est devenue impitoyable à la suite de deux mariages forcés qui lui furent imposés alors qu'elle n'était qu'une très jeune enfant. » Puis on la décrivait, lors du massacre, juchée sur un toit, et chantant, tel un Néron femelle, une tendre romance.

Certes, ces notes se contentaient de reproduire les extravagances de la presse indienne, elles-mêmes inspirées par les débordements de certains témoins de l'affaire, ou plus souvent encore de paysans de la Vallée qui s'étaient convaincus, au fil des jours, d'y avoir été mêlés. Mais qu'allaient devenir ces élucubrations au fond des cervelles occidentales ? Pour Indira Gandhi, il en allait à présent de la respectabilité de l'Inde, de l'image de modernité résolue et de sereine tradition que son père Nehru puis elle-même avaient inlassablement cherché à accréditer sur la scène internationale. Même si, en privé, Indira ne parvenait pas à dissimuler tout à fait son intérêt, et même un début de sympathie pour une femme dont elle pressentait la douleur et les humiliations, elle estimait que tout ce bruit était profondément néfaste. Dans l'intérêt général, elle réclama donc – sans formuler, semble-t-il, de souhait quant à sa nature – une issue rapide de l'affaire Devi.

Mais il était trop tard pour arrêter l'aveugle machinerie de la rumeur et de la fantaisie. S'y mêlaient d'ailleurs, chez certains, des arrière-pensées extrêmement prosaïques. À Bombay, un producteur avait déjà mis à pied d'œuvre une équipe de scénaristes. Ces malheureux plumitifs étaient sans doute les seuls, dans toute l'Inde, à ne point espérer que la cavale de la Reine des Bandits s'achevât trop vite : le magnat qui les employait exigeait que leur texte fût terminé avant sa capture ; il voulait tourner le plus tôt possible et présenter le film au public quand le sujet serait encore brûlant.

À la fin de ce chaotique printemps, seuls quelques esprits à l'ironie incurable prirent un peu de recul face à ce déluge de nouvelles toutes plus surréalistes les unes que les autres. Mais ils trouvèrent aussi dans leur analyse une sorte de jouissance et l'assortirent du même commentaire secrètement satisfait : « Des choses comme celles-là n'arrivent jamais qu'en Inde… » Cependant, la vérité – pour autant qu'on puisse, dans cette affaire, établir jamais une vérité – était désormais enfouie sous un maelström de racontars, d'appels à la vengeance, à la solidarité de caste, de philippiques où se confondaient les invectives contre la police et les imprécations lancées contre Devi. Si l'opinion doutait de plus en plus qu'on la prît, l'imagination roulait partout comme un fleuve en crue, déversant des flots de bruits qui trouvaient aussitôt preneur. Sur la foi d'un article qui assurait que la Reine des Bandits était sortie des ravines, on la vit partout, au Cachemire, en Assam, au Népal, jusqu'à Ceylan. Puis on raconta qu'elle s'était réfugiée à Lucknow et qu'elle y passait ses journées au cinéma. Dans l'heure où cette rumeur parvint aux oreilles d'un officier de police, toutes les salles de la ville furent encerclées, les spectateurs, à leur sortie, minutieusement fouillés. Le lendemain, au cinéma central, un homme crut reconnaître Devi dans une paysanne qui s'était installée à ses côtés et se livrait sur sa personne à des avances sans équivoque. Elle était outrageusement maquillée et ses traits paraissaient un peu mâles. Cela suffit pour que l'homme se crût poursuivi par la Princesse des Ravines. Sitôt prévenus, les policiers bondirent sur la suspecte, la ceinturèrent et la conduisirent sous bonne garde au commissariat. Il apparut d'emblée que cette ravageuse des salles obscures n'était autre qu'un travesti.

L'incident porta à son comble l'irritation du ministre de l'Intérieur, déjà exacerbée par les pressions d'Indira

Gandhi et les dernières déclarations à la presse de la belle Ramkali, la jeune sœur de Devi : à un journaliste qui lui avait demandé pourquoi sa sœur était devenue gangster, elle avait répondu, toute paysanne qu'elle fût, avec la noblesse tragique d'une héroïne du *Mahabharata* : « Les dieux créent les hommes et les femmes, les dieux, parfois, transforment les hommes en saints. Et ce sont les hommes qui transforment les femmes en bandits. »

Dans sa fureur, le ministre de l'Intérieur convoqua Verma à Lucknow. Dès son retour à Kanpur, celui-ci courut au bureau de Jaïn. Rien qu'à ce geste d'affolement et à son air beaucoup moins flambant qu'à l'ordinaire, Jaïn comprit que le ministre lui avait lancé un ultimatum. Il fut toutefois surpris de son très bref délai : Tripathi ne lui accordait que quinze jours pour s'emparer de la fille. Faute de quoi, Verma serait à son tour congédié.

98

Du temps de Mahendra, Jaïn en avait vu d'autres ; il accueillit la nouvelle avec placidité. Mais il ne lui fut pas désagréable, après tant d'années passées à subir les perverses méthodes de l'ex-inspecteur général, de les appliquer à son successeur. Il se contenta de sourire, allongea le bras vers une dépêche qu'il avait reçue l'avant-veille du poste de Kalpi et la lui tendit en soupirant :

– Tout le monde veut la peau de la fille. Même les autres bandits !

La dépêche était signée du superintendant Yadav, l'officier qui avait manqué Devi dans les ravines, au soir du massacre. D'après l'un de ses indicateurs, quelques chefs de gang, en dépit des opérations de police, avaient réussi à se concerter. Ils étaient tous tombés d'accord :

pour mettre fin à la chasse à l'homme qui ravageait la Vallée et entravait l'exercice de leur noble profession, il fallait liquider la fille. Mais ils répugnaient à répandre le sang d'une femme. Seul Sobaran, un bandit qui venait de perdre cinq hommes dans une embuscade de la police, avait déclaré ne pas nourrir de tels scrupules et savoir déjà comment il s'y prendrait.

– Des rumeurs, ça ne change pas, commenta Verma en rejetant la dépêche sur l'océan de dossiers qui recouvrait, comme toujours, la table de Jaïn. Des balivernes, de simples affabulations !

Égaré au milieu des paperasses, un ventilateur de bureau brassait devant son visage quelques symboliques bouffées d'air. La dépêche faillit aller se perdre dans ses pales. Jaïn la rattrapa au vol, la cala sous son coude, puis répliqua :

– Je ne le crois pas.

Il avait tenté d'imiter les intonations brèves et sifflantes de Mahendra. Il sentit tout de suite qu'il n'y parvenait pas et n'émettait qu'une sorte de fausset. Il préféra donc enchaîner avec sa rondeur coutumière :

– Il n'y a pas plus malin que Sobaran. Si cette information est arrivée sur le bureau de Yadav, c'est qu'il l'a voulu. Et les autres bandits aussi. Tous ceux qu'on n'a pas pris. Tous ceux qui n'ont aucune envie de se faire descendre à leur tour…

Bizarrement, cette objection suffit à rendre à Verma son air flambant. Il bomba le torse, rentra le ventre – habitude prise à l'armée où il avait été champion de cheval-arçons, une manie que Jaïn jugeait particulièrement détestable, car elle lui rappelait la déliquescence graisseuse où se trouvait à présent noyée sa propre musculature. Mais Verma retournait déjà une chaise devant son bureau, s'y asseyait à l'envers, à la manière des héros de western, en lui lançant de son air le plus pénétré :

– Je vous écoute.

Jaïn choisit d'attaquer en douceur. À tous égards,

commença-t-il, l'intervention de Sobaran était une bonne affaire. Ce serait lui qui prendrait tous les risques, il saurait descendre la fille proprement, il ne la raterait pas. Bien entendu, il fallait préalablement négocier avec lui, comme avec les frères Singh lors de la liquidation de Vikram Mallah. Le marché serait identique : l'impunité en échange du cadavre de la Reine des Bandits. Sobaran discuterait sûrement, il mégoterait, ergoterait. Mais du moment qu'il s'était découvert, il ne renoncerait pas.

– Encore faut-il que la fille sorte de son trou, contesta Verma.

– On prendra un appât.

– Lequel ? On ne sait pas où elle est !

– On va lui jeter de la viande fraîche.

L'œil de Verma s'arrondit. Jaïn eut du mal à s'empêcher de sourire ; et il poursuivit de la même voix onctueuse :

– Le cadavre de Moustakim.

– Mais vous allez où, là ? Vous allez où ?

Il commençait à s'affoler. Jaïn eut un nouveau sourire, puis reprit sur le même ton bonhomme :

– Depuis Behmai, on n'a signalé Moustakim nulle part. Ni personne de sa bande. Comme la fille… Ils sont certainement dans la même planque.

– Oui, et alors ?

– Trois mois que ça dure. Trois mois en tête-à-tête avec cette gonzesse… Moustakim n'a jamais aimé les femmes. Et celle-là, comme catastrophe ! À la première occasion, ils vont partir chacun de leur côté. Cette occasion-là…

À l'œil de Verma, de plus en plus effaré, Jaïn jugea qu'il était temps de le persuader que c'était son plan à lui, l'inspecteur général. Il reprit donc de son air le plus plat :

– Je suis sûr que vous y avez déjà songé.

Puis il se recroquevilla lentement au fond de ses bourrelets.

L'effet qu'il escomptait ne se fit pas attendre. Après

un long moment de silence, Verma se leva, examina le fond de sa chaise avec l'expression d'une intense concentration. Jaïn attendit quelques instants ; puis, quand il jugea que l'autre n'arrivait toujours pas à saisir où il voulait en venir, il lui désigna la minuscule ouverture qui, sur le mur d'en face, laissait apparaître un morceau de ciel plombé.

– Eh oui, les pluies...

– Les pluies, bougonna à son tour Verma.

À l'évidence, il n'avait toujours pas compris. Une seconde fois, Jaïn vint à son secours :

– Eh oui, on est tous pareils. En ce moment, on ne pense plus qu'à ça. Et les bandits sont comme tout le monde...

Verma lui adressa un nouveau regard égaré.

– Alors, pourquoi ne pas faire les crétins ? Plus de patrouilles sur la rivière, plus d'hélicoptères. Pourquoi ne pas faire le mort ? Et nos hommes, vous ne croyez pas que... ?

Il fit mine d'hésiter. Verma en profita aussitôt :

– Ils sont épuisés.

– Justement, quelques permissions...

– J'y pensais justement ce matin, coupa Verma, et il sortit de sa poche de chemise un carnet et un stylo avant d'y tracer quelques lignes fiévreuses.

– Nous aussi, on est crevés, intervint encore Jaïn. Vivement qu'on en finisse.

– Ah ça oui ! Vivement les pluies ! ...

Et Verma, comme lui, recommença à guetter le ciel par l'étroite lucarne.

C'étaient les phrases banales qui précèdent la mousson, les mêmes soupirs que l'an passé, que toutes les années qui avaient précédé ; le même mélange d'engourdissement et d'impatience, les mêmes gestes lourds pour tenter de repousser l'air épais qui fatiguait les ventilateurs. Mais il y avait quelque chose de plus, ce soir-là, dans l'épuisement de Jaïn et de Verma. Et même si l'un et l'autre en connaissaient l'origine, s'ils savaient que c'étaient ces semaines, ces mois à traquer en vain la fille, ils se sentaient désormais trop las pour en parler.

Verma s'épongea le front, se rassit. Il appuya son menton sur le dossier de la chaise, s'empara du ventilateur, l'approcha de son visage. Et, tout en s'abandonnant, les yeux fermés, au simulacre de fraîcheur, il laissa sourdement tomber :

– Et ensuite ?

99

La suite, à la vérité, était beaucoup plus compliquée. Mais la vie avec Verma, si elle manquait de piment, offrait à Jaïn un agrément indiscutable : elle était dépourvue de la moindre surprise. Ou bien Verma repoussait ses idées sans les discuter, ou il leur donnait immédiatement sa pleine adhésion. Et, dès la seconde où sa décision était arrêtée, Verma l'appliquait point par point, avec l'énergie aveugle qui lui avait valu, à défaut d'autres qualités, de prendre la place de Mahendra. Aussi Jaïn n'éprouva-t-il aucun embarras à lui décrire un à un tous les rouages de son piège. Il reposait tout entier sur la conviction qu'au premier répit que leur laisserait la police, Devi et Moustakim sortiraient de leur cache. S'il n'était pas certain que la fille chercherait à revoir sa famille, pour Moustakim, en revanche, l'affaire était courue : pour une raison que personne n'avait jamais expliquée, il se rendait au moins une fois par an chez son cousin Immamuddin, qui habitait un gros bourg au bord de la Nationale 2. Il suffisait de le mettre sous surveillance et d'attendre tranquillement de le cueillir. On l'abattrait dès son arrivée. Mais cette fois, on ferait les choses proprement : on rendrait le cadavre à la famille, on présenterait l'événement comme la fin héroïque d'un bandit d'honneur. En un mot, on ferait de Moustakim un grand mort, ce qui permettrait par surcroît de faire oublier toutes les bavures des semaines passées. Inévitablement, la nouvelle reviendrait aux oreilles de la fille. Après l'aide qu'elle avait reçue de Moustakim le jour du massacre, elle serait bien obligée de faire comme tout le monde : venir baiser les pieds de son cadavre, comme chaque fois qu'on a une dette envers un mort. Évidemment, elle n'était pas folle, elle trouverait une ruse, un déguisement. Mais elle viendrait. C'est là qu'interviendrait Sobaran. Il n'était pas né de la dernière mousson, il la démasquerait, on pouvait lui faire confiance. En fin de compte, tout n'était qu'une question d'aplomb. Et, pour une fois, de doigté.

– Si on y met les formes, ça va nous prendre plus de quinze jours, observa alors Verma.

Il avait une voix funèbre, mais il continuait d'offrir son visage aux pales du ventilateur avec tous les dehors de la délectation.

– Pas si sûr, opposa Jaïn.

– Le ministre…

– Ça peut aller plus vite qu'on ne croit, coupa Jaïn, et il désigna à nouveau le pan de ciel, derrière sa petite fenêtre, où défilaient des amas de nuages noirâtres. Et il poursuivit en hochant la tête : « Ils doivent être à bout, dans leur planque. »

Verma ne répondit pas. Il se leva, repoussa la chaise, se figea devant la porte. D'un seul coup, tout en lui se mettait à hésiter : sa bouche qui s'affaissait dans une moue veule, son œil subitement vague ; jusqu'à son dos râblé, qui se voûtait.

– Et si jamais Moustakim sort, et pas la fille ? finit-il par lâcher.

– Elle sortira.

– Et si elle n'est plus dans les ravines ? Si elle est à Delhi, au Népal ? À Ceylan…

– Vous n'allez pas vous y mettre, vous aussi…

C'était la première insolence que se permettait Jaïn – un mouvement exaspéré à mettre, comme tant d'autres, au compte de la chaleur. Mais ce geste irréfléchi eut un effet des plus inattendus : comme subitement aiguillonné, Verma poussa la porte, se remit à plastronner et lui jeta depuis le couloir :

– Allez, Jaïn, décidez-vous, à la fin, montez-le, votre coup !

Puis il vint se rasseoir en face de lui – la chaise à l'endroit, cette fois – et commença à griffonner des notes sur la première feuille blanche qu'il put dénicher au milieu de son fatras.

Souffla-t-il alors à Jaïn l'idée qui paracheva si brillamment sa machination ? En tout cas, c'est le même jour que fut intimé à tous les policiers l'ordre de ne plus désigner Devi que sous un nom de code. Il avait été choisi au hasard, mais il résume bien la froideur avec laquelle, désormais, on ourdissait sa mort : I. R. 40.

100

C'est à la mi-juin, au moment où les chaleurs devenaient insupportables, que Devi et Moustakim quittèrent leur refuge du temple du Dieu-Singe et décidèrent de se séparer. Depuis plus d'une semaine, ils n'observaient plus, au-dessus de leur repaire, un seul passage d'hélicoptère. Pas davantage de bulletin vengeur à la radio, plus aucun de ces communiqués où l'on décomptait comme gibier les bandits abattus ; et si l'on y parlait encore de Devi, c'était désormais par routine, pour désespérer une fois de plus de jamais la trouver.

Pourtant, quand les hommes commencèrent à murmurer : « Ça se calme », elle se méfia, Devi, et leur jeta :

« Bouclez-la, ça n'est pas que parce que vous voulez que ça se calme que ça va se calmer. » Et elle s'enferma de nouveau dans le silence.

Pour une fois, Moustakim fut d'accord avec elle. Il se redressa, lissa ses moustaches, comme toujours avant ses grandes déclarations ; puis il renchérit : « Il faut se méfier du chien qui n'aboie pas. » Et, comme les hommes, ce jour-là, n'avaient pas l'air impressionnés, il crut bon d'ajouter avec la même solennité : « L'homme du désir périt toujours avec ce qu'il désire. »

Sous l'auvent du temple, il faisait trop chaud, personne ne l'écouta. Les hommes restèrent comme ils étaient, avachis, l'œil errant sur les hauteurs des ravines. Ils n'avaient plus le courage de rien, pas même de jouer aux cartes. Même Baladin et Kalla, pourtant de garde, s'étaient affalés contre un pilier, au beau milieu du parvis, et parcouraient d'un œil vide l'enchevêtrement des ruines accrochées aux combes.

Un bandit a soufflé : « J'ai soif. » Ses voisins ont hoché la tête, ils pensaient sans doute à la source, au fond de la ravine, qui ne donnait plus qu'un filet d'eau rousse. Puis un autre a enchaîné : « Il fait chaud », et il a tourné le bouton de son transistor. Il y a eu une musique interminable, un chant racontant les amours d'une princesse durant l'attente de la mousson, enfin un bulletin d'informations. Une fois de plus, il n'y a pas eu un mot à propos des bandits. Ni sur Devi.

Midi est retombé sur la ravine de Gohani, midi blafard d'avant les pluies, noyant les crevasses sous ses rayons de cendre. L'homme qui avait soif a agité la main du côté des pitons : « Ça se calme, a-t-il repris. Ils ne sortent plus de leur trou. » Adossé à un pilier, Lukka a approuvé : « Les flics sont comme tout le monde, ils roupillent. Ils crèvent de chaud. » Et, à son tour, il a agité la main en direction du ciel derrière les crêtes empâtées de nuages.

À sa moue, il semblait calculer. Derrière lui, les yeux

mi-clos, les hommes observaient le moindre de ses gestes; et ils ont paru soulagés quand il s'est décidé à lâcher : « On ferait peut-être mieux de se tirer avant les pluies. »

Ni Moustakim ni Devi, installés chacun à un angle de l'auvent, n'ont eu un mot pour le contredire. Pour acquiescer non plus. À l'instar des autres, ils se sont tus et ont attendu le bulletin météo. Comme la veille, comme l'avant-veille, le journaliste a dit que la température avait battu des records. Mais il était en verve ce jour-là, il a ajouté qu'on n'avait pas vu une canicule pareille depuis des dizaines d'années et qu'elle annonçait une mousson phénoménale. Il avait l'air de s'y connaître, il parlait de masses d'air, de vents dominants, il employait souvent des mots anglais que seul Attu aurait pu traduire. Mais, tout savant qu'il fût, il finit son laïus sur le même soupir que tout le monde : « Vivement les pluies ! » Il les annonçait pour la semaine suivante.

Sous l'auvent du temple, personne n'a bronché. Les hommes ont continué à fixer les hauteurs de la gorge. Il n'y a eu que Lukka, une fois de plus, pour trouver l'énergie de répéter : « On ferait mieux de se tirer avant d'être pris dans les boues. »

Il avait parlé très fort, ses paroles sont allées résonner dans les profondeurs du temple, puis la torpeur a de nouveau englué la ravine de Gohani. L'auvent de grès était loin d'être frais, pourtant les hommes ne le quittaient plus. Au début, ils avaient préféré s'installer dans les salles souterraines, mais les lampes étaient vite venues à bout de leur pétrole, il avait fallu choisir entre la fraîcheur et la lumière; et le parti des hommes avait été vite pris : la lumière.

« Ils avaient tellement envie de partir ! explique Lukka. Sous l'auvent, au moins, ils pouvaient regarder dehors. Gohani était un bon refuge, sans doute le meilleur de toute la Vallée, mais c'était un trou à serpents, comme tous les refuges, et ils n'en pouvaient plus de rester cloués là. D'ailleurs, on en avait tous marre. On attendait le premier prétexte pour se tirer chacun dans son coin. On ne disait rien, mais on était à bout.»

D'après Lukka, la bande avait rejoint la gorge de Gohani six semaines plus tôt, début mai, après un grand détour par le sud. Les hommes avaient passé le fleuve juste après le massacre, pour se cacher dans les ravines de Kalpi que Devi connaissait bien. Mais, au coucher du soleil, ils étaient tombés sur une patrouille. Ils n'avaient dû leur salut qu'à la nuit, et malgré la bravade de Devi qui avait cru bon de se mettre à chanter pour narguer l'escadron lancé à leurs trousses, Moustakim avait préféré passer la frontière du Madhya Pradesh, où la police était réputée plus clémente. Quelques semaines durant, ils avaient vécu à la lisière d'une forêt, tout près d'un village où ils se ravitaillaient sans difficulté. À plusieurs reprises, cependant, ils avaient aperçu des hélicoptères; et, un matin, à leur arrivée au village, les éclaireurs n'y avaient plus trouvé personne. Les paysans s'étaient enfuis. Moustakim avait jugé prudent de décamper en forêt sans demander son reste. Mais les hélicoptères étaient revenus rôder. Il leur avait alors proposé de repartir vers le nord, de retraverser le fleuve et de gagner Gohani, l'ancien refuge de Babu.

Au seul nom de Gohani, la colère avait saisi Devi. «Forcément, raconte Lukka, ça devait lui rappeler Babu. C'était aussi à Gohani qu'elle avait rencontré Vikram, je m'en souviens comme si c'était hier. Elle a foncé sur Moustakim et s'est mise à hurler : "Tu es fou ou quoi, tu n'as pas entendu ce qu'on raconte dans le poste, il y a des patrouilles sur le fleuve, les flics ont des lance-flammes, ils vont nous brûler vifs!" On est tous restés estomaqués. Depuis qu'on était sortis des ravines de Kalpi, Moustakim et elle se faisaient la gueule. Parce que ça l'avait mis en pétard, Moustakim, de l'entendre chanter quand on était tombés sur les flics. Sitôt sortis des gorges, il lui avait passé un bon savon, et, depuis, Devi boudait, elle le laissait mener les hommes à sa guise. Mais quand elle s'est mise à pousser sa gueulante, il ne s'est pas laissé couper le sifflet. Il lui a ri au nez : "Mais tu n'as pas le choix, ma pauvre fille ! Tu nous as porté malheur, et si le mauvais sort te retombe dessus, c'est que tu l'as bien cherché. " Et il a jeté son transistor à ses pieds : "Tu entends ce qui se passe, maintenant, à cause de toi ?" »

Lukka estime qu'à ce moment-là, Moustakim est allé un peu loin. Un instant, il a même pensé que Devi allait l'abattre, comme Attu, et qu'il l'aurait bien mérité : « Avec nos transistors, on savait tout ce qui était arrivé à cause de Behmai : les gens des villes qui s'étaient excités, les flics qu'on avait lâchés dans les ravines comme des tigres affamés. Mais nous, on savait aussi qu'on n'avait pas eu de chance, que quelqu'un nous avait trahis. La procession n'était jamais venue, les frères Singh avaient dû être prévenus, ça n'était pas la faute de Devi si ça avait mal tourné. En tout cas, elle n'était pour rien dans toutes les saloperies des flics, et personne dans la bande n'aurait jamais osé les lui coller sur le dos. Pas un homme n'a compris ce qui a pris Moustakim, ce jour-là. Parce que ce qu'on racontait sur elle dans le poste, on savait que c'étaient des inventions, des saloperies. Les journalistes étaient comme fous ; si on les avait écoutés on aurait pensé que c'était elle qui descendait tous les flics, dans la Vallée, et qu'elle couchait avec, par-dessus le marché, juste avant de les refroidir... Mais Devi avait un sacré estomac, elle écoutait tout sans rien dire, elle encaissait tout. Alors, avec Moustakim, ce jour-là, elle a fait pareil : elle l'a regardé dans le blanc des yeux et elle n'a pas moufté. Seulement, lui, Moustakim, il était décidé à en finir. Il l'a regardée lui aussi dans le blanc des yeux et il lui a répété qu'elle portait la poisse. Dans ces coups-là, c'est le premier qui tire qui a le dernier mot et comme Devi ne bougeait pas, j'ai vraiment pensé qu'elle était cuite. Mais elle était tellement calme qu

Moustakim n'a pas osé dégainer. Ça l'a cloué sur place. Alors elle lui a balancé : “Comment peux-tu parler de malheur, Grand Moustakim, tu n'as pas encore regardé en face le visage de ton destin. ” Et elle lui a tourné le dos. Une fois de plus, elle m'a scié. L'entendre parler comme ça, alors qu'elle n'avait qu'à allumer son poste pour entendre répéter qu'elle était la plus grande salope de toute l'Inde... Mais ça, c'était Devi toute crachée : plus on lui en disait, plus elle relevait la tête. La révolte lui coulait dans le sang. »

Pourtant, toujours selon Lukka, elle fut à deux doigts de quitter la bande, ce matin-là. Pendant que les hommes se préparaient au départ, elle est allée rôder dans les broussailles, comme si elle cherchait un chemin. Man Singh l'a vue faire et l'a suivie. Il a réussi à la ramener; et comme elle hésitait encore à suivre la bande, Lukka a entendu Man Singh lui souffler : « Allez, Devi, on ne peut pas rester ici. Il vaut mieux retraverser le fleuve. On verra ensuite, au moment des pluies. On est ensemble, de toute façon. » Elle a hoché la tête et a répondu : « C'est ça, on verra. On va attendre les pluies. »

« Dans ce qu'elle avait répondu, il y avait autant de menaces que de promesses, raconte Lukka, mais elle a bouclé son paquetage et elle s'est mise en marche comme si de rien n'était. Moustakim et elle ont recommencé à se faire la tronche. Personne ne savait au juste ce qu'il fallait comprendre dans ce qu'elle lui avait sorti sur son destin, mais personne n'osait non plus rien lui demander. En chemin, on écoutait la radio. Les journalistes débitaient toujours autant de salades sur elle, et elle les prenait toujours de la même façon, la tête haute, sans un mot. Il n'y a eu qu'une seule fois où elle a réagi, c'est quand on a donné le nombre définitif des morts de Behmai. Par exception, elle a ouvert le bec et a dit : “Vingt-trois, ça tombe bien, autant de cadavres que j'ai passé de jours chez ces chiens de Behmai. Autant de morts qu'il y a eu de jours. Les dieux font bien les choses quand ils s'y mettent. " Nous, ça nous a fait tout drôle, qu'elle dise ça, parce que, à force d'écouter la radio, on avait fini par oublier nous aussi ce que lui avaient fait les deux frères. On n'arrêtait plus de penser à ce qui s'était passé en bas de Behmai, au coup de folie d'Attu, à sa boucherie, on passait notre temps à se demander comment on avait fait pour en arriver là. Et puis, à force de voir Devi sauter dans les crevasses, à force de la voir en jean, qui faisait tout comme nous, qui portait son paquetage, sa mitraillette, on avait aussi fini par oublier qu'elle était une femme. Seulement, à cause de Moustakim qui ne pouvait pas la sacquer, toutes ces sales idées que serinait la radio finissaient par mettre une sale ambiance dans la bande. On se sentait toujours obligés de la boucler ; et c'est là qu'on a commencé à en avoir vraiment assez. »

Malgré tout, la marche vers le nord et le passage sur l'autre rive se déroulèrent sans encombre. Les hommes traversèrent le fleuve sur des barques volées, ni vu ni connu, début mai, à la nouvelle lune ; et, malgré la chaleur et la rudesse du terrain, ils n'eurent pas trop de mal à gagner Gohani. Mais, là-bas, Devi s'est assombrie. Ce n'étaient pas seulement le fait de retrouver le temple du Dieu-Singe, le reflux de ses souvenirs, les ombres de Babu, de Kailash, de Vikram, comme l'avait prévu Lukka. Il y avait aussi la façon dont elle avait entendu, les semaines précédentes, raconter son histoire à la radio, la manière dont sa vie avait été publiquement étalée, disséquée, réinventée jour après jour. Elle ne devait plus savoir ce qu'elle avait vraiment vécu, elle devait commencer à se perdre, elle aussi, dans les méandres de son destin. Et pourtant elle ne disait toujours rien, elle s'obstinait à écouter son transistor. Quand elle n'était pas de garde, elle le tenait collé à son oreille : elle ne s'éloignait pas de l'angle où elle avait étendu sa bâche tout près du parvis, juste au-dessous d'une frise représentant l'Armée des Singes ; et elle passait son temps à contempler la source au milieu de la falaise d'en face. « Elle ne bougeait même pas quand on voyait passer les hélicoptères, se souvient Lukka. On savait bien qu'ils ne pouvaient nous repérer. Même depuis la source, le temple était invisible, il se confondait avec la terre. Ça n'empêchait pas qu'on se tire tous dans les arrière-salles dès qu'on entendait les moteurs. Elle, elle restait là comme une souche. Elle ne s'est vraiment remuée qu'une seule fois, le matin où la radio a rapporté les derniers exploits des jumeaux. Elle a bondi sur ses deux pieds et s'est mise à hurler : "Mais quand est-ce qu'on leur fera la peau, à ces deux-là, quand ça ?" Elle trépignait comme une gamine. Ensuite, elle a pris sa mitraillette, elle est partie dans une combe, elle s'est mise à faire des cartons sur un vieil arbre. Ça faisait un des ces raffuts ! On était morts de trouille. Mais on n'a rien dit, rien fait, une fois de plus. Pas même Man Singh, ni Moustakim. On a attendu que ça passe. Et ça a passé. »

À peu près au même moment, les provisions ont commencé à manquer. Au début, nul ne s'en est inquiété, les hommes n'avaient pas faim, ils se contentaient de thé mélangé à du sucre et à du lait en poudre. Mais le lait a fini lui aussi par s'épuiser, et la source, pour tout arranger, s'effilochait de jour en jour. Le moral des hommes a baissé d'autant. Ils ne savaient plus que faire de leur temps : il ne se passait rien en dehors des chaleurs qui montaient, des transistors qui annonçaient de nouvelles morts de bandits ; seulement, de loin en loin, des vrombissements d'hélicoptères, et des éclairs, à la tombée du soir, le vent qui se levait d'un coup, entraînant des tourbillons de poudre bistre qui leur donnaient encore plus soif. « On était en prison sans l'être, commente Lukka, on gambergeait, on pensait aux autres bandits, on revoyait le massacre, on se souvenait de nos parents, de nos amis, dans les villages de la Vallée. On n'arrêtait pas de se demander comment on en était arrivés là, comment on pouvait s'en sortir. On finissait par faire comme les types de la radio, on mélangeait tout, on ne savait plus ce qui s'était réellement passé. C'était comme si la poussière nous était entrée dans la tête et nous avait grippé la cervelle. Il y avait maintenant de petits clans dans la bande, des hommes deux à deux, trois à trois, qui ne se parlaient plus qu'entre eux. En fait, dans nos têtes, on était déjà séparés. On était déjà tous partis. »

Mais la décision de lever le camp demeurait du ressort de Moustakim et de Devi, et l'un et l'autre s'entêtaient à se taire. Moustakim était particulièrement agaçant : inchangé, malgré la chaleur et la faim, la moustache toujours aussi soignée, le cheveu en ordre, le regard distant, il se distrayait en jouant de l'harmonium dans son coin d'auvent ; et quand il en avait assez, il se mettait à contempler la paume de ses mains.

Cependant, il devait griller sur place, lui aussi ; car un soir où la plupart des hommes étaient partis à la source, il en a profité pour prendre Lukka à part et lui a chuchoté : « Tu te souviens de ce que m'a dit le devin ? » Une fois de plus, il fixait ses paumes ; mais il n'avait plus ses intonations solennelles, il parlait vite, à mots pressés, sans laisser à Lukka le temps de s'étonner ou de poser la moindre question. Car, pour la première fois depuis qu'il le connaissait, Moustakim lui parlait de sa famille, de sa vie : « J'ai un cousin, Immamuddin, il a une fille très belle. Il l'a mariée à un vieux, elle n'avait pas treize ans. Elle en a vingt-deux, à l'heure qu'il est, elle n'a pas eu d'enfants. La dernière fois que je l'ai vue, le vieux était très malade. Je veux épouser cette fille. J'en ai déjà parlé à mon cousin. Il est d'accord. Alors, si le vieux est mort on ira acheter la dot. On s'en occupera ensemble. Je veux ce qu'il y a de mieux. Avec Immamuddin, on a dit qu'on achèterait les bijoux à Bombay. Mais c'est bizarre l'autre jour, le devin ne m'a pas parlé de cette fille. »

« Il fallait voir ça, poursuit Lukka, il en crevait, de me demander mon avis, mais c'était plus fort que lui, il fallait qu'il le connaisse ! Il avait l'air très pincé. Assez triste aussi, inquiet, mais, quand on attend les pluies, c'est souvent comme ça, les hommes, même les plus forts, laissent les oiseaux de malheur faire leur nid dans leur tête. Alors, le surlendemain, quand j'ai entendu les uns et les autres se mettre à répéter : "Ça se calme" avec des voix de gonzesses, quand j'ai vu leur tronche à tous, après le bulletin météo, je me suis dit que, cette fois, il était temps de manger le morceau. D'ailleurs, Kalla et moi, on était comme les autres, on avait aussi notre idée, pour la suite. Kalla jouait très bien de la flûte, on avait tué le temps en dressant des serpents dans une petite grotte derrière le temple. Ça avait marché, on avait décidé de devenir charmeurs. On voulait s'installer à Agra, près des hôtels à touristes. On en avait notre claque, des ravines, et on avait assez d'argent pour acheter les flics qui surveillent les hôtels. Moi, je serais bien allé finir mes jours dans un village, je sentais venir l'âge, je pouvais gagner ma vie avec mon accordéon, mais Kalla, lui, avait vingt-cinq ans, il voulait vivre à la ville. Il m'avait promis que si on s'installait à Agra, il resterait toujours avec moi. »

Seulement il y avait Devi, sa tête mise à prix, les affiches placardées partout – du moins s'il fallait en croire ce que disait la radio. Il fallait trouver moyen de la cacher quelques semaines, peut-être plusieurs mois. Pour autant, Lukka n'a pas reculé : le soir même, il a choisi d'en parler à Man Singh.

Celui-ci devait y penser depuis un bon moment, car il n'a pas été pris de court par la démarche de Lukka. Il lui a tout de suite dit que la meilleure cache, pour Devi, serait une grande ville ; et, après quelques moments de réflexion, il a ajouté : « Je crois que la femme de Baladin travaille près de Kanpur, dans une briqueterie. » Lukka n'en était pas certain. Ils sont donc allés voir Baladin, qui le leur a confirmé. Baladin a d'ailleurs compris où ils voulaient en venir, car il a précisé que rien n'était plus facile, pour une paysanne, que de se faire embaucher là-bas : le patron n'avait jamais assez de bras, et tout ce qu'il demandait à ses ouvrières, c'était de se taire et de travaille dur. Il les payait huit roupies par jour, les nourrissait, le logeait près de l'usine. Mais il faudrait que Devi reprenn ses habits de femme, a prévenu Baladin, il faudrait qu'ell vive seule, pour tout dire, loin de Man Singh, le temp qu'on l'oublie. Et qu'elle consente à courber l'échine.

Rien n'était moins sûr, et Man Singh n'en menait pa large, deux jours plus tard, quand il s'est enfin décidé s'ouvrir de ses projets à Devi. Il était tellement embar rassé qu'il en tremblait, et avant même qu'il ait parlé elle a compris ce qu'il venait lui dire : « On va s séparer, c'est ça ? Et tu ne sais pas trop quoi faire d moi ? ... » Elle s'est assise sur sa bâche et a lâché son pre mier rire depuis des semaines : « Allez, j'ai vu to manège, avec Lukka et Baladin. Vous avez déjà tou décidé. Faites de moi ce que vous voulez. Je suis forte je m'en sortirai. »

Elle n'avait pas l'air triste, mais elle n'était pas trè gaie non plus. Elle semblait simplement savoir qu'ell n'avait plus prise sur rien. D'ailleurs, pour finir, elle montré le ciel, plus bas que jamais ce matin-là ; et elle soupiré en s'essuyant le front : « Il est temps. »

« Le plus bizarre, ajoute Lukka, c'est que Moustakin a eu exactement les mêmes mots quand je lui ai dit c qu'on voulait faire. Je l'entends encore : "Tu as raison Lukka, il faut partir. Il est temps. " Puis il s'est mis à far fouiller dans son paquetage, il en a sorti une glace, u petit rasoir, et comme ça, sans prévenir, de deux coup secs, comme s'il avait répété son affaire depuis trè longtemps, il s'est tranché les moustaches. »

Et Lukka conclut : « Quand il a relevé la tête et qu'i m'a regardé, ça m'a fait un foutu choc. Je me suis dit que heureusement, la fille de son cousin avait été mariée à u vieux, elle ne ferait pas trop la difficile. En tout cas, il pou vait être tranquille : en sortant des ravines, personne n le reconnaîtrait. Il n'était plus le Grand Moustakim Seulement un type très moche. Il avait un de ces pifs ! ... »

101

Tout le temps du voyage entre les ravines et Kanpur, Devi le passa à se demander à quoi pouvait ressembler Mira, l'épouse de Baladin, qui devait la faire embaucher à la briqueterie. « C'est une belle femme, lui avait invariablement répondu Baladin chaque fois qu'elle s'en était inquiétée. Elle m'a donné trois beaux enfants. »

Elle n'en tira jamais davantage. Baladin n'aimait pas parler et pour lui, tout était simple : Mira était sa femme, donc la plus belle de toutes, et par conséquent reconnaissable entre mille. Quant à Man Singh, il ne l'avait jamais rencontrée. Mais il avait l'air si sûr de son affaire, lui aussi, que Devi ne se troubla point. C'est lorsqu'elle se retrouva seule dans le bus pour Kanpur qu'elle commença à s'alarmer ; et elle finit par se sentir si découragée qu'à plusieurs reprises elle faillit descendre de l'autobus et rebrousser chemin.

Elle n'en fit rien, elle alla jusqu'au bout. Elle suivit à la lettre les consignes de Baladin et de Man Singh, chercha l'usine, puis le petit lac où les ouvrières allaient faire leur toilette en fin de journée, et elle y attendit le soir, repliée au fond de ses voiles, dans l'accablement le plus complet. Il y avait la solitude brutale, la fatigue du voyage ; mais, surtout, son arme lui manquait. Elle se sentait fragile sans sa mitraillette, à la merci de tout. Du reste, elle l'avait prévu : juste avant son départ de la bande, quand il lui avait fallu cacher son uniforme et ses armes, elle avait conjuré Man Singh de lui laisser son pistolet Sten. « Pour mourir plus vite, avait-elle supplié, pour me tirer une balle dans la tête si jamais je tombe sur les flics. » Man Singh n'avait rien voulu entendre : « À partir de maintenant, tu es une paysanne, une mallah d'Etawah, tu t'appelles Lila, tes parents sont morts, tu viens de perdre ton mari, et tu vas retrouver ton amie Mira dans une usine de briques. – Mais une femme seule, avait plaidé Devi. Si jamais un type, sur la route, dans le bus... » Il ne l'avait pas laissée finir : « Il ne t'arrivera rien. Je te mets dans l'autobus, tu vas droit à l'usine, tu cherches Mira, tu lui montres le sceau de Baladin, tu lui donnes l'argent qu'il lui envoie et tu te fais embaucher. »

Et, une fois de plus, il lui avait répété qu'elle n'avait aucun souci à se faire, qu'il avait tout prévu avec Baladin et que personne ne la reconnaîtrait, dans ses habits de femme. De fait, en attendant l'autobus, pas un voyageur n'avait paru la remarquer. Mais, quatre heures plus tard, à l'arrêt de l'usine, lorsqu'elle se retrouva face à la foule agglutinée sur le bas-côté de la route, elle eut à nouveau envie de tourner les talons ; et c'est peut-être ce qu'elle aurait fait si Man Singh lui avait laissé son pistolet. Elle aurait filé comme un animal, elle aurait détalé à travers champs. Rien que pour se retrouver seule.

Mais il était trop tard, les voyageurs voulaient monter, on la bousculait, elle était prise dans le magma humain, entraînée dans l'immense corps à corps qui annonçait la ville, sa peau se frottait à des peaux inconnues, sa sueur se perdait dans d'autres sueurs, il fallait, pour avancer, se pousser du col, donner du pied, du coude, affronter des visages inconnus ; et, pour comble, elle ne s'était pas dégagée de la cohue qu'elle tomba face à l'affiche qui mettait sa tête à prix.

Dans la seconde, elle sut que le cliché ne lui ressemblait pas. Cependant, elle fut prise de panique et se mit à trembler ; elle dut, pour se calmer, murmurer la prière du Serpent ; car elle voyait aussi que cette tête fantomatique, placardée sur les piliers d'une gare en construction, avait comme un pouvoir, qu'elle aimantait, happait tous les regards autour d'elle, même le sien. Une fois de plus, elle pensa prendre ses jambes à son cou. Mais, dans le même instant, elle sentit sur ses jambes la prison du sari ; et son baluchon à son bras, si léger – vide d'arme.

Elle se souvint alors du serment qu'elle avait fait à Man Singh juste avant de prendre la route : se faire embaucher coûte que coûte, ne point bouger de l'usine tant qu'il ne lui aurait pas fait savoir que la police s'était calmée. Devant l'autobus, il avait voulu une dernière fois lui chuchoter sa leçon. Elle l'avait arrêté : « Mais toi, Man Singh, tu es sûr, toi, que tu seras tranquille au village de Kalla ? Tu ne crois pas que vous allez vous faire remarquer, là-bas, avec Baladin et Lukka ? Et moi, les flics, tu crois vraiment qu'ils m'auront oubliée après les pluies ? ... »

Juré-craché, avait répondu Man Singh. À quatre, ils n'étaient plus une bande ; et le village de Kalla était à l'écart de tout, ils y seraient en sécurité. Enfin, dès que la Vallée recouvrerait la paix, ils lui enverraient un messager. L'homme serait facile à reconnaître : il porterait un signe qu'il venait d'inventer exprès pour elle, un cobra à cinq têtes au milieu d'un cercle de feu. Il lui en montra le dessin. Elle le trouva compliqué, maladroit, mais n'en dit rien. Elle le laissa répéter pour la centième fois qu'elle ne devait pas quitter l'usine tant qu'elle n'aurait pas vu le messager. Et il conclut comme d'habitude : « Quand tu trouveras Mira, tu n'auras rien à expliquer. Elle comprendra tout. Elle n'est pas femme de bandit pour rien. »

Dans un ultime sursaut, Devi lui avait demandé une nouvelle fois à quoi elle ressemblait. Il n'y avait pas eu de réponse, ou bien elle ne l'avait pas entendue. On l'avait poussée dans l'autobus, elle avait été engloutie dans la masse des voyageurs et des ballots, on lui avait marché sur les pieds, on l'avait bourrée de coups de coude : les mille et une petites violences de la vie ordinaire, il fallait s'y refaire, comme à son sari. Elle en était épuisée d'avance.

Mais au bord du lac où elle attendait Mira, elle faillit vraiment renoncer quand elle vit s'avancer dans le poudroiement rouge des soirs de canicule la cohorte des femmes sortant de l'usine, épuisées et fatalistes, femmes de somme en qui tout s'affaissait, se résignait. Rien qu'à les voir, Devi se redressa dans un geste instinctif. À nouveau, elle eut envie de fuir.

Mais, là encore, c'était trop tard : d'un côté il y avait le lac, et de l'autre un grillage hérissé de barbelés. Pour s'en aller, il fallait reprendre le chemin à l'envers, remonter la colonne des femmes. Ou plus exactement l'affronter.

Elle s'y essaya. Mais, au dernier moment, une hésitation se glissa dans son pas – peut-être la reconnaissance animale du troupeau, la toute-puissance du vieil ordre des choses. En tout cas, elle s'arrêta.

Elle ne savait plus que faire, elle se réfugia dans ses gestes d'ancienne paysanne, s'accroupit, tira son voile devant ses yeux. Elle aurait voulu disparaître, se replier dans un creux de la terre, devenir poussière dans la poussière. Ou, tout au contraire, se faire déesse, comme certains croyaient qu'elle était, bondir par-dessus le grillage, voltiger de colline en colline, franchir d'un saut le lit du fleuve, courir jusqu'aux ravines. Et, là, déterrer sa mitraillette, tirer, s'enivrer de poudre et de bruit, jusqu'à forcer le ciel à crier.

Au lieu de quoi, elle ne bougea pas. Et la colonne s'arrêta.

Elle se mit à frémir sous son voile, elle récita à nouveau la prière du Serpent. Autour d'elle, des étoffes se froissèrent, il y eut comme un murmure. Puis elle s'entendit apostropher d'une voix dure :

– Toi, tu cherches du travail !

Rien qu'à ce ton, ses forces lui revinrent. Elle repoussa son voile, se leva, fit face, rencontra un regard qui brillait, une tête qui se tenait droite. Le nom de Mira monta à ses lèvres. Mais elle n'eut pas le temps d'ouvrir la bouche ni de montrer le sceau de Baladin, sur l'enveloppe où il avait enfermé l'argent qu'il lui destinait. La femme la prenait déjà par la main :

– Viens te laver. Tu es sale.

Sa voix était chaude, elle portait des bijoux de mallah. Mais elle avait l'œil sévère, à la pupille semée de paillettes dorées, comme chez certaines femmes de haute caste. Devi s'abandonna et se mit à marcher à son pas. L'autre la regardait sans pudeur ; et Devi se laissait détailler de pied en cap comme un bébé, une marchandise. Pourtant la femme voyait tout, en elle, de ce qui racontait ses équipées, rien ne lui échappait, ni ses ongles encore encrassés de la poussière rouge des ravines, ni les éclaboussures de cambouis au bas de son sari, ni même les cals au bout de ses phalanges. Et plus ses yeux en voyaient, plus ils étincelaient. Plus ils riaient.

Les autres femmes avaient repris leur marche indifférente, elles étaient arrivées au lac où elles commençaient à s'ébrouer. La femme lui glissa alors dans un dernier sourire :

– Toi, je me disais bien que je te verrais un jour...

102

À l'usine, le travail fut très ingrat – douze heures par jour à transporter, entre les fours et les camions, de pleins paniers de briques. Mais le plus pénible, pour Devi, fut de devoir retrouver tous les gestes des femmes, leurs mouvements menus, entravés par le sari, suivis à chaque instant par le friselis du drapé, le cliquetis des bracelets. Il fallut bien s'y refaire, et tout la révulsa ; même le petit chignon dans lequel elle s'était résignée à serrer ses cheveux.

Elle n'eut guère le temps de s'y arrêter : la sirène la réveillait à cinq heures, et, jusqu'au soir, il fallait remplir de pleins paniers de briques juste sorties du four. On posait la corbeille sur sa tête, on allait la déverser dans les bennes des camions, à l'autre bout de la fabrique, et on revenait devant les fours. On faisait une brève pause toutes les trois heures pour boire un peu de thé. À midi, on avait droit à une assiette de légumes. Et l'on recommençait. Le seul moment où on pouvait se laisser aller, c'était le soir, au bord du lac. Les femmes se mettaient alors à bavarder : un jacassement presque ininterrompu qui se tarissait seulement dans le hangar de tôle faisant office de dortoir.

Mais Mira était comme Baladin, elle n'aimait pas parler. C'est tout juste si Devi apprit que son père avait été bandit. Sa famille vivait dans un village isolé, il lui avait appris à tirer. Puis elle avait rencontré Baladin. Elle l'avait suivi un moment dans un gang, mais elle avait été très vite enceinte et était retournée vivre dans le village de son père. L'année passée, lors des attaques sur la Nationale, les policiers avaient soupçonné Baladin, ils étaient venus perquisitionner chez elle et avaient découvert des armes dans son grenier. Elle fut emmenée au poste de police, puis rouée de coups. Elle n'avait pas parlé. Mais, lorsqu'elle avait appris le sac de Sultanpur, elle avait préféré confier ses enfants à sa sœur, près d'Etawah; puis elle s'était mise à l'abri dans cette usine où personne ne la connaissait.

Elle expliqua à Devi qu'elle n'était jamais inquiète, car Baladin lui envoyait régulièrement des messages et de l'argent pour ses enfants. Pourtant elle écoutait chaque soir son petit transistor, elle était au courant de tout, du massacre de Behmai, de la grande chasse à l'homme dans la Vallée. Et aussi de son histoire à elle, Devi. Enfin, elle avait vu le portrait-robot placardé à l'arrêt d'autobus.

Devi lui demanda aussitôt si c'était à cette photo qu'elle l'avait reconnue. Mira eut alors le même rire tranquille qu'au soir de leur rencontre : « Elle te ressemble comme un âne à une panthère ! ... Les gens qui arrivent des ravines, on les reconnaît à leurs yeux. Les mêmes que ceux des bêtes sauvages quand elles sortent de la forêt... – Alors les flics..., coupa Devi. – Ne te fais pas de souci, reprit Mira, les flics boivent trop de bière, ils ont de la lavasse plein la tête, ils ne voient plus clair... » Mais elle se rembrunit presque aussitôt : « Maintenant, tu ferais bien d'oublier les deux frères. Range-toi. La dernière chasse du tigre se termine chez le fourreur, mets-toi ça dans la tête. L'autre jour, il y a eu trop de sang... »

Elle ne prononçait jamais le nom de Behmai, elle disait toujours l'autre jour, en baissant la voix, on aurait dit qu'elle en avait peur; et elle reprenait aussitôt son air sévère, puis se taisait. Cependant, Mira n'était jamais hautaine, simplement il y avait quelque chose en elle qui en imposait. Elle était grande, solide, tout était large en elle : la poitrine, les bras. Son sourire, aussi, quand elle entrait dans l'eau, ou lorsqu'elle croisait, sur le chemin du lac, une vache errante, un enfant. C'était une mère, une mère lointaine et souveraine, elle portait son panier de briques comme elle aurait fait d'une couronne. Il y avait comme un secret autour d'elle – le même mystère que dans les paillettes dorées qui dansaient dans ses yeux. Les autres femmes parfois le pressentaient, qui posaient sur elle un regard épaissi d'envie.

Cela ne durait qu'un instant, le travail les abrutissait, leur esprit tendu vers la paie du soir, ces huit misérables roupies que distribuait le contremaître, sitôt posé le dernier panier, et qu'elles enfouissaient sur-le-champ au fond de leur corsage. Chaque jour il y avait des départs, des femmes épuisées par l'âge, une grossesse, une fatigue subite. Chaque jour aussi des arrivées, de nouvelles femmes jeunes ou vieilles, embauchées sur la simple promesse de porter sans faiblir les paniers de briques douze heures par jour. On ne vivait pas à la fabrique, on y passait. On attendait. Quoi, on n'était pas obligé de le dire, personne d'ailleurs ne le demandait. L'assiette de légumes, sans doute, les huit roupies du soir.

Et un toit, avec l'approche de la mousson. Vers la fin

juin, quand le tonnerre se mit à gronder du côté des ravines, les rangs des ouvrières se mirent à grossir. Le dortoir ne fut bientôt plus qu'une immense grappe de voiles ; et quelques jours plus tard vint la première ondée.

Elle arriva un soir, juste au moment où Mira écoutait son transistor. Il faisait nuit. Les femmes étaient affalées sur leurs nattes, oppressées comme jamais par la chaleur d'étuve. Tout commença par un minuscule bruit métallique, puis ce fut un cliquetis qui devint très vite assourdissant. Mira eut un geste agacé, appuya davantage la radio contre son oreille. Une bourrasque d'air chaud balaya le dortoir, soulevant les voiles des femmes ; et, pareilles à un grand bateau qui prend le vent, d'un seul élan, elles furent dehors.

Ce n'était guère qu'une première averse capricieuse et rapide, mais quel plaisir ce fut de s'offrir à elle sans réserve, poitrine tendue, bras ballants ; de se laisser ruisseler l'âme avec la sueur !

Quand Devi revint sous le hangar pour se sécher, tout était en désordre, les femmes s'ébrouaient, se peignaient, parlaient si fort qu'on n'entendait plus rien. Mira n'était plus là. Devi ne la chercha pas, elle pensa qu'elle était restée dehors à savourer les derniers hoquets de l'averse ; et elle n'était pas sèche qu'elle s'endormit.

Elle dut se réveiller aux approches de l'aube. La pluie avait cessé, le portail du hangar, comme d'habitude, était grand ouvert, une lune aux trois quarts pleine éclairait le dortoir. La place de Mira était toujours vide ; mais, cette fois, Devi remarqua que sa couverture et son sac avaient disparu.

Elle avait donc décampé. Sans l'avertir, sans rien lui expliquer. Comme si elle n'en avait attendu que l'occasion ; et l'occasion avait été l'averse. À moins qu'elle n'eût subitement appris une nouvelle si grave qu'elle avait dû prendre la fuite sans demander son reste…

Dans la dernière image que Devi conservait d'elle,

Mira avait l'oreille collée à son transistor. « Il s'est passé quelque chose, commença-t-elle alors à se répéter. Elle a voulu me prévenir, mais elle ne m'a pas trouvée. »

Pour tâcher de se calmer, elle finit par s'asseoir sur sa natte. Une femme édentée la vit faire, qui lui jeta un œil narquois. Devi lui tourna le dos et se rallongea. Mais, le lendemain, à plusieurs reprises, pendant le travail, elle eut l'impression que la femme continuait à la guetter; elle eut envie de jeter son panier, de détaler; mais, une fois de plus, la promesse faite à Man Singh l'arrêta. Deux autres nuits passèrent durant lesquelles elle ne dormit guère. Dès le premier soir, la place de Mira fut attribuée à deux nouvelles qui se la partagèrent tant bien que mal. Il pleuvait maintenant à seaux, les eaux crépitaient sur la tôle dans un vacarme insupportable, mais les ouvrières dormaient, ronflaient parfois, sauf la femme sans dents qui continuait à l'épier de son œil ironique. Enfin, au matin du troisième jour, alors que la colonne des ouvrières se dirigeait vers l'usine, comme d'habitude, en longeant la Nationale, Devi fut abordée par un jeune homme très maigre, en vêtements de paysan, qui s'abritait sous un parapluie.

Il lui souffla de s'approcher. Elle était la dernière de la file, personne ne la voyait, mais elle ne bougea point.

Il dressa sa main droite devant elle, l'ouvrit brusquement. Au fond de sa paume, elle vit alors se déplier, dessiné au feutre rouge, le sceau de Man Singh.

– Viens, répéta l'homme.

Dans son nimbe de flammes qui commençait à déteindre, le cobra à cinq têtes était dessiné à gros traits, mais c'était bien la marque de Man Singh, elle reconnut sa gaucherie, son tracé enfantin. Devi détourna la tête, tira son voile sur ses yeux, s'éloigna sous un arbre. L'homme la suivit. Dès qu'elle se sut à l'abri des regards, elle se retourna, repoussa son voile, le dévisagea. C'était un inconnu, il avait l'air misérable des porteurs de mauvaises nouvelles. Elle choisit alors de prendre les devants :

– Baladin ?
L'autre secoua la tête.
– Man Singh ?
L'homme sourit, rouvrit sa paume :
– Tu vois bien que c'est lui qui a fait le dessin.
Il avait une voix souffreteuse, il tremblait de partout, de fièvre ou de faim, elle n'aurait su dire. Elle contempla à nouveau l'intérieur de sa main ; et, au bout d'un long moment, elle reprit :
– Alors c'est Moustakim.
Ce n'était pas une question. Le silence de l'homme ne fut pas non plus un silence, simplement un de ces longs instants où tout se dit, qui ne peut pas être dit. Elle soupira et finit par lâcher :
– Les flics, c'est ça ?
– Il était chez un cousin. Il voulait se marier. Il allait partir chercher la dot...
Ce fut plus fort qu'elle, elle partit d'un fou rire :
– Se marier... Moustakim !
Puis elle s'adossa à l'arbre, comme brusquement épuisée, et se mit à répéter :
– Lui qui disait toujours... Comment c'était, déjà ? L'homme du désir meurt de son désir...
Elle eut un nouveau rire. L'autre la fixait d'un œil effaré. Elle repoussa alors sa main barbouillée de feutre, s'empara du parapluie et lui montra l'arrêt d'autobus, juste en face de l'usine :
– Allez, en route !

103

Le messager mena Devi là où se cachaient Man Singh, Lukka et Baladin, dans le village de Kalla. Celui-ci était orphelin, vivait dans une maison sans femme, qui était restée longtemps abandonnée et n'était pas très propre. Les voisins ne paraissaient nullement s'inquiéter de son retour ni de la présence chez lui de trois inconnus. Les pluies, semblait-il, avaient déjà engourdi le village. Hormis peut-être quelques vieux qui s'ennuyaient sous leurs auvents, personne ne remarqua l'arrivée de Devi.

Ses retrouvailles avec les hommes furent sans émotion – comme s'il était entendu que cet épisode n'était qu'un moment nécessaire, un rouage parmi d'autres dans un enchevêtrement d'engrenages dont il était parfaitement vain de vouloir pénétrer la mécanique. Devi n'était pas entrée chez Kalla que Man Singh, sans autre préambule, lui annonça que Baladin était parti voir ses enfants à Etawah et qu'il devait revenir d'un moment à l'autre pour aller avec eux rendre hommage à la dépouille de Moustakim. Sur le coup, elle n'y prêta pas attention. Elle sentit une question sur les lèvres de Man Singh, mais elle en avait trop elle-même à poser, elle voulait savoir au plus vite comment Moustakim avait été tué et arrêter le plan qui lui permettrait d'apaiser son âme en lui adressant un dernier salut.

Man Singh avait déjà tout prévu. Il lui expliqua que le corps de Moustakim était exposé dans la maison de son cousin Immamuddin, non loin de l'endroit où il avait été arrêté par la police, à Dastampur, sur la Nationale 2. Sa mort avait été misérable, ajouta-t-il, aussi cruelle qu'inattendue. Pour une raison qu'il ignorait, Moustakim et son cousin avaient décidé de se rendre à Bombay. Habillés en paysans, ils attendaient le bus, sur le bord de la Nationale, quand ils furent abordés par une patrouille de police. Toujours prudent, Moustakim avait confié son pistolet à Immamuddin, qui l'avait caché au fond de son baluchon. Il n'avait jamais eu affaire à la police de sa vie, il prit peur, voulut s'enfuir. Il y eut une bousculade. Immamuddin et Moustakim détalèrent et se retrouvèrent en terrain découvert. Comme personne ne tirait, ils coururent sans se méfier jusqu'à la première ravine. Une autre patrouille les y attendait. Les deux hommes furent vite acculés à une falaise. Moustakim supplia les policiers d'épargner son cousin ; à cet effet, il leur remit tout l'argent qu'il avait sur lui – une somme énorme, à ce qu'on disait. Les policiers empochèrent les billets, puis le poussèrent avec son cousin au fond d'une autre gorge. Immamuddin fut abattu le premier d'une balle dans la tempe ; puis ce fut le tour de Moustakim, d'un coup de revolver dans la bouche.

La version des policiers, bien entendu, était très différente : selon eux, Moustakim et son cousin avaient été arrêtés au moment où ils s'apprêtaient à attaquer un bus. Ils s'étaient enfuis dans un ravin où ils avaient préféré se suicider plutôt que de se rendre. Par respect pour leur comportement chevaleresque, qui avait évité une bataille rangée et épargné des vies humaines, le chef du poste de Dastampur avait accepté que les corps fussent rendus à la famille pour être inhumés selon les règles de l'islam.

Cela faisait maintenant trois nuits que la dépouille de Moustakim était exposée à Dastampur. On arrivait de partout pour se recueillir devant elle. Les uns se souvenaient que Moustakim avait été champion de catch, les autres – les plus nombreux – venaient s'incliner devant celui qu'ils considéraient comme le plus grand bienfaiteur qu'eût connu la Vallée, un vrai justicier, presque un saint, déjà, un homme qui, de son pactole amassé en kidnappant des riches, avait payé des études à des étudiants sans le sou, des médecins pour les lépreux, des nourrices pour les orphelins, et n'avait jamais supprimé un homme pour le plaisir de tuer.

Pour une fois, la légende était fondée. Selon Lukka et Kalla, qui étaient allés rôder aux environs de Dastampur, c'était bien ce qui empêchait les policiers de s'opposer et même de contrôler ce qui devenait, au fil des heures, une sorte d'immense pèlerinage. Ils se contentaient de guetter du coin de l'œil la maison du mort et passaient leurs journées à l'entrée du bourg, à se gorger de bière et à jouer aux cartes. À l'évidence, ils n'attendaient plus l'arrivée de Devi. Mais il fallait faire vite, conclut Man Singh, l'enterrement était prévu pour le lendemain. Il jugeait que le meilleur moment pour se présenter devant le lit funèbre était le milieu de la nuit, à l'heure où la fatigue terrasse jusqu'aux pleureuses et aux parents du défunt. Du reste, pour être en paix avec l'âme de Moustakim, ils n'avaient pas grand-chose à faire – même Devi, qui lui devait tant : il leur suffirait de se glisser dans la pièce où gisait le corps, de se recueillir un instant devant lui et de lui baiser les pieds. Devi viendrait la dernière. Dès qu'elle en aurait fini, ils repartiraient.

Même Lukka, d'ordinaire si circonspect, jugeait l'affaire sans danger. Les pluies, estimait-il, avaient endormi la police. Ils n'auraient aucune peine, même à quatre, à se perdre parmi la masse de ceux qui veillaient Moustakim et les fumées d'encens où l'on devait noyer, comme partout, la chambre mortuaire. « Les flics s'en fichent, ne cessait-il de marteler de sa voix acide, et de toute façon, ils sont bien obligés de laisser faire. Moustakim est mort en héros, c'était le plus grand bandit de toute la Vallée. » Puis il se retourna vers Devi et ajouta : « Tu lui en dois, des choses, à Moustakim. Maintenant qu'ils ont eu sa peau, les flics vont t'oublier... »

Il avait parlé sans ironie, cette fois. Sa sécheresse s'était faite détachement, il paraissait soudain lointain, étranger à tout : à la dislocation de la bande, à la disparition de Moustakim, à l'idée même d'aller s'incliner devant sa dépouille, qu'il évoquait avec froideur comme une formalité nécessaire, pour pouvoir continuer à bien dormir la nuit ; et, malgré son âge, ses cheveux blancs, il gardait la tête haute, le dos droit, comme soutenu par des milliers de projets qu'il gardait pour lui seul.

Et Man Singh lui-même, sorti à présent dans la cour pour fumer du chanvre, avait le même œil tout brillant d'avenir, il fixait avec sérénité le chemin des gorges, violacé pourtant par les menaces d'averses. À chacun sa route, semblait dire son regard. Tout est joué depuis très longtemps, depuis la première aube du monde, le premier coup de dés lancé par les dieux. Il y a des remèdes contre les maladies, aucun contre la destinée.

Idées de saison, pensées de pluie, soumises, tranquilles, où s'insinuaient, sous des dehors paisibles, les désirs les plus fiévreux. Devi avait beau observer Man Singh, elle n'aurait su dire à quoi il songeait ; mais, comme sur Lukka, l'emprise de sa rêverie était d'une puissance étonnante, car, quelques instants plus tard, quand il vit Baladin débouler du sentier des ravines, le visage hagard, sa carcasse de colosse entièrement crottée, il n'eut aucun mouvement de surprise et ne broncha même pas.

Pourtant, dès que Baladin avait aperçu Devi au fond de la cour, il s'était mis à courir, à galoper à perdre haleine, malgré tous les voisins qui levaient le nez sous leur auvent en se demandant quelle mouche avait pu le piquer pour qu'il se mît à bondir ainsi de flaque en fondrière ; et il n'était pas devant la maison de Kalla qu'au mépris de toute prudence il partit d'un grand cri :

– Devi ! Où est Mira ?

Il trépignait, il ruisselait de partout, de sueur et de pluie. Man Singh parut un moment sortir de son rêve ; mais il avait l'œil toujours aussi vague quand il se retourna vers Devi pour lui lâcher :

– C'est vrai, Mira... Tu ne m'as rien dit.

Elle bafouilla deux ou trois mots qu'elle étouffa aussitôt, car les yeux de Baladin s'étaient durcis comme s'il venait d'élucider un mystère connu de lui seul ; puis il lui montra, en deux souffles, le chemin embourbé d'où il avait surgi :

– Si elle n'est pas ici, il faut que je reparte. Il faut que je l'empêche...

Accroupi à l'autre coin de la cour, Lukka, comme Man Singh, eut le visage agacé d'un dormeur qu'on réveille.

Puis il se leva, alla s'adosser à un muret et laissa froidement tomber :

– Encore une histoire de gonzesse... L'empêcher de quoi ?

Alors Baladin, qu'on n'entendait jamais, se redressa devant lui de toute sa charpente et lui rugit en pleine face, en désignant Devi :

– Mais de la même chose qu'elle, crétin ! De se venger !

104

L'insulte était considérable, même s'il était convenu, sans que la chose eût jamais été dite, que la bande était dissoute. Au fond de la cour, nul ne bougea plus – sauf peut-être Kalla qui avait semblé s'ennuyer jusque-là et dont le beau visage s'anima brusquement d'une expression narquoise. Il est vrai qu'on ne pouvait imaginer face à face plus insolite : le vieux, le maigre Lukka, recru de calculs et de ruses, fouillait de sa pupille de faucon le regard mouillé du gigantesque Baladin, lequel ramassait tous ses muscles, se gonflait d'importance et semblait prêt, d'un instant à l'autre, à le renverser du seul plat de la main.

Mais, plus que l'injure, Lukka dut sentir dans son dos l'ironie de Kalla, car il se détourna très vite de Baladin et se contenta de gronder :

– Je sais, dans le temps, Moustakim a pris ta femme dans sa bande. Et alors ? C'est de l'histoire ancienne...

– Avec des filles comme Mira, il n'y a pas d'histoire ancienne.

– Les flics ont tué son père, et alors ? Si elle avait dû les descendre, elle l'aurait déjà fait. D'ailleurs, elle a tenu combien de temps, dans la bande de Moustakim ? Trois mois ?

– Elle a toujours son fusil, qu'est-ce que tu crois ! ...

Lukka eut alors son petit rire de gorge, celui qui ôtait à tout le monde, rien qu'à l'entendre, l'envie de lui tenir tête :

– Après la raclée que les flics lui ont mise l'an passé, quand ils te cherchaient...

– Justement.

– Justement quoi ? Tu crois que c'est le moment... ?

Il ne finit pas sa phrase. D'un revers de la main, Baladin venait de renverser deux pots de cuivre posés sur un muret, lesquels allèrent rouler parmi les bouteilles vides et les épluchures qui souillaient la cour. Puis il se tourna vers Devi :

– Tu l'as vue quand, pour la dernière fois ?

– Il y a deux jours. Non, trois, juste quand les pluies...

Elle s'empêtra dans sa phrase. Tout s'emmêlait dans son esprit, ses souvenirs de la fabrique, son voyage en autobus avec le messager, le sourire de Mira, l'arrivée de la mousson, et surtout cette nouvelle histoire de femme qui avait des vengeances à prendre. Elle s'était crue la seule, jusque-là ; et la rage la saisissait à l'idée qu'une autre pût comme elle brandir un fusil.

Le vent se leva. À ses pieds, il souleva des pelures de fruits, et dans un angle de la cour, les feuilles d'un magazine de cinéma, un journal bariolé où souriaient, plâtrés de khôl et de rouge à lèvres, des visages d'actrices figés dans des expressions outrées, comme sur le portrait-robot placardé à tous les arrêts de bus, le long de la Nationale. En face d'elle, Baladin eut un mouvement d'impatience. Elle se reprit, enchaîna :

– On écoutait la radio. La pluie a commencé, je suis sortie du dortoir. Quand je suis revenue...

– Elle n'était plus là, coupa Baladin. Elle est partie sans prévenir. Elle a fait le même coup à sa sœur.

Devi se tourna vers Man Singh :

– La radio... Vous l'avez écoutée ?

– Tu crois qu'on resterait plantés là, s'il y avait eu du grabuge ?

Lui aussi, Man Singh, était pressé d'en finir, il donna un coup de pied dans une canette vide. Devi revint à Baladin :

– Et sa sœur, qu'est-ce qu'elle a dit ?

– Mira a débarqué chez elle il y a deux jours, elle voulait voir ses enfants. Elle a passé tout son temps avec eux. Et puis voilà, ce matin, juste avant que j'arrive…

Il ramassa les deux pots qui étaient tombés, détacha une feuille du magazine qui continuait à voleter dans le vent de mousson, commença à nettoyer les pots de leurs éclaboussures de boue et poursuivit :

– On ne l'a plus vue. Je croyais qu'elle était ici.

Une fois encore, Lukka crut bon de ricaner :

– Cœur de femme, œil de chat. Change cent fois !

Et il eut un sourire entendu à l'adresse de Kalla. Mais une force perverse s'était décidément frayé un chemin entre ces hommes autrefois si proches, et les disloquait maintenant de façon irrésistible. Car le beau Kalla ne répondit pas, pour une fois, au sourire de Lukka. Il se ferma, se durcit, baissa les yeux ; et quand il releva les paupières, ce fut pour s'approcher de Baladin à qui il se mit à parler comme s'il apaisait un enfant :

– Allez, viens, on va la rattraper. Si Mira veut se venger, elle est allée chercher son fusil. Elle est dans ton village, dans ta maison, viens, on a encore le temps d'aller à sa rencontre. Il est à combien d'ici, ton village ? Deux ou trois heures, c'est ça, trois heures à tout casser. Allez, tu vas voir, on va la trouver…

Puis il enchaîna en regardant Devi :

– Rendez-vous ce soir juste avant Dastampur, dans le bourg en bordure de route. Dis-moi donc son nom, Lukka, à ce village… Attends, j'y suis : Ramnagar, voilà, Ramnagar…

Tout en parlant, il s'était calmé, s'était adossé au mur, malgré l'humidité. Il improvisait tranquillement son plan, souriant à présent, sûr de sa jeune force, et nul n'osait broncher, pas même Lukka. Dans la cour, on n'entendait plus que le bruit ténu des feuilles du magazine : elles se soulevaient, s'écrasaient les unes sur les autres, reprenaient leur essor, semblaient prêtes à s'envoler, à se détacher les unes des autres, à mener elles aussi leur vie propre au gré des vents et des averses ; puis s'affalaient encore, comme subitement lasses, dans un froissement que personne ne se risquait à interrompre.

– Tu te souviens, Lukka, poursuivit Kalla avec le même sourire, il y a un vieux temple, à la sortie du bourg, pas loin d'un gros figuier. Allez-y, on vous y rejoindra avant le coucher du soleil. On n'aura qu'à se cacher dans le temple pour attendre minuit. Et ensuite...

D'un seul coup, c'en fut trop pour Lukka. Il s'avança vers Kalla, écrasa d'un talon rageur les feuilles du magazine :

– Qu'est-ce que tu vas courir les chemins, au lieu de rester bien tranquille avec moi...

Kalla se détacha du mur, se baissa, arracha le journal de dessous le pied de Lukka :

– Pas touche ! Il est à moi.

Et c'est là, d'après Devi, que tout se joua, une dernière fois.

105

Elle n'a rien dit contre Kalla, contre Baladin non plus. Pas un bout de phrase pour les empêcher de partir. D'ordinaire, son œil aurait noirci, elle se serait plantée devant eux, redressée de toute sa taille et elle aurait crié : Non ! Puis elle aurait parlé comme Vikram quand les hommes perdaient courage, elle aurait dit les mots des grands chefs de bande : si on vit ensemble, on meurt ensemble, on décide ensemble ; ou bien on reste, ou bien on part, mais on ne se sépare pas : se séparer, c'est se soumettre, baisser la garde ; et ça jamais, au grand jamais !

Mais elle n'a rien dit. Ni oui, ni non. Pas un mot, pas un geste. Pas un cri, pas même un soupir. Quant à Man Singh, lorsque les deux hommes leur ont tourné le dos pour aller s'enfoncer dans la bourbe des gorges, il s'est contenté de gratter la terre du mur, d'un air agacé.

Du côté du ciel, ce fut la même chose : pas de présages, pas même un vague pressentiment. Le silence, rien – comme si les dieux s'amusaient à leur aveugler l'âme, faibles pantins qu'ils étaient peut-être depuis le début de l'histoire, pris au piège d'un jeu désinvolte et cruel.

Ils ont respecté le plan à la lettre. Au coucher du soleil, comme convenu, Man Singh, Devi et Lukka étaient à Ramnagar, sous la colonnade du vieux temple, à la sortie du village, tout près de la Nationale. Comme l'avait annoncé Kalla, un gigantesque figuier abritait le sanctuaire. Non loin de là courait une petite rivière corsetée de larges escaliers qu'avaient noircis, au fil des ans, les bûches des crémations.

Sur leur chemin, ils n'avaient pas aperçu l'ombre d'un uniforme. Les averses avaient parfois ralenti leur marche, mais elles avaient fini par se calmer, ce n'était plus maintenant qu'un petit crachin. Ils s'étaient accroupis sous les colonnes du temple ; et ce qu'ils semblaient y attendre, comme des pèlerins surpris par la tombée du soir, c'était la simple tranquillité d'une nuit à l'abri.

La Nationale elle-même était calme. Des camions aux guirlandes poissées de boue passaient de loin en loin, soulevant d'énormes trombes dont les éclaboussures rejaillissaient sur les bas-côtés de la route. Puis le silence retombait.

L'attente ne fut pas longue. Au moment où le soleil se couchait, Devi aperçut comme prévu Kalla et Baladin sur le pont qui enjambait la rivière. Mira les suivait. Un camion surgit du pont et les trois silhouettes se replièrent dans le fossé qui longeait la route, puis se relevèrent.

Cela prit quoi ? Cinq, dix secondes. Devi eut à peine le temps de se lever et de murmurer : « Mira est là, ils l'ont trouvée… » L'instant d'après, une colonne de jeeps déboucha derrière le camion et s'arrêta à leur hauteur. Des policiers jaillirent des véhicules. L'un d'eux, qui venait de bondir de la première jeep, vociférait : « C'est elle, c'est bon, on l'a trouvée ! » Un autre, debout à l'avant de la seconde voiture, hurla à son tour : « Fais gaffe, elle doit être armée ! » Au même moment, l'autre sautait sur Mira.

Il la plaqua dans la boue, et tout devint très confus. Les autres policiers sautèrent à bas des jeeps, il y eut une bousculade, des injures. Devi, Man Singh et Lukka se tapirent derrière la balustrade du temple d'où ils ne purent qu'entendre des moteurs vrombir – deux ou trois jeeps, leur sembla-t-il, qui rebroussaient chemin. Puis, d'une voix calme et légèrement traînante, un homme annonça dans un mégaphone : « C'est bon, maintenant, fouillez le village, barrez la route et tous les chemins. »

– Les voisins de Kalla, souffla Lukka. Ils nous espionnaient. Je lui avais toujours dit…

Devi posa la main sur sa bouche, hasarda un œil pardessus la balustrade. Les policiers se répandaient maintenant sur l'autre rive de la Nationale, là où s'agglutinaient les maisons du village. Elle eut alors un geste réflexe dont la dérision, l'instant d'après, lui arracha un petit rire : elle tâta, à sa hanche droite, la ceinture où elle fixait d'ordinaire son talkie-walkie. Puis elle s'entendit chuchoter aux deux hommes :

– L'arbre.

D'un signe de tête, Man Singh acquiesça. Mais Lukka eut une moue :

– Et les serpents ?

– Serpents ou pas..., se contenta de maugréer Devi, et, la première, elle monta à l'assaut du tronc.

Elle grimpa le plus haut qu'elle put pour éviter de déranger les reptiles – si du moins il y en avait, rien n'était moins sûr, les pluies venaient tout juste de commencer. Man Singh la rejoignit, non sans mal, car il était moins leste qu'elle. Puis ce fut le tour de Lukka. À sa grande surprise, il fut très rapide. Mais ce fut sans doute au prix d'un effort énorme, car, une fois en haut, il mit beaucoup de temps à reprendre souffle et n'arrêta plus de se masser le dos.

Les policiers restèrent à Ramnagar une bonne partie de la nuit. À plusieurs reprises, d'énormes lampes-torches vinrent balayer le grand terrain qui s'étendait sous l'arbre. Dans leur jour cru, elles mettaient à nu tous les déchets qui le jonchaient, des bidons rouillés où s'étaient figés des ruisseaux de goudron, des lambeaux de pneus, des épluchures de fruits, de vieilles canettes de soda ou d'Indian Cola dans lesquelles les policiers décochaient des ruades exaspérées.

Par deux fois, le faisceau d'une lampe s'arrêta sur le figuier. Mais il s'était sans doute égaré, il revint aussitôt sur le temple, puis fouilla la rivière, l'escalier des bûchers. Et ce fut à nouveau, au fond des feuilles, la nuit la plus complète. La pluie cessa, puis reprit. Juste avant l'aube, il y eut de nouveaux appels au mégaphone, mais plus lointains. Quelques minutes plus tard, la colonne de jeeps s'ébranla. Lorsque le jour se leva, le terrain était à nouveau désert.

– On descend, souffla alors Lukka.

À peine s'était-il penché qu'un moteur se mit à ronronner du côté de la rivière. Devi écarta aussitôt le feuillage. C'était un petit camion découvert. Au fond de sa remorque étaient rangés deux corps. Un peu plus bas, sur la plate-forme dominant les escaliers, des Intouchables disposaient deux bûchers. Il n'y avait pas de guirlandes, pas de procession de tambourinaires, pas non plus de prêtre, ni de famille – simplement les incinérateurs qui déchargeaient les cadavres.

À côté d'elle, Devi sentit s'agiter les feuilles, puis la tête de Lukka surgit à côté de la sienne. Elle tenta de le repousser. Il insista et parvint, malgré ses courbatures, à se hisser sur la branche voisine. Il découvrit alors ce qu'elle avait tenté de lui dissimuler : étendus l'un contre l'autre, simplement revêtus d'un pagne, les deux corps de Baladin et de Kalla.

– Et Mira ? marmonna alors Devi. Qu'est-ce qu'ils ont fait de Mira ?

Lukka ne dut pas l'entendre, sa pupille s'était brusquement rétrécie, elle s'était vissée aux deux bûchers : le premier, trop petit pour la monumentale charpente de Baladin : l'autre, trop large au contraire pour le gracile Kalla : les flammes elles-mêmes parurent un moment indécises devant lui, comme si la proie n'était pas assez belle ; elles tournoyèrent, s'enroulèrent sur elles-mêmes, eurent de brusques envolées, suivies d'hésitations, puis de nouveaux élans dont le dernier, brutalement attisé par une bourrasque, engloutit d'un seul coup le cadavre.

C'est à ce moment-là que Devi décida de redescendre ; les deux autres la suivirent. Quand elle se retrouva face à Lukka, quelques minutes plus tard, au pied de l'arbre, elle fut étonnée de lui voir toujours l'œil aussi sec.

Sa douleur n'éclata que le lendemain, au fond de la ravine où ils étaient partis récupérer leurs armes et leur paquetage. L'endroit était désert, c'était midi, il pleuvait. Lukka venait de déterrer le sac de Kalla d'où il avait extrait son arme, un vieux fusil Enfield datant des Anglais. Il le passa à son épaule, à côté de sa propre mitraillette, et se mit à contempler l'horizon des falaises. Plusieurs sentiers partaient à l'assaut des pitons, d'autres s'engouffraient dans des gorges en dessinant de longs lacets. Man Singh lui en désigna un : d'après lui, il menait à un oratoire où ils pourraient passer la nuit.

Lukka ne lui répondit pas. Il se baissa sur son paquetage, en sortit son petit accordéon, essaya quelques notes. Malgré son long séjour au fond de la cache, l'instrument ne semblait pas abîmé. Il eut un sourire bizarre, triste et satisfait à la fois, se releva, cala l'accordéon bien au milieu de sa poitrine, referma posément son sac, le passa à ses épaules, en rajusta l'équilibre ; et, quand il eut jugé que tout était en place, il se redressa encore avant de s'enfoncer, plus raide que jamais, dans le ravin d'en face, en jouant un air d'une suavité extrême par-dessus lequel, de temps à autre, jusqu'à s'en déchirer les bronches, il hurlait le nom de Kalla.

106

Ce qui manquait encore à cette histoire pour qu'elle en fût vraiment une, c'était qu'elle s'enroulât sur elle-même, qu'elle se terminât sur une belle boucle bien ronde, bien troussée. Ne pouvait nouer ce dernier lien qu'un homme de compassion et d'infinie sagesse, un inconnu, un homme providentiel surgi au dernier moment comme dans un récit des vieux livres, pour le conclure sur le mot, le geste qui laisseraient l'illusion de lui donner un sens.

Cet homme est venu, il se nomme Rajendra Chaturvedi, c'est lui qui a mis un terme à l'équipée de Devi. Aux dernières nouvelles, il coule des jours tranquilles entre Nagpur et Murwara, dans une petite ville située au bord de la route qui relie, depuis les Moghols, le Nord et le Sud de l'Inde. Il y commande un escadron de police. En dépit de l'immense célébrité que lui valut sa rencontre avec la Reine des Bandits, son existence demeure celle d'un fonctionnaire paisible, encore sportif quoique amateur de bière ; toute sa conduite reste régie par les principes qui le conduisirent à trouver le chemin menant à Devi.

C'est un homme réservé, voire secret, aux traits fermes, au regard vif et méditatif à la fois. À l'époque des faits, il devait avoir trente-sept ans. Sur les clichés pris alors de lui, on remarque dans toute sa personne, jusque dans l'exercice de ses fonctions, un très subtil raffinement : ainsi, en hiver, quand les autres policiers passent sur leur chemise kaki des gilets de laine étroits et mal tricotés, il préfère une élégante parka ; il y a aussi les verres discrètement fumés de ses lunettes, leur ligne sobre, digne des meilleurs designers européens. À elle seule, cette distinction vestimentaire est un mystère, surtout si l'on songe aux fonctions qu'occupait Chaturvedi quand il échafauda le plan qui le conduisit à Devi : il était superintendant du poste de Bhind, un gros bourg situé à l'extrême nord de l'État de Madhya Pradesh, dans une rude région de champs, de gorges et de broussailles, en plein cœur de la Vallée.

Malgré l'aura qu'il doit à son rôle dans l'histoire de Devi – le premier film consacré aux aventures de la Reine des Bandits le figura en rédempteur quasi divin –, on sait fort peu de chose de Rajendra Chaturvedi. En dehors de son goût pour la bière bien glacée, de sa conscience d'avoir été entraîné de son plein gré dans une aventure inouïe (il ne craint pas de parler, à l'occidentale, de *la saga de Devi*), il n'est guère sorti de sa réserve. Peut-être fut-il profondément embarrassé par l'image de sauveur qui s'attacha alors à sa personne. Peut-être jugea-t-il aussi que les explications étaient plus néfastes que le silence, car les dessous de l'affaire furent loin d'être aussi limpides qu'on crut bon de le proclamer à l'époque.

En apparence, son histoire avec Devi est une magnifique illustration des théories non-violentes chères à Gandhi ; et, du reste, l'admiration de Chaturvedi pour la pensée du Mahatma ne saurait être contestée : il l'appliquait, non sans un certain courage, dans tous les postes qu'on lui confiait. C'était ce qu'il appelait – un peu banalement sans doute, mais l'expression prend tout son sens lorsqu'on songe aux sévices dont sont coutumiers les policiers du pays – la *manière douce*. Tout commençait, d'après lui, par la façon dont on désigne les voleurs et les assassins des ravines. Pour sa part, il se refusait à les nommer « bandits ». Il préférait les appeler du nom dont ils se définissent eux-mêmes : *rebelles*. Car les malandrins qui hantent les gorges, estimait Chaturvedi, sont avant tout des révoltés. Même criminels, ils restent des hommes et, comme tels, accessibles au repentir. Il s'agit donc de leur faire prendre conscience *en douceur* de la vanité de leur insoumission. Après quoi, on peut les convaincre de s'amender, puis les amener à vivre en bonne intelligence avec tous leurs semblables.

Au moment du massacre de Behmai, Chaturvedi dirigeait un poste dans la région de Gwalior, elle aussi ravagée par les bandits. En peu de temps, comme ailleurs, il avait réussi à gagner la confiance de la population. Il écoutait toutes les plaintes, ne jouait jamais double jeu avec les *rebelles*, tenait parole, veillait personnellement à la conduite de ses hommes pendant les interrogatoires, sanctionnait sévèrement leur première brutalité. Pareil aux petits rajahs qui régnaient naguère sur les ravines, il passait souvent des journées entières à écouter les requêtes des uns et des autres. On lui demandait un travail, le moyen d'obtenir des indemnités après un accident de la route, un conseil pour un mariage ou la vente d'une terre. Sans relâche, Chaturvedi jouait les juges de paix, les assistantes sociales, parfois même les confidents. Autour de lui, la *manière douce* passait pour une joyeuse fantaisie d'intellectuel, surtout dans les régions toutes proches qui relevaient de la féroce tutelle du gouvernement d'Uttar Pradesh. Cependant, alors que les ravines du nord de Gwalior avaient été parmi les plus sanglantes de la région, le calme y revenait peu à peu. Mais Chaturvedi ne plastronnait pas. Il ne claironnait pas ses succès et se contentait de s'échiner, jour après jour, sur son jeu de patience.

Sa discrétion, suggèrent certains, était peut-être aussi dictée par des arrière-pensées politiques. Quand il devint célèbre, on se souvint que sa femme militait très activement dans le parti de Mme Gandhi. Chaturvedi lui-même était très proche du jeune maharadjah de Gwalior, député du même parti et ami intime de Rajiv Gandhi, fils aîné d'Indira, que sa mère tentait alors de convaincre, après la mort de son cadet Sanjay, de devenir son dauphin. Or, contrairement aux hommes politiques qui dirigeaient l'État voisin, la famille de cet illustre descendant du Soleil, convertie d'assez bon gré, lors de l'Indépendance, aux vertus de la démocratie, était ouvertement favorable à une solution non-violente du banditisme dans les ravines. Dès les années soixante, les hommes qui comptaient à Gwalior avaient encouragé l'entreprise d'un fervent disciple de feu le Mahatma, qui s'était mis en tête d'aller prêcher à pied au fond des gorges et de ramener, par la seule force de la persuasion, les gangsters dans le droit chemin. Les résultats, on s'en doute, avaient été assez décevants, mais, dix ans plus tard, le Premier ministre du Madhya Pradesh reprit l'idée en la colorant d'un solide réalisme : il demanda aux bandits de se rendre en leur promettant la vie sauve, une libération possible dans un avenir plus ou moins lointain, et la protection de leurs familles, voire de leurs maîtresses.

Le succès de cette proposition dépassa toutes ses espérances : les gangsters se livrèrent massivement aux autorités ; et, pour donner un caractère encore plus démonstratif à ce repentir public, on organisa de gigantesques cérémonies auxquelles accoururent des milliers de paysans, certains d'assister à des miracles. La mise en scène, il est vrai, était des plus convaincantes : les bandits venaient solennellement déposer leurs armes et leurs munitions – ce furent parfois des monceaux de cartouches – sur des estrades constellées de guirlandes, ils embrassaient les pieds du Premier ministre et de ses adjoints. On vit même la femme dudit ministre frotter de poudres saintes le front des gangsters et, témoignage d'affection qu'on ne réserve généralement qu'à ses amis les plus chers, elle ne craignit pas de nouer à leur poignet les cordons sacrés qui conjurent la malchance.

Cette reddition massive de 1972 – environ trois cents bandits en quelques semaines – ne mit pas fin, loin de là, aux attaques dans la région de Gwalior, mais elle accrédita l'idée qu'il se passait des prodiges. L'imagination des paysans ne pouvait que s'y complaire dans un pays où la mousson ne vient qu'après la canicule, où les champs ne reverdissent que si les pluies ont noyé les terres. Dans l'esprit des villageois, tout était vrai ensemble : la vie et la mort, le bien et le mal, leur fascination pour les lois sauvages de la vendetta et ces liturgies menées par les puissants, où toutes les haines semblaient se dissoudre dans la suave griserie de la compassion universelle.

En Madhya Pradesh comme partout ailleurs, le massacre de Behmai ébranla néanmoins les adeptes de la solution non-violente. On recommença à y proclamer les vertus supposées du vieux précepte biblique, *Œil pour œil, dent pour dent*, et la traduction plus féroce encore qu'en donnaient les paysans des ravines : *Un pied coupé pour un orteil blessé*. Mais, paradoxalement, au moment précis où l'idée des redditions passait pour parfaitement saugrenue elle s'imposa avec plus de force à Chaturvedi et à ses amis du palais de Gwalior. La publicité faite à la Reine des Bandits leur promettait, en cas de soumission, un bénéfice politique incalculable, qui dépassait largement les frontières de l'État ; et c'était sans compter la satisfaction d'arracher à leurs voisins la plus belle de leurs proies. Il n'y fallait après tout que de la patience. Et des hommes discrets.

Ce n'est donc pas sous l'effet d'une heureuse coïncidence que Chaturvedi fut nommé à Bhind dans les semaines où la répression menée par les autorités d'Uttar Pradesh commença à ressembler à de la pure sauvagerie. En apparence, cette nomination ressemblait à un exil. Avec la proximité des jungles et des ravines, le district de Bhind était un poste difficile. Mais on pouvait espérer aussi que les gangsters, attirés par l'apparente mansuétude de Chaturvedi, seraient tentés de venir s'y abriter, d'autant plus que la frontière entre les États passait à quelques kilomètres de là. Il suffisait de relâcher – ou, plus subtil encore, feindre de relâcher – la surveillance sur cette ligne pour attirer là les bandits. C'est alors qu'il faudrait jouer.

Ce moment ne tarda pas, et on conviendra que les événements furent singulièrement favorables au superintendant Chaturvedi. De l'autre côté de la frontière, la cruauté des policiers d'Uttar Pradesh semblait ne plus connaître de limites. Le comble fut atteint quand le cadavre de la belle Mira, épouse du bandit Baladin, tombée sous leurs balles aux environs de Dastampur, fut promené de village en village, entièrement dénudé. Des photos de cette parade macabre furent publiées à la une de plusieurs journaux.

L'opinion commença à se diviser, des voix indignées s'élevèrent. Il parut évident que si l'on offrait aussi férocement en pâture le corps d'une malheureuse dont on n'était même pas capable de prouver un seul méfait, sinon celui d'avoir épousé un bandit, c'était pour tenter de faire oublier Devi, toujours aussi insaisissable. « On ne l'aurait jamais fait s'il s'était agi d'un homme ! » s'écrièrent aussi les féministes ; et la plupart des hommes de progrès, d'un bout à l'autre de l'Inde, se rangèrent à cet avis.

Puis, comme il fallait s'y attendre, le meurtre du Grand Moustakim – car nul ne pouvait se dissimuler qu'il s'agissait d'un assassinat froidement prémédité – fut vengé par son cousin Muslim. Celui-ci prit son temps, il attendit un an. Mais sa revanche fut si sauvage qu'à elle seule elle démontra l'absurdité de la politique poursuivie par le gouvernement d'Uttar Pradesh : pour prix du sang de son cousin, Muslim et ses hommes abattirent une vingtaine d'habitants de Dastampur sur le simple soupçon qu'ils avaient espionné, pour le compte de la police, les allées et venues de Moustakim et d'Immamuddin avant leur départ pour Bombay. Le massacre fut encore plus cruel qu'à Behmai : ni les femmes ni les enfants ne furent épargnés. Aucun des survivants, malgré le choc, ne perdit de vue l'enchaînement des haines et des vengeances : lorsqu'on interrogea les témoins, certains jurèrent sur la Déesse qu'après l'hécatombe ils avaient vu une femme danser sur un toit et chanter.

Ils ne prononcèrent pas le nom de Devi, mais laissèrent les imaginations travailler, ce qui était bien pire, et personne ne s'y trompa. Du reste, depuis dix-huit mois que l'on traquait la Reine des Bandits sans jamais la trouver, ces témoignages étaient devenus monnaie courante d'un bout à l'autre de l'Inde. Un train était-il attaqué, c'était elle, Devi, qui avait monté l'affaire, on l'avait vue se hisser sur le toit d'un wagon, elle avait dirigé la razzia, comme elle faisait toujours, en poussant la chansonnette. Un hold-up s'était-il déroulé dans une banque ultra-moderne en plein centre de Delhi, c'était encore elle, immuablement perchée pour surveiller le pillage, et chantant une fois de plus, et dansant sur les toits ! Les journaux les plus sérieux rapportaient des rumeurs encore plus extravagantes que toutes celles qui avaient précédé. Ainsi, dans les semaines qui suivirent le massacre de Dastampur, l'austère *Times of India* crut pouvoir affirmer qu'elle avait été mise enceinte. D'après le journaliste, la raison pour laquelle Devi ne faisait plus parler d'elle était extrêmement simple : comme elle devait s'occuper du nouveau-né, elle ne pouvait plus guère bouger. « C'est un garçon, affirmait péremptoirement le reporter, sans indiquer sa source. Elle l'allaite.

Désormais, pour ses attaques, elle est contrainte de faire des sauts de puce de village en village. »

Le fantasme servait maintenant à masquer un échec. Mais la réprobation publique était devenue telle que le Premier ministre d'Uttar Pradesh ne put éviter le pire, à ses yeux en tout cas : la démission. Au moment de son départ, il n'hésita pas à se présenter comme la victime d'une injustice flagrante. Il se targua de ses brillants résultats : plus de mille bandits tués dans l'année écoulée. Il attribua son fiasco personnel à une collusion de ses ennemis politiques avec les gangsters, rappela qu'un de ses frères était tombé sous leurs balles et conclut l'entretien sur la réaffirmation solennelle qu'il était opposé, quant à lui, à toute forme de reddition et de pardon.

Ses déclarations n'eurent pas l'effet qu'il en escomptait, loin de là. Même ses fidèles ne purent esquiver la détestable certitude qu'il s'attachait comme une malédiction à tous ceux qui méditaient la perte de Devi. Après Mahendra, dont la fulgurante promotion n'avait trompé personne, le ministre de l'Intérieur était tombé, suivi de la plupart des fonctionnaires qu'il avait protégés, dont Verma et son adjoint Jaïn. Enfin était venu le tour du Premier ministre. Inéluctablement, comme sous l'effet d'un mécanisme implacable, les machinations échouaient les unes après les autres, y compris celles qui tentaient de prendre Devi au piège de la haine qu'elle inspirait à nombre de bandits. Mais les policiers d'Uttar Pradesh s'entêtaient : comme leurs devanciers, les nouveaux venus venaient de négocier un marché avec les frères Singh, toujours le même : l'impunité contre la tête de Devi. Ils les avaient laissés attaquer Sheikhpur Gura où des femmes avaient été violées, des vieillards molestés, toute sa famille gardée en otage pendant plusieurs jours. L'information avait été complaisamment relayée par la radio dans l'espoir que Devi vienne tenter de libérer les siens. Mais elle avait méprisé, comme le reste, les lois sacrées de la famille à son habitude, elle était demeurée invisible et muette, au point que certains maintenant la disaient morte.

Chaturvedi était persuadé du contraire. Il ne croyait pas davantage qu'elle avait eu un enfant. À son avis, le sort réservé à Mira l'avait terrorisée. Elle avait depuis longtemps passé la frontière, elle était là, à quelques dizaines de miles, à marauder, à tenter de survivre entre jungles et ravines. Plusieurs attaques étranges avaient été signalées dans des petits villages à la lisière de la forêt; on parlait ici et là d'un couple de jeunes bandits faméliques surgis de la brousse en brandissant des mitraillettes et qui n'avaient réclamé que des fruits, que des sacs de lentilles. Il y avait eu aussi plusieurs kidnappings – toujours des fermiers, toujours des thakurs. Contrairement à l'usage, les négociations pour la rançon avaient été très rapides, presque sans marchandage, à croire que le temps pressait ; quant aux victimes, elles étaient restées muettes, comme sous l'effet d'une menace qui les épouvantait.

Chaturvedi n'avait guère le temps d'élucider ces affaires. Même s'il croyait y reconnaître la griffe de Devi, il entendait d'abord conclure, en homme de méthode, les pourparlers qu'il venait d'engager avec le Grand Malkhan, dit le Parrain, nouveau Roi des Bandits depuis la mort de Moustakim. Intelligent, rapide, Malkhan avait vite compris tout le parti qu'il pouvait tirer de la présence de Chaturvedi ; et il était l'un des premiers à être venus s'abriter dans la région de Bhind.

Les négociations durèrent plusieurs mois. Elles se conclurent en juin 1982 par un succès éclatant : contre la vie sauve et la protection de sa famille, Malkhan accepta de rendre les armes. Cela se fit à Bhind même, avec toute la solennité requise. Avant de déposer leur mitraillette et leur cartouchière devant les autorités, le Parrain et ses hommes furent autorisés à les vider devant un temple de la Déesse. On les laissa aussi distribuer des monceaux de roupies à tous leurs parents et amis réunis dans un village voisin. Ils jouèrent de l'accordéon, chantèrent ensemble des complaintes de bandits, puis vint le moment de s'incliner aux pieds du Premier ministre. Cela se fit, comme il convenait, en haut d'une belle estrade et sur fond de guirlandes, devant des milliers de paysans enthousiastes. Enfin Malkhan et ses hommes furent transférés à la prison de Gwalior.

Chaturvedi avait promis à Malkhan qu'il y serait traité avec la plus grande clémence, sans jamais être tenu au secret. On lui servirait la nourriture de sa caste, il bénéficierait de plusieurs heures de liberté dans la cour de la prison, il pourrait y jouer aux cartes avec ses hommes, chanter des chansons sur son accordéon, recevoir sa famille, ses amis, ses admirateurs ; et même, s'il le souhaitait, organiser des matchs de basket, car un terrain avait été aménagé à cet effet dans l'une des cours.

La promesse fut tenue. Le bruit que Chaturvedi était un homme de parole se répandit rapidement dans les ravines. Quelques semaines plus tard, le bandit Ganshyam, l'une des plus hautes figures de la Vallée, lui envoya un émissaire. Lui aussi parlait de se rendre.

Or, quelques jours plus tôt, Chaturvedi avait reçu l'assurance formelle que Devi se trouvait dans les parages ; mieux encore, son informateur lui avait juré qu'elle avait monté quelques raids en compagnie de Ganshyam. Il tenta alors d'en savoir plus.

C'était une entreprise délicate. Ganshyam était une sorte de géant mystique et brutal, un homme de la forêt qui prétendait parler en secret aux choses invisibles : il jurait qu'il guérissait par l'incantation les morsures de serpents, qu'il déchiffrait par la seule force de l'esprit les pensées des hommes et les rêves des animaux. Pour cette raison, il se flattait de ne jamais écouter la radio. De fait, des deux côtés de la frontière, il avait échappé à toutes les recherches. Son comportement était imprévisible et Chaturvedi reconnaît volontiers que, en questionnant Ganshyam à propos de Devi, fût-ce par discrets sondages, il risquait non seulement de se heurter à un silence buté, mais de le voir définitivement lui filer entre les doigts.

À sa grande surprise, dès que son intermédiaire prononça devant Ganshyam le nom de Devi, le géant se montra très prolixe. Il ne démentit pas qu'il venait de monter quelques opérations avec elle ; et il prit désormais un malin plaisir, tout le temps que dura leur interminable marchandage, à lui décrire par le menu l'état de déchéance où elle était réduite : « Elle n'a plus de bande, confia-t-il un jour à son émissaire, elle n'a pas le cran d'aller négocier le butin qu'ils se sont fait, dans le temps, en Uttar Pradesh. Elle a trop la trouille de se faire reconnaître, et Man Singh aussi. Ils vivent comme des chacals, ils ont peur de tout et de tout le monde, même de moi, et pourtant, je leur donne de sacrés coups de main ! Ils sont seuls, ils sont sales. Les gens disent partout que Devi est une reine, mais la vérité, c'est qu'elle est plus pauvre que les plus pauvres. Elle a beau faire ses dévotions à la Déesse deux fois par jour, ça ne la nourrit pas. Elle court les ravines dans un jean dégueulasse, elle n'a pas le temps de le laver, tellement elle a les jetons quand elle s'arrête. C'est à peine si elle a le temps de se baigner. Ses chaussures sont trouées, pensez, ça fait plus d'un an que ça dure, cette histoire. Elle cache son uniforme et sa bâche dans un petit sac en plastique. Deux jours sur trois, elle mange des galettes rassises, elle est maigre à faire peur. Tout juste si elle a la force de porter sa cartouchière et son fusil. »

Chaturvedi prit ce message avec circonspection. Les bandits étaient comme tout le monde, ils se régalaient de mêler, jusqu'à s'y perdre eux-mêmes, la vérité et le mensonge. Mais, de message en message, et sans que les choses fussent jamais dites, il lui devint évident que Ganshyam cherchait à rendre les armes en compagnie de Devi de manière à profiter des avantages qu'elle ne manquerait pas d'arracher pour prix de sa soumission.

« Tu ne la trouveras jamais, fit-il dire un jour à Chaturvedi, elle change d'endroit chaque nuit. Mais moi, je peux te dire où elle est, je connais la forêt comme ma poche. Elle est malade et fatiguée. Et Man Singh encore plus qu'elle ; il a dit un jour devant moi : "À quoi ça nous sert, de courir comme on fait ? On arrive à la fin, on ferait mieux de se mettre dans un trou et de se laisser crever. " Elle a répondu : "Si on doit mourir, Man Singh, on mourra en courant. " Il n'a rien dit. Il a du courage, celui-là, de rester avec elle, après la poisse qu'elle a portée à Vikram Mallah et au Grand Moustakim... »

Quelques jours plus tard, Chaturvedi quitta Bhind pour Delhi. Il venait d'y obtenir un rendez-vous avec Mme Gandhi. Il s'agissait de Devi. Indira fut assez vite convaincue par ses arguments. Elle connaissait la région, elle avait inauguré le nouveau pont de Kalpi. Certains affirment aussi qu'elle nourrissait un intérêt plus secret pour le site, qui n'était pas étranger à sa passion pour toutes les formes de divination et de mystères sacrés. On murmure même qu'elle rendait des visites régulières à l'impressionnant temple aux Cobras Noirs qui se dresse sur la place centrale de cette curieuse bourgade.

Ce qui est certain, c'est que, en virtuose de la politique, Indira comprit sur-le-champ que la reddition était la seule issue de la folle équipée de la Reine des Bandits, tant pour le gouvernement d'un État tenu par ses amis que pour Devi, à l'égard de qui elle avait toujours éprouvé une forme de sympathie féminine. En l'occurrence, sa compassion personnelle rejoignit sans peine le réalisme politique : il pouvait se passer des années avant que Devi ne fût prise et à mesure que les vengeances succéderaient aux vengeances, le sang versé au sang versé, la crédibilité de la police s'effondrerait, la guerre des castes se rallumerait, s'étendrait, gagnerait peut-être les villes, l'appareil d'État. Elle donna donc aussitôt son aval à des négociations secrètes. Dès cet entretien, un projet de protocole d'accord fut établi. Ses conditions étaient exactement identiques à celles qu'avait déjà acceptées Malkhan.

Dès son retour à Bhind, Chaturvedi fit part de la nouvelle à Ganshyam, et lui demanda de la transmettre à Devi. Il fut convenu qu'elle donnerait sous huitaine une réponse de principe. Un rendez-vous fut pris avec le messager de Ganshyam dans un endroit isolé, à la lisière de la forêt. À son habitude, Chaturvedi s'y rendit à moto. L'émissaire l'attendait. Il n'avait pas envie de se perdre en palabres et lui déclara d'emblée : « C'est non. »

Chaturvedi garda son sang-froid. Il lui demanda aussitôt si Devi avait assorti sa réponse d'une explication. Il y en avait une, en effet, que le messager lui livra sans se faire prier. Dès qu'il avait prononcé devant Devi le mot de reddition, elle lui avait tourné le dos et lui avait jeté, avant de s'enfuir dans les broussailles : « À chacun son ombre. J'ai pris l'habitude du noir. »

Chaturvedi resta un moment perplexe. Il tendit à l'émissaire la liasse de roupies qui récompensait ses services, puis remit sa moto en marche. Le messager revint alors vers lui, désigna les fourrés de la jungle et lâcha, par-dessus le bruit du moteur, une phrase encore plus étrange que celle de Devi : « Ne t'inquiète pas, la nuit travaille pour toi ; la forêt aussi... »

107

« Va-t'en vers la montagne, avait dit le Maître, puisque tu es dans le doute. Tu es engluée dans l'obscur, va vers le clair. Va vers le haut, vers le blanc. – Mais je ne sais pas ce qu'est le blanc, s'était écriée Devi, je ne sais pas ce qu'est le haut ! – Ton âme est pesante, Devi, alourdie par le sang des morts. Ne cherche pas à savoir, prends la route sans réfléchir, va, tout simplement.

Allez, Devi, fais le vide en toi, sors de la forêt, prends la route, va vers le haut, vers le blanc. »

Et le Maître s'était mis à brûler du bois de camphrier au fond d'une cassolette. Quand la fumée avait commencé à monter vers le sommet des arbres, il avait repris sa sourde incantation : « Va vers le haut, Devi, fais le vide au fond de ton âme, va, prends la route qui monte, allez, Devi, pense au temps où tu n'existais pas, où tu étais néant dans le sein du néant, relève la tête, Devi, avance, monte, va vers le blanc. Toi dont le cœur est lourd d'une triste aventure, oublie ton corps rongé par une faiblesse qui n'est pas la fatigue. Redeviens reine de toi-même, va chercher là-bas la paix de la nuit, va vers le haut, Devi, va vers le blanc... »

Elle a obéi, comme toutes les autres fois. Elle est sortie de la forêt. Avec Man Singh, elle a cherché la route des montagnes. Ils ont marché des jours et des jours, ils ont dormi dans des fossés, n'importe où, au hasard des chemins, dans des caravansérails en ruine comme il s'en trouve beaucoup sur la route du Nord, ou recroquevillés dans de petits oratoires ; et même, à deux ou trois reprises, au fond de buses en béton, avec des paysans venus tenter leur chance en ville. Devant les éventaires où ils s'arrêtaient pour grignoter une galette, on les prenait souvent pour des pèlerins. Çà et là, près des gares, aux arrêts d'autobus, Devi reconnaissait les affiches où sa tête était mise à prix – son double sans corps et sans couleur, un cliché de plus en plus flou, délavé par deux moussons, souvent déchiré, ou recouvert de graffiti que Man Singh, pris d'une gêne subite, se refusait à déchiffrer.

Du reste, personne ne semblait plus s'y intéresser. L'affiche se noyait peu à peu dans le décor des haltes, les slogans électoraux, les publicités pour les films, les giclées d'essence, les tas d'ordures, les cressonnières où s'ébrouaient les buffles, les flaques de cambouis, les pyramides de bouse de vache, les temples noircis par la saison des pluies, les dieux criards peinturlurés à l'avant des camions, les enchevêtrements de voitures, de bicyclettes, de scooters, d'animaux de tout poil et d'humains de tous âges, les étals de tout et de rien – la route.

Au premier uniforme, pourtant, le bras de Man Singh se raidissait sur son baluchon ; et Devi, qui pensait comme lui à la mort du Grand Moustakim, se mettait à marmonner la prière du Serpent. Ils étaient armés – chacun un pistolet. Ils étaient allés déterrer dans leur cache une partie de leurs vieux butins : une vingtaine de montres. Ils ne se souvenaient même plus où ils les avaient volées ; ils comptaient les écouler au pied des montagnes, à la frontière, dans le bazar de Raixaul. D'après Man Singh qui s'y était déjà rendu une fois, on pouvait en toute tranquillité y vendre ce qu'on voulait.

Comme elle, il était pressé d'arriver ; mais c'était parce qu'il n'aimait pas la route ; et il préférait ignorer ce qu'elle allait chercher au pays des montagnes. Elle avait eu des mots vagues, quand elle s'était décidée : « C'est l'ordre de mon Maître. Tu pars ou tu restes, tu fais comme tu veux ; moi, j'y vais. » Il avait réfléchi un moment, puis lâché un long soupir. À ce seul signe, elle avait su qu'il la suivrait sans discuter. C'est seulement au moment de quitter la forêt qu'il hasarda d'une voix étouffée, comme une obscénité : « Il faudra bien qu'on mange, là-bas. On peut voler, mais on ne connaît pas le pays. On devrait... » Il ne termina pas sa phrase mais agita la main du côté des ravines du Nord. Elle murmura alors : « Tu as raison... » Et c'est ainsi, à demi-mot, qu'ils se décidèrent à déterrer les montres.

Du reste, ils se parlaient de moins en moins. Du jour où Lukka les avait quittés, du matin, surtout, où Devi avait appris de la bouche de Ganshyam ce qui était arrivé à Mira, un long silence s'était installé entre Man Singh et elle, qu'ils ne rompaient que dans le danger, ou lorsque la faim se faisait trop pressante. Et ils n'aimaient pas non plus se regarder ; si bien que lorsqu'elle trouva enfin la force de courir chez le Maître, après la visite de l'émissaire de Ganshyam, son premier mot fut pour crier : « Maître, aide-moi, j'ai trop erré, mes yeux s'aveuglent, la nuit est devant moi ! » À son habitude, le Maître n'a rien dit, il l'a laissée aller jusqu'au bout de sa plainte. « Je suis comme morte, a-t-elle repris, je ne vois plus rien, je ne sais plus rien ! – Tu as quand même réussi à venir jusqu'ici ! » a ricané le Maître. Elle s'est mise à pleurer : « Mon corps est là, Maître, c'est vrai, il tient, il endure tout, la faim, la soif, la pluie, la boue, mais mon âme... » Il l'a laissée vider tous ses sanglots ; et quand elle a repris souffle, il s'est contenté de sourire. Puis il a lâché : « Ton âme est là, Devi, mais elle ne sait pas comment sortir de toi. »

Elle secoua la tête, elle ne comprenait pas – l'avait-elle seulement écouté ? Et elle recommença à geindre : « Maître, aide-moi ! Je vis comme une bête, je suis sale, maigre, laide, je ne sais même plus parler... » À ce moment précis, le Maître gloussa : « Est-ce que tu as déjà vu les bêtes de la forêt parler pendant qu'elles chassent ? »

La plainte de Devi se brisa aussitôt. À son tour, elle se mit à rire.

Elle n'avait même pas eu besoin de lui raconter la visite du messager de la police, il avait tout deviné, il chuchotait déjà, en fouillant au fond de la besace où il cachait ses essences et ses herbes : « Fais confiance au silence, Devi, sois patiente. Les mots qui libèrent sont en toi, ils sont en train de chercher leur route, laisse-les faire... » Elle l'interrompit : « Mais j'ai peur, Maître, la prière du Serpent n'y fait rien, j'ai à nouveau peur de la mort... » C'est là que le Maître a commencé à brûler ses fragments de bois dans la cassolette ; et, quand ils ont pris feu, il s'est mis à grommeler : « Ce n'est pas la mort que tu crains, Devi, ni la soumission, ni même la prison. Ton esprit sans doute est déjà loin de ce monde. Ce qui t'effraie, c'est d'ignorer ce qui se cache en toi, et qui va bientôt sortir. Alors, va vers le haut, Devi, va vers le blanc. Tu verras, les mots te viendront, ils ne vont pas tarder. Ils passeront tes lèvres sans que tu en aies peur. Allez, va-t'en là-bas, prends la route des montagnes, va vers le haut, Devi, cherche l'endroit des grandes vérités, va tendre ton esprit dans le vent et le froid, va à la maison des dieux, éloigne-toi de la terre, lave-toi du sang, lave-toi des morts, envole-toi vers le ciel bleu et froid. Cours, Devi, va vers le haut, ne sois plus qu'une tête et qu'un souffle, oublie le rouge, Devi, va vers le blanc. Et, quand tu l'auras vu, reviens-moi. »

À la fin de l'incantation, le Maître lui prit la main, passa au médius de sa main droite la bague au chaton pâle qui devait si profondément intriguer ensuite ceux qui la remarquèrent, à cause de sa pierre laiteuse à l'éclat trouble, voisine de celles qu'on trouve, au bord du Gange, dans l'estomac des crocodiles. Tout le temps de sa marche vers les montagnes, Devi ne cessa de la caresser; et c'est peut-être elle qui lui a redonné force, par les longues nuits au bord de la route, quand le gel de décembre durcissait la terre des fossés, quand les camions hurlant de tous leurs klaxons dérapaient sur le goudron verglacé. Les paroles du Maître l'avaient déjà travaillée, elle commençait à sentir son âme se détacher de sa chair, elle ne craignait pas de finir sous leurs roues. Mais restait le plus tenace : la tyrannie de la mémoire. À chaque éclair de phare, à chaque stridence de frein, c'était le même implacable enchaînement, elle revoyait les attaques sur la Nationale 2, le visage de tous ceux avec qui elle avait partagé l'ivresse des ravines; et d'abord, bien sûr, la face des morts.

Au matin, elle avait l'œil boursouflé des mauvais rêveurs. Elle repensait aux vengeances qu'elle n'avait pas prises, à Kusumana, aux frères Singh, et elle souffrait comme jamais. À l'horizon du nord, la plaine était blanchie d'une gelée légère; mais pas encore de montagne à l'horizon, toujours pas de route qui monte. Pas même à Raixaul où ils s'arrêtèrent quelques jours, à bout d'argent, pour vendre les montres.

La frontière avec le Népal n'en était pas une, ils auraient pu la passer dans la journée. Elle était marquée d'un grand porche endragonné. Derrière, comme par miracle, le grouillement d'hommes et de véhicules s'arrêtait brutalement, d'une façon très étrange, car le *no man's land* séparant les deux pays – un pont étroit au-dessus d'un torrent, plus quelques centaines de mètres de route cahoteuse – était engorgé en permanence par un monstrueux embouteillage de pousse-pousse, d'ânes, de portefaix et de camions. Des douaniers l'observaient d'un œil absent sans jamais quitter la petite chaise installée devant leur guérite.

Devi était pressée de continuer, pourtant c'est elle qui voulut marchander les montres. Au fond du dédale de huttes et de gourbis qu'il est convenu d'appeler le bazar de Raixaul, ils dénichèrent un mercanti obèse, à demi Chinois, qui sembla intéressé par trois d'entre elles, à la monture d'or. Le vieux poussah dut les sentir affamés, ou bien la rumeur qui court les bazars à la plus infime transaction lui apprit qu'ils s'étaient installés dans une buse d'égout, derrière la gare. Toujours est-il qu'il fit traîner les palabres une bonne semaine, pendant laquelle ils ne purent se nourrir que de thé sucré. Chaque jour, à son réveil, dans le matin bleu et froid, Devi guettait derrière la porte du Népal les montagnes annoncées par le Maître. Elle ne voyait jamais qu'une brume grise. Alors elle baissait la tête et retournait se coucher dans la buse, avant d'attendre le moment d'aller discuter avec le Chinois du bazar.

Ils finirent par s'entendre. Il était temps. Le vent s'était levé et, dans la buse, il gelait.

Dès qu'elle eut l'argent en poche, Devi courut au bureau où l'on vendait des tickets d'autobus. Il restait encore quelques places pour le Népal. On lui demanda où elle comptait descendre. « En haut, répondit-elle. Juste en haut. » Le vendeur de tickets leva vers elle un regard surpris, bougonna le nom d'un arrêt. Elle demanda :

« C'est le plus haut ? » Il acquiesça puis ajouta d'un ton soupçonneux : « C'est les touristes qui font ça. » Elle déposa sa liasse de roupies sur le guichet. « Tu as des papiers ? » reprit l'homme. Elle ne répondit pas. Il insista, de plus en plus méfiant : « Un passeport ? Tu n'es pas d'ici, tu as un accent. – Pour qui tu me prends ! » jeta alors Devi, et elle abattit la main sur les tickets avant de tourner les talons.

Quand elle rejoignit Man Singh, elle préféra ne rien lui dire, mais elle s'arrangea pour le convaincre d'aller attendre le bus du côté népalais. Ils passèrent la frontière à pied, en se faufilant à travers le capharnaüm qui, comme tous les jours, congestionnait le pont.

Avant de monter dans l'autobus, Devi, comme les autres jours, a inspecté le ciel. Il était très limpide, à cause du vent. Du côté du nord, très haut, un long liseré neigeux festonnait l'horizon.

– Le blanc, a-t-elle soufflé à Man Singh.

Ce n'étaient que des nuages. Comme toujours, Man Singh a laissé dire. En dépit des apparences, c'était là bien du courage. Il s'abandonnait de plein gré, sans frémir, à la force venue du fond de cette femme, à ce mystère qui se cherchait une route. Et si l'on doit à tout prix nommer du faible mot d'amour cette soumission sans réserve, alors il faut rappeler l'instant foudroyant qui traverse une fois au moins la nuit de ceux qui aiment : la conviction, aussi fugace qu'absolue, que ce ne sont pas deux chairs qui se rencontrent, ni même deux âmes ; une puissance inconnue est venue en visite, traînant après soi de nouvelles énigmes, et toute la violence des dieux.

108

L'hiver 1982-1983 fut extrêmement froid, se souvient Rajendra Chaturvedi. Dans toute la Vallée, il y eut de très épais brouillards. Ils ne se dissipaient qu'à l'arrivée du vent – des bourrasques si violentes qu'elles en déchiquetaient les feuilles sur les arbres des ravines.

C'est par un de ces jours de grand vent que Chaturvedi reçut, après des semaines de silence, un message porté par l'émissaire de Ganshyam. Comme toujours, il fut laconique : « Devi a donné de ses nouvelles. » L'homme fit une pause, le temps de mesurer son effet ; et, comme le visage de Chaturvedi conservait sa sérénité, il ajouta : « Elle a dit : “Ce flic et moi, il faut qu'on se voie. ”

– Je vais la voir, répliqua aussitôt Chaturvedi.

– Elle a dit que tu viennes seul, sans arme.

Chaturvedi acquiesça. L'émissaire reprit :

– Je reviens dans deux jours. Tiens-toi prêt.

Et il détala. Deux semaines plus tard, il n'avait toujours pas réapparu. Chaturvedi ne tenait plus en place. Il prit alors une décision hasardeuse : il chercha à rencontrer la famille de Devi.

Ses parents vivaient toujours de l'autre côté de la frontière, au fond des ravines de Sheikhpur Gura. Chaturvedi réussit à leur faire passer un message et les rencontra en bas du fleuve. Ils ignoraient où était leur fille, ils ne l'avaient pas revue depuis des lustres. Ses frères et sœurs n'en savaient pas plus long. Chaturvedi prit alors l'initiative d'un marché : si Devi se rendait, il les ferait venir à Gwalior et veillerait lui-même à les loger et à leur trouver du travail.

Ils semblèrent enthousiastes, mais ne lui apprirent pas pour autant où elle se trouvait. Jamais à court de ressource, Chaturvedi leur demanda d'enregistrer sur son magnétophone un message à son intention. Ils s'exécutèrent de bonne grâce. Ils n'osèrent pas conseiller à Devi de se rendre, ils se contentèrent de la supplier d'accorder sa confiance à Chaturvedi.

Il avait aussi emporté un Polaroïd. Il prit quelques photos de groupe qu'il remit aux parents. Puis il expliqua le maniement de l'appareil au frère de Devi, lui demanda de le photographier avec le reste de la famille – et garda le cliché pour lui.

À son retour, il n'avait toujours pas de nouvelles. Plusieurs semaines passèrent. À force de tourner et retourner les quelques paroles qu'il avait échangées avec le messager lors de sa dernière visite, il finit par se persuader qu'il lui avait répondu trop vite. Au lieu de répliquer en reprenant mot pour mot le message de Devi : « Il faut qu'on se voie », il avait lâché « Je vais la voir » – une phrase dont il commençait à estimer qu'elle avait pu mal la prendre, car, chez les bandits bien davantage encore qu'ailleurs, un mot est un mot ; et il ne pouvait plus se dissimuler que, dans sa volonté de l'inciter à se rendre, il y avait la même convoitise que chez les millions d'hommes qui, du nord au sud du pays, s'étaient mis à rêver de la Reine des Bandits.

Il craignait aussi de perdre la face devant ses supérieurs. Il s'était déplacé à Delhi, avait obtenu l'aval de Mme Gandhi : ces tractations, en cas d'échec, ne pourraient pas rester secrètes. Autour de lui, il ne manquait pas d'opposants à la *manière douce*, déjà prêts, à coup sûr, à exploiter ce fiasco. Il se mit à regretter ce qu'il jugeait maintenant comme une folle aventure : sur cette reddition, il jouait en fait toute sa carrière.

Au fil des jours, son angoisse devint telle qu'il finit par s'en ouvrir à son frère. Celui-ci le convainquit que la disparition de l'émissaire était une bénédiction, et l'adjura de refuser tout rendez-vous avec Devi. Chaturvedi ne promit rien, mais se calma ; et c'est au moment où il s'y attendait le moins, un soir, vers sept heures, alors qu'il allait passer à table, que le messager se présenta à sa porte.

– C'est maintenant, souffla-t-il. Tu prends ta moto. Je monte à l'arrière.

– On va où ? chuchota Chaturvedi.

C'était une question de pure forme, il était certain que

l'autre ne lui répondrait pas. En effet, l'homme se contenta de répéter :

– Ta moto. Je monte à l'arrière. Tu ne préviens personne. Et pas d'arme !

Puis il lui désigna la porte. Sous prétexte de prendre sa veste, Chaturvedi courut à son bureau, enfouit dans ses poches son Polaroïd, son magnétophone ainsi que le cliché qu'il avait pris des parents de Devi. Quelques minutes plus tard, tous deux s'engageaient sur la route du Nord.

Le messager le fit tourner plusieurs fois sur de petits chemins qui ne cessaient de bifurquer, Chaturvedi perdit assez vite toute idée de la direction qu'ils avaient empruntée. Les sentiers devenaient de plus en plus escarpés, étroits, la moto peinait, heurtait parfois des pierres, des racines. Le vent tomba. Une demi-heure après leur départ, le brouillard commença à monter.

« Je grelottais, raconte Chaturvedi. J'étais parti sans me changer, j'étais en veste et en col roulé, je pensais qu'on en avait pour une heure ou deux. Je n'avais pas pris de gants, ni ma parka. On a roulé jusqu'à minuit. À ce moment-là, le messager m'a désigné une maison à l'entrée d'un village. J'ai cru que je touchais au but. Mais ce n'était qu'une halte. Des paysans nous ont offert du thé et des galettes, on a soufflé un peu, puis on est repartis. Mais, cette fois, à pied. »

Le messager marchait le premier, portant une puissante torche électrique. Tout le temps du trajet, il ne souffla mot, sinon pour prévenir Chaturvedi qu'il y en avait pour plusieurs heures. Ils ont ainsi gravi des sentiers de plus en plus raides dont la terre s'éboulait souvent sous leurs pas. À plusieurs reprises, Chaturvedi, dont le pied n'était pas très sûr, faillit rouler au fond des crevasses.

Puis le vent se remit à souffler. Le brouillard s'éclaircit, des lignes de pitons se dessinèrent devant eux, bleuies par l'aube. Ils marchèrent encore. Enfin, à l'orée d'une gorge, Chaturvedi distingua dans le jour levant un feu de camp. Une frêle silhouette se promenait devant les flammes, prolongée d'un canon de fusil. Le messager lâcha un cri bizarre, un aboiement voisin de celui du chacal. Dans la seconde, le canon du fusil s'abaissa – sans doute pour les mettre en joue. Le messager répéta plusieurs fois l'aboiement – à cinq reprises, nota Chaturvedi. À l'arrière du feu, une seconde forme se déplia, elle aussi prolongée d'un canon. Puis une voix s'éleva dans la pénombre, avec des sons rauques que Chaturvedi n'avait jamais connus aux femmes que dans l'amour. Une voix qui se fit bientôt silhouette, puis de silhouette un corps gracile, une jeune chair serpentine et fiévreuse qui s'inclina à ses pieds en répétant : « Viens, toi, viens ici, viens qu'on parle, viens... »

109

Malgré cet encourageant préambule, le marchandage ne fut pas de tout repos. Il y eut plusieurs rendez-vous – toujours au bout d'une piste accidentée, il ne savait où. Entre chaque rencontre, il se passa souvent plus d'une semaine d'attente durant laquelle Chaturvedi doutait de jamais aboutir. Rien n'était jamais sûr, avec Devi. Un jour elle lui disait : « Même si personne ne se rend avec moi, je me rends » – et huit jours plus tard, alors que tout semblait arrêté, alors qu'il était prêt à transmettre à Delhi la liste définitive de ses conditions, elle émettait brusquement une nouvelle exigence – le nombre de repas qu'on lui servirait en prison, les heures de liberté qu'on lui laisserait ; ou des volontés qui pouvaient passer pour de purs caprices. Par exemple, lors de la deuxième rencontre, elle le somma d'acheminer à Gwalior, en même temps que sa famille, leur troupeau de chèvres, et surtout la vache blanche dont son mari, dix ans plus tôt, avait payé, avec la bicyclette, le droit de l'épouser. Et il fallut recommencer à marchander.

Elle ne céda pas. Chaturvedi dut dépêcher en bas de son village un camion bâché où ses parents s'engouffrèrent en secret, une nuit, en poussant devant eux tout leur troupeau de chèvres et le précieux bovidé. Et l'attente reprit. Dès qu'il la revoyait, pourtant, il avait la certitude que sa décision était arrêtée depuis longtemps. Il y avait dans son regard un jour étrange, celui qu'on voit parfois aux renonçants, sur les routes, ou aux ermites des jungles ; et, dès le matin de leur première rencontre, il avait remarqué à son doigt la bague au chaton blanc. Sans dire où il l'avait vue, il en parla à un prêtre de la Déesse, à Bhind. Celui-ci l'assura que c'était une pierre que les Maîtres de la forêt donnent à leurs disciples quand ils veulent que leur âme quitte de leur vivant leur chair mortelle. Ils ne les remettaient qu'à des êtres d'exception, à des disciples habités par la force divine.

Chaturvedi n'avait jamais eu l'humeur mystique et montrait peu de goût pour les histoires de la forêt. Il préférait le sport, les rapports bien faits, la propreté, la bière glacée, et par-dessus tout l'efficacité. Pour autant, il n'était pas simpliste, il savait de quels tours et détours est capable l'esprit humain ; mais sa compréhension à l'égard de ses semblables s'arrêtait devant l'abîme de l'illumination. Ce qu'il attendait de Devi, c'était une reddition en bonne et due forme, le reste lui importait peu. Du reste, Devi ne lui parlait jamais des dieux. La seule fois où la conversation effleura cette matière, ce fut le matin de leur première rencontre, au moment où elle lui servit un verre de thé. Il ne savait que lui dire, il venait de remarquer sa bague. Il voulut engager la conversation et lui désigna Man Singh, assis de l'autre côté du feu. « Vous vous êtes mariés ? » Elle se redressa aussitôt : « Nous autres rebelles, nous n'avons pas besoin de vos cérémonies. Nous faisons nos serments au pied des arbres de la forêt. Eux seuls ont le pouvoir de pénétrer nos cœurs. »

Après son regard de fauve, c'est ce qui l'avait frappé d'emblée : Devi ne parlait pas comme les gens du commun. Elle avait peu de mots, mais c'étaient des mots premiers, qui allaient droit au cœur des choses ; avec un rythme bien à eux, qui donnait le frisson – comme le pouls d'un vivant mystère. Et Man Singh lui-même, quand elle parlait ainsi, en restait coi, il suivait le débit de ses phrases la bouche légèrement entrouverte, l'œil à la fois heureux et inquiet.

« Pendant tout le temps de notre long marchandage, raconte Chaturvedi, Devi fut là sans être là. C'est ce qui la rendait si imprévisible. Je ne sais ce qui lui était arrivé : les privations, peut-être, sa vie de chacal traqué ; en tout cas, ce qui restait d'elle, quand je l'ai rencontrée, c'était l'enfant. Elle était aussi maigre qu'un ermite, elle n'avait plus de hanches, plus de seins. La femme, l'amoureuse, la vengeresse, tout avait disparu. Il s'était sans doute passé quelque chose de bizarre, car dès cette époque-là, elle ne ressemblait plus à son histoire. Chaque fois que j'allais la voir, je me répétais que c'était une meurtrière, que ses jolies mains menues avaient fait couler le sang, et qu'elle avait touché le fond de l'injustice humaine. Mais, dès que je la découvrais avec son bandeau rouge, ses cheveux courts, son jean à pattes d'éléphant, sa chemise d'homme trop grande pour elle, c'était plus fort que moi, j'avais l'impression de me retrouver en face d'une petite fille. Une gamine, il n'y a pas d'autre mot. Ou un gamin, un petit garçon qui aurait grandi trop vite et qui veut continuer à jouer à la guerre. La différence, évidemment, c'était qu'elle n'avait pas entre les pattes un joujou en plastique, mais un Mauser 303 en parfait état de marche. Et elle ne m'a jamais caché que si les choses ne tournaient pas comme elle voulait, elle pouvait jouer de la gâchette ! Alors j'ai fait comme avec les enfants : je l'ai apprivoisée, je l'ai eue par le jeu.

Le premier jour, par exemple, où elle se méfiait tellement de moi, elle ne voulait pas croire que j'avais vu ses parents. Je lui ai montré le Polaroïd. Elle n'en croyait pas ses yeux, elle caressait la pellicule et répétait : "Mais comment tu as fait, comment tu as fait... ?" À ce moment-là, j'ai sorti mon magnétophone de ma poche et je l'ai mis en marche. Elle a entendu la voix de sa mère qui la suppliait de me faire confiance. Elle savait très bien ce qu'était un magnétophone, elle connaissait aussi les appareils-photos, ça n'était pas un enfant loup, tout de même ! N'empêche. Elle s'est inclinée devant moi, elle m'a à nouveau baisé les pieds et quand elle s'est relevée, elle m'a dit : "Tu fais de la magie. " »

Quand Chaturvedi voulut la photographier, en revanche, elle explosa : « Jamais ! Il n'y aura pas d'image avant que je me rende, tu entends ! Pas une photo ! » Et elle fut un bon moment sans recouvrer son calme.

C'est peut-être ce qui fit que les palabres furent si longues. Elle se méfiait de tout. Elle n'exigea pas seulement l'engagement de ne pas être pendue, ni jamais extradée en Uttar Pradesh – il était facile de le lui accorder, il suffisait de l'emprisonner pour port d'arme illégal et de ne jamais la juger –, elle se renseigna auprès de Ganshyam sur les cérémonies de reddition, sur la vie en prison, dont elle discuta les plus infimes détails. Elle demanda de ne jamais apparaître les menottes aux poignets, ni avant, ni après sa soumission. Elle réclama une terre pour sa famille, à présent qu'on l'avait installée à Gwalior avec sa vache et son troupeau de chèvres. Puis elle voulut que Chaturvedi s'engageât à ne jamais révéler qui les avait aidés dans ce long marchandage, qui avait porté les messages, qui l'avait guidé dans le dédale des ravines. Enfin, quand il crut que tout était conclu, elle exigea exactement le même traitement pour Man Singh, et la même protection pour les siens.

Il fallut alors retrouver la famille de Man Singh, la convaincre de passer la frontière, organiser à la hâte un autre voyage clandestin, puis fournir des preuves que tout était en place. Enfin obtenir une dernière fois l'aval de Delhi. Il fut immédiat.

Il ne restait plus qu'à demander à Devi de fixer la date de la cérémonie. C'était aussi un point sur lequel elle était intraitable : elle prétendait qu'elle devait l'établir elle-même, avec l'aide d'un Maître qui vivait dans la jungle.

Une dernière fois, Chaturvedi reprit avec le messager, en pleine nuit, le chemin des ravines. Il n'était guère confiant : dans la bouche d'une femme qui n'avait jamais plié, le mot de Maître lui paraissait de très mauvais augure.

Comme pour redoubler son impatience, le brouillard, cette nuit-là, fut extrêmement épais. Ils n'atteignirent la gorge où campait Devi qu'en milieu de matinée.

Le vent s'était levé, qui avait dégagé le ciel. Il faisait grand soleil. Devi était en sari, assise devant un réchaud sur lequel elle préparait un repas. « Pour la première fois, j'ai eu l'impression de rencontrer une femme, se rappelle Chaturvedi. Elle avait enfilé des bracelets, s'était passé du khôl sur les paupières, tressé une minuscule natte. Elle se penchait au-dessus de sa marmite avec une application touchante; elle voulait me prouver, je suppose, qu'elle n'était qu'une femme comme les autres. Mais il y avait toujours son regard, cet œil absent, un peu hagard. Elle savait parfaitement que, d'ici quelques jours, tout serait fini, et qu'elle ne sortirait jamais de prison. Les frères Singh continuaient de la traquer en Uttar Pradesh, rallumant contre elle, chaque fois qu'ils le pouvaient, la haine des thakurs. Ceux-ci avaient proclamé plusieurs fois en public, lors de réunions électorales, qu'ils iraient la chercher où qu'elle se trouvât, même jusqu'ici, de l'autre côté de la frontière. Un soir, à la fin d'une palabre, Devi m'avait dit, comme pour résumer le peu d'avenir qu'elle se voyait : “Si je rentre en prison, je meurs. Si j'en sors, les thakurs me tuent. ” »

Dès son arrivée, conformément à leurs conventions,

Chaturvedi lui lut la liste des conditions de sa reddition, telle qu'Indira Gandhi venait de l'approuver. Devi l'écouta sans un mot, tout en tournant son curry dans la marmite, puis elle lui demanda de passer sa feuille au messager qui savait parfaitement lire. Il relut lentement la feuille, puis donna son approbation à Devi. Elle ne dit mot. Elle se contenta de leur tendre des assiettes en plastique et s'employa à les remplir.

Il faisait si bon que Chaturvedi, avant de saisir la sienne, prit le temps d'enlever sa parka et d'ouvrir son col de chemise. Un bref instant, dans son entrebâillement, apparut le cordonnet signalant sa condition de brahmane. Devi se figea, puis lui tendit à nouveau son assiette. Ses yeux s'étaient brusquement durcis, il eut la sensation qu'elle allait exploser. Il n'en fut rien. Elle le regarda manger en silence, puis, au bout de quelques minutes, elle lâcha :

– Tu te souviens de Mira ? Tu sais comment elle est morte ?

Il acquiesça d'un air surpris. Et elle reprit :

– Tu sais ce qu'ils lui ont fait, après ?

Il opina une seconde fois. Il y eut un nouveau silence, plus long que le précédent. Il baissa les yeux sur son assiette, se remit à manger. Mais elle ne lâcha pas prise et enchaîna :

– Tu sais qui l'a tuée ? Des thakurs. Et des brahmanes, comme toi.

Cette fois, ce fut lui qui fut près d'exploser. Il parvint encore une fois à conserver son sang-froid. Mais elle n'était toujours pas calmée, elle poursuivit :

– Dis-moi le serment qui me prouve que je peux avoir confiance en toi.

C'était un jour béni, la réplique lui vint dans l'instant :

– Devi… Puisque j'ai partagé le sel avec toi…

Et il releva la tête pour lui exhiber l'assiette qu'il venait de vider de son curry de mallah.

Alors, une dernière fois, Devi se redressa dans ses

voiles. Elle n'avait plus l'air d'une enfant, à cet instant, ni même d'une femme. Elle ressemblait à une reine, à une souveraine des vieux contes, à ces princesses durcies par les épreuves, devenues si fortes, à la fin de l'histoire, qu'elles trouvent les mots infaillibles des dieux :

– Alors il y aura encore une condition. Sur l'estrade de la soumission, je veux derrière moi deux portraits : celui du Mahatma et celui de la Déesse.

Et avant de s'incliner devant lui, elle ajouta :

– C'est à leur âme que je me rends, pas à la justice des hommes.

Puis elle s'enfuit au fond de la gorge – sans doute pour prier. Ce fut donc Man Singh qui transmit à Chaturvedi la date fixée pour la reddition, le 12 février 1983.

110

C'est l'aube de la soumission, il fait froid. Une foule se presse sur un immense terrain. D'un côté, une maison illuminée comme pour un jour de mariage ; et de l'autre, une très haute estrade dressée sur le toit d'un collège, afin que personne ne perde une bouchée de ce qui va se passer.

Comme pour les grandes noces, le dais de l'estrade est surpiqué d'étoiles multicolores. Le jour se lève, l'éclairage électrique blêmit avec le matin. Il faut quitter la maison, traverser la foule. La mitraille photographique commence. On veut tout lui voler : son sourire, son front plissé par l'attente, son bandeau écarlate, l'immense châle rouge dans lequel elle vient de se draper.

Devi a froid, elle a chaud aussi. Le Serpent est en elle, et plus que le Serpent. Il y a des gens qui crient, d'autres qui se taisent, des gens qui se bousculent et d'autres qui ont peur. On va l'adorer et on va la haïr, la maudire, la bénir. Mais ils vont parler, tous. Ils vont raconter, ils vont rêver. Ils vont jurer qu'elle était belle ou qu'elle était laide, qu'elle était courageuse ou qu'elle ne l'était pas, que ce n'était qu'une pute, une ordure, une moins que rien, pendant que les autres diront tout le contraire, la proclameront déesse, crieront justice en la priant.

Et alors ? Il n'y a rien de vrai. Sauf cet instant où elle s'avance pour se soumettre. La preuve, c'est qu'elle n'a rien à dire. Rien à comprendre, rien à expliquer.

Elle n'a pas peur de montrer son visage, de l'offrir à ces voleurs d'âmes. La sienne n'est plus à prendre, rien ne compte que ce qui va se passer sur l'estrade. Ce qui ne l'empêche pas de voir et d'entendre. Le monde entier est réuni autour d'elle, il y a même des hommes blancs parmi les photographes. Ils ressemblent à ceux qu'elle a aperçus au Népal, sur le col où elle a vu apparaître les neiges des montagnes. Ils ont l'air de souffrir en plein soleil. On est en hiver, pourtant ; et si loin de midi !

Mais, à partir de maintenant, plus d'hiver, plus de midi. Plus de mousson, plus de saisons, plus de fêtes, le non-temps recommence. Le grand renoncement, loin de l'amour, loin de la haine. Il n'y a rien à regretter, Devi a déjà tout vécu, mille vies en une seule. À un moment donné, à quelques mètres de l'estrade, un sourire lui échappe, et il s'en faut de peu que ce ne soit un rire : elle pense à ces poulets qu'elle a vu tuer, dans les villages, et qui continuent, décapités, à courir de ruelle en ruelle. Voilà la vie qui l'attend : son corps sera là, elle aura les gestes, les mots, les cris d'une vivante, mais son âme sera partie. Le Maître l'a promis. Il a dit aussi que c'était la plus grande liberté et que les dieux ne l'accordent qu'à deux sortes de gens : les grands sages et les fous de justice.

Où doit-elle se ranger ? Elle n'a pas eu le temps d'y songer. D'ailleurs, qu'est-ce que ça peut faire, voici l'estrade des puissants. Il va falloir monter, s'incliner.

Devi invoque à nouveau en elle la Puissance du Serpent. Pas le cobra noir, cette fois, mais le Grand Serpent Blanc, le Naja d'Éternité, lové sur l'océan laiteux des temps premiers et sans conscience. Le voilà qui lui sourit du fond de son sommeil, exactement comme au moment où elle a aperçu les neiges des montagnes. Derrière lui flotte la photo du Mahatma – et, à sa droite, l'image colorée de la Déesse juchée sur son tigre. Elle aussi sourit.

Et les discours commencent, une source intarissable de syllabes qu'elle croit encore reconnaître : *sang, vengeance, amour, justice, pardon*. De phrase en phrase la source devient torrent, enfle, gonfle, se fait rivière, fleuve, se perd dans l'immense océan des contes. Puis voici le moment de déposer les armes. L'esprit rebelle et rouge est encore là qui lui souffle qu'elle est la seule femme au milieu de tous ces hommes, et si faible, aux pieds des riches et des puissants ! Mais, d'un seul coup, tout s'ouvre, tout éclate, tout pâlit, voici enfin la face de l'Autre Monde, l'ivoire, l'opale, l'argent, la perle, la neige ; les couleurs se fondent en une seule, les bruits s'arrêtent, c'est le début du silence, le blanc, la fin des mots – la dernière illusion.

POSTFACE

QUAI DES INDES

Avant d'écrire le récit qui porte son nom, j'ai passé quatre ans en quête d'une étrangère, Phoolan *Devi* – une prisonnière. D'elle, j'avais pu me faire une idée moins floue à partir de quelques entretiens accordés juste après son arrestation : des propos où éclatait, à chaque phrase, une force inouïe.

Sans l'avoir approchée, ce qui m'a d'abord séduite en elle, c'est la parole. J'emploie à dessein le terme biblique. Ses mots, à chaque instant, étaient violents et justes, comme venus d'un autre monde, de temps premiers où ils n'étaient pas maigres, usés, mais sacrés, jamais dits pour ne rien dire. Même sans la voix, leur puissance était contagieuse ; la banalité du papier journal ne les affadissait pas, loin de là. À cela seul, d'emblée, j'ai pressenti que la vie de mon étrangère, elle non plus, n'avait pas été maigre ; et que cette jeune paysanne illettrée avait beaucoup à m'apprendre. Rien que pour ce qu'elle avait dit, j'ai eu envie de la rencontrer.

Une autre raison fit tourner ce désir à l'obsession. Phoolan Devi était indienne. Je n'étais pas retournée en Inde depuis sept ans – un éloignement volontaire, la crainte, après *Le Nabab*, que cette terre aimée, trop aimée, ne devînt ma source unique d'écriture. Et pourtant, je savais qu'inéluctablement je retournerais là-bas : entre l'Inde et moi, c'est une très vieille histoire. Un amour ancien et secret où, comme dans toutes les passions, je n'arrive pas à voir clair. Je ne peux que me souvenir.

*
* *

La topographie intime est unique et indicible, sans justification, comme tout ce qui s'abreuve à la source de la mémoire. Mais il y a aussi les faits : autre forme du *karma* indien, cette fatalité reçue en même temps que la vie et avec laquelle les mortels ne sauraient marchander. Dans mon cas, j'en conviens, le trait du destin est forcé : je suis née à Lorient, à quelques encablures d'une longue promenade toujours nommée quai des Indes.

La ville s'est jadis orthographiée L'Orient, pour une raison qui semble sortie d'un conte : il y a trois siècles, aux plus beaux temps de la Compagnie des Indes, on y construisit un vaisseau particulièrement splendide. Il était destiné à aller chercher dans les mers orientales tout ce qui donne à la vie parfum de luxe et de bonheur, épices, soieries, pierres précieuses, thé, café, porcelaines. L'or aussi, bien sûr, au mépris des flots et des vents, là où, croit-on, le soleil le forme en se levant. Comme signe de sa vocation marchande et des rêves qui accompagnaient alors les cargaisons maritimes, le navire fut baptisé *L'Orient*. Le bâtiment était magnifique ; le port, tout neuf, n'avait pas encore de nom. Tout se confondit dans l'esprit des habitants, la rade et le bateau ; et cette rude lande bretonne où rien n'appelait les rêves de nuits de Chine et des Indes galantes se retrouva affublée du mot alors le plus prompt à faire galoper les imaginations : l'Orient.

Je repense souvent à ces temps qui précédèrent la Compagnie des Indes. Il n'y avait rien, dans cet estuaire perdu entre ajoncs et marécages ; rien que la mer qui remonte deux fois le jour dans le lit des rivières, rien que d'épaisses forêts, dans l'arrière-pays, où tailler des charpentes de navires ; enfin des gisements de granit gris. Le jour où Colbert décida, depuis son lointain bureau, d'y installer la Compagnie, il désigna l'endroit d'une formule sans ambiguïté : « terrains vagues et inutiles ». Sans le savoir peut-être, lui le marchand ami des chiffres, il avait fait de ces quelques âpres arpents le territoire des rêves.

Il ne reste pas grand-chose de ce temps-là. Pour commencer, d'un trait de plume imbécile, un bureaucrate paresseux et sans poésie s'avisa, quelques décennies plus tard, de mutiler L'Orient de sa double majuscule et de sa pensive apostrophe ; si bien qu'aujourd'hui il ne se trouve plus guère d'habitants pour savoir que la ville doit son nom à l'un des fantasmes les plus tenaces de l'imaginaire occidental. La Seconde Guerre mondiale fit le reste : le centre historique de la ville – remparts, hôtels particuliers, magasins de la Compagnie – sombra presque entièrement sous les bombardements. Du vieux Lorient de Colbert et Choiseul ne demeura presque rien, hormis deux constructions peu spectaculaires, mais à la désignation hautement symbolique : un vieux phare branlant, celui d'où l'on guettait le retour des navires, la Tour de la Découverte ; et, le long du grand bassin où allaient naguère s'amarrer les navires marchands, les pierres fatiguées du quai des Indes.

*

* *

Je suis née dans une ville détruite. Mes parents avaient perdu pendant la guerre le peu qu'ils possédaient. Autour de moi, il n'y avait que du béton, des routes fraîchement goudronnées ou des ruines, des bâtiments provisoires – les milliers de baraques où s'entassaient les ouvriers du port et ceux qui rebâtissaient la ville. Rien ne ramenait au passé, sinon à celui de cette guerre qui revenait sans cesse dans les récits des adultes. En dehors des plages et du jardin de mes parents, le paysage où je grandis était sinistre : le Mur de l'Atlantique, la base sous-marine, les avions abattus qui achevaient de rouiller, alignés en pleine ville sur un immense terrain vague, les dizaines et les dizaines de blockhaus – « n'allez pas jouer là-dedans, on ne sait jamais, s'il reste des mines, des bombes... » Je haïssais ce monde-là.

*
* *

Je n'arrive pas à situer le moment où j'ai découvert le quai des Indes. Nous avions la chance de vivre dans une vraie maison, un morceau de ferme reconverti en une sorte d'appartement, au milieu de champs et de jardins que commençait à gagner la contagion du bétonnage. Mais aller « en ville » était encore une sorte d'expédition – on s'y rendait à pied, et seulement pour « faire des courses ». Dans l'attente de la reconstruction, les commerçants avaient eux aussi abrité leurs boutiques dans de fragiles baraques. Elles se trouvaient quai des Indes.

Je crois que ce que j'ai d'abord aimé là-bas fut le plaisir des achats : les éventaires, le frémissement du choix, la joie attendue des objets, le moment étrange, toujours un peu fébrile, où l'argent passe de main en main.

Je me revois aussi devant le quai. De grosses pierres massives et irrégulières – rien à voir avec le béton ni avec le goudron. À leur grosseur, à leur usure, je devine des temps cachés loin, beaucoup plus loin, en tout cas, que cette guerre qui revient à tout propos dans les conversations. Quand la marée est basse, de longues grappes de goémon bistre s'avachissent contre les parois du quai. Il est scellé de lourds anneaux rouillés; eux aussi parlent de temps que je ne connais pas.

Un jour ou l'autre, inévitablement, j'ai dû demander : « C'est quoi, les Indes ? » Je n'en garde aucun souvenir, pas davantage de la réponse qui me fut donnée. J'ai en revanche une mémoire très précise de l'image que m'évoqua le mot. Une couleur, d'ailleurs, plus qu'une image. Elle n'a pas changé depuis mon enfance. Quand j'entends dire *Inde*, je vois du violet. Ou plus exactement du violine – à mi-chemin entre le pourpre et le violet. Une couleur riche et étrange, composite, mystérieuse. Immense et rare. En tout cas, c'est l'idée que je m'en fais à cet âge-là – quatre ou cinq ans –, petite fille qu'on dit sage et facile, alors que je passe déjà mon temps à me raconter en secret des histoires affreuses, rien que pour me faire peur...

*
* *

Puis vient l'histoire des assiettes Compagnie des Indes. J'ai grandi, il paraît que je suis « en âge de comprendre ». On m'emmène dans une exposition consacrée au vieux Lorient. On me raconte l'anecdote du beau navire qui donna son nom à la cité, on me fait monter au sommet de la Tour de la Découverte. Puis on me montre d'énormes clefs, celles de la ville, me dit-on, du temps où elle était ceinte de remparts. On me parle d'une guerre où les ennemis n'étaient pas les Allemands, pour une fois, mais les Anglais. Toujours des guerres – je m'ennuie. On me désigne le blason de la ville : un vaisseau voguant toutes voiles dehors sur une mer symbolique, assorti d'un magnifique soleil levant. On me commente son emphatique devise latine : *Ab oriente refulget* – « c'est de l'Orient que resplendit la lumière ». Je me morfonds de plus en plus. Puis on me pousse devant une vitrine bourrée d'assiettes.

Il paraît qu'elles ont été entreposées dans des caves et qu'elles ont été miraculeusement sauvées des bombardements. Je n'écoute plus. Je ne quitte plus des yeux les porcelaines. Des dragons, des pagodes bleues. Des monstres fous, de longues dames aux yeux fendus. On me répète que ces assiettes sont des objets précieux, fragiles, on m'explique que les navires, autrefois, il y a longtemps, du temps des rois, les rapportaient de très loin, au mépris des tempêtes. Je ne bouge plus. Pour la première fois de ma vie, je découvre que le passé peut être beau.

Ces porcelaines ont flotté pendant des années au fond de ma mémoire – une sorte d'arrêt sur image extrêmement troublant dont je ne parvenais pas à me déprendre, alors même que je commençais d'en entrevoir le sens. Ainsi, je m'aperçus un jour que la scène avait eu lieu non dans la Tour de la Découverte, comme je le croyais, mais à l'hôtel de ville : cette confusion, engendrée sans doute par le nom du vieux phare, se passe de commentaire. Puis j'ai pensé que le surnom que mes parents m'avaient donné, « la Chinoise », à cause de mes yeux alors très bridés, avait été pour beaucoup dans cette précoce fascination orientale : une sorte de narcissisme enfantin, en somme, de reconnaissance de soi à travers un univers inconnu. Puis je fus un jour arrêtée par des vers de Victor Segalen, et je crus tenir enfin l'explication de cette image récurrente :

> « Car j'habite une chambre avec porcelaines,
> Un palais dur et brillant
> Où l'imaginaire se plaît. »

J'incriminai alors la matière même de la porcelaine, sa magie si particulière : figé sous le glaçage de la couverte, vit un monde d'apparences qui, tout fictif, tout stylisé qu'il soit, semble plus vrai que la réalité. Quoi de plus exaltant pour un enfant à qui la vie, je puis l'avouer maintenant, paraissait constamment trop faible ?

Je ne suis pas sûre de l'explication. Mais, il y a quelques années, je suis parvenue à museler ce souvenir obsessionnel quand j'ai retrouvé « mes » assiettes à Port-Louis, dans une vitrine du musée de la Marine. Je suis restée dix bonnes minutes à les scruter, à traquer mon fragment d'enfance sous le gel de la porcelaine. J'avais beau faire, quelque chose m'échappait irrémédiablement ; sans doute parce que j'étais allée au bout de cette route des Indes qui s'était ouverte, au hasard d'une exposition, devant mon regard de petite fille.

J'ai fini par tourner le dos à la vitrine, résolument, sans un regret. Les assiettes bleues et blanches ne me poursuivent plus. J'espère tout de même continuer d'habiter, en secret, le palais dur et brillant des mondes imaginaires...

*
* *

Une autre image m'a longtemps pourchassée, dont je savais qu'elle était indienne, mais dont j'ai longtemps ignoré l'origine exacte. C'est une séquence de film ; je dois être très petite, je ne comprends rien à ce qui se passe sur l'écran, on m'a simplement expliqué que c'est « une histoire de bêtes qui se déroule aux Indes ». Le film est en noir et blanc. Je me rappelle une seule scène : un gros plan sur le sol d'une salle de bains – du ciment percé d'une bouche étoilée, destinée à évacuer l'eau de la douche. L'image transpire de chaleur et d'humidité. Brusquement, la bouche se soulève, un serpent en sort lentement. Je suis si terrorisée qu'il faut, pour me calmer, me raconter la fin libératrice du film : le serpent va être vaincu par une valeureuse mangouste, son ennemi naturel, qui l'attend à la sortie de la douche.

Les autres séquences se sont effacées de ma mémoire.

Mais la figure d'un second Orient s'est alors gravée en moi, le versant noir de la chambre avec porcelaines, celui d'un pays dangereux, inquiétant, voire cauchemardesque. Cette image m'a poursuivie autant que celle des assiettes : pendant des années, j'ai cherché quel pouvait bien être ce film. Une de mes sœurs, plus âgée, a fini par s'en souvenir : il s'agissait d'une adaptation d'une nouvelle de Kipling, *Riki-tiki-tavi la mangouste*.

À ce jour, je n'ai pas revu ce film. Mais, en 1990, à l'hôtel de Gwalior où j'étais allée attendre de la lente bureaucratie indienne l'autorisation de rencontrer Phoolan Devi, quel ne fut pas mon trouble quand je découvris que le sol de ma salle de bains – un simple et rude ciment, comme dans la séquence qui m'avait fait si peur – était percé d'exactement la même bouche étoilée. Pour comble, tout, dans l'hôtel, était frappé à l'emblème de deux cobras dressés dans la posture de l'attaque : les portes, le linge, le papier à lettres, le menu, les couverts, la moindre pièce de vaisselle. Que dire de ces moments-là, où l'on perd pied entre le présent et la mémoire, entre le réel et le fantasme, où la vie ressemble à une boucle qui se referme – pour étrangler, pour libérer ?

*

* *

Hormis ces éclats de mémoire vive, ces balises qui me ramènent à ce que j'ai de plus intime, le reste de ma « mémoire indienne » relève de l'imagerie commune. Les clichés répandus dans la littérature et les films pour enfants des années cinquante continuaient d'ignorer que les Indes – cette géographie confuse et plurielle où les Occidentaux entreposaient jadis tout ce que le monde était censé compter de démons et merveilles – avaient définitivement sombré et qu'entre autres nations modernes avait surgi de leurs cendres un pays, l'Inde de

Gandhi et de Nehru, singulier à bien des égards dans son effort courageux pour concilier ses traditions multimillénaires et la modernité. Les souvenirs qui constituent la deuxième strate de ma mémoire indienne n'ont donc rien d'insolite : la scène du film *Le Tour du monde en quatre-vingts jours*, où une veuve doit se jeter dans le bûcher funèbre de son mari ; les vaches sacrées de Delhi au début de *Tintin au Tibet*; l'hypnotiseur enturbanné des *Sept boules de cristal*, le sari de la voyante Yamilah. Dans *Le Lotus bleu*, le fakir en transes sur sa planche à clous, le tigre qui se jette sur l'éléphant de Tintin, le maharadjah de Rawhajpoutalah qui jure par Brahma et vit sous la menace d'une bande d'abominables trafiquants de drogue armés de seringues gorgées de radjaïdja, le poison-qui-rend-fou. En somme, génialement résumés par Hergé, la quasi-totalité des clichés qui peuplent les imaginaires occidentaux depuis Jules Verne, Kipling et plus généralement les romans d'aventures du siècle passé. Palais, palmiers, perles, poisons, fauves, pierres précieuses, traîtres, princes richissimes, magie, mystères, dieux dansants aux multiples bras : dans cette panoplie d'images préfabriquées, il ne manquait que la misère.

Je ne parviens pas, cependant, à mépriser cet attirail de facilités exotiques, le deuxième étage de mon Inde imaginée. Il y a peu, j'ai retrouvé sur le boulevard Saint-Michel une des ces vieilles bandes dessinées violemment bariolées de palmes et de ciels immuablement bleus, qui me faisaient tellement rêver entre huit et douze ans *: Lili aux Indes*. Alors même que je venais de passer des semaines sur les chemins poussiéreux du Madhya Pradesh, entre villages et ravines, si loin des palais, des jardins jasminés, des coupoles dorées, des fontaines de marbre, des jungles luxuriantes qui forment le décor ordinaire de nos fantaisies occidentales, ce fut plus fort que moi, il a fallu que je l'achète, cette bande dessinée, et que je la relise sur-le-champ, dans un mouvement compulsif qui, au bout du compte, ne m'a pas étonnée. Car il est un temps pour tout ; et, n'en déplaise aux amateurs de faits bruts, l'enfance a d'abord besoin de se nourrir de rêves, si stéréotypés soient-ils, pour s'en aller affronter d'un pas plus sûr l'âpreté du réel.

*
* *

Très curieusement, ma route des Indes a évité l'itinéraire si souvent emprunté par les adolescents de ma génération, et qu'on résume généralement par le titre d'un ouvrage et d'un film célèbres, *Les Chemins de Katmandou*. À la jointure des décennies soixante et soixante-dix, le temps de mes vingt ans fut pourtant la grande époque des routards, hippies et autres *freaks*. Après les Beatles, il était de bon ton de s'habiller de cotonnades indiennes, de se parfumer d'essence de patchouli. On parlait karma et gourous, on écoutait religieusement, en inspirant l'encens ou le cannabis, Ravi Shankar donner les répons à Yehudi Menuhin. Les jeunes étudiants européens indianisaient avec la même fureur sérieuse et naïve que les salonnards, deux ou trois siècles plus tôt, quand ils donnèrent dans la turquerie ou la chinoiserie. Une de mes meilleures amies m'écrivit un jour de Bombay où elle venait d'arriver après des mois de voyage en stop à travers l'Asie. Ses récits étaient tout à la fois désespérés et fascinés. Manifestement, elle ne comprenait rien à ce qu'elle découvrait. Le polythéisme, les castes, la détresse des gens des grandes villes, l'étrangeté des rites, l'apparent chaos du pays, tout la troublait ; et elle en était aussi profondément morfondue, parce qu'elle n'y trouvait rien de ce qu'elle était venue y chercher, comme tant d'autres, à la suite du plus étrange flux migratoire qui draina jamais les Occidentaux vers l'Inde : une alternative à la société de consommation qu'une partie de la jeunesse avait alors prise en grippe.

Moi aussi, à cette époque-là, j'ai aimé l'encens, le

patchouli, les cotonnades et Ravi Shankar. Mais je n'ai pas eu envie de partir pour l'Inde – pas un instant. Quelque chose en moi s'y opposait très violemment. C'était sans doute l'intuition que ce voyage-là, en ce temps de ma vie, et peut-être, davantage encore, à cette période que traversait l'Occident, était le pire moment pour s'en aller à la rencontre de l'Inde. C'était une mode, ni plus ni moins. J'en acceptais les oripeaux, ils étaient dans l'esprit du temps; mais, sans doute avertie par des signaux venus de très loin, je pressentais que nous n'étions encore que des enfants en mal de déguisement.

*
* *

Mon premier contact physique avec l'Inde eut lieu quelques années plus tard, en 1978, à l'île Maurice, alors que je m'étais mise en quête des traces laissées par les marins bretons qui essaimèrent il y a deux siècles dans les archipels des Mascareignes. C'est là que, pour la première fois, je vis des foules de femmes habillées en sari, que je respirai le curcuma et la garam massala; la première fois surtout que j'approchai ce à quoi, la plupart du temps, se résume pour un Occidental le mystère de l'Inde : ses dieux.

Le hasard me conduit vers le moins indifférent d'entre eux : la déesse Kali. Ce qui me surprend au premier coup d'œil est la dimension du temple. Un escalier, une *cella*, une statue – c'est tout. Mais mon début de déception se dissipe vite. De façon très puérile, mon regard se fige sur les bras multiples de la déesse : face aux débordements de l'imaginaire indien, l'Occidental se retrouve souvent ainsi, les premiers temps, bouche bée; l'espace de quelques secondes il redevient enfant – ce qui d'ailleurs, dans ce trouble, n'est pas le moins salutaire. Puis la couleur de la statue envahit mon champ visuel : un rouge franc, sanguinaire, gueulard ; j'ai l'impression, comme un alcool trop fort, qu'il me monte à la tête. Mes yeux s'enfuient vers les offrandes, le mélange, à même la pierre, de beurre clarifié et de guirlandes qui se fanent. Des légions de mouches bombinent au-dessus de cette petite flaque putride. L'Inde, c'est donc cela ? J'allume un bâton d'encens et je me dépêche de tourner les talons. Pourquoi m'en cacher ? J'ai peur.

*
* *

Frayeur incompréhensible, incontrôlable : je la retrouverai souvent, au cours de mes pérégrinations indiennes. Tous les voyageurs en Inde la connaissent – du moins ceux qui s'écartent, si peu que ce soit, des balises du tourisme ordinaire. Cette peur-là est unique ; c'est rarement celle de l'insécurité, la banale alarme qu'on ressent dans nos villes de l'Ouest au cœur des banlieues revêches, au fond des trop longs couloirs de métro ou des parkings déserts. J'ai beaucoup de mal à la définir ; il s'y mêle toujours l'enthousiasme de la découverte et l'irritation de ne rien comprendre à des spectacles qui s'offrent avec une si violente spontanéité et se refusent presque autant à la compréhension – à notre entendement d'Occidentaux, tout en analyse, en rationnelle dissection.

Le voyageur en Inde l'éprouve au moins une fois, cet étrange électrochoc qui fait qu'il ne rentre pas en Occident sans s'en trouver changé. C'est que l'Inde, au lieu de nous conduire à elle-même – comment le pourrait-elle, civilisation éminemment plurielle, composite, multimillénaire, démesurée, colossale, j'allais écrire éléphantesque... – renvoie constamment les Occidentaux, par un détour qui leur échappe sans cesse, à ce qu'ils ont de plus inconnu en eux-mêmes. Sans leur livrer pour autant de grandes vérités, contrairement à ce que croyaient les hippies. Car, là-bas davantage qu'ailleurs, on ne découvre l'insoupçonné qu'en se perdant, non en le cherchant. Vite égaré dans une forêt de signes qu'il a trop vite cru déchiffrables, l'Occidental y oublie en quelques jours, voire en quelques heures, ses jalons essentiels, ceux qui font que nos jours s'enfilent les uns aux autres comme les perles d'un collier, sans heurts excessifs, sans questions insolites. Une étrange dérive intérieure commence ; et, si solide soit-on, on devient pour soi-même, au moment où l'on s'y attend le moins, comme un grand lac d'eau noire. Dans *Nocturne indien*, Tabuci définit cet état comme celui d'« une âme portant son corps comme une valise ». Je trouve la formule optimiste ; et, pour ma part, j'ai envie de la renverser : là-bas, j'ai plus souvent éprouvé la sensation que mon corps devait supporter le fardeau d'une âme plus accablant que dix malles-cabine...

On supporte ou non ce poids. Les aéroports indiens sont peuplés de voyageurs effarés ou à bout de nerfs, prêts à tout à condition de retrouver dans les vingt-quatre heures la banalité de leur décor familier et, davantage encore, le confort de leurs repères intellectuels et sensibles. Leur déception et leur exaspération proclamées dissimulent le plus souvent la terreur panique qui les a investis face à ce gouffre brusquement ouvert devant eux, sans contrôle possible, et infiniment plus obscur que l'Inde : eux-mêmes.

L'instant est lourd, sans issue. L'épreuve n'épargne personne. L'une des meilleures façons de l'endurer consiste à s'appuyer, tel le héros de Tabucci, sur le leurre de poursuivre en Inde un objectif précis. Pour autant, on n'évitera pas, à un moment ou à un autre, cette terreur bizarre. Le roman de Forster, *A Passage to India*, tout entier fondé sur la relation d'un de ces moments de panique, résume l'expérience par son seul titre. Un voyage en Inde est un aller simple : dans tous les sens de l'expression, on n'en revient pas.

*
* *

Mon premier voyage en Inde, avant et pendant la mousson de 1980, eut pour prétexte une enquête sur un mort, René Madec, farouche Breton de Quimper, embarqué à Lorient en 1754 sur un navire de la Compagnie, et qui, un peu plus tard, lors d'un séjour à Pondichéry, décida de « se faire un chemin dans l'Inde ». Sa belle opiniâtreté et ses talents militaires lui valurent d'y parvenir : il y amassa une fortune et s'y fit nommer nabab, à la faveur de la décomposition qui s'était alors emparée des États du Moghol. Après quelques débordements divers sur lesquels il préféra ne jamais s'expliquer, il se rangea, se maria, nourrit quelques grandes ambitions politico-guerrières qui se heurtèrent à l'incompréhension de Choiseul et de ses successeurs. Fatigué et déçu, il revint mourir, en 1784, à l'endroit même où il était né, sur les rives de l'Odet, à Quimper-Corentin.

J'étais partie à la recherche d'un mort. J'ai découvert une terre intensément vivante. Je n'étais pas arrivée à Delhi que j'avais oublié presque tout ce que je savais sur Madec. Je me suis laissé envahir, submerger, décaper par l'Inde. J'ai continué de remonter patiemment le fil d'un destin oublié, mais, à mesure que s'écoulaient les jours, à mesure aussi que je m'abandonnais aux rencontres, aux incessantes surprises du voyage, j'avais l'impression de me retrouver réduite à l'essentiel : un regard, des narines, l'envie d'écrire. En quelques semaines d'odeurs, de couleurs, de poussière, de boue, de pluie, de chaleur, de foules, de colères – et bien entendu de peurs –, j'avais retrouvé ma certitude de très jeune enfant : rien n'est vrai ici-bas, la vie n'est jamais qu'un conte. La terre indienne m'avait rendue à ma source première : imaginer, raconter.

*
* *

Entre autres pérégrinations, je voulais me rendre dans une région située entre Kanpur, Gwalior et Agra où mon lointain compatriote avait commencé ses exploits en se mettant au service d'un roitelet local, le radjah de Godh, qui n'arrivait pas à faire rentrer les impôts dans ses caisses. Ces districts étaient un peu écartés des routes et la mousson gênait tous mes déplacements. J'ai manqué de temps, j'ai dû y renoncer, me contentant d'une petite équipée autour d'Agra. Je me suis étonnée d'y découvrir, d'un seul coup, quelques paysages tourmentés. Je les ai pris pour un accident isolé. En fait, je l'ai su ensuite, c'était le début des ravines.

Car le hasard me fit rencontrer, quelques jours plus tard, dans un hôtel de Jaipur, un Français qui connaissait bien la région. Il était emporté par la même étrange dérive que moi – submergé, englouti par l'Inde. Mais cet envoûtement durait depuis des années ; il en était, je crois, à son sixième voyage ; et il voulait désormais, contre cette folle passion, une sorte de garde-fou. Il ne cessait de me répéter : « Comme vous avez de la chance d'être venue ici pour chercher quelqu'un... » Il passait son temps à vagabonder loin des routes, bardé d'objectifs et de rouleaux de pellicule, dans l'espoir que sa chambre noire puisse un jour piéger le mystère qui, depuis des années, se dérobait devant ses pas.

Il parlait parfaitement l'hindi. Il s'était rendu dans la région de Gwalior, il me la décrivit avec force détails. C'est lui qui, le premier, me parla des ravines, puis des bandits. Il n'employa pas ce dernier terme, du reste, il prononça le mot hindi, *dakoït*. Il n'en avait pas rencontré ; mais, lors de ses randonnées dans la région, on l'avait souvent mis en garde. Ces multiples allusions aux bandits n'étaient pas, d'ailleurs, ce qui l'avait le plus frappé, mais la singulière configuration du pays. « Une terre tavelée », me disait-il sans arrêt dans un curieux mélange d'enthousiasme et de dégoût. « Un paysage lunaire, terrifiant. On y trouve de belles ruines qui vont bientôt sombrer, avec le reste, dans les crevasses de la terre. » Il ne s'y était guère attardé – juste le temps de quelques photos. Il m'en offrit une. C'était celle des restes d'un mausolée moghol. Au premier plan s'élargissait une gigantesque fissure terreuse d'où semblaient sourdre tout ce que le monde d'en bas compte d'esprits méphitiques.

Après cette conversation (elle se déroula, je m'en aperçois maintenant, au moment précis où Phoolan Devi fut enlevée, séquestrée et violée par ses ennemis jurés), je renonçai sans trop de regret à mon expédition dans les campagnes de Godh. Mais je fus très impressionnée par la description de ce voyageur. Un an plus tard, survolant la région, entre Agra et Khajuraho, je passai puérilement le temps du voyage à chercher les ravines, le visage collé au hublot. Elles ne sont pas assez profondes pour créer, à plusieurs milliers de pieds d'altitude, un effet très spectaculaire. Elles n'en sont pas moins visibles : de part et d'autre des rivières Yamuna et Chambal, c'est un long réseau de stries brunes – comme des vergetures barrant le vieux ventre de l'Inde.

J'ai conservé avec soin la photo du mausolée des ravines offerte par mon voyageur errant. Sept ans plus tard, lorsque j'ai commencé mon enquête sur Phoolan Devi, c'est elle que j'ai ressortie en premier de mes cartons d'archives ; un peu plus tard, quand j'eus progressé dans mes recherches, je me suis aperçue que les paysans de la région sont intimement persuadés, comme la photo me l'avait suggéré, que leur terre est gorgée de puissances maléfiques. Cela remonte, assurent-ils, à l'époque où les géants furent abattus par la Grande Durga, Maîtresse de toutes les guerres. Leur sang s'est mêlé à la terre des ravines. Pour les conjurer, ils invoquent Nirrti, déesse des fissures.

Un policier de Gwalior me l'a confirmé. D'après lui, la proximité des gorges expliquait à elle seule le banditisme qui ravage la région depuis le haut Moyen Âge. L'équipée de Phoolan Devi ne représentait pour lui qu'une péripétie dans l'histoire sauvage de ce pays fantomatique : « Elle est née trop près des ravines », me confia-t-il au cours d'une de ces longues soirées où il me faisait miroiter, une fois de plus, l'espoir de me la faire rencontrer. Et il ajouta, en choisissant des termes occidentaux propres à me faire saisir la puissance des forces mauvaises qu'il attribuait aux ravines : « Ces gens-là, un jour ou l'autre, le diable vient les chercher. Pour un bandit que nous tuons, nous autres policiers, la terre en crache dix qui les remplacent aussitôt. »

Il en paraissait sincèrement convaincu. Il m'expliqua aussi que la bataille entre Durga et les géants, si elle s'était soldée par la défaite des monstres, avait connu un rebondissement inattendu quelques siècles plus tard : leurs dents, qui contenaient les semences de toutes les colères, étaient allées rouler au fond de la rivière Chambal. Dès lors, me dit-il, les germes du courroux n'avaient plus cessé de s'y multiplier.

Or la Chambal traverse les ravines; il n'est pas un paysan des ravines qui ne s'y soit un jour baigné ou désaltéré. Je n'étais guère disposée à les imiter, pour de simples raisons d'hygiène – l'organisme occidental, comme on sait, perd là-bas, lui aussi, une bonne partie de ses défenses. Néanmoins, mon policier conclut ses confidences sur un avertissement fort sentencieux : « Ne buvez jamais l'eau de la Chambal. Quiconque s'y risque boit en même temps l'esprit de la révolte... »

*
* *

C'était cela, la révolte, qui m'avait frappée d'emblée, le jour où j'avais entendu parler de l'histoire de Phoolan

Devi, à la mi-février 1983, peu après sa reddition. Mais, davantage encore, j'avais été éblouie par la modernité du personnage : voilà une femme qui n'avait plié devant rien. Ni devant sa famille, ni devant son village. Elle avait voulu, à treize ans, ne dépendre de personne, dans un monde où depuis toujours solitude vaut mort. Rien n'avait eu raison de son insoumission foncière, ni la réprobation générale, ni les tortures imposées par les bandits ou par les autorités policières. Deux années durant, elle avait déjoué les ruses de toutes les polices comme les embuscades des gangs ennemis. Elle avait aussi refusé le sort commun des femmes : un mari imposé à onze ans, l'asservissement à un oncle puissant. Dans l'une des sociétés les plus oppressives de la planète, elle s'était choisi elle-même ses amants – le premier alors qu'elle n'avait pas quinze ans. Puis elle avait réclamé et obtenu justice pour son père. Elle ne manquait pas de grandeur d'âme : c'était lui qui l'avait vendue à un homme brutal, de vingt ans son aîné. La même impérieuse grandeur se manifesta plus tard, quand Phoolan Devi brandit sa mitraillette contre ses violeurs, responsables aussi de la mort de son amant : autant pour venger son assassinat que pour effacer sa propre humiliation.

Longtemps on avait ignoré son visage : telle une déesse, Phoolan Devi ne s'était montrée qu'au moment où elle avait publiquement déposé les armes. L'instant fut solennel, la mise en scène grandiose : une estrade dressée devant deux mille personnes sur le toit d'un collège recouvert pour la circonstance d'un dais surpiqué d'étoiles multicolores, comme pour les fêtes ou les mariages. On était accouru de partout : son apparition représentait pour les Indiens une véritable théophanie : une déesse allait se dévoiler, on pourrait voir, toucher, figer sur la pellicule la chair de la justice – ou celle de la haine, selon qu'on l'adorait ou qu'on l'abominait. Phoolan Devi elle-même avait voulu accentuer la sainteté du moment. Du policier Rajendra Chaturvedi, qui avait négocié avec elle les conditions de la reddition, elle avait exigé la présence sur l'estrade d'un portrait du Mahatma Gandhi et d'un chromo représentant la déesse Durga, patronne des batailles, qu'elle n'avait cessé d'invoquer, confiait-elle, tout au long de sa cavale. « Sache que ce n'est pas à la justice des hommes que je me rends, avait-elle proclamé à la face du policier Chaturvedi, mais à l'âme du Mahatma et à la force de la déesse. » Elle prétendait tenir cette injonction de la déesse elle-même, qui venait souvent, disait-elle, la visiter en songe ; elle la nomme dans ses confidences, de façon désarmante, « la petite dame de mes rêves ». C'était aussi la déesse, assurait-elle, Durga l'Invincible, l'Inaccessible, la Chevaucheuse de tigres, la Pourfendeuse des démons, qui l'avait protégée de tous les dangers rencontrés dans les ravines ; elle encore qui lui avait soufflé, contre toute raison, la prémonition d'une embuscade de la police, juste avant un raid ; elle qui l'avait avertie de la présence d'un serpent très venimeux dans son duvet, une nuit qu'elle dormait dans les gorges. Une autre fois, elle lui avait annoncé en rêve qu'une jeune panthère s'était endormie à côté d'elle, sous la bâche qui la protégeait du froid.

Dans les entretiens qu'elle avait accordés, Phoolan Devi s'était montrée beaucoup moins prolixe sur le Maître consulté au cœur de la forêt chaque fois qu'elle avait perdu courage ou hésité sur le parti à prendre. Il vivait au fond des jungles, s'était-elle contentée de lâcher, il lui avait remis une amulette ; il semble aussi que ce soit lui qui ait fixé la date de la reddition, le 12 février 1983, comme il lui suggéra peut-être l'idée des deux portraits sur l'estrade.

Il n'en fallut pas moins, en tout cas, pour que les paysans pauvres de la région commencent à vouer à Phoolan Devi le même culte qu'à une déesse. Ils façonnèrent des statuettes de glaise à son effigie, on en vendit sur les marchés, aux alentours de Kanpur. Les premiers temps de son emprisonnement à Gwalior, on vint de loin, on piétina des heures rien que pour effleurer sa chair, s'incliner devant elle, ceindre son cou de guirlandes, déposer à ses pieds quelques offrandes.

Contrairement à la Grèce antique, l'Inde ignore le héros, race métisse, hybride entre le dieu et le simple mortel. Devant la fulgurance d'un destin, elle balaie dans l'instant les hiérarchies dont elle est par ailleurs si friande. En quelques jours, elle hissa Phoolan Devi, la pauvresse, la sauvageonne, la rebelle, l'amoureuse, la vengeresse, jusqu'à la dignité suprême : le rang des dieux.

*

* *

Idée parfaitement étrangère à mon esprit occidental. Il n'en était pas moins flagrant, à la seule lecture de quelques coupures de presse, que l'équipée de Phoolan Devi portait tous les stigmates de ce qui fait les mythes universels. Pour commencer, on ignorait son âge exact. On situait sa naissance à la fin des années cinquante, à un moment où l'état civil était inexistant dans nombre de villages. Au moment de sa reddition, on lui attribuait entre vingt-deux et vingt-six ans ; et Phoolan Devi jouait de cette incertitude, qui se vieillissait ou se rajeunissait au gré des circonstances.

L'important n'était pas là. Ce qui m'arrêta, c'est qu'en pleine jeunesse Phoolan Devi avait déjà tout vécu de ce qui transforme une vie en destin, et surtout de ce qui métamorphose un destin en mythe. Elle avait incarné une bonne partie des figures qui hantent les plus vieilles légendes ; et ces mythes étaient familiers à l'esprit occidental. Enfant rejetée par sa famille, livrée à la sauvagerie des gorges, Phoolan Devi avait commencé comme une Cendrillon sans prince, une Peau-d'Âne privée de roi. Ensuite, au bord du fleuve, dans les bras de son jeune amant Kailash, elle avait vécu les rêves et les émois de

Juliette face à Roméo, mais elle avait vite compris que, si l'amour a goût d'éternité, il n'est qu'une écriture sur de l'eau, comme le reste. Quelques mois plus tard, enlevée par Babu – si grossier, si massif qu'on le décrivait souvent comme un ogre –, elle avait été miraculeusement sauvée par Vikram. Tous deux s'étaient alors aventurés dans les régions périlleuses qui finissent toujours par tenter les grands amants rebelles, Tristan et Iseut, Héloïse et Abélard. Dans son délire passionnel, Phoolan Devi s'était alors amusée à croire, sur les routes du Radjasthan et de l'Uttar Pradesh, qu'elle était un Robin des Bois femelle. Elle avait méprisé les jaloux et les traîtres qui n'avaient pas manqué, comme il fallait s'y attendre, de croiser son chemin. Pour une fois désinvolte, elle avait oublié que le monde était trop faible pour l'amour. Le drame n'avait pas tardé : l'assassinat de Vikram, le viol collectif. Au fond des jungles et des gorges, elle avait d'abord été Lucrèce, anéantie de honte ; puis, avec Man Singh, son nouvel amant, elle avait connu les joies sauvages, les terreurs de Bonnie and Clyde. Il y eut de l'Andromaque en elle, lorsqu'elle perdit Vikram ; quand elle brandit sa mitraillette à la face de ses ennemis, elle ressembla presque trait pour trait à l'occidentale Calamity Jane. Mais tout au long de l'histoire, telle Antigone, elle n'avait jamais cessé de crier justice. Enfin, comme Judith, Électre et Médée, Phoolan Devi s'était vengée.

Alors, un autre fait me frappa : sa vengeance ne relevait pas de la vulgaire revanche matérielle, elle était d'ordre existentiel. Phoolan Devi avait été attaquée dans son être même – d'abord dans son être de femme –, et non dans ses biens. Si on ne l'avait pas insultée, à onze ans, par ce mariage conclu à la va-vite, au mépris de toutes les lois, avec un homme de vingt ans son aîné – premier viol, vente pure et simple d'un jeune corps avec l'agrément des familles et de la communauté villageoise –, peut-être la révolte, l'idée de justice n'auraient-elles jamais fait leur chemin en elle. Quand, trois ans plus tard, Phoolan Devi va réclamer dans un tribunal d'Allahabad la restitution du champ volé par l'un de ses oncles à son père Devidin – ce père, pourtant, qui l'a vendue à son mari –, c'est au nom de la plus élémentaire justice qu'elle la demande et qu'elle l'obtient : pour que sa famille, son frère, ses sœurs – menacées comme elle d'être un jour vendues à un inconnu contre une génisse, un lit et une vieille bicyclette – puissent manger à leur faim en conservant leur dignité. Et cependant, cette justice élémentaire, les gens comme son père, d'ordinaire, ne la réclament pas. Ils se soumettent. Même au sein de la caste, la loi qui régit tout est celle du plus fort.

Le jour où Devidin vient demander à sa fille de l'aider à récupérer son champ, il a déjà mesuré sa force : elle a osé le plus difficile, se dégager du maillage de règles tendu sur les villages depuis la nuit des temps. Elle pourra donc braver la loi du plus fort – peu importe qu'il soit mallah, comme eux, ou thakur, ennemi de caste. Le premier meurtre imputé à Phoolan Devi est d'ailleurs celui d'un mallah comme elle, le policier Mansouk. Le détail l'indiffère. En ce Mansouk elle ne vit sans doute que le mâle qui avait tenté de la violer, puis, par vengeance, l'avait emprisonnée avec trois bandits qui ne tardèrent pas à abuser d'elle.

Devant le monceau d'articles qu'elle avait suscités en Inde pendant ses deux ans de cavale, alors même que personne, en dehors de ses victimes, n'avait jamais vu son visage, je crus pressentir les raisons de l'incroyable coup de foudre qui brusquement avait uni Phoolan Devi et les médias indiens : une société en mutation s'était reconnue dans cette paysanne illettrée qui avait refusé le *dharma*, le réseau de règles sociales et religieuses imposé par l'hindouisme depuis des millénaires, et dont les castes, les contraintes alimentaires, le concept de pureté et d'impureté sont les aspects le plus familiers aux Occidentaux. Son équipée illustrait l'émergence douloureuse d'une revendication neuve – vraisemblablement sans qu'elle en fût consciente, mais les gens des villes, et surtout les jeunes, ne s'y trompèrent pas : ils virent dans son équipée un combat pour substituer au *dharma* les droits de l'homme. Car Phoolan Devi s'est avant tout révoltée contre la vie qui s'en va vers son terme assigné ; elle a voulu avoir le choix. Elle résuma un jour d'une phrase lapidaire son équipée dans les ravines : « Si on a l'occasion de choisir entre tout et rien, alors il faut tenter sa chance. »

La vie dans les gorges, pourtant, était d'une rudesse exceptionnelle. Hormis Putli Bai, dans les années cinquante, la première à revendiquer le titre de « Reine des bandits », aucune femme ou presque ne s'y était risquée. Si Phoolan Devi s'y aventura, c'est sans nul doute par amour pour Vikram ; c'est lui, ce « tout » qu'elle évoque dans sa belle formule : un statut inconnu de la plupart des femmes indiennes, une passion réciproque, une vie partagée dans la parfaite égalité. L'exact opposé de l'existence qu'on lui imposait au village. Ce destin bien à elle qu'on lui refusait, elle a décidé d'aller le chercher. Elle a voulu le choisir, au lieu de le subir.

L'individu qui échappe à la caste, la femme qui revendique le droit de choisir, le combat – fût-il inconscient – pour les droits de l'homme : voilà pourquoi, je pense, Phoolan Devi reste à l'heure actuelle aussi connue en Inde qu'Indira Gandhi, dix ans après sa reddition, et alors même qu'elle demeure emprisonnée, sans réel espoir d'échapper à sa geôle. Voilà pourquoi on parle si souvent d'elle (surtout les jeunes) avec tant d'enthousiasme. Non seulement parce que son mythe illustre – à tort, d'ailleurs – le rêve d'une sexualité sans entraves, dans une des sociétés les plus puritaines que l'on connaisse. Mais aussi parce que, en dépit de tous les handicaps qu'elle avait accumulés – femme de la campagne, de basse caste, illettrée, sans enfants, mal mariée –, Phoolan Devi a été assez libre pour s'inventer un personnage qui n'a jamais appartenu qu'à elle. Comble d'audace, elle le résuma dans un raccourci vestimentaire qui devint très vite le symbole de sa révolte : un *jean* et un bandeau rouge.

Si modernité il y a en Inde, elle est du côté de Phoolan Devi.

*

* *

Les quelques récits de sa vie que je consultai en février 1983 me frappèrent par une autre singularité. Les épisodes de sa brève existence étaient déjà fixés, dans leur enchaînement, à la manière d'un récit légendaire – sédimentés, quasiment figés. La fatalité qui avait conduit Phoolan Devi depuis son village perdu jusqu'à la une des journaux, celle qui avait fait d'elle l'égale en notoriété d'Indira Gandhi, cette nécessité tragique (au sens que les Grecs donnent à ce mot) était connue de tous, parfaitement identifiée. Le moindre journal indien, fût-il farouchement hostile à Phoolan Devi, le laissait clairement entendre : c'était parce qu'elle était née pauvre et de caste mallah, réduite par sa naissance, comme les pères de ses pères, à vivre du fleuve et non des terres que leur avaient arrachées les propriétaires thakurs, qu'elle avait été conduite à la vie de rebelle au fond des gorges.

D'être née femme fut sa seconde fatalité : mariée de force, empêchée d'amour vrai, contrainte à mener la vie de bête de somme qui est le lot de la plupart des paysannes indiennes, elle avait dit non. Et de ce premier *non* tout dérivait : la persécution par son cousin, qui la fit enlever par un gang, son viol par le chef du gang, la révolte de Vikram, bandit d'honneur, homme fier, qui lui aussi disait non. Sans ce *non* constamment partagé, la passion de Vikram et Phoolan Devi n'eût sans doute été que feu de paille. Quand ils furent trahis – dans les grands mythes se profile toujours aussi l'ombre d'un traître –, ce refus têtu et grandiose ne pouvait se manifester que par le sang : vingt-trois morts, pour laver l'opprobre de vingt-trois jours de viol et la mort de son amant.

*
* *

Quand je pris connaissance, en vue d'écrire un article pour le *Journal du Dimanche*, de l'épopée de Phoolan Devi, les plus apparentes de ces fatalités avaient donc été mises à nu. Mais, dans la documentation qu'on me remit à l'époque, je remarquai aussi nombre d'imprécisions et de contradictions. L'enchaînement des faits était toujours similaire; cependant, ces récits ne se recoupaient jamais exactement. Tout se passait comme dans les Évangiles : le message essentiel était le même, les épisodes, sommairement identiques. Mais, dès qu'on voulait s'attacher aux noms, aux dates, dès qu'on voulait entrer dans le menu des choses, tout s'enchevêtrait, tout différait, tout s'opposait, se contrariait. Or le mythe est toujours fils du réel, et il aurait fallu des mois et des mois d'enquête pour y voir un peu plus clair.

Je n'avais pas envie, à ce moment-là de ma vie, de retourner en Inde : il en va de même dans certaines passions amoureuses où il faut se résoudre à s'éloigner de l'être aimé pour mieux revenir l'adorer. Je fus intriguée par Phoolan Devi. Mais, en dehors de l'article qu'on m'avait commandé, quelque pressantes et fréquentes que fussent les invites à écrire sur son équipée, je m'y refusai.

*
* *

Un jour de l'hiver 1988, lorsque Maren Sell exhiba devant moi, sans un mot, une photo de Phoolan Devi, je sus immédiatement que j'allais accepter. L'Inde recommençait à me manquer. Cependant, je demeure certaine que Phoolan Devi ne fut pas un simple prétexte pour retrouver l'Inde. La plus apparente de mes déterminations, pour me mettre en quête d'elle, fut sans doute une immense curiosité. À présent que j'ai terminé mon livre, j'en distingue une autre, qui fait que de toute cette longue écriture je ne sors pas indemne, loin de là : une violence cachée, longtemps ignorée de moi, et qui s'est reconnue dans la sienne. Et, comme lorsque j'étais enfant, l'envie de me faire peur. Dois-je le dire : en l'occurrence, l'Inde me combla...

*
* *

J'avais posé comme condition première à l'écriture de *Devi* la nécessité absolue de faire ce que les journalistes appellent une « enquête de terrain ». Deux reporters australiens, dans les mois qui avaient immédiatement suivi la reddition, s'étaient procuré, par des moyens qu'ils ne tenaient pas vraiment à dévoiler, tous les rapports de police concernant l'affaire. Ils avaient publié un ouvrage alerte et précis, établi des chronologies et des dates, puis, à partir de ces rapports, une nouvelle version de l'histoire de Phoolan Devi. Mais il ne semblait pas qu'ils se fussent jamais rendus dans les ravines. Sans doute avaient-ils consulté des sociologues, interrogé quelques policiers de Gwalior – une ville, en revanche, qu'ils semblaient bien connaître.

Je me procurai également le récit d'une sociologue indienne qui avait rencontré Phoolan Devi dans sa prison durant les premiers mois de sa détention, du temps où elle n'était pas encore au secret.

Malgré leur austérité, ces documents, par leur précision, me rendirent plus attachant le destin de Phoolan Devi. Ils contenaient notamment de nouveaux entretiens et déclarations qui me fascinaient plus encore que les précédents. Par exemple, la nuit où il l'avait enlevée, comme le chef de gang Babu la poussait sans ménagement dans sa barque en la menaçant de lui couper le nez, Phoolan Devi s'était fièrement redressée et lui avait jeté : « Ne te fatigue pas. Si je viens, c'est que je le veux. » Quelques jours plus tard, à l'instant même où Vikram, l'ayant sauvée de ses griffes, vint lui annoncer qu'il la prenait pour sienne et qu'elle était désormais sa propriété, elle avait aussitôt répliqué : « Explique-moi comment une propriété peut essayer de dire non ! » Lorsqu'on lui demanda, après son arrestation, pourquoi elle était devenue si vite la maîtresse de Vikram alors qu'elle venait d'être violée pendant plusieurs semaines par Babu à la face du gang, elle résuma sa défense en deux phrases : « J'ai rencontré Babu, j'ai rencontré Vikram. Il y a un dieu qui s'occupe de l'amour, après tout. » Une autre fois, ce fut sa sœur, Ramkali, qui fit montre de la même force de parole. Aux journalistes venus l'interroger sur les raisons qui avaient conduit Phoolan Devi à devenir bandit, elle rétorqua froidement : « Les dieux créent les hommes et les femmes. Les dieux, parfois, transforment les hommes en saints. Et ce sont les hommes qui transforment les femmes en bandits. »

Les témoins de l'affaire avaient été frappés eux-mêmes par la violence qui animait constamment Phoolan Devi. Son premier amant, Kailash, rencontré au bord du fleuve alors qu'elle n'avait pas quinze ans, raconte ainsi leur rupture (il avait été contraint par sa famille à regagner le domicile de sa femme légitime qui, malgré son jeune âge, venait de lui donner un fils) : « Je lui ai dit de rentrer dans sa famille, puisque j'étais retourné dans la mienne. Phoolan Devi m'a répondu : "Pour ce que tu viens de me faire, je te tuerai." Elle m'a vraiment fait peur. Je n'avais jamais vu autant de haine dans le regard de quelqu'un. »

*

* *

C'est à ce moment-là que j'ai décidé de rencontrer Phoolan Devi. J'ignorais comment j'y parviendrais ; d'après tous les documents que j'avais réunis, il était évident qu'elle était désormais tenue au secret. Après quelques mois d'un régime ultra-libéral au cours duquel elle avait reçu, outre sa famille, nombre de journalistes et toutes sortes d'inconnus venus s'incliner à ses pieds comme devant l'effigie d'une déesse, elle avait été peu à peu mise à l'écart. Son amant d'alors, Man Singh, qui avait obtenu de partager la même cellule, avait été séparé d'elle, puis transféré dans une autre prison. La vie communautaire qu'on lui avait promise, calquée sur le système de sa bande, s'était progressivement désagrégée. Pour justifier la suppression du système de l'*open jail*, la direction de la centrale de Gwalior avait argué de fréquentes disputes entre Malkhan, dit le Roi des bandits – autre gangster qui s'était rendu spectaculairement quelques mois avant Phoolan Devi. Malkhan était thakur, comme ses ennemis de caste et ses tortionnaires. Elle n'aurait cessé de multiplier les provocations à son égard, ce qui lui aurait valu de perdre les faveurs qui lui avaient été initialement accordées.

Il semblait aussi, d'après certains témoignages, qu'on la tînt désormais loin des médias. Du reste, seuls des journalistes indiens avaient été autorisés à la rencontrer, jamais des occidentaux. Deux Français qui avaient tenté de la voir consacrèrent, dans *Libération*, un très brillant récit à leurs pérégrinations bureaucratiques. Malgré une belle obstination, et en dépit de promesses mille fois répétées, ils n'y étaient jamais parvenus. Le titre de cet article résume le maquis administratif qu'ils avaient dû explorer avant de se résigner à comprendre qu'on ne rencontrait pas Phoolan Devi : « À Kafkanabad, la Reine des bandits est intouchable. »

Selon d'autres rumeurs, elle avait été malade – une tumeur à l'utérus –, et il avait fallu l'opérer. Des gardiens avaient confié qu'elle souffrait de cauchemars, voire de somnambulisme. Des psychiatres, disait-on, venaient régulièrement l'examiner. C'était sur leur conseil, précisaient certains articles, que la direction de la prison avait restreint au minimum le nombre de ses visiteurs.

Au fil des années, le vide s'était donc fait autour de Phoolan Devi. Dès 1986, elle ne voyait presque plus personne en dehors des médecins, du personnel pénitentiaire, des membres de sa proche famille et de son avocat.

*
* *

Je repartis donc pour l'Inde, la première fois en octobre 1989. Le pays était très agité : non loin de la région où avait opéré le gang de Vikram et de Phoolan Devi, les fondamentalistes hindous commençaient de revendiquer la mosquée d'Ayodhya ; ils proclamaient que le culte islamique avait souillé l'un de leurs sanctuaires les plus sacrés, construit naguère sur le lieu supposé de la naissance du dieu Rama. Leurs militants fanatisés, appelés à se concentrer autour de l'édifice, se lançaient depuis toute l'Inde à l'assaut des routes, souvent armés de grands tridents d'acier dont il était évident qu'ils pouvaient servir à bien autre chose qu'à manifester leur ferveur religieuse.

Et l'Inde que je m'apprêtais à rencontrer, j'en étais parfaitement avertie, n'était pas celle des palais, des hôtels climatisés, des musées, des villas coloniales. Non plus d'ailleurs que celle de la misère. Je ne m'en allais pas vers les enfers urbains de Calcutta ou de Bombay, revers dantesque que l'Occidental, dans son imagerie simpliste, se plaît à opposer aux images féeriques des citadelles des maharadjahs. Je partais simplement pour l'Inde des villages. Je m'en allais explorer non le monde de l'indigence, mais celui du simple dénuement – un univers d'avant la société de consommation, fait de chemins poussiéreux, cahoteux, de maisons de terre et de chaume, un monde où l'on mange à sa faim, où l'on croit aux dieux, où des voyants lisent communément dans les mystères de l'âme et distinguent les secrets cachés sous l'écorce des apparences. Où l'on cuit le repas sur des feux de bouse de vache, où les femmes attirent les bénédictions sur leur demeure à l'aide de grands dessins magiques. Où les joies et les peines obéissent à des lois que nous avons perdues. Où les pluies régissent les existences. Où les fêtes ne se comptent plus, ni les occasions de pleurer.

Un monde primordial, d'avant beaucoup de choses. Comme chaque fois que je partais pour l'Inde, j'en attendais beaucoup. Et je redoutais plus encore ce que j'allais y apprendre. Car, cette fois, je ne m'étais pas mise en quête d'un mort, ni d'un Occidental. Je recherchais une vivante. Une hors-la-loi.

*

* *

Il m'a fallu trois voyages avant de pouvoir comprendre quelque chose à l'histoire de Phoolan Devi. Leur détail s'est brouillé dans mon souvenir – c'est un effet commun de l'Inde que de noyer les anecdotes au profit de visions isolées qui reviennent à l'esprit avec une force obsessionnelle. Scènes primitives qui se suffisent à elles-mêmes, incrustées, ineffaçables, indélogeables, fondements constitutifs de chaque « mémoire indienne ».

Je ne raconterai pas mes voyages. Je me contenterai de ces petits éclats.

*

* *

Je revois d'abord la route, le chaos de la route.

C'est la rivière d'animaux, d'humains, d'attelages, de

machines qui coule sur la Nationale 2 entre Calcutta et Delhi, là où Vikram Mallah et Phoolan Devi, dans les nuits qui précédèrent la mousson de 1980, organisèrent de sauvages et fructueuses attaques de camions.

J'entends hurler leurs avertisseurs. Leurs capots sont peinturlurés de dieux criards, surchargés de guirlandes brillantes, semblables à celles que nous pendons à nos sapins de Noël. Ils déboulent sur des enchevêtrements de scooters, de taxis, de bicyclettes, de chameaux, de buffles, de bus bondés, de hordes de nomades retournant au désert – tout ce qui fait la route indienne, les castes, les âges, les tribus indifféremment confondus dans la même tension vers un but qu'ils sont seuls à connaître.

Je revois les octrois, les perruches et les singes que rien n'effraie, les marchés où se mêlent mendiants et trafiquants, les chercheurs de vérité et les hommes en quête de bonnes fortunes, les oratoires où des petites filles demi-nues, les yeux cernés de khôl, jouent à cache-cache au milieu des fleurs fanées. Je me perds à nouveau dans les villages de la route, interminables déversoirs d'humanité et de cambouis, je longe leurs murs barbouillés de slogans électoraux, d'affiches de films et de giclées d'essence. Je lève le nez, parfois, vers des statues monumentales, comme celle de ce gigantesque dieu-singe, du côté d'Etawah, qui semblait surveiller tout le bourg.

De temps à autre surgit un bubon plus purulent que tous les autres. Ne s'y aventurer qu'à l'aube, le court instant rose et poussiéreux qui précède la mise en marche du monstrueux mouvement brownien des hommes et des machines – une ville.

Et, tout au long de ces interminables trajets, les mêmes scènes, indéfiniment : voitures renversées dans un fossé, semblants d'ambulance venus secourir les blessés et évacuer les morts, caravansérails en ruine, cressonnières où s'ébattent des buffles, étals où l'on vend tout et rien – billets de loterie, tresses de fleurs pour les dieux, cigarettes à l'eucalyptus, morceaux de plastique colorés, journaux à louer pour dix minutes...

Je me rappelle, sur un muret, indifférente au tohu-bohu de la route, une femme en rouge penchée sur son fils, qui tirait devant sa bouche un pan de son sari – pour dissimuler quelle peur, quelle insondable tristesse ? Et le vieillard aux yeux malades qui fumait du chanvre en la contemplant derrière le verre épais et glauque de ses lunettes – quelles pensées, derrière son front étoilé de rides, quels calculs sordides ? Ou quelle sagesse noble et résignée ?

Je me souviens aussi des grandes palmes brandies par les femmes sur le passage du cortège de Rajiv Gandhi pendant sa campagne électorale. Tous les villages n'étaient plus que liesse et attente, autant de Jérusalem indiennes tout à l'espoir d'un Messie – Rajiv, on le sut dix-huit mois plus tard, n'était hélas, lui aussi, qu'un simple mortel.

Je prends ensuite des chemins de traverse, je retrouve les ravines. Des hommes à l'œil rêveur, épaules basses, s'y engagent : bandits ou paysans ?

C'est le temps de la récolte, juste après la mousson. Je revois des araires et des chars à bœufs droit sortis des débuts du monde, des paons qui déambulent dans les sentiers, le chaume frais, les aires à battre en attente des épis, la terre des gorges, sa couleur brune et fatiguée. Je sens son odeur qui picote la narine, je détaille à nouveau ses fissures, ses crevasses, terre douloureuse et meurtrie par les pluies, terre qui fuit inexorablement vers les eaux turquoise de la Chambal et de la Yamuna où s'ébrouent des troupeaux de buffles noirs. Et je me souviens aussi du visage fataliste des paysans, sur le bord de la route, qui contemplent avec amour leurs quelques terres enserrées entre les gorges en se demandant sans doute ce qu'en fera la prochaine mousson.

Dans les villages, j'observe à nouveau les gestes amoureux et patients des femmes pétrissant sans relâche tout ce qui redonne vie à leurs hommes et à leurs enfants : gâteaux de millet, galettes de bouse pour les réchauds. C'est l'aube ou le crépuscule ; l'arc parfait des cornes d'une vache passe devant le soleil rouge. Je regarde ces épouses, jeunes ou vieilles, s'en aller au puits, raidies sous leurs deux pots de cuivre posés à même la tête. Chaque jour, elles recommencent ; et de temps à autre, quand les forces de la terre ne leur paraissent plus assez vives, elles se mettent à dessiner sur le sol ou les murs les grands dessins magiques qui appellent les bénédictions des dieux sur leur ventre, leur mari, leurs enfants, leurs vaches, leurs graines dans les champs.

Il y a aussi les fêtes, les processions, lorsqu'elles promènent des jarres remplies de jeunes pousses. Le cortège est mené par un jeune homme aux pupilles hagardes. Il a les deux joues percées : on y a passé un long trident. À l'une des extrémités de la pique, qu'il soulage de son bras gauche, pend un énorme seau.

Je me rappelle enfin l'approche des jungles, cette forêt d'épineux que les gens des villages appellent l'Autre Monde, là où vivent les Maîtres, ceux qui se jouent des secrets du temps, ceux qui savent tout de la magie des pierres et des plantes qui guérissent, les sages mystérieux qui soignent parfois les âmes en les brisant.

Et je revois alors, plus obstinément que tout le reste, un petit sanctuaire où l'on a renversé de l'alcool. S'y dresse une statue aux prunelles exorbitées : Kali au troisième-œil, l'Envoûteuse-à-la-langue tirée, Maîtresse du temps-qui-détruit-tout, Souveraine de la forêt, Gardienne des grandes-peurs, Reine des volontés-qui-viennent-de-très-loin. Ou tout simplement Devi, la Resplendissante, la Rayonnante-au-sautoir-de-crânes, l'Assoiffée de sang, la Danseuse de mort, Kali la Noire, amoureuse du rouge.

Je repasse indéfiniment en esprit toutes ces scènes – innombrables et dérisoires figures de l'illusion, diraient les Maîtres. Loin derrière, peut-être, l'éternité.

*
* *

Je me rendis pour la première fois à Gwalior en octobre et novembre 1989 dans le naïf espoir de rencontrer Phoolan Devi. Le député de la ville, qui était aussi maharadjah et ministre des Chemins de fer dans le gouvernement de Rajiv Gandhi, me fit rencontrer le chef de la police locale. Au bout d'une semaine de paperasses, de tampons, de signatures et de contre-signatures, je compris que je n'avais aucune chance d'arriver à mes fins. On me promettait chaque jour la rencontre pour le lendemain, mais rien ne venait.

Ce complet fiasco eut cependant l'avantage de me faire connaître de l'intérieur la police indienne, sa bureaucratie, sa scrupuleuse religion du rapport. Je fus conviée un jour chez le susnommé chef de la police – je suppose qu'il voulait s'assurer que j'étais vraiment écrivain, car il semblait avoir les journalistes en horreur. C'était un homme froid et distant, mais extrêmement perspicace. Je pus détailler à loisir sa maison néocoloniale, son jardin, observer ses rapports avec sa femme, ses longues et étranges conversations téléphoniques. J'eus l'impression qu'il voulait sincèrement arranger mon affaire; mais, dans la hiérarchie politique ou policière, quelqu'un, semble-t-il, s'y opposa.

Entre deux démarches, je parcourais la ville de Gwalior. La publicité murale envahissait tout – d'immenses placards colorés figurant des robots ménagers, des machines à laver et surtout d'innombrables modèles de téléviseurs. Je croisais sur les trottoirs des renonçants en loques, le cheveu hirsute, la pupille hébétée. Je ne cessais de me demander si la télévision aurait un jour raison de leur quête hallucinée. Un immense fort dominait la ville. Ses falaises étaient creusées de grottes, elles-mêmes excavées d'énormes statues : des sages nus au visage lisse, dont j'enviais l'impassibilité ; mais je me rappelais aussi en les contemplant les mots soufflés par un physicien indien, juste avant mon départ de France : « Nous autres Indiens, nous avons bien été contraints d'inventer la non-violence, nous sommes le peuple le plus violent de la planète. » Le fort de Gwalior, parfait décor pour films en cinémascope – *Lanciers du Bengale* et autres *Tombeau hindou* –, illustrait cette sauvagerie native, avec ses couronnes de remparts, ses souterrains, ses rampes à éléphants et ses souvenirs de révoltes héroïques, proches de celle sur laquelle j'enquêtais : c'était là que des princesses radjpoutes s'étaient jetées dans un bûcher plutôt que de tomber aux mains des musulmans ; là encore que la Rani de Jhansi, lors de la révolte des Cipayes, avait chargé l'armée anglaise, sabre au clair, avant de périr sous les balles.

J'explorai plusieurs fois le bazar – on m'avait assuré que les bandits, venus de plusieurs dizaines de kilomètres, s'y fournissaient en armes. Du temps de ses raids dans les ravines, Phoolan Devi et Vikram s'y étaient rendus plusieurs fois. C'était un monstrueux dédale, un pandémonium d'arrière-cours, de boutiques, de gourbis, de tas d'immondices, un lacis de ruelles, de passages, d'impasses, de couloirs bourbeux.

Mais je n'osai m'aventurer du côté de la prison centrale, de peur que mon intérêt pour Phoolan Devi ne fût trop visible. Plus tard, j'appris par des journalistes que j'avais été bien inspirée : la police de la ville faisait systématiquement surveiller tous les étrangers qui s'intéressaient à cette affaire. Un haut fonctionnaire que je parvins à joindre au téléphone tenta de me décourager : « Les portes de la prison centrale ne s'ouvrent plus aux étrangers », me déclara-t-il tout net.

Je tins bon. Chaque jour, l'assistant du chef de la police,

gras et patelin, bardé de tampons encreurs et de paperasses diverses, me rendait visite à mon hôtel, m'assurait rituellement des quelques *Don't worry, no problem, everything is under control* qui sont en Inde la marque que les choses n'avancent pas et qu'il faut bien s'y résigner. De temps à autre, autour d'une tasse de thé, je parvenais à lui arracher quelques mots sur ma prisonnière – des révélations qu'il était peut-être en train d'improviser. Il prétendit avoir assisté à la reddition, m'assura que Phoolan Devi avait subi une hystérectomie. Il la définissait toujours du même mot, qu'il assortissait d'un énorme éclat de rire, alors qu'il était d'ordinaire si pondéré : «*A nonsense girl!*» (une cinglée). Le jour où je lui demandai s'il n'y avait pas une explication à sa foudroyante épopée, il invoqua la pauvreté : «Quand le diable sort des ravines, il s'attaque aux pauvres. C'est tombé sur elle, voilà tout.» Dès qu'il avait fini sa tasse de thé, il s'en allait, plus bonhomme que jamais, avec les mêmes promesses et litanies que la veille : *« Don't worry, madam, tomorrow everything will be OK, no problem, madam, everything is under control. »*

Au bout de dix jours, j'en eus assez (c'était sans doute ce qu'attendait le chef de la police) et je partis pour Bombay, où je m'enfermai dans les archives du *Times of India* pour dépouiller tous les articles parus en anglais sur Phoolan Devi.

Malgré l'étouffoir où je devais travailler – un caveau plutôt qu'un bureau, une longue pièce poussiéreuse éclairée d'une simple rampe à néon, dépourvue de la moindre fenêtre bien que les archives soient installées au sixième étage de l'immeuble –, je vécus dans ce réduit l'un des moments les plus exaltants de mon enquête : article après article, je revivais le lent mûrissement d'un mythe.

Au début, seuls des entrefilets signalaient les attaques de Phoolan Devi. Puis les titres évoquaient l'existence d'une nouvelle «Reine des bandits». Après avoir longtemps couvé, le fantasme explosait d'un seul coup ; et, une fois débridée, l'imagination ne s'arrêtait plus. Les titres rivalisaient d'hyperboles, d'images plus folles les unes que les autres : PHOOLAN DEVI, LE DÉMON INCARNÉ ; DE LA SUPER-FEMME À LA SUPER-PESTE ; LA PRINCESSE DES RAVINES ; LA CALAMITY JANE DE L'UTTAR PRADESH ; LA MAÎTRESSE DU MEURTRE. Les polémiques foisonnaient, les versions les plus contradictoires pullulaient, se recouvraient les unes les autres. Si bien que, deux ans après le massacre, en 1983, le destin de Devi n'était plus qu'un vaste palimpseste. Dans les grandes lignes, les récits de son odyssée étaient identiques ; mais ils ne cessaient plus de varier dans leur chronologie et leur détail, on n'y distinguait plus les informations des invectives, l'investigation honnête de la pure calomnie.

La plupart des articles avaient pour auteurs des gens des villes qui n'arrivaient pas à dissimuler leur fascination et leur répulsion conjointes pour le monde de jungles et de campagnes d'où était sortie Phoolan Devi. Généralement, c'étaient des hommes, ils voyaient presque tous en elle une nymphomane, mais ils parvenaient rarement à évoquer la raison qui l'avait poussée à attaquer les thakurs de Behmai : son viol, pendant vingt-trois jours, par la quasi-totalité des hommes du village.

Il m'apparut très vite que si la presse indienne, au moment de la reddition, avait multiplié les versions de son histoire, c'était sans doute pour ne pas avoir à évoquer l'insoutenable ; et cette amnésie n'était pas étrangère à la constitution du mythe. Un film, plus fantaisiste encore que le reste – on y voit notamment Phoolan Devi chantant et dansant au moment des attaques – avait définitivement fixé (au sens chimique du terme) sa légende de poussière et de sang. La prisonnière eut beau s'insurger contre ce tissu d'extravagances, intenter une action contre le producteur du film, elle n'y put rien : le mythe l'avait déjà engloutie. Elle perdit son procès.

D'année en année, les dossiers de presse se faisaient plus minces. Les articles se raréfiaient, les informations s'effilochaient. Plus d'entretiens, plus de photos. Sur les premiers clichés de Phoolan Devi en prison, du temps où l'on faisait queue pour la couvrir de cadeaux et la ceindre de guirlandes, on la découvrait espiègle, toujours habillée de son uniforme de bandit, copié sur celui des militaires. Plus tard, on s'apercevait qu'elle avait repris le sari ; et, à mesure que les mois passaient, son sourire s'éteignait. Un ultime cliché, pris en 1986, la montrait de profil, songeuse et tragique. L'espoir semblait l'avoir à jamais désertée.

À l'évidence, le silence était retombé autour de Phoolan Devi. Contrairement à ce que m'avait affirmé le haut fonctionnaire que j'avais joint à Gwalior, ce n'était pas seulement aux étrangers que la prison centrale était interdite, mais à tout le monde. La captive, sans que ce fût officiel, était tout bonnement au secret. Elle ne pouvait plus rencontrer que sa famille et son avocat. Elle demeurait très célèbre, mais son destin paraissait scellé. On ne jugerait jamais le onzième chef d'inculpation pour lequel elle était prévenue dans l'État de Madhya Pradesh – une accusation de port d'arme illégal. Elle ne serait pas extradée vers l'Uttar Pradesh : elle y risquait la pendaison, puisqu'on continuait là-bas de lui imputer les vingt-trois morts de Behmai ; retenue en Madhya Pradesh, où on lui garantissait la vie sauve, elle ne comparaîtrait jamais devant la justice des hommes – ce qui est la pire des condamnations : elle débouche tôt ou tard sur la folie.

Néanmoins, pour beaucoup d'Indiens, elle demeurait une déesse vivante et lointaine, présente et absente à la fois. Son exclusion de la vie sociale semblait même nécessaire à sa divinité. Ainsi, je découvris dans un article les propos déconcertants d'un jeune Indien cultivé qui professait pour elle une admiration sans bornes ; interrogé à son propos par un magazine américain, il se vit objecter par le journaliste qu'il y avait beaucoup de faux dans ce qu'il disait sur elle, comme en général dans les récits de son équipée auxquels se complaisaient la plupart de ses compatriotes. Loïn de se troubler, le jeune homme répondit superbement : « Je n'y crois pas nécessairement, mais je n'arrive pas à m'en défaire. »

Au sortir de mon réduit du *Times of India*, l'idée me vint alors que ce qu'on m'avait empêchée de rencontrer à Gwalior n'était pas une femme, ni même une déesse, mais un mythe vivant. Ce qui, bien entendu, ne fit qu'aiguiser mon désir d'y parvenir.

*
* *

Tout au long de mes enquêtes, j'interrogeai beaucoup d'Indiens. Ils ressemblaient tous au jeune homme que je viens d'évoquer : ils ne s'intéressaient jamais à ce qu'elle était devenue. On aurait cru, à les écouter, qu'elle était un colosse caché dans l'ombre et qui aurait continué d'émettre un rayonnement étrangement têtu.

*
* *

Un peu plus tard, à New Delhi, je rencontrai l'un des plus célèbres journalistes et écrivains indiens. Il avait joué un rôle non négligeable dans la constitution de ce mythe. Peu après le massacre de Behmai, il n'avait pas craint, à près de soixante-dix ans, de s'aventurer en jeep dans le village de Phoolan Devi. Il y avait rencontré sa jeune sœur, Ramkali, dont la fraîcheur l'avait beaucoup émoustillé ; un voisin lui avait alors juré que la Reine des Bandits lui ressemblait, « en beaucoup plus belle ». Il vit aussitôt en Phoolan Devi une bête de sexe. Il rencontra ensuite son premier amant, Kailash, qui le lui confirma. L'article qu'il publia au retour de cette équipée fit sensation ; il la décrivait comme un prodige de sensualité sauvage – à un moment où personne ne savait au juste qui elle était, où la police elle-même ignorait à quoi elle ressemblait. La réalité, il s'en aperçut au moment de la reddition, était infiniment plus complexe. Quand je le lui rappelai, il eut un sourire amusé. Puis il me lança gentiment : « Une fille qui a tué des mecs, c'est forcément un bon coup. »

C'est lui qui m'apprit que cette histoire était avant tout une histoire de fleuve. « De là-haut, on voit les eaux, la courbe du fleuve au pied des falaises. Le paysage est sublime. Le village est infesté de cobras, mais les habitants s'en moquent, ils vaquent à leurs occupations, insouciants. Tout est simple, même la violence. Les enfants mallahs sont obligés de traverser le fleuve pour aller faire paître leurs bêtes, et les enfants thakurs leur jettent des quolibets. C'est ainsi que naît la haine. »

*

* *

J'ai tenté de me rendre dans ce village en avril 1990. Faute de jeep et d'escorte, j'ai dû y renoncer ; plus tard, quand j'ai obtenu l'assistance d'un des aides de camp du maharadjah de Gwalior, celui-ci, au dernier moment, a refusé de m'y conduire, sous prétexte que le terrain était trop accidenté. Je n'ai pu l'observer que de loin, à la jumelle, du haut d'un curieux minaret, à l'angle d'un des temples les plus bizarres que j'aie jamais visités en Inde, celui de Kalpi.

L'endroit n'est jamais qu'une grosse bourgade située en retrait des ravines, mais son temple est extrêmement singulier : il se dresse au milieu d'une immense esplanade, à la droite d'un palais ancien surchargé, tel un palazzo sicilien, de terrasses et de statues mangées de lichens gris. L'entrée du temple est délimitée par deux énormes cobras annelés, dressés face à face. Après chaque mousson, on repeint leur pierre de noir et de blanc avec le plus grand soin, on incline un trident d'acier; chaque pointe va toucher l'extrémité de trois lignes blanches dessinant elles aussi un trident derrière la tête des serpents. Les anneaux noirs sont soutenus par de petits pilastres qui semblent plus anciens, si bien qu'à midi (c'est l'heure où j'arrivai) l'ombre portée des anneaux sur la cour du sanctuaire figure elle aussi des tridents.

La place, l'esplanade, le sanctuaire, tout était singulièrement désert. À chaque pas, ce que je découvrais paraissait de plus en plus insensé : de gigantesques statues flanquaient l'autre côté du terre-plein, des guerriers et des dieux-rois peints de noir, aux yeux exorbités recouverts d'ocre pâle. Les uns brandissaient un sabre, les autres étaient allongés, abandonnés à une léthargie voisine de l'extase; leurs jambes s'étiraient sur plusieurs mètres. Ailleurs, des gnomes à deux faces, l'une gaie et moustachue, l'autre cadavérique, formaient un parapet de leurs membres entrecroisés. Le dernier d'entre eux léchait d'une langue avide la queue d'un des deux cobras.

En de tels instants, rien n'existe plus que la fascination d'une folie visuelle. Je m'aperçus brusquement que la place était vide, alors que j'étais en plein bourg – rien pourtant n'est jamais vide en Inde, on s'y retrouve rarement seul. Et je me suis souvenue aussi que, depuis le matin, j'avais eu toutes les peines du monde à me faire conduire à Kalpi.

Toutes les recherches que je fis ensuite pour identifier ce temple se soldèrent par un échec. Bien que certaines de ses constructions, dont un pavillon de marbre et le minaret moghol, à présent recouvert de scènes du Ramayana, soient à l'évidence très anciennes, l'édifice est absent de tous les répertoires archéologiques. À plusieurs reprises, des érudits de la région ont même nié son existence; et quand je voulus m'y rendre une seconde fois, on refusa de m'y emmener. Je réussis tout juste à apprendre que le culte du serpent était très vivace dans la région. Le pays, me dit-on, avait été jadis le royaume des Nagas, les légendaires Rois-Serpents renversés par l'arrivée des envahisseurs venus du Nord. Les jungles étaient pleines de souvenirs de ce temps-là ; la puissante magie de leurs vieux sorciers s'était mêlée aux cultes hindouistes. Que s'y passait-il exactement ? Personne ne voulut m'en parler. On me confia qu'on venait parfois de régions très éloignées pour s'y faire bénir ; et qu'Indira Gandhi, très portée sur les choses occultes, s'y était rendue plusieurs fois. On conclut : « Il paraît que l'initiation est très rude. »

Peut-être a-t-on affabulé. Mais, en écrivant *Devi*, j'ai revu souvent ce quadrilatère de folie où semblaient s'être concentrées toutes les forces obscures de la plus ancienne Inde.

*
* *

Trois jours plus tard, le 8 avril 1990, j'ai rencontré Phoolan Devi. Pour des raisons qui me demeurent encore mystérieuses – mon insistance, peut-être, mon retour obstiné à Gwalior ? –, le haut fonctionnaire que j'avais joint au téléphone six mois plus tôt avait changé d'avis. Il me donna rendez-vous à midi, dans sa belle villa coloniale, à la sortie de la ville. Lorsque j'arrivai, je le croisai au volant de sa voiture : « Je reviens dans cinq minutes », lâcha-t-il d'un ton préoccupé. Une heure plus tard, il n'était toujours pas là.

Je crus avoir été prise une fois encore à la comédie préférée des Indiens, à leur jeu de promettre toujours plus qu'ils ne peuvent tenir, rien que pour se persuader eux-mêmes de l'étendue de leur puissance. Mais mon haut fonctionnaire finit par revenir. Tout se mit alors à ressembler à une conspiration. Il s'assit en face de moi, prit un air mystérieux qui me combla d'aise, me fit jurer de ne jamais prononcer son nom. Il m'accompagnerait à la prison, m'annonça-t-il, me présenterait comme son hôte, une amie étrangère animée d'un mouvement de curiosité envers une célébrité locale. Je visiterais la prison, je pourrais interroger la gardienne de Phoolan Devi, qui transmettrait mes questions – pas plus de deux ou trois – à la prisonnière. Un interprète me traduirait ses réponses. Je pourrais aussi, si je le souhaitais, l'observer quelques instants à travers le judas de sa cellule - ou par une fenêtre, je ne saisis pas très bien le terme qu'il employa. Je ne prendrais aucune note, aucune photo, je n'enregistrerais rien.

J'ai juré tout ce qu'il a voulu. Il a disparu à nouveau – il avait une visite, des Sikhs, quémandeurs ou invités, c'était impossible à trancher. Il a reparu dix minutes plus tard, l'air affairé. « OK, se contenta-t-il de jeter, vous allez la rencontrer. » Pragmatique, j'ai aussitôt rétorqué : « Quand ? » À ma grande stupeur, il m'a répliqué : « Maintenant » et m'a désigné sa voiture, dans la cour, où il m'a invitée à monter.

La prison de Gwalior se situait à un quart d'heure de là, à la périphérie de la ville, au pied de l'éperon rocheux où se dresse le fort. Elle était signalée par un panneau sans équivoque : « *Central Jail* ». Une grande porte jaune d'inspiration moghole, un judas, des murs assez peu élevés, de couleur brique et ourlés d'une petite bande blanche : un ensemble fort propret, assez étonnant dans une ville indienne. Je m'attendais à subir des formalités interminables, une fouille, des montagnes de paperasses à remplir et à faire tamponner des dizaines de fois. Aussi ne fus-je guère surprise quand on me fit signe d'entrer dans un bâtiment situé à gauche de l'entrée de la prison, un vaste bureau où semblait m'attendre, calé dans son fauteuil, un nouveau fonctionnaire, sans doute le directeur.

Une dizaine de chaises avaient été égaillées devant le bureau. L'homme m'en désigna une. Je m'y assis, prête à toutes les petitesses, aux dernières patiences. D'autres hommes entrèrent. Ils portaient des uniformes, on aurait dit des militaires. Nous avons échangé des saluts à l'indienne, les mains jointes devant la bouche, puis un homme m'a soufflé : « La voilà. » Je me suis retournée aussitôt vers la porte.

À contre-jour, j'ai distingué une femme de taille moyenne qui s'avançait dans le grand soleil. Elle avait le dos très droit, la démarche tranquille. Elle est entrée en souriant. Je l'ai reconnue à son regard : des yeux de fauve, effilés, très brillants, remplis d'une joie primitive - peut-être le plaisir d'échapper un moment à la routine de la prison. Elle avait le front lisse et sans tourment.

Ses yeux voyaient tout ; ils sont allés aussitôt au fond des miens. Que lui avait-on dit, avant ma visite ? En tout cas, elle s'est dirigée droit vers moi, a balbutié des mots en hindi, a joint les mains, puis s'est penchée vers la terre et m'a baisé les pieds – on aurait dit un effleurement d'oiseau, ou de museau de chat. Déjà elle s'inclinait devant Maren Sell, qui m'assistait dans cette insolite équipée, puis devant la dizaine d'hommes réunis dans le bureau.

Déjà aussi elle était revenue à sa place ; et si je parle de sa place, c'est qu'il m'a semblé d'emblée qu'elle avait une place assignée, un endroit qu'elle s'était choisi ou qu'elle avait pris l'habitude d'occuper chaque fois qu'elle se retrouvait devant des juges ou des policiers : à bonne distance du bureau derrière lequel était installé le directeur de la prison.

Je suis sûre que le bureau n'était pas un parloir. Cette mise en scène devait obéir à une fiction juridique. Il était interdit à qui que ce fût, hormis sa famille et son avocat, de rencontrer Phoolan Devi en prison. Le règlement continuait d'être respecté, puisque nous nous trouvions hors les murs de la prison…

Mais Phoolan Devi elle-même ne resemblait en rien

à une prisonnière. Si elle n'avait pas été aussi propre, aussi nette, j'aurais cru à une paysanne de retour des champs. Cependant, contrairement aux paysannes, elle n'avait rien dans les mains, pas d'outil, pas de panier, de pots, d'enfants. J'étais obnubilée par ses mains vides et nues ; je n'arrivais pas à imaginer qu'elles avaient tenu si longtemps un fusil mitrailleur ; qu'elles avaient pu tuer.

Je la détaille un peu plus longuement. Elle a des traits d'Asiatique des montagnes, un peu mongols. Sa chevelure est aussi de type chinois, plus raide, plus maigre que celle de la plupart des Indiennes. Elle l'a rassemblée en une tresse fermée d'un ruban rose vif, assorti aux barrettes qui retiennent quelques mèches folles, derrière ses oreilles. Sa bouche est charnue, très légèrement prognathe. Elle porte un sari de femme pauvre, en polyester à ramages violine. Son corsage est vert, et ses bracelets de plastique marient les deux couleurs. Entre les bracelets, elle a glissé une fine montre de métal. Une étoile est incrustée dans l'une des ses narines. Sous son sari, je remarque aussi une ficelle un peu sale à laquelle pend ce qui ressemble à une amulette. Phoolan Devi a grossi depuis son arrestation, mais rien n'est mou ni affaissé en elle. Elle se tient très droite, avec une très solide assise sur le sol – un maintien de reine. On a l'impression qu'elle sent sous ses pieds toutes les forces qui travaillent la terre, et qu'elle s'emploie à les faire monter en elle, lentement mais sûrement, au long de son dos, jusqu'à sa nuque, sa tête qu'elle redresse. À l'évidence, c'est une grande instinctive ; mais elle n'a rien du démon éructant ni de la « *nonsense girl* » que s'était plu à me décrire l'assistant du chef de la police quelques mois plus tôt.

« Il faut des questions simples », intervient alors un des fonctionnaires.

Je les avais préparées depuis des mois. J'ai commencé aussitôt. Rien qu'à ses réponses, j'ai su qu'elle était, comme je l'avais pressenti à la lecture de ses propos, une femme des débuts du monde, qui savait tout de la vie de la nature, qui avait vécu des années aux aguets. Quand je lui demande quelle est sa divinité préférée, je ne suis pas étonnée d'apprendre qu'elle nourrit une prédilection pour Kali. Elle la nomme tout simplement « la déesse de la Forêt ».

Ce jour-là, Phoolan Devi était radieuse, elle semblait se sentir en sécurité. C'est en tout cas la première chose qu'elle tient à me dire : « Ici, j'ai un toit. » Je me rappelle alors le cri qui déchirait ses nuits dans les ravines, d'après ses amis bandits, quand elle se réveillait en sursaut, toujours poursuivie par le même cauchemar : « Je n'ai pas de toit, je n'ai pas de toit ! »

Tandis qu'on lui traduit mes questions, elle garde les mains croisées derrière le dos, telle une écolière, sauf quand ce que je lui demande réveille en elle la passion. Alors elle se met à invoquer : elle ouvre les paumes, les tend vers le ciel, vers je ne sais quelle déesse ou quel dieu, puis les ramène sur sa poitrine – on dirait qu'elle veut tirer à elle la vérité, qu'elle veut forcer les mots à lui donner raison, comme si c'était le seul bien qu'elle puisse arracher aux hommes puissants qui l'écoutent. Elle n'a pas peur d'eux, elle parle haut et fort, mais sa voix est parfaitement placée, elle ne crie pas, ne cherche qu'à se faire entendre. Elle vient du fond de sa poitrine, soulève son sari, gonfle son cou. Elle évoque pour moi l'*anima* des Latins : le souffle vital, la parcelle du feu divin donnée à l'homme avec la vie. Mais Phoolan Devi brûle d'un feu plus intense que tous les autres êtres présents dans la pièce, ce feu passe d'abord par l'énergie de son maintien, cette force qui semble remonter en elle depuis la terre.

Elle se trouve pourtant face aux personnages les plus puissants de toute la région. Cela ne l'empêche pas, encore une fois, de réclamer justice. « On ne m'a pas rendu justice, on n'a pas tenu les promesses qu'on m'avait faites » (une phrase, soit dit en passant, que le haut fonctionnaire qui m'a introduite ici me suppliera ensuite d'oublier). Je lui objecte : « Mais que se passerait-il si on vous libérait ? » La réponse fuse sur-le-champ : « Si je sors, mes ennemis me tuent. Si je reste, je meurs à petit feu. » Quelques mois plus tard, les événements commencèrent à lui donner raison : son frère, qui vivait à Gwalior, fut molesté par les thakurs, et l'une de ses sœurs arrosée de kérosène en pleine rue par un inconnu qui y mit le feu. Elle mourut, brûlée vive.

Phoolan Devi pressent de nouveaux drames, mais continue de garder la tête haute. Il n'y a en elle ni obstination ni amertume. Elle affronte sereinement le tragique de son destin. Elle a maintenant l'apparence d'une femme épanouie. Si elle n'a plus la virulence de l'adolescente au bandeau rouge qui terrorisait les ravines, sa force de révolte demeure intacte. À cet instant, je revois Antigone face au chœur. Personne n'ose l'interrompre. Mais on sent aussi qu'elle a été un chef, qu'elle a mené des hommes, et qu'elle a connu la peur. Malgré sa sérénité de façade, elle est aux aguets : à l'instant même où le directeur de la prison fait signe à un planton de nous servir du thé, elle se raidit, ses yeux s'obscurcissent, quelque chose d'animal s'y réveille - la terreur, la colère, c'est indémêlable.

Mais elle poursuit ce qu'elle a à dire. Elle parle comme les femmes des commencements, celles des grands et vieux livres, la Bible, le Mahabharata. « Ici, reprend-elle, j'échappe aux vengeances qui suivent les vengeances. Et pourtant la loi ne fait rien pour moi. Celui qui est né chez les pauvres n'a qu'une pauvre vie. Un jour ou l'autre, il lui arrive des histoires. » Je lui demande quelle leçon elle a tiré de ce qu'elle a vécu. Elle déplie à nouveau ses paumes, les contemple un moment, puis laisse tomber : « Les dieux devraient s'arranger pour que les filles ne naissent pas dans des familles pauvres. »

J'essaie de comprendre ce qu'elle a voulu dire. Je repense alors à son mariage, cette vente à un inconnu, à onze ans, contre un lit, une bicyclette et une génisse.

Mais elle s'avise brutalement que moi qui la questionne dans une langue dont elle ignore tout, je suis assise en retrait. Elle remarque un fauteuil, tout près d'elle. Elle me tend la main, me fait signe de m'y installer. Entre nous deux, quelque chose vient de se passer : désormais, c'est elle, la prisonnière, qui me reçoit, et non ses geôliers.

Je tente une dernière question : « Pensez-vous souvent au passé ? » Je n'ose être plus précise, prononcer le nom de Vikram, parler de ses viols, du massacre. Elle devient subitement très grave. Elle recroise ses mains derrière le dos, en écolière soumise, elle baisse brusquement la tête, me fixe par en dessous – un œil de bête blessée. Jamais je n'ai vu tant de tristesse sur un visage, ni surtout tant de subit désarroi. Tous ses traits s'affaissent d'un coup. Puis elle lâche, au bout d'un très long silence : « J'y pense tous les jours. » Et elle ajoute quelque chose qu'elle ne pense pas, j'en ai l'intuition, car son regard s'enfuit maintenant vers le sol : « Et je me repens, je veux m'amender. »

Ce n'est pas de l'amertume, c'est de la douleur à l'état pur. Un peu plus tard, quand Maren Sell lui tend un cliché d'elle pris le jour de sa reddition, elle repousse la photo et se détourne, défigurée d'angoisse.

Vient le moment de la séparation. Le rituel de l'hospitalité exige un échange de cadeaux. Elle prend les devants : « Que m'avez-vous apporté ? » À tout hasard, j'ai prévu de lui offrir du parfum. Je lui tends le flacon, je l'ouvre, le lui fais respirer, je mime le geste de la frotter à la jointure des poignets et derrière les oreilles. Elle me prend la main, verse un peu de parfum sur mon poignet, puis sur le sien. Maren lui tend sa montre, une grosse Swatch noire. Phoolan Devi semble ravie, l'enfile à son bras et passe au poignet de Maren sa propre montre, une Citizen à quartz *made in Japan*, avec une trotteuse et deux faux brillants incrustés dans le cadran. Le fermoir est compliqué, l'opération prend un petit moment. Quand elle est terminée, les deux femmes contemplent leurs poignets avec satisfaction. Nous partons toutes trois d'un grand rire, nous nous rapprochons encore – un cercle de femmes où s'échangent, rien qu'en gestes, regards, sourires, des petits secrets qui n'appartiennent qu'à elles. Cercle magique ; aucun des hommes présents n'ose le briser.

C'est Phoolan Devi, la première, qui rompt le charme. Elle se retourne vers moi : « Donnez-moi votre adresse. Quand je serai libre, je viendrai vous voir. » Elle rêve tout haut, elle le sait, mais il faut qu'elle les dise, ces mots ; j'ai d'ailleurs l'impression qu'ils ne me sont pas destinés, mais aux hommes qui l'entourent. Je lui tends une carte. Elle la contemple d'un air songeur. Un gardien s'approche. Il faut partir. Elle me baise à nouveau les pieds, petit museau de chat, elle s'incline sans jamais plier, elle est déjà debout, joint les mains, se détourne vers la porte. La lumière d'avril est violente, généreuse. Phoolan Devi regagne sa prison, aussi droite qu'elle était venue.

*

* *

Chaque fois que je pense à l'Inde, à présent, c'est elle que je revois, ses yeux de fauve, son dos dans le soleil, tout raidi de superbe. Même dans la détresse, la souveraineté.

Remerciements

Sans André Lewin et Catherine Clément, sans leur assistance constante et leur tendre vigilance, je n'aurais pas pu mener mes enquêtes en Inde comme je le rêvais. Ce livre leur est dédié, ainsi qu'à mon mari, qui me soutint si fermement pendant mes voyages sur place et tout le temps de ma longue écriture. À Paris, Marie Fourcade, assistante de recherche à l'École des Hautes Études en Sciences sociales, répondit inlassablement à mes questions les plus disparates. Nos échanges intellectuels se sont, au fil des mois, transformés en une profonde amitié. *Devi* lui appartient aussi. Merci également à l'écrivain indien Kushwant Singh qui, malgré ses responsabilités politiques et les menaces de l'heure, me reçut avec chaleur et accepta de répondre à toutes mes questions sur le mythe de Phoolan Devi.

Ma reconnaissance va enfin à tous ceux qui, en Inde et en France, m'offrirent leur appui.

I. F.

Table

DU MÊME AUTEUR

Quand les Bretons peuplaient les mers, 1979, Fayard.
Les Contes du cheval bleu les jours de grand vent, 1980, Le Livre de Poche Jeunesse.
Le Nabab, 1982, Lattès, Prix des Maisons de la Presse.
Modern Style, 1984, Lattès.
Désirs, 1986, Lattès.
Secret de famille, 1989, Lattès.
Histoire de Lou, 1990, Régine Deforges.
La Guirlande de Julie, 1991, Robert Laffont.

Le Livre de Poche Biblio

Extrait du catalogue

Sherwood ANDERSON
Pauvre Blanc
Guillaume APOLLINAIRE
L'Hérésiarque et Cie
Miguel Angel ASTURIAS
Le Pape vert
Djuna BARNES
La Passion
Andrei BIELY
La Colombe d'argent
Adolfo BIOY CASARES
Journal de la guerre au cochon
Karen BLIXEN
Sept contes gothiques
Mikhail BOULGAKOV
La Garde blanche
Le Maître et Marguerite
J'ai tué
Les Œufs fatidiques
Ivan BOUNINE
Les Allées sombres
André BRETON
Anthologie de l'humour noir
Arcane 17
Erskine CALDWELL
Les Braves Gens du Tennessee
Italo CALVINO
Le Vicomte pourfendu
Elias CANETTI
Histoire d'une jeunesse (1905-1921) - *La langue sauvée*
Histoire d'une vie (1921-1931) - *Le flambeau dans l'oreille*
Histoire d'une vie (1931-1937) - *Jeux de regard*
Les Voix de Marrakech
Raymond CARVER
Les Vitamines du bonheur
Parlez-moi d'amour
Tais-toi, je t'en prie
Camillo José CELA
Le Joli Crime du carabinier
Blaise CENDRARS
Rhum
Varlam CHALAMOV
La Nuit
Quai de l'enfer
Jacques CHARDONNE
Les Destinées sentimentales
L'Amour c'est beaucoup plus que l'amour
Jerome CHARYN
Frog
Bruce CHATWIN
Le Chant des pistes
Hugo CLAUS
Honte
Carlo COCCIOLI
Le Ciel et la Terre
Le Caillou blanc
Jean COCTEAU
La Difficulté d'être
Clair-obscur
Cyril CONNOLLY
Le Tombeau de Palinure
Ce qu'il faut faire pour ne plus être écrivain
Joseph CONRAD
Sextuor
Joseph CONRAD et Ford MADOX FORD
L'Aventure
René CREVEL
La Mort difficile
Mon corps et moi
Alfred DÖBLIN
Le Tigre bleu
L'Empoisonnement
Lawrence DURRELL
Cefalù
Vénus et la mer
L'Ile de Prospero
Citrons acides
La Papesse Jeanne
Friedrich DÜRRENMATT
La Panne
La Visite de la vieille dame
La Mission
J.G. FARRELL
Le Siège de Krishnapur
Paula FOX
Pauvre Georges !
Personnages désespérés
Jean GIONO
Mort d'un personnage
Le Serpent d'étoiles
Triomphe de la vie
Les Vraies Richesses
Jean GIRAUDOUX
Combat avec l'ange
Choix des élues
Les Aventures de Jérôme Bardini

Vassili GROSSMAN
Tout passe
Knut HAMSUN
La Faim
Esclaves de l'amour
Mystères
Victoria
Hermann HESSE
Rosshalde
L'Enfance d'un magicien
Le Dernier Été de Klingsor
Peter Camenzind
Le Poète chinois
Souvenirs d'un Européen
Le Voyage d'Orient
La Conversion de Casanova
Les Frères du soleil
Bohumil HRABAL
Moi qui ai servi le roi d'Angleterre
Les Palabreurs
Tendre Barbare
Yasushi INOUÉ
Le Fusil de chasse
Le Faussaire
Henry JAMES
Roderick Hudson
La Coupe d'or
Le Tour d'écrou
Ernst JÜNGER
Orages d'acier
Jardins et routes
(Journal I, 1939-1940)
Premier journal parisien
(Journal II, 1941-1943)
Second journal parisien
(Journal III, 1943-1945)
La Cabane dans la vigne
(Journal IV, 1945-1948)
Héliopolis
Abeilles de verre
Ismail KADARÉ
Avril brisé
Qui a ramené Doruntine ?
Le Général de l'armée morte
Invitation à un concert officiel
La Niche de la honte
L'Année noire
Le Palais des rêves
Franz KAFKA
Journal
Yasunari KAWABATA
Les Belles Endormies
Pays de neige
La Danseuse d'Izu
Le Lac
Kyôto
Le Grondement de la montagne
Le Maître ou le tournoi de go
Chronique d'Asakusa
Les Servantes d'auberge
Abé KÔBÔ
La Femme des sables
Le Plan déchiqueté
Andrzeij KUSNIEWICZ
L'État d'apesanteur
Pär LAGERKVIST
Barabbas
LAO SHE
Le Pousse-pousse
Un fils tombé du ciel
D.H. LAWRENCE
Le Serpent à plumes
Primo LEVI
Lilith
Le Fabricant de miroirs
Sinclair LEWIS
Babbitt
LUXUN
Histoire d'AQ : Véridique biographie
Carson McCULLERS
Le cœur est un chasseur solitaire
Reflets dans un œil d'or
La Balade du café triste
L'Horloge sans aiguilles
Frankie Addams
Le Cœur hypothéqué
Naguib MAHFOUZ
Impasse des deux palais
Le Palais du désir
Le Jardin du passé
Thomas MANN
Le Docteur Faustus
Les Buddenbrook
Katherine MANSFIELD
La Journée de Mr. Reginald Peacock
Somerset MAUGHAM
Mrs Craddock
Henry MILLER
Un diable au paradis
Le Colosse de Maroussi
Max et les phagocytes
Paul MORAND
La Route des Indes
Bains de mer
East India and Company
Vladimir NABOKOV
Ada ou l'ardeur
Anaïs NIN
Journal 1 - *1931-1934*
Journal 2 - *1934-1939*
Journal 3 - *1939-1944*
Journal 4 - *1944-1947*

Joyce Carol OATES
Le Pays des merveilles
Edna O'BRIEN
Un cœur fanatique
Une rose dans le cœur
Les Victimes de la paix
PA KIN
Famille
Mervyn PEAKE
Titus d'Enfer
Leo PERUTZ
La Neige de saint Pierre
La Troisième Balle
La Nuit sous le pont de pierre
Turlupin
Le Maître du jugement dernier
Où roules-tu, petite pomme ?
Luigi PIRANDELLO
La Dernière Séquence
Feu Mathias Pascal
Ezra POUND
Les Cantos
Augusto ROA BASTOS
Moi, le Suprême
Joseph ROTH
Le Poids de la grâce
Raymond ROUSSEL
Impressions d'Afrique
Salman RUSHDIE
Les Enfants de minuit
Arthur SCHNITZLER
Vienne au crépuscule
Une jeunesse viennoise
Le Lieutenant Gustel
Thérèse
Les Dernières Cartes
Mademoiselle Else
Leonardo SCIASCIA
Œil de chèvre
La Sorcière et le Capitaine
Monsieur le Député
Petites Chroniques
Le Chevalier et la Mort
Portes ouvertes
Isaac Bashevis SINGER
Shosha
Le Domaine
André SINIAVSKI
Bonne nuit !
Muriel SPARK
Le Banquet
George STEINER
Le Transport de A. H.
Andrzej SZCZYPIORSKI
La Jolie Madame Seidenman
Milos TSERNIANSKI
Migrations
Tarjei VESAAS
Le Germe
Alexandre VIALATTE
La Dame du Job
La Maison du joueur de flûte
Ernst WEISS
L'Aristocrate
Franz WERFEL
Le Passé ressuscité
Une écriture bleu pâle
Thornton WILDER
Le Pont du roi Saint-Louis
Mr. North
Virginia WOOLF
Orlando
Les Vagues
Mrs. Dalloway
La Promenade au phare
La Chambre de Jacob
Entre les actes
Flush
Instants de vie

Cet ouvrage a été composé dans les ateliers
d'INFOPRINT à l'île Maurice

IMPRIMÉ EN FRANCE PAR BRODARD ET TAUPIN
Usine de La Flèche (Sarthe).
LIBRAIRIE GÉNÉRALE FRANÇAISE - 6, rue Pierre-Sarrazin - 75006 Paris.
ISBN : 2 - 253 - 13607 - 7

31/3607/4